ENCYCLOPÉDIE CAPRICIEUSE
DU TOUT ET DU RIEN

Pour Bob Silvers

do you also think there is
poetry in lists?

Amitié

Charles Dantzig

CHARLES DANTZIG

ENCYCLOPÉDIE CAPRICIEUSE
DU TOUT ET DU RIEN

BERNARD GRASSET
PARIS

IL A ÉTÉ TIRÉ DE CET OUVRAGE
VINGT EXEMPLAIRES
SUR VERGÉ RIVES IVOIRE CLAIR
DES PAPETERIES ARJO WIGGINS
DONT QUINZE EXEMPLAIRES DE VENTE
NUMÉROTÉS DE 1 À 15
ET CINQ HORS COMMERCE
NUMÉROTÉS DE H.C. I À H.C. V
CONSTITUANT L'ÉDITION ORIGINALE.

ISBN 978-2-246-74371-2
ISBN luxe 978-2-246-74370-5

CAPRICE : n. m. Œuvre d'art s'écartant des règles ordinaires.

Le Grand Robert de la langue française

Les listes

LISTE D'ÉLIEN, DE LI YI-CHAN ET DE SEI SHÔNAGON, MES DÉDICATAIRES

La liste est la forme d'écrit la plus naturelle à l'homme : enfant, il envoie une liste au Père Noël ; adulte, il fait des listes de courses, de comptes, de maîtresses ou d'amants. Tout le monde dresse des listes. On peut les en juger banales. Ou bien la forme la plus rudimentaire de littérature. Et le rudiment, comme l'ont montré les peintres, il suffit de le raffiner. De Lascaux faisons Picasso.

Je ne parle pas des listes de statistiques. Dans un *New Yorker* d'avril 2008, je lisais que 4,2 millions de trajets d'ascenseur sont effectués chaque jour dans New York. Cela ne me dit pas grand-chose de plus que : à New York, on utilise beaucoup les ascenseurs. La statistique ne prouve rien. C'est pour cela que les romans existent. Les romans sont la révélation d'une tendance au moyen d'un cas unique. Les statisticiens en sanglotent (taux de salinité d'une larme : 1‰). Comprendre ? Oh ! sans doute on ne comprend jamais rien. Seuls les fous croient avoir compris.

D'où les listes, ces effleurements orientés. Une liste intelligente est une catégorie. On peut reprendre les catégories des autres, pour se rassurer, mais le monde n'est pas si domestiqué. Il me semble plus intéressant de créer ses propres listes en fonction de sa sensibilité. C'est ainsi que les listes peuvent devenir une forme de littérature.

Une liste me paraît intéressante dans la mesure où elle est incomplète et ne donne pas de raisons. Le lecteur remplit et conclut lui-même, si besoin. Plus le temps passe, plus je m'éloigne du

11

conclure. Conclure, c'est trancher. Et qui va repasser où est tombée une hache ? Dans le vague, dans un courant d'air, dans un tremblement de soleil, on peut capter une poussière rêveuse qui nous mènera où nous n'aurions jamais pensé aller. Une liste serait-elle une boîte à papillons vivants ?

Une autre qualité des listes est qu'elles sont pleines de trous (si l'on peut dire). Mieux, elles sont faites de trous. Chacun les comble. Le lecteur de listes est le plus écrivain de tous les lecteurs. La majorité de la littérature antique nous est parvenue trouée, et elle est passionnante pour cela aussi. Que le premier roman occidental, du Ier siècle de notre ère, le *Satiricon*, soit percé de trous et néanmoins très compréhensible (et l'un des premiers romans d'adulte que j'ai lu), m'a sans doute marqué au point de vouloir écrire un de mes romans comme s'il avait été retrouvé dans cent ans et incomplet. J'y pense, il comprend des listes : « C'était l'année où... » En quelques mots, j'essayais de définir l'esprit de différentes périodes. Il y avait aussi une liste dans mon premier livre de poèmes. Au fond, j'en ai toujours écrit, comme tout le monde. La liste serait-elle le livre de tout le monde ?

Les listes éveillent notre imagination. (Frottement ; électricité.) Dans *Le Père Goriot*, Balzac établit une liste de noms dont voici le début :

> [...] les Maulincourt, les Ronquerolles, les Maxime de Trailles, les de Marsay, les Ajuda-Pinto, les Vandenesse, qui étaient là dans la gloire de leur fatuité et mêlés aux femmes les plus élégantes, lady Brandin, la duchesse de Langeais, la comtesse de Kergarouët, madame de Sérisy, la duchesse de Carigliano, la comtesse Ferraud, madame de Lanty, la marquise d'Aiglemont, madame Firmiani, la marquise de Listomère et la marquise d'Espard, la duchesse de Maufrigneuse et les Grandlieu [...]

Cela en dit autant aux gens qui ne l'ont pas lu que si je débitais les noms de mon cousin Frankie et de tantine Chapeau ? Eh ! C'est déjà quelque chose, ce simple prénom de Frankie ; il dit son ascendance anglaise ; et « tantine Chapeau », le genre de famille où on continuait à en porter et qui inventait ce genre de surnom. Pour ceux qui ont lu Balzac, sa liste met en branle des fantômes, des situations et des passions : du rêve encore, tellement mieux que la vie !

Comment savoir qui le premier a écrit des listes littéraires, quand il ne nous reste que 800 auteurs pour 1 000 ans de littérature grecque et latine et seuls des livres religieux pour les temps antérieurs ? Élien, peut-être ? Son *Histoire variée* m'enchante. C'est un Romain qui écrit en grec. Des snobs, ces Romains. Vous vous rappelez que César est mort en disant « Toi aussi, mon fils » dans cette langue. Toute l'élite romaine parlait grec, ce qui ne l'empêchait pas de diriger le monde. Les langues ne sont du pouvoir que pour les naïfs. Élien, si j'ai bien noté, est de vers 170 - vers 240 de notre ère. Ça doit le faire naître dans une période plus ou moins convenable et mourir dans des temps pourrissants, à moins que… Enfin ! L'intéressant, c'est qu'Élien, c'est Voltaire. L'*Histoire variée* est une suite d'anecdotes, de réflexions, de moqueries, de bons mots :

> Socrate, au plus profond de sa vieillesse, tombé malade, répondit à quelqu'un qui lui demandait comment il allait : « Bien dans un cas comme dans l'autre. Si je vis, il y aura plus de gens qui m'écoutent, si je meurs, plus de gens qui me louent. »

Méprisant la banalité (« Quant au goût du luxe des femmes attiques, qu'Aristophane le décrive »), les inutilités (« Les Rhodiens traitent celui qui préfère la viande de rustaud et de goinfre. Je ne m'abaisserai pas à examiner qui a raison et qui a tort ») et la superstition (« Alexandre, le fils de Philippe (le fils de Zeus, si l'on veut, peu importe)… »), il se moque du pouvoir :

> Je ne saurais me retenir de rire d'Alexandre, fils de Philippe, s'il est vrai que lorsqu'il entendit que, selon les écrits de Démocrite, il existe des mondes innombrables, il se chagrina de ne régir qu'une partie de notre monde.

Il emploie l'expression des écrivains honnêtes, ceux qui ne tiennent pas pour authentique ce qu'ils n'ont pas vérifié, « s'il est vrai ». Voltaire, vous dis-je. Mais voilà, il est possible, il semble que l'*Histoire variée* soit un ouvrage inachevé ou abrégé par un compilateur. De plus, et cela lui donne peut-être un charme supplémentaire (comme aux *Carnets* de Voltaire), c'est un vrac. Un esprit picore. Comment ?… Pas de listes ?… Ah oui, c'est vrai ! Je voulais simplement vous parler de lui.

Les listes en littérature se trouveraient pour la première fois chez Li Yi-chan (813-858, me dit le Bottin). Ses *Notes* sont pleines d'un humour hautain lorsqu'il se remémore la beauté du savoir. « Qu'un lettré connaisse un art manuel, il s'avilit. » La Chine ancienne ! Son inventivité vient de ce qu'il les range selon des catégories personnelles. Il imagine une liste de « Ceux qui ne reviennent sûrement pas », parmi lesquels on trouve « la chanteuse appelée par un étudiant pauvre ». Ce Chinois du IXe siècle avait de l'humour. Signe d'une civilisation avancée : de notre côté du globe, nous en étions à Charlemagne, occupé à sortir l'Europe de la brutalité des tristes siècles qui l'avaient précédé. Et quand on organise, on n'a pas le temps d'avoir de l'humour ; voyez Napoléon. A-t-on donné meilleur exemple de « choses agaçantes » que : « Un vent favorable, avec une voile déchirée » ? Ce Chinois du IXe siècle fait des remarques utiles à un Français du XXIe. Comme « chose de mauvais genre », il mentionne « se mettre à rire avant de parler », et, pour le sans-gêne, « apercevant les livres d'autrui vouloir à tout prix les ouvrir et les regarder ». Celui qui le fait est un moindre lecteur qu'il ne croit : il méprise la part d'intimité de la lecture. J'y pense, il y a pire : les gens qui s'asseyent derrière notre bureau. Ceux-là ne conçoivent pas ce qu'il peut y avoir d'intime à écrire.

Le génie de Li Yi-chan a tellement frappé que plusieurs écrivains s'en sont inspiré. Ce qui n'était qu'un exemple est devenu un genre. Et voici, avec la Japonaise Sei Shônagon (*Notes de chevet*) au XIe siècle et son compatriote le moine Kenko (*Les Heures oisives*) au XIVe, la littérature de listes. Sei Shônagon faisait partie de la cour de l'impératrice du Japon et était très raffinée. C'est même sa spécialité, elle en est humblement enchantée. Le front baissé, marchant à petits pas, elle sourit intérieurement de cette supériorité, se grondant avec encore plus de bonheur lorsqu'elle a commis un impair protocolaire. Elle apprête son livre comme un paquet-cadeau compliqué, une résille de dentelle, une fleur de sucre. À l'instar de Li Yi-chan, elle invente ses catégories. Elle en a de charmantes, comme la « liste des choses qui font naître un doux souvenir du passé », où elle range : « Un jour de pluie où l'on s'ennuie et où l'on retrouve les lettres d'un homme qu'on a jadis aimé. » On dirait du Virginia Woolf (moins pour l'homme que pour la pluie). Dans sa « liste des choses gênantes », on trouve « un homme que l'on aime et qui s'enivre complètement et répète toujours la même chose ». Sei Shônagon chuinte les plus charmants chichis. Je l'imagine avec un léger défaut de prononciation, à la façon de l'actrice Delphine Seyrig (1932-1990). Romain, Chinois, Japonaise, voulez-vous être les dédicataires de mon livre et me suivre, l'œil moqueur, me protégeant d'ombrelles en papier ciré ?

Lieux

LISTE DE GENRE DE LIEUX AIMABLES

Les avenues courbes, comme Aldwych à Londres, l'avenue Junot à Paris. Une rue est presque fortuite, étant la conséquence d'une succession d'installations humaines ; et donc humaine elle est plus qu'une avenue, derrière laquelle on sent l'ingénieur ou le préfet qui a prévu de la place pour les chars en cas d'émeute.

Les voies sur berge, à Paris, rive gauche, le soir. On va vers le soleil couchant, c'est apaisant, on regarde les péniches, la grosse architecture XIXe de l'autre rive et le zouave Disney du pont de l'Alma. Dans l'autre sens, on va vers le travail, l'activité, le matin, l'horreur.

Les petits musées où il y a de tout et leur cour intérieure quand on y voit, d'un étage, une statue salie, un balai, un sac-poubelle en plastique noir, de l'herbe qui se faufile entre des pavés.

Les mers vues de la côte.

19

LISTE DE BEAUX JARDINS

Vaux-le-Vicomte, pour la grande ombre de la statue d'Hercule, au bout de la perspective. Elle introduit un élément désordonné et artistique.

Versailles, en particulier pour les chats de Mallarmé et les poules de Malraux. Henri de Régnier raconte dans ses *Cahiers* que le conservateur du château, ami de Mallarmé, lui permettait d'y enterrer ses chats. Et, le soir, dans les jardins vides, en l'honneur de l'animal mort, on faisait jouer les eaux. Un grand poète, un petit cadavre et un cérémonial. Je trouve cela émouvant et japonais. Malraux, quand il logeait à la Lanterne, avait donné ordre à son chauffeur d'arrêter sa voiture dès qu'il apercevait ses poules au loin : pas question de les effrayer. Il est rare que le pouvoir ne croie pas qu'il en va de son existence même qu'il n'ait pas la préséance sur tout.

Le jardin sec du Ryoanji, près de Kyoto, petit, étroit, un rectangle de deux cents mètres carrés de cailloux ratissés selon des figures géométriques sur lesquels sont posées quinze pierres. On l'observe, on n'y marche pas, pas de terre aux talons. C'est la place de la Concorde des jardins. « Nul ne saura jamais mon secret, ni même si j'en détiens un. » (Basho.)

Robert F. Wagner Park, Battery Park City, New York. De ce triangle de pelouse à la pointe de Manhattan, on peut voir la fusion de l'East River et de l'Hudson, les transbordeurs qui se rendent à Staten Island, et surtout, derrière soi, les tours du Financial District. C'est un petit bout de province comprimé par la ville la plus énergique du monde. Après la destruction des tours jumelles, le 11 septembre 2001, lorsqu'on se retournait et qu'on ne voyait plus les deux barres grises du World Trade Center, on se disait que le nuage en pantalon qui symbolisait la marche perpétuelle de cette ville avait disparu, s'en relèverait-elle? La première fois que je me suis rendu sur les lieux de l'attentat et que j'ai vu ce vide, j'ai dû rentrer chez moi et c'est là que j'ai commencé une dépression. Je ne savais pas la nommer, c'était le pire. Prenez le ferry pour Staten Island une heure avant le crépuscule, c'est, au retour, une des plus enthousiasmantes promenades du monde. Le soleil se couche sur la pointe de New York, changeant ses bleus durs et ses gris ardoise en un mordoré de plage. Le pont de Brooklyn allume ses éclairages pareils à des lampions, comme s'il était un casino flottant. On boit les tours de Manhattan qui s'approchent. Des fenêtres s'y allument les unes après les autres, en faisant les grilles de mots croisés de cette ville heureusement sans mystère, laissant imaginer des romans derrière chaque fenêtre. À nous l'énergie, la vitesse, le tourbillon!

LISTE DE LIEUX SUBLIMES

À Oxford, le cimetière du Saint-Sépulcre. C'est un petit parc délabré où l'on accède en passant sous un porche dans la rue. Des herbes folles, des tombes abandonnées, un banc en pierre. En face et à droite, le haut bâtiment en briquettes rouges dont plusieurs vitres sont brisées d'une ferronnerie toujours en service. Où est le fantôme ?

Dans la même ville, les *quads*, cours des collèges. Chacun en a deux. On aperçoit la première et sa pelouse par l'encadrement du portail. Le plus beau, c'est la suivante. Il faut passer par une porte, un couloir ou un autre porche quelque part dans le premier *quad*. On a l'impression de pénétrer dans un secret très précieux.

À Paris, les Bouffes-du-Nord. Ce théâtre mal placé, près de la porte de la Chapelle, n'a jamais été à la mode ni n'a connu de nombreux succès de sa création en 1876 à sa fermeture en 1952. Quand il a rouvert en 1974, Peter Brook a eu l'excellente idée de le laisser délabré. De l'entretenir, même, ce délabré. De le recréer. On n'a jamais vu délabré en si bon état. Il a l'élégance des ruines selon Hubert Robert. Il en existe une selon Joseph Beuys, bombardier dans l'aviation allemande pendant la Deuxième Guerre mondiale, qui en a rapporté une esthétique du gros morceau. Et, la quantité engendrant toujours sa beauté pour rendre la vie supportable, nous avons inventé un style Beyrouth d'immeubles éventrés, de ciment percé d'impacts de balles, de gris éclaboussé. Aux Bouffes-du-Nord, les briques d'un pilastre écaillé derrière l'arc de la scène s'empilent comme des livres. Le fond est d'un rouge Pompéi piqué comme un vieux buffet. J'y ai vu Annie Girardot dans *Le roi se meurt*, elle était parfaite. Son allure et sa voix abîmées faisaient la moitié de son jeu, de même que le délabrement des Bouffes-du-Nord fait la moitié de la mise en scène.

Les silos dans les plaines de la Beauce. Bastille, oppidums, cartouchières.

Les très grandes villes au bord de l'eau.

L'usine électrique éclairée la nuit, près de Chambourcy, dans le sens province-Paris. Le symbole même de la promesse.

L'autoroute entre Menton et Gênes, de jour. On traverse plusieurs collines par de brefs tunnels qui se succèdent en grand nombre, produisant un effet stroboscopique : nuit du tunnel, jour de l'extérieur, nuit du tunnel, jour de l'extérieur, nuit, jour, auxquels s'adjoignent la succession hachée entre la pureté abstraite et dure des tunnels et la tendresse sinueuse de la campagne italienne. Comme, pour finir, la route est dangereuse, conduire vite en double l'effet suffocant.

Les lignes à haute tension. Pareils à des géants, les pylônes portent les câbles sur les épaules, les uns après les autres, et voilà l'invention la plus importante des temps modernes peut-être, celle qui nous vaut tant de lumière et Maria Callas chantant dans mon appartement. Les grands travaux, et en particulier les viaducs, ce n'est pas du génie, c'est de la danse.

Les autoponts dans les grandes villes, Nice, Los Angeles, Le Caire, Glasgow. À Nice, ils permettent de filer vers l'Italie ou la Garoupe ; au Caire, de se rendre compte que cette Naples d'Afrique est ingouvernable, avec ses milliers de petits immeubles tassés empêchant l'intimité et créant le secret, contrôlés par de petits minarets prêts à déchaîner des foules comme sous Nasser ; à... Je sais, je sais, ils *défigurent*. C'est quand ils ne sont pas assez nombreux pour créer un style. Toulouse s'est débarrassée de l'autopont du Grand Rond qui faisait un sourcil mal placé à l'ancienne école de médecine, on aurait pu exagérer ce défaut, grande ressource en art. Quand une chose paraît en trop dans un livre, un tableau, une musique, c'est parfois qu'il n'y en a pas assez. Glasgow s'est installé une autoroute en ville. C'était au temps optimiste où l'on croyait que la voiture engendrerait un monde gai comme Spirou. Idéal-Pompidou ! On a beaucoup critiqué les voies sur berges qu'il a fait construire à Paris, le long de la Seine, mais elles sont très bien, les voies sur berges. Aucune ville au monde n'a ça : la possibilité de rouler plus bas que terre, rappelant, en plus rapide, l'étrange expérience de parcourir un canal à bord d'une péniche. Inverse de l'autopont où l'on surplombe.

Les échangeurs d'autoroutes qui s'enchevêtrent. Ces écharpes de béton pesant des tonnes s'évitent avec des grâces de danseuse, et dessus, dessous, les véhicules avancent, parallélépipédiques, parallèlement, pareils à des milliers de livres, chacun un petit roman. Gloire à vous qui vous entrecroisez sans vous toucher, vies qui s'esquivent, libertés en marche, cathédrales de la solitude moderne, la sainte solitude !

LISTE DES PLUS BELLES ROUTES DU MONDE

La Highway One entre Monterey et Cayucos, en Californie. Cette route à deux voies longe le Pacifique, courant au pied des collines. Elles se posent dans l'eau avec un air indifféremment puissant, style préhistoire. Quel spectacle violent et enthousiasmant !

La route de la corniche entre Nice et Monaco. Villages de pierre et platanes, la mer tout en bas, c'est un autre temps ; le temps de Pétrarque.

La route de Dalmatie près de Dubrovnik. Je crains que ça ne se soit peuplé, depuis que je l'ai vue.

La Costiera de Castellammare à Vietri. Entre les deux, Atrani. Atrani ! le plus beau village de la Campanie. Une place comme un théâtre, et des ruelles grimpant entre des maisons, jusqu'au fond d'une vallée étroite comme des jambes à peine ouvertes. Atrani a été sabotée par la Costiera, qui lui a posé l'appareil dentaire d'un viaduc en plein milieu du visage, isolant le village, auquel on est obligé d'accéder en descendant un puits de cent marches. Cela l'a ensuite préservée. Vue de la route et de la mer, Atrani a l'air nulle, et les touristes y vont moins. De plus, le village, qui passe pour être le plus petit d'Italie, moins d'un kilomètre de long, est enserré dans sa vallée : on ne peut pas y construire d'immeubles. Sur la place pavée, où l'on accède par deux passages sous des immeubles, deux cafés, un restaurant, une épicerie, une pension que borde un escalier montant vers l'église, sur le côté ; les enfants y jouent aux Mille Bornes, les adultes y discutent. Ces marches sont le salon du village.

La route de Mullaghmore, sur la côte occidentale de l'Irlande, comté Sligo. Classiebawn, le vilain château des Mountbatten, observe la baie battue par l'Atlantique. Oui, c'est là que, en 1979, des bandits de l'IRA ont fait sauter, par une bombe actionnée à distance, le petit bateau de pêche du dernier vice-roi des Indes, ancien chef d'état-major de la Défense, arrière-petit-fils de la reine Victoria, dont le neveu Philip a épousé la reine Élisabeth II et dont la femme Edwina avait eu Nehru pour amant tandis que lui-même couchait à l'occasion avec l'auteur de théâtre Noel Coward. Tué, Mountbatten, ainsi que son petit-fils de 14 ans, un marin de 15 et la mère de son gendre, morte le lendemain à l'hôpital de Sligo. Cette remémoration, le hideux château, l'Océan moussant dans les anfractuosités en bas, un dérapage en voiture qui a fait bondir mon cœur dans la bouche, sûr que j'ai été, un instant, qu'elle allait basculer par-dessus le bord où je l'avais imprudemment amenée, c'est un de mes souvenirs les plus tenaces, plus tenace qu'un souvenir d'amour, plus tenace qu'une présence corporelle. Je mourrai avec lui.

Toujours des routes de bord de mer, eh oui. Chacun a ses lieux. C'est que c'est soi-même que l'on retrouve ailleurs, la meilleure partie de soi-même peut-être, sa partie irréalisée, sa partie idéale, mais notre idéal fait partie de nous au même titre que notre réel et moins impurement.

LISTE DE LIEUX DE RECUEILLEMENT

En Iran

Après les « tours du silence » de Yazd, tournez à droite, et parcourez trois cent cinquante kilomètres de désert. Du sable marron, des cailloux, un buisson, des monts maigres et ravinés. Le matin du monde. Rien ne donne plus l'impression, dont on ne peut savoir si elle est exacte, de la création de la terre que les montagnes du désert.

Khoranagh est une ville abandonnée du XIIᵉ siècle. Murs en pisé, rues couvertes, comme le sont restés les vieux quartiers de villes comme Yazd. Que c'est paisible. Les cités sont mortes, et les passions. Il en reste le souvenir, parce que cela a été une *ville*. La campagne ne garde le souvenir de rien : l'homme même semble à peine y être apparu.

Ispahan, cette ville magnifique dont la place principale est une esplanade des Invalides qui aurait eu le hoquet : les bâtiments des mosquées sont décalés par rapport aux portails. C'est, disent les uns, pour prouver l'humilité des architectes, pour les orienter vers La Mecque, selon les autres. Pour la fantaisie, dit personne. L'aberration de la traduction. Pourquoi, d'une ville que tous les habitants du pays appellent Esfahane, avons-nous fait Ispahan ? La négligence, sans doute. La cause de beaucoup de choses, c'est rien.

Rien en Iran n'est fait pour le tourisme. On trouve avec peine des cartes postales, personne ne vous hèle dans les bazars, au contraire de celui d'Istanbul que cela rend si détestable. Le tourisme, c'est l'exploitation du plouc par le faussaire.

En Californie

Et quelle expérience dans la même journée, si vous venez de visiter le hideux château de William Randolph Hearst, quelle purification que d'aller à la mission la Purissima. La onzième des vingt et une missions de Californie fondées sur l'ordre du roi d'Espagne pour contrer les tentatives d'implantation des Russes en Amérique (les moines étaient soumis à l'autorité des militaires), elle est passée aux Mexicains dans les années 1820, qui l'ont sécularisée comme toutes. Alors que certaines, comme la mission Santa Barbara, plus richement entretenue mais lourdisée (de Lourdes, Hautes-Pyrénées) par les Franciscains qui la régissent et vendent de vilains objets de piété, ont été reprises par la religion, la Purissima, abîmée par les tremblements de terre puis restaurée sur ordre de Roosevelt qui avait créé le *Civilian Conservation Corps* pour donner du travail aux jeunes Américains durant la crise de 29, est un musée. *« Pretty pure, isn't it? »* me dit en me croisant un des quatre touristes que j'ai en tout et pour tout vus ici, quand il y en avait 4000 chez Hearst. Quelques bâtiments bas blanchis à la chaux et disséminés dans un parc, ateliers et dortoirs meublés de bois rudimentaire et de fer forgé, église aux murs décorés de motifs maladroits mais d'un goût sûr, et dont les statues en bois ont été sculptées, on le sent, sous le regard d'un père qui, quoique les sachant moins bien que des statues d'Espagne, félicitait les Indiens qui avaient fait l'effort. Il y a quelque chose d'émouvant dans les petites chambres blanches avec leur crucifix, leurs quelques images pieuses, leur chandelle, leur table et leur plumier, leur lit à couverture rayée et leur petit coffre en bois : on y devine la vie, c'est un début de roman. 40 000 couvertures ont été fabriquées ici en 40 ans, dit un panonceau : 3 par jour. 100 personnes travaillaient à l'atelier ; en 1820, la mission comptait 874 habitants, pères franciscains, artisans, soldats surnommés « de cuir », *soldados de cuera*, car on l'y travaillait aussi et ils utilisaient des boucliers de peau. Un panonceau à la mission Santa Barbara apprend que la population a extrêmement diminué après l'arrivée des Espagnols, non qu'ils l'aient maltraitée, tout au contraire : les

Indiens, des Chumash, sont morts de maladies nouvelles pour eux *et de tristesse.*

En Irlande

Mullaghmore est une péninsule. De l'autre côté, c'est l'Amérique. J'y suis revenu plusieurs fois tellement cela me touchait, tellement cela sentait bon, aussi ; il est rare qu'on puisse se dire d'un endroit qu'il sent bon. C'était une odeur crémeuse. En fin de journée, l'Océan, qui avait battu la côte dans les criques, y laissait une écume unie et lisse pareille à de la crème fraîche. Le soleil « se couchait » à l'horizon, comme si le soleil *se couchait* et que la terre ne tournât pas, la coutume sera toujours plus têtue que la science, derrière un hémicycle de nuages gris laissant passer quelques fils d'or. Ils s'apprêtaient à voter pour la nuit à l'unanimité. Écrivant cette phrase, je pense à Max Jacob. À Holly Will, lieu de culte secret des catholiques du temps de leur persécution, un chemin monte vers une vilaine crucifixion en sucre. On dirait un golf miniature. À l'intérieur d'une niche creusée à même la colline, la Sainte Vierge blanc et bleu aurait sûrement beaucoup plu au poète. Il avait un goût de blanchisseuse, pour ces choses-là. Et aimant Picasso. Il disait avoir des apparitions. Selon Blaise Cendrars, la Vierge lui aurait dit un jour : « Ce que tu es moche, mon pauvre Max ! » (*Trop c'est trop*). Le goût lissé et fade de la postérité nous déclare « contradictoires ». Il a oublié ce qu'est un homme, des moments ; à certains moments il s'enivre de choses extrêmement raffinées, à d'autres il se régale de choses populaires (c'est peut-être là qu'il est le plus faisandé, calculateur, marquis) ; la vie est ce mélange. Seule la mort est parfaitement élégante. Mais voilà, c'est un os. La mer à ces heures-là était d'étain, jusque dans ma chère crique blanche. Des moutons aux cuisses dodues plongeaient la tête dans l'herbe qui ondulait sous le vent. C'est ce jour-là, et non des mois plus tard, que la vie aurait dû me faire rencontrer le marchand de légumes qui s'exclama : « Cette scarole ! Cette scarole ! Elle est si belle, monsieur, que je m'en ferais une perruque ! » Ce qui acheva de me plaire dans ce comté d'Irlande, c'est le climat. Il change tous les quarts d'heure. Le soleil brille dans un ciel pur ? Voici les nuages. Il y a des nuages ? Voici des bourrasques. Bourrasques, calmez-vous : les nuages font demi-tour et la pluie vous gifle. Il y avait la pluie ? Le ciel s'éclaircit. Se grise. Revoici le soleil. En même temps, il pleut. Où sont les nuages ? Voici le vent. Ce temps variable comme mon cœur, vraiment c'était gai, vraiment c'était charmant. À l'aplomb d'une crique se trouve une pierre où l'on a gravé le nom d'

ADRIAN O'SULLIVAN,

mort le 18 février 1996, à l'âge de vingt-trois ans, « *claimed by the sea* », réclamé par la mer. Elle l'a réclamé, cette salope. Ces vieilles-là, la mer, la littérature, quand vous les aimez, elles vous mangent. Nous servons quelque chose de plus grand que nous, et ce quelque chose s'en fout. Salope de littérature. Un alien nous dévore. Chaque livre est un vaisseau spatial où nous croyons lui échapper, mais non, il est là, caché dans une tuyauterie, méprisant, indifférent, tueur. Salope. Sur une plaque émaillée, une photographie de cet ancien vivant : brun, les yeux bleus, les cheveux courts, les lèvres fines, légèrement rétrognathe, de grandes oreilles, un sourire timide. Ça n'est pas mal, cette photographie banale d'un jeune homme, et qu'on se souvienne de celui-ci entre tant de millions de noyés. Il y a le soldat inconnu, il est le noyé connu. Il est vous, il est moi, il est nous. La littérature est cet Océan. Je te salue, Adrian O'Sullivan.

LISTE DES PETITS PANS DE MUR MOCHES

Proust, vous vous en souvenez, fait une longue digression sur un petit pan de mur jaune que l'on voit dans la *Vue de Delft* de Vermeer. On dirait qu'il existe dans chaque bâtiment sublime, pour en marquer l'imperfection et rappeler qu'il n'a été créé que par des hommes, un petit pan de mur moche. Au Louvre, c'est au bout du pavillon de Rohan, quand apparaît le décrochement du musée des Arts décoratifs. Et ce mur, pas plus large qu'une porte, saillant contre la lancée de pierres de taille du bâtiment, est en moellons. Lorsque, à l'époque de la construction de la pyramide, qui donne au palais des rois et au roi des musées un petit aspect de restaurant de bord d'autoroute, on a restauré le Louvre à grands frais, on a nettoyé les moellons, qui sont ainsi bien blancs et bien bombés comme des ris de veau. Il existe sans doute toutes les raisons pour ne les avoir pas plaqués de pierre, mais toutes les raisons ne font pas la raison.

L'inconvénient des livres qu'on écrit en plusieurs années, et de ne pas aimer la documentation, est que l'on, est que je perds mes notes. Doublez-le d'une mémoire hasardeuse, et voilà, je ne sais plus quels sont les autres petits pans de mur moches que j'avais relevés par le monde, bien négligemment, sur un post-it ici, une marge de magazine là. Bah ! comme les vignettes Panini de notre enfance que nous collions dans les albums « des plus grands footballeurs du monde » (quand je pense que j'ai fait ça !), ce genre de livres est fait pour être complété par les lecteurs.

LISTE DE L'HORRIBLE TOC

Le café Florian à Venise.

Le café Procope à Paris.

Le café Greco à Rome.

South Ferry, New York.

Les Baux-de-Provence.

LISTE DES RUES DE RIVOLI

(Je parle de ces grandes rues à boutiques de chaîne, Etam, Foot Locker, Celio, Vodafone, Sephora, HSBC, you name it.)

La rue de Rivoli à Paris, de l'Hôtel de Ville au Louvre.

Oxford Street à Londres.

La rue Saint-Rome à Toulouse.

La via Dante à Milan.

Grafton Street à Dublin.

Market Street à San Francisco.

LISTE D'ENDROITS SINISTRES

Les bureaux de poste des villages anglais. Blancs, deux présentoirs de couleurs pastel pour faire gai, trois magazines à vendre.

Les *malls* aux États-Unis, dans les pays arabes, en Asie. Marbre, dorure, lumière jaune, fringues.

Les centres commerciaux dans les banlieues françaises. Plastique, lumière blanche, nourriture.

Les supermarchés sans marque.

Les laveries automatiques dans les quartiers résidentiels.

Les manèges d'enfants dans les jardins publics, l'automne. Leurs avions roses et leur musique guillerette ne réussissent à tromper ni la nature ternie, ni les enfants hébétés, ni les grands-mères éteintes, ni les baby-sitters moroses.

Les autoroutes qui vont des aéroports aux capitales, et les entrées mêmes de ces capitales. Jean-Jacques Rousseau le disait déjà de Paris : « En entrant par le faubourg Saint-Marceau [les Gobelins] je ne vis que de petites rues sales et puantes, de vilaines maisons noires [...] » Et, Rousseau étant Rousseau, c'est-à-dire anti-français, il ajoute : « Tout ce que j'ai vu depuis à Paris de magnificence réelle n'a pu détruire cette première impression, et il m'en est resté toujours un secret dégoût pour l'habitation de cette capitale. »

LISTE DES LIEUX DE PERDITION

... *Venise*

Académiciens des Beaux-Arts peignant des pastels de ponts au lieu de s'en jeter, philosophes célèbres ici comme ils le seraient auprès de leur famille, fils de famille en ayant refusé les devoirs sans pour cela prendre le risque de Paris, de Londres ou de Shanghai, gens mieux que cela qui viennent y protéger un talent de la vie technologique, Venise, Venise, ton peuple est fantômes. Dans cette ville immuable ils ont le sentiment de ne pas vieillir. Quelle tristesse : l'éternité ! Ils font donc la fête aux nouveaux. Enfermés pour n'avoir pas eu le courage de quitter cette vieille catin qui entoure votre cou de ses bras flapis dès que vous annoncez votre départ, ils chuchotent, quand vous préparez vos bagages : « Reste !... Reste !... » Ces ballerines de l'oubli, du fond de leur coulisse, voudraient nous rendre semblables à Venise. En fait, ce sont des vampires.

... *Oxford*

Ville complète, parfaite, séduisante, hors des tracas du monde, on peut y rester toute sa vie au milieu de vieux professeurs à petites excentricités, avec, à cause du renouvellement perpétuel de la jeunesse, l'illusion qu'on est éternel. On est mort.

Pour atteindre ces grands tambours, il faut interminablement arpenter des couloirs de métro, puis interminablement marcher dans des allées, puis se faufiler interminablement entre des rangées de sièges, enfin, après tout ce sport, on peut s'asseoir pour en regarder sur des écrans géants. Éventuellement, ce sera la messe d'un pape ou d'un autre qui se coiffera d'une tiare en plumes s'il est chez les Indiens et chaussera des mules à colifichets chez les Maoris, genre idolâtrie, un gros opéra dont la sonorisation aura aplati les nuances, ou un concert de rockers de soixante-cinq ans qui passeront pour vigoureux grâce aux guitares électriques qu'un effleurement suffit à faire rugir. Tout le tartre des rites, quoi.

Villes

LISTE DES VILLES ET DES CAPITALES

La campagne est une lecture. La ville est une écriture. C'est dire l'agitation, le mouvement, l'action. La ville est bruyante. La ville est mouvante. La ville est vulgaire. L'une des qualités de la vulgarité est qu'elle est énergique. Ce sont les villes qui font que les pays ne s'endorment pas.

Grands sont les vices des villes : la cupidité, l'ambition, le... Au fait, ne seraient-ils pas aussi des vices d'ailleurs? Les vices sont partout les mêmes, les bruits du vice partout différents. La ville a des vices distraits. Ceux de la campagne sont plus secrets et non moins malveillants. Tout de même, si, il y a une différence : la pureté. La non-ville est pure, la ville est impure. Aucune notion morale dans ces mots, sauf, et à tort, de la part de la non-ville tirant gloire d'une pureté qui lui est donnée : « impureté » ne veut rien dire de plus que « mélange ». C'est du mélange que naît, dans les villes, une émulsion, et, de cette émulsion, une éventuelle émulation.

Pour produire son énergie, la ville se nourrit de la non-ville : aliments, industries, hommes. Ce que cette vorace a de plus singulier peut-être est qu'elle importe des hommes du commun *et* des hommes hors du commun. Les premiers sont admiratifs des seconds, d'une manière gouailleuse qui fait passer l'air de soumission et crée l'air à la fois créatif et railleur des villes.

Le côté gouailleur, *« only in New York »*, est une forme de naïveté. Mais oui, la ville est plus naïve que la non-ville. Elle n'a pas autant de temps pour perfectionner ses dissimulations.

Ce sont les hommes hors du commun qui font des villes les seuls endroits du monde où l'on puisse avoir des conversations décentes. Par « conversations décentes », on peut entendre ce qu'on disait de Platon, qu'il « ne discutait ni des impôts sur les biens, ni de trières, ni des besoins de la marine, ni d'équipages de navires, ni de la nécessité d'une intervention militaire, ni des tributs des alliés, ni des insulaires ou de quelque autre niaiserie de ce genre » (Élien, *Histoire variée*).

Une ville, minorité active à l'intérieur d'un pays, est elle-même menée par des minorités actives. Elle comprend et accepte parmi elle une population d'irréguliers. Fêtards, politiciens, créateurs, faux artistes, vrais, tous ceux qui cherchent à faire une œuvre de leur vie et parfois une œuvre de leur art.

On vient dans une ville pour s'y perdre, s'y réaliser, triompher. Aucun n'est facile. Plus d'un ambitieux idéaliste s'y suicide. Face à la dureté des ambitions de la ville, qui ne pense qu'à elle-même, il n'a pas su construire le petit quelque chose d'entêté, de dur, mais de souple, aussi, qui permet à l'artiste de poursuivre. Une ville est un combat.

En juin 2008, une expédition a survolé des tribus d'Amazonie, en rapportant une des plus étonnantes photographies qui soient. Les aborigènes brandissent des sagaies, repoussant les hélicoptères. L'hostilité des villes se manifeste par l'indifférence. Elle fait d'elles des lieux sans réprobation. Non qu'on y soit infiniment plus indulgent, mais, là non plus, on n'a pas le temps. Ce qui peut rendre la non-ville malfaisante est qu'on n'a rien à y faire. Heureusement, on a inventé la télévision. Pendant qu'ils regardent TF1, les abrutis commettent moins d'incestes.

Si la non-ville cherche le secret, la conservation, le ressemblant, il y a dans la ville une volonté de création, d'originalité, de brillant. Une ville, il faut le dire, est un snobisme. Cela passe parfois par des événements villageois, comme, à Venise, les projections de film à San Polo. Les villes se font des pastiches de village.

La ville a un air d'anarchie qui n'est qu'un air : très vite, peut-être même sitôt qu'elle est née, des habitants conscients se mêlent de son devenir. La ville est un élément de la vie privée de ses habitants.

La non-ville ne cherche pas l'urbanisation. La non-ville est, non pas une anti-ville, elle est trop orgueilleuse pour se définir en s'opposant, mais une inville. La ville est une façon plus ou moins contrôlée de donner une forme à l'informe.

La ville, ce sont des travaux, comme on dit qu'une femme est en salle de travail quand elle s'apprête à donner naissance. Une ville est une naissance perpétuelle. La ville est sa propre œuvre.

Une ville n'est pas vieille tant qu'elle se renouvelle. Si elle arrête, si la création de bâtiments, de jardins, de querelles, ne s'y produit plus, elle se paralyse, devenant une espèce de princesse sublime et mitée. Croyant son œuvre achevée, elle est au bord du cercueil. Une ville qui s'arrête devient musée, lieu pour les touristes, cimetière de vivants.

Il y a des super-villes... mais non. Une capitale n'est pas une ville en plus grand. Une capitale est l'endroit où les hommes réunissent leurs imaginations. Ayant fui la souffrance qui se nomme enfance, province, irrégularité, des êtres qui ne se connaissent pas sautent dans l'entonnoir et, après avoir tourné, tourné, tourné, se retrouvent dans ce pays des merveilles obscur et brillant à la fois. Ils essaient, folie au regard des gens pratiques, de réaliser leur rêve.

Walter Benjamin a qualifié Paris de « capitale du XIXᵉ siècle ». Celle du XXᵉ, ou de sa deuxième moitié, a été New York. New York a subi des destructions, celles des tours jumelles, mais, au lieu de se plaindre, elle s'est remise à construire. Je crois que cette ville ne serait pas ce qu'elle est sans les grues qui semblent y extirper en permanence des gratte-ciel de terre, ces gratte-ciel qui semblent l'invention même de New York. Ils sont une invention des Italiens médiévaux, et on voit en Toscane le premier New York du monde, sous la forme des tours aveugles du village de San Gimignano. La différence est que les tours de Manhattan sont à fenêtres. En verre. Ouvertes sur le monde. Elles friment, mais pour plaire. Ce ne sont pas des tours de défense. Tout ce qui est défense a perdu. Les villes sont des villes parce qu'elles ne pensent même pas à se défendre ; et peut-être ne sont-elles vraiment devenues villes que lorsqu'elles ont perdu leurs murs d'enceinte. Le libéralisme des villes est une des tendresses du monde.

La religion des villes conscientes, c'est l'architecture. À New York, en 2008, on achevait un immeuble d'angle sur Astor Place. Tout autour de la palissade, une publicité annonçait : « *Undulating. Provocative. Abstract. Reflective. Iconic. Curvaceous* (on dirait un mot d'homéopathie). *Sculpture for Living.* » C'est un bâtiment assez banal d'une quinzaine d'étages, en verre bleu turquoise, qu'on verrait bien dans une ville moyenne anglaise avec un magasin de chaîne d'articles de sport au rez-de-chaussée ; on donnait le nom de l'architecte. Sur Broadway et Grand, une palissade entourait un immeuble qui commence à peine à s'élever : « *Architecture by Jean Nouvel.* » Les New-Yorkais aiment leurs immeubles, les reconnaissent et admirent les prêtres qu'en ont été les architectes. Quand on vend un appartement, l'agent immobilier en fait l'histoire. Tel et tel, qui ont acheté ce trois-pièces en..., travaillaient chez... Ils ont eu deux enfants et un nouvel emploi en Californie et vendent pour... Les déménagements, si fréquents, sont un des éléments du romanesque américain.

L'architecture est plus exactement le roman de l'Amérique. Ce pays disposant de tellement d'espace et si peu peuplé tout en étant le maître du monde (c'est, je présume, un des éléments qui a scandalisé tout ce qui n'est pas l'Occident que des pays aussi peu peuplés que les États-Unis ou l'Angleterre aient eu le pas sur des régions dix fois plus nombreuses) a eu les architectes les plus libres, parce qu'ils n'avaient pas de tradition à suivre, comme des bœufs, ou à renverser, comme des taureaux. Et voici les maisons à l'air d'yeux en béton que John Lautner a posées dans Los Angeles. Elles regardent les paysages entourant la ville. Elles sont massives, sinueuses et exaltantes.

Peu de lieux donnent autant le sentiment de l'isolement que cette ville de 18 millions d'habitants. Ces rues à pelouses et à cottages où personne ne semble vivre, ces avenues plus que larges parcourues de voitures soufflantes, ne klaxonnant jamais, que, une fois par heure, de façon stupéfiante, un piéton entreprend de traverser, et il a l'air d'un randonneur du désert escaladant une dune. Los Angeles, c'est de la science-fiction.

Quelle sera la capitale du XXIᵉ siècle ? Sydney a eu sa vogue, mais, dans un continent de seulement 20 millions d'habitants et tellement à l'écart des autres, une ville peut-elle prétendre à la tête du défilé ? Les autres filles, trop loin derrière, se détournent et vont faire les folles ailleurs. Londres a eu son moment, 1995-2005, mais est devenue grotesque à cause du prix qu'elle fait payer les plus simples choses. 5 livres un ticket de métro, le prix d'une course de taxi à Paris, les irréguliers ne peuvent y tenir. La ville devient un zoo de super-riches expiant par la charité de luxe.

En Europe, région pleine et urbainement arrêtée, si je peux essayer l'adverbe, Berlin offre le spectacle unique d'une grande ville en train de se parfaire. On a annoncé sa suprématie lorsqu'elle est redevenue la capitale politique de l'Allemagne, cela ne s'est pas produit. Elle reste la capitale la moins chère d'Europe. Les artistes s'y précipitent pour cette raison même. Berlin arrivera peut-être à ses fins par d'autres moyens que la volonté, un miracle dans un pays comme l'Allemagne. Née aux forceps, morte en guerre, elle renaîtra par la faiblesse. La faiblesse si durable de l'œuvre.

Dubaï ? Univoque, comme Las Vegas, elle n'est que commerce. Elle sert de placement immobilier, et ne sont jamais venues y vivre les célébrités y ayant acheté des maisons ou des îles ; un des charmes de Paris est qu'on croise encore des célébrités dans les restaurants ; on n'imagine pas des artistes, des irréguliers, des hors-du-commun (à part ceux de l'argent) s'installer à Dubaï. Pour quoi faire ? Parcourir des *malls* en marbre à côté de Saoudiennes voilées ?

Abu Dhabi ? Très XXIe siècle, Abu Dhabi. Nous pourrions passer dans un autre monde. Un monde où les origines ne compteraient plus. Les *racines*. Enfin cesser d'être des plantes en pot ! Cette ville du Proche-Orient le plus désertique a glissé des milliards dans la poche distraitement ouverte des pays occidentaux qui lui ont envoyé leurs plus belles filles. Le Louvre. La Sorbonne. Une de mes amies, professeur, s'y rend régulièrement et enseigne à des étudiantes musulmanes des Simone nues lorgnées par des vieillards lubriques. La nécessaire corruption de la tradition viendra-t-elle de l'art occidental ? Celle du « naturel » et de sa terreur, par le divin artifice des villes ?

Les capitales sont des villes désaxées. L'axe des pays est déterminé par leurs villes moyennes, leurs villages, leur campagne. C'est « la vraie vie », « le bon sens ». Pourtant, les pays sont tirés par les capitales, faisant l'effet d'E.T. à grosse tête branlante sur un corps chétif. Le monde avance par la dinguerie, non par l'harmonie. Les poètes sont des hommes à semelles de vent ? Les capitales sont des folles aux semelles de plomb. Et ces ballons flottent en l'air, au bout de longues tiges, dinosaures ayant survécu, symbolisant les rêves parfois réalisés des hommes.

LISTE DES COULEURS DES VILLES

Brooklyn, biscotte.

Le Caire, terre et ciment.

Istanbul, gris plomb et vert tilleul.

Londres, spéculoos et abricot.

Paris, gris pigeon.

Saint-Sébastien, jaune argile.

Venise, corail.

LISTE DES ODEURS DES VILLES

Getaria, près de Saint-Sébastien, sent le poisson, l'eau de port, la saumure, le mazout. Comment se fait-il que l'odeur algueuse des ports soit pourtant celle de l'évasion?

Rome sent la terre.

Manhattan a l'odeur épaisse du caoutchouc des voitures sur l'asphalte mêlée à l'odeur montant du métro. S'y ajoutent, par effluves, l'odeur de la moutarde et de pain grillé des étals à *donuts*, l'odeur des poubelles qui restent sur les trottoirs pendant deux jours et, parfois, la délicieuse odeur descendue d'une fleur d'arbre.

Istanbul sent l'œuf (le ciment).

Le Caire sent le petit bois brûlé.

Les librairies d'occasion de toute l'Angleterre sentent le moisi.

Il y a dans *La Femme assise* d'Apollinaire un officier de l'armée d'Autriche qui, en 14, fait lancer sur une ville ennemie des gaz asphyxiants auxquels « il avait fait mêler des parfums très subtils qui embaumèrent la ville assiégée ». Ah oui, qu'au moins on parfume les gaz ; mais cela ferait haïr les roses.

LISTE DES BRUITS DES VILLES

Le Caire jappe des incessants coups de klaxon des petites voitures de ses vingt millions d'habitants.

New York crie des sirènes des pompiers jaillissant des casernes dans leurs camions longs et plats comme s'ils avaient été rabotés au passage du portail.

Saint-Laurent-du-Var cliquette du cliquètement des voiliers amarrés dans le port.

Venise grince du balancement des barges d'embarquement.

Tous les premiers mercredis du mois, toutes les villes de France paniquent en silence sous le hurlement des sirènes des exercices d'alerte.

LISTE DES FLEUVES DANS LES VILLES

Le Tibre à Rome est une rigole entre deux remparts eux-mêmes bouchés par de hauts arbres formant un autre rempart. Rome ne s'intéresse pas à son fleuve. Il y a peu de poèmes, de chansons, de mythologie moderne sur le Tibre.

La Liffey à Dublin est un ruisseau chanté par les Irlandais où dégueulent les Anglais venus se saouler le week-end. On la passe sur de petits ponts en sifflotant *« Dirty Old Town »*, d'Ewan MacColl. C'est une chanson devenue mélancolique, car le temps est fini où des enfants irlandais en haillons mangeaient des patates crues : on dira bientôt de Crésus qu'il était riche comme un Dublinois.

Le Danube à Budapest est une autoroute, un fossé, une frontière.

Le Grand Canal et le canal de la Giudecca font de Venise deux têtes de serpents qui se mordent.

La Tamise à Londres n'existe pas. Très large et très basse, avec très peu de ponts pour la passer, elle est comme une autoroute souterraine. Tout au long de ses berges, on l'humilie par des immeubles laids comme à La Grande-Motte : roue digne d'un Luna Park de province, pont blanc qui a l'air en plastique, tour en forme d'obus qu'on n'ose pas dire ridicule parce qu'elle est de Norman Foster, enfin tout un fatras pour entrepreneurs sans goût. Il y a une fierté américaine de la *skyline* que Londres pourrait imiter.

Le fleuve le plus chanté d'Europe est la Seine, veine au milieu d'une ville en forme de cerveau, Paris. Un des ponts qu'il y est le plus agréable de traverser est le pont Royal, une commodité que Louis XIV qui n'aimait pas notre ville lui a pourtant laissée (tandis que Napoléon l'a peuplée de fontaines), dans le sens rue du Bac-Tuileries, et plus particulièrement en bus. On a l'impression d'être à l'intérieur d'un tableau de Marquet. En haut de la légère bosse du pont, regarder à droite, une des plus jolies perspectives de la Seine. Qu'autant de ponts la traversent, 30, 35, 40, enfin beaucoup plus que dans aucune autre ville, nous rend la Seine familière.

Le Mékong! Long, caramel, séduisant. Traversant plusieurs pays entre l'Himalaya et la mer de Chine, il est ressassé par les poètes. La rêverie est la distraction des opprimés. À Vientiane, il forme une frontière (avec la Thaïlande), et donc n'est pas regardé. Dans le Nord du Laos, je l'ai parcouru dans une pirogue basse, étroite, longue, bleue, couverte d'un auvent en planches, assis sur une des minuscules chaises de poupées qui sont le second peuple de ce pays. Sur ses bords en sable giclaient des arcs de bambou où l'on amarre les pirogues. On aurait dit des mobiles de musée d'art moderne. Des buffles broutaient, avec de petits mouvements secs des oreilles pour chasser les moustiques ; leur peau tendue en bouclier verdissait au soleil. Des femmes faisaient la lessive, des hommes se lavaient, des enfants plongeaient. La paix des fleuves. Et des kalachnikovs dans la forêt.

L'East River à New York est de plus en plus belle à mesure qu'on remonte vers le Nord ; le train qui la longe jusqu'au Canada offre un spectacle rose et orange à l'automne : redescendez vite à Manhattan, pour observer, sur l'autre rive, Hoboken, la ville natale de Frank Sinatra, qui s'équipe année après année de cubes en verre, ombres écrasées d'une des plus enthousiasmantes villes d'Amérique.

La Charles à Boston est un ruisseau qui a débordé. On dirait un fleuve menaçant de l'Afrique.

Le Nil au Caire ne donne pas l'impression d'être le même Nil gras que lorsqu'on entre à la campagne : c'est un fleuve de ville moderne, presque inutile, parcouru de bateaux de police.

Istanbul, quoique devenue une ville d'argent et d'agitation, garde, grâce à la largeur de ses eaux, quelque chose de lent et de majestueux. Le Bosphore et la mer de Marmara font de cette ville un pays.

LISTE DES TRÈS GRANDES VILLES AU BORD DE L'EAU

Elles doivent être, de préférence, des villes à tours, et cette eau, une mer. Le vertical et l'horizontal s'y jouxtent net. La grande agitation d'une humanité excitée et le grand calme des eaux. La nuit, le noir au pied des milliards de lumières. New York. Hong-Kong. Vancouver n'y arrive pas, étant étirée, plus basse, d'une architecture banale, douce, presque écologique : elle ne permet pas cette rupture dramatique, cet éclat, cet enthousiasme du surgissement.

Si la ville n'est pas plate, elle doit descendre vers une baie plutôt double, comme si, de ses deux bras, elle embrassait la mer. C'est ce qui fait, me semble-t-il, que Naples a plus de charme que Nice. Alger, de ses hauteurs, semble toiser la Méditerranée de tout l'orgueil arabe. Rio, vous dites... ? J'y cours.

En avion

En avion

LISTE DE L'AVION

Je suis assis entre un homme debout dans l'allée qui s'assure d'avoir éteint son téléphone portable et mon voisin, côté hublot, qui tape un glossaire de termes économiques sur son ordinateur portable. Portable, portable, tout est portable. Longtemps, l'homme a été le seul à l'être : il partait avec une valise et laissait sa vie sur place. Partir avec soi ! C'était déjà bien lourd. La technique était telle que, sans être grossier, on pouvait ne donner de ses nouvelles que tous les dix ou quinze jours. Quinze jours de solitude, c'est-à-dire de bonheur, à marcher en sifflotant dans la pampa. (C'est moche comme tout, la pampa, à ce qu'on m'a dit.) Comme on lui a inculqué que la solitude est une maladie, l'homme s'est transformé en tortue à antennes qui transporte son bureau sur son dos, et les instruments de ce qui le *lie*. Moi-même, d'ailleurs... Allô ?...

Si le livre que j'ai le plus aimé à cinq ans est *La Plus Mignonne des petites souris*, où le père de la petite souris prend l'hélicoptère, début d'un penchant qui me mènerait à la poésie bondissante de Max Jacob, ont suivi, plus ou moins dans l'ordre, *Quel amour d'enfant!* de la comtesse de Ségur (la séduction de l'insupportable héros), les bandes dessinées *Le Tombeau étrusque* (les choses romaines), *L'Espiègle Lili à Saint-Germain-des-Prés* (Saint-Germain-des-Prés), *Le Sceptre d'Ottokar* (les beaux costumes) et *Vol 714 pour Sydney* (les avions). Ce n'est pas pour rien, sans doute, que j'ai écrit des livres intitulés *À quoi servent les avions?* et *En souvenir des long-courriers*. Les poètes hésitent souvent à mettre des choses très contemporaines dans leurs écrits, comme si ça allait mettre en danger l'éternité de cet art.

Juin 1999, Central Park, New York, *Met in the Parks* (concerts gratuits du Metropolitan Opera dans les parcs de la ville). 22 heures. Dans le ciel, les avions montent et descendent comme des herses. Quel est ce monde où l'on déplace autant? Où tout se propage à si grande vitesse que l'homme le ralentit? Les téléphones portables marchent moins bien que les téléphones fixes, le courrier arrive moins vite que naguère, on répond de moins en moins aux messages [1]. La grossièreté est là, bien sûr, mais peut-être aussi la méfiance. Parmi les étoiles, il y a des satellites. On ne regarde plus les premières, de crainte d'être trompé par les seconds. Le ténor est un homme à toute petite tête dans une grosse veste blanche qui a l'air d'un maître d'hôtel douteux dans un film avec Humphrey Bogart; « *innamo'ata* », lui crie sa partenaire anglaise. On applaudit, sifflements, cris. Toujours le rodéo, l'Amérique. – Les cow-boys n'écoutaient pas *Lucia di Lammermoor*. – Les mineurs de la ville de Leadville, Colorado, qui avait eu comme visiteurs célèbres Buffalo Bill, Doc Holliday et les frères James, écoutèrent en 1882 une conférence d'Oscar Wilde, cambré, froufroutant, en culotte de velours et bas de satin. Il plut beaucoup. Ce fut son premier détournement de mineurs.

Il y a trente ans, on trouvait ça beau, les avions. Maintenant, ce sont des mouches.

Dans ses carnets des années 1940 (*The Forties*), Edmund Wilson décrit toujours ce qu'il voit par le hublot des avions : et on y voit les côtes, la terre. Notre rapport au monde a sans doute changé depuis que nous volons au-dessus des nuages : les espaces intermédiaires ne comptent plus dans notre esprit. Les trains à grande vitesse y contribuent également : la France et plusieurs pays d'Europe sont devenus, comme les États-Unis, de riches métropoles régionales reliées entre elles par un réseau de transport ignorant les pays de passage. Enfin un monde sans escales !

Un journaliste m'a raconté qu'il se trouvait dans l'avion qui a transporté l'ayatollah Khomeiny de Paris à Téhéran en 1979. L'ayatollah et ses seconds, lesquels n'étaient pas tous là, partaient sans leurs familles, sur instruction du chef, certain qu'on ferait sauter l'appareil. « Quand j'ai appris cela de la bouche de Qotbzâdé, je me

---

1. Depuis le 11 septembre 2001, s'ajoute que prendre l'avion, qui était si facile, est devenu une corvée.

suis dit que, si attaque américaine il y avait, ce serait au-dessus de l'Irak, juste avant la frontière, pour faire croire que le responsable était ce vieil ennemi de l'Iran. Et, juste avant son survol, je me suis endormi, exprès. À mon réveil, j'ai vu Téhéran. » C'est un sujet de nouvelle, de roman, de Graham Greene.

Dans un avion pour New York, le steward dit à mon voisin : « M. Da Silva?... *Are you Brasilian?* », puis lui parle en portugais, aimable, rieur. La popularité des Brésiliens. Une demi-heure plus tard, une hôtesse lui sert à boire : « *Are you American?* » À sa réponse, elle lâche un « aoh! » avec un sourire ravi. Ce sont des souvenirs d'amour, tout ça.

Il y a depuis quelque temps de la publicité dans les passerelles d'avions, comme il y en a dans le foyer de l'Opéra-Bastille, qui, bon, c'est vrai, ressemble à une buvette de PME. Il y en aura bientôt sur les tombes.

LISTE D'AÉROPORTS CHARMANTS

Aéroports de petites villes, sans équipement perfectionné, dans la campagne mais à proximité des villes, nous simplifiant la vie, on descend de l'avion, on marche cinquante mètres sur la piste, on prend sa valise, on monte dans la voiture toute proche, et un quart d'heure plus tard on se trouve à une terrasse de café, tandis que les grands aéroports ne sont que complications, attendre le soufflet, marcher, marcher, marcher encore (construits en banlieue, ils ont donné aux architectes tout loisir de s'étaler, et pour nous, couloirs de grandes randonnées), courir après un chariot, revenir au tapis à bagages, attendre, aller à la voiture, qui est loin, ou attendre un taxi, et une heure après on n'est toujours pas où l'on voulait être, aéroports de province, vous êtes de moins en moins nombreux. Je pense à ceux de Biarritz, Tarbes, Pau avant qu'on ne les reconstruise, avec leur air de grosse maison de campagne normande, autrement dit de club-house. Reste Ajaccio, où les avions atterrissant longent la plage, à cinq mètres, derrière des barbelés tout de même, afin de rassurer les gens d'affaires. Ils préfèrent les grands aéroports brutaux où les hôtels placent les mêmes images dans des chambres identiquement construites afin de leur donner une impression de chez-eux. Je n'aimerais pas voir leur chez-eux.

Je dédie cette liste à l'ancien aéroport de Venise. On en sortait pour, vingt mètres plus loin, prendre le bateau. Il a été remplacé par un aéroport plus lointain, plus grand, plus confortable, plus fastidieux. On dirait qu'il faut payer d'avoir volé, comme il faut payer d'avoir été vite en attendant ses bagages. Toi, homme ! Toi, pas oiseau !

L'aéroport de Sligo, sur la côte occidentale de l'Irlande, est tout petit, des avions à douze places y atterrissent dans l'herbe, la mer est au bout, c'est Tintin. On descend de l'appareil. On respire les embruns. On serre son imperméable. Milou, viens ici !

De l'aéroport de Colombo, on sort, et ce sont singes criant dans les grands arbres gras et taxis qui klaxonnent au milieu de la foule marcheuse, pédalante, porteuse, tirante, pousseuse, le bruyant désordre asiatique.

Une porte, on entre, à gauche deux comptoirs d'enregistrement en bois où un gamin assis sur les talons rêve pendant dix minutes puis vous fait signe d'enregistrer : vous êtes à l'aéroport de Luang Prabang, au Laos. Sur un panneau en bois, les destinations sont changées à la main. La salle d'embarquement, quarante sièges, est climatisée. On sort sur la piste. Au loin, les montagnes ont l'air d'une série de cartons bleus placés les uns derrière les autres. Il faut aller en Asie pour se rendre compte que la peinture chinoise est réaliste.

Le terminal de Roissy qui s'est effondré en 2004, le 2E, était long, bas, élégant, avec des éclairages délicats. Je voulais y faire se passer un roman. Je ne sais plus pourquoi, on y aurait vu Bill Clinton.

Nos caressants ailleurs

LISTE DES VOYAGES

Les premières fois, c'est un métier. Églises, musées, monuments. Puis arrive le temps de l'indifférence. On devient normal. C'est peut-être un autre nom du plaisir. À nous le soleil et la mer, lire, écrire, nager! Empruntons les chemins dans la direction opposée au devoir. Cela consiste entre autres à revenir dans des endroits que nous connaissons, ou dans des endroits où nous connaissons des gens. Dans le premier cas, on évite de se dire qu'il faut à tout prix se lever tôt pour visiter tel ou tel chef-d'œuvre, dans le second, on se dit qu'ils nous recommanderont le meilleur, puis, comme on aime bien la compagnie des corps et la conversation, on reste avec eux. Tout ce qui fait obstacle à notre plaisir doit être impitoyablement repoussé.

Et voilà ce qui plaît dans les voyages : c'est de l'inaction. On est loin de la « vie ».

Le temps qu'ils perdent en choses pas sérieuses est redonné aux écrivains dans la postérité. Ce sont les lectures, les visites d'expositions, les flâneries, dont ils parlent pendant que les gens sérieux analysent l'état de la société, taux actuariel brut, cours du Brent, marché à terme. Les écrivains, eux... Et ça leur fait une belle jambe, n'est-ce pas. Voilà une définition de la postérité : une belle jambe à un cadavre. La jarretelle en satin noir entoure un fémur bien blanc qui tournicote sur un air d'Offenbach pendant que la dernière phalange du pouce souligne la mâchoire : « Na! » Pendant ce temps-là, les autres ont vécu.

Un voyageur est souvent un collectionneur, et les collectionneurs sont souvent des gens qui se protègent pour *ne pas* découvrir.

61

Les raconteurs de leurs voyages! Ce n'est souvent que du narcissisme camouflé en exotisme. Quant aux lecteurs, ce qu'ils leur demandent, c'est ce qu'ils ont vu, pas ce qu'ils ont pensé.

Nos grands-parents étaient immobiles. Nos parents frémissaient. Nous bougeons. Notre façon de voyager révèle une avidité et une hâte qui sont notre temps même. Eh bien, c'est mieux que la guerre.

Je n'aime pas les départs, mais j'aime les arrivées. Je n'aime pas partir, mais j'aime être parti. Je n'aime pas revenir, mais j'aime être revenu. Revenir! Ce qu'on entend d'abord, dans sa langue, près du tapis à bagages, ce sont les lieux communs. J'aime l'étranger parce qu'il est peuplé d'étrangers : on n'a pas eu l'occasion de deviner la bassesse commune.

Londres, juillet 2007. Mon ixième Londres. Du taxi qui m'amène à Waterloo, je jette un coup d'œil sur la Tamise comme si je devais ne jamais revenir. Je suis toujours parti des endroits que j'aimais de cette façon tragique, me disant que, peut-être, je ne les reverrais plus. Mon optimisme.

Quand j'ai vaguement su me diriger en voiture et sans plan dans New York, San Francisco ou Naples, j'ai été enchanté. J'étais chez moi ailleurs. Il n'y a donc pas d'ailleurs, hélas.

On part en espérant aller voir autre chose, et c'est toujours soi qu'on trouve, hélas.

LISTE DES APPELLATIONS DE VOIES À VENISE, À LONDRES ET DANS LA ROME ANTIQUE

... à Venise

L'Italie a des *via*, des *corso*, des *piazza* (*vie, corsi, piazze*) ; Venise appelle ses voies :
piazza,
calle,
calle larga,
riva,
zattere,
fondamenta,
campo,
campiello,
ramo,
salizada,
corte (cours),
sottoportego (passage),
rio terà (un rio terà, comme, au Dorsoduro, le rio terà Canal, est un ancien canal enterré, *interrato*, par les Autrichiens, occupant la ville à cheval),
piscina (croisement de canaux enterré par les Autrichiens)
et parfois une place, sans nom, ne porte que la plaque de la paroisse. « Parrochia S. Maria del Rosario ». À Venise on n'a souvent pas d'adresse précise, plusieurs rues portent le même nom, et, de même qu'à Tokyo on se repère par rapport à tel grand magasin, de même, ici, on indique le lieu par rapport à la paroisse la plus proche.

Que les Français ne se vantent pas de leur logique : en France, « avenue » ne veut rien dire de précis par rapport à « boulevard ». On n'est même pas sûr qu'une avenue soit vaste et longue. Deux donnant sur le boulevard des Invalides, à Paris, l'avenue Constant Coquelin et l'avenue Daniel Lesueur, sont des impasses de cinquante mètres. Autre différence avec le reste de l'Italie, Venise en est la seule grande ville qui ait conservé ses noms après l'unification du pays, à part une via Garibaldi tant soit peu exilée vers les Schiaroni et on n'y trouve aucune voie en hommage à Cavour ou Victor-Emmanuel. Celui-ci a sa statue à San Zaccaria, ébouriffé, martial, l'air de vouloir entraîner les touristes sortant des vaporettos à l'attaque du crocodile de saint Marc sur sa colonne. Mais oui, pépé, on vient.

... à Londres

Road,
street (plusieurs sont des impasses, comme, entre Fulham Road et King Street, Guthrie Street),
walk,
mews (anciennes écuries),
crescent (voie bordée par des immeubles incurvés comme un croissant),
place,
terrace,
parade,
square,
avenue.

Cette ville aux noms de voies aussi variés qu'à Venise a souvent été peinte par Canaletto, Vénitien, qui y a vécu.

... dans la Rome antique

Il y avait des itinerae, où ne pouvaient passer que des piétons, des acti, pour un chariot à la fois ; deux viae, près du forum, la via Sacra et la via Nova, plus larges, que nous appellerions boulevards ou avenues ; des *vici*, rues proprement dites ; des *angiporti*, passages, des *semitae* (sentes), des *clivi* (rampes).

… mais qu'y a-t-il de plus impressionnant…

… que les rues et *traverse* d'Atrani, sur la Côte amalfitaine, comme la traversa della Maddalena et la traversa del Dragone, ces passages grimpants, souvent voûtés, qui sinuent entre les maisons blanches de ce village de Campanie, et donnent, outre l'impression d'être dedans dehors, une idée, semble-t-il, de ce qu'était l'an 1100 ?

LISTE DES ENDROITS D'OÙ LES SPÉCIALITÉS CULINAIRES NE SEMBLENT S'ÉLOIGNER QU'EN SE DÉTÉRIORANT

et c'est ainsi qu'on ne peut manger...

De bon jambon qu'en Espagne (le jabugo jabugo étant un prodige de fonte sur la langue).

De bonne pizza qu'en Italie (elle est de Naples).

De bonne focaccia qu'à Gênes (elle est de Ligurie, en dialecte on dit fügassa ; la fougasse provençale s'en approche).

De bons beignets de fleur d'oranger et de bon pan-bagnat qu'à Nice.

De bonnes demoiselles d'oie qu'à Tarbes (ce sont les carcasses de l'oie une fois qu'on a levé les magrets, ôté les foies, découpé les cuisses et les ailes ; au four).

De bons scones qu'en Angleterre (ailleurs c'est de la poussière au plâtre).

De bon couscous qu'à Alger.

De bons litchis qu'à Ceylan.

De bons fontainebleaux qu'à Fontainebleau.

De bon poisson cru qu'au Japon.

De bonnes pibales qu'à Saint-Jean-de-Luz (ce sont des larves d'anguilles, frites ou à l'encre).

De bon pastis qu'à Auch (c'est un gâteau à l'anis qui ressemble à des draps de gaze que deux naines secoueraient dans un pré).

De bon *vitello tonnato* qu'à Rome (ce sont de très fines tranches de veau cuit couvertes d'une épaisse sauce au thon).

De bonnes salades d'œuf et de salades de thon qu'à New York (la première y est concassée comme une rue en travaux, la seconde suave comme le compliment d'un artiste).

De bons gâteaux basques qu'entre Biarritz et Saint-Jean-de-Luz (nature, s'il vous plaît).

De bonne saucisse de buffle qu'à Luang Prabang.

LISTE DE VENISE

Venise, c'est : « Au secours, ça se dépeuple. » C'est pourtant rempli d'écrivains français.

C'est le vingt-deuxième arrondissement de Paris, le vingt et unième étant la Corse au mois d'août. Tout un milieu se rend dans les mêmes endroits au même moment. C'est ridicule, certainement. Et touchant, car, comme tout snobisme, c'est aussi l'expression d'une peur.

Et puis, c'est très simple aussi : c'est beau. Que c'est beau, grands dieux, que c'est beau ! Une ville-escargot, enroulée sur elle-même, et qui s'est faite belle pour son plaisir. Il devient celui des visiteurs. Une société qui a produit un endroit pareil doit être éternellement chérie par l'humanité.

Je me rappelle mon étonnement, la première fois que je suis venu, de voir, une nuit, au campo Santo Stefano, des flaques bleues aller et venir en vague contre une fenêtre. Comment, dans un endroit pareil, on se met devant un poste de télévision ?

Qu'y a-t-il à Venise ?
Des touristes.
Méprisables touristes ! Bustes assis dans des autocars ! Japonais à appareils photo ! Ploucs !
Or, j'ai beau être écrivain, touriste je suis. La haine du touriste, c'est parfois de la haine admise de l'étranger. Ils sont ici comme à Montmartre où j'ai vécu. À vingt mètres de la place du Tertre

envahie, on n'en rencontrait pas un rue Saint-Rustique : en cela non dissemblables aux vaches, les touristes paissent où on les mène. Dociles, ils avancent calmes et bornés derrière leur guide, ne dérangeant rien autour d'eux, n'écrasant de leur pesanteur que le lieu où ils s'arrêtent. À Venise, ils sont rassemblés dans le grand pré de la place Saint-Marc et quelques chemins alentour, après quoi c'est la grande paix de cimetière de cette ville. Pas un ne vient sur le sourcil rose de la Giudecca, où, généralement, je loge.

La Giudecca, c'est l'Angleterre le dimanche. Elle comprend une agréable place, les Corti Grandi, avec deux bancs rouges couverts de graffitis, car les auteurs de manuscrits refusés existent aussi en Italie. À un bout, un palace, le Cipriani, à l'autre la partie la plus morose de la ville, la cité populaire de la Beata Giuliana. Entre les deux, la prison pour femmes, auxquelles on fait fabriquer des paniers en osier vendus le mercredi. Les anciens moulins du Molino Stucky, dont le fondateur a été assassiné par un ouvrier en 1910, sont restés désaffectés de leur fermeture en 1955 jusqu'au début de la construction d'un hôtel en 2003, interrompue par un incendie qui a été le plus beau spectacle des Zattere. L'hôtel a ouvert en 2007, c'est un Hilton, on dirait une prison. Immense, tout marbre, un bar en acajou qui pourrait être de New York, une cour intérieure où, sur la pelouse, règne un buste blanc de M. Stucky, entrepreneur, bras croisés, menton levé, barbe de maître, pas la rigolade.

Un palais à Venise, ça a l'air d'une baraque délabrée. On entre, cour délabrée. On monte, c'est du Tiepolo. La meilleure rime à Venise, c'est surprise.

D'un dîner chez des amis d'amis au quatrième étage des Procuratie nuove, nous montons sur le toit par des combles blanchis de plumes de pigeon. (Ils doivent venir ici se changer pour la nuit après le boulot.) Douze mètres plus bas, sur la place Saint-Marc, se meuvent des corps minuscules ; l'orchestre du café d'en face joue un air de variété internationale. Tout contre nous, le tiers supérieur du campanile se dresse comme un index nous mettant en garde. Toute personne qui n'est pas montée prendre un verre sur un toit de Venise la nuit ne connaît pas la douceur de vivre. L'expérience peut se reproduire dans l'autre Venise : Manhattan. J'y ai des souvenirs délicieux de verres sur des toits, le soir, nez à nez avec les éléments décoratifs que cette ville dissimule à ses derniers étages, têtes de bœuf de Grand Central, éclairages de gâteau de l'Empire State Building, ongles vernis du Chrysler, mon cher Chrysler. C'était une fête à deux, nous avions acheté du champagne, augmenté le son de la musique, enjambé le chambranle de la fenêtre, et voilà, improvisée, n'ayant rien coûté, une fête délicieuse et un des meilleurs souvenirs de ma vie. Je crois bien que nous avons bu à la santé des Fitzgerald.

Comme les New-Yorkais, les Vénitiens n'arrêtent pas de marcher. Leur ville étant plus petite, on n'arrête pas de s'y croiser. (Deuxième effet province.)

Paris est un village bah bah bah. *Venise* est un village. La ville même qui a l'air d'avoir des secrets en a fort peu. Tout se sait, et ça potine. Paris si claire, si lisible, est tout en fortifications invisibles.

Une ville où c'est un inconvénient d'être vieux. Et mère ! On voit en permanence des remakes du *Cuirassé Potemkine*, tirant puis retenant des poussettes sur les bosses des ponts.

(Acte vénitien : manger une glace en pot au sommet d'un pont.)

C'est une ville où les cambriolages sont rares : on est vu tout de suite en train de charger des meubles sur les canaux.

C'est en revanche une ville pour un assassinat. La nuit, ce peu d'éclairage, plouf, c'est jeté. L'acte doit avoir été silencieux : c'est aussi une ville où tout le monde vit la porte à côté. Passé huit heures du soir, grand silence et tout s'entend.

C'est une ville où les ambulances n'ont pas à sonner. Elles vont, silencieuses, sur les canaux. À Venise, la douleur est modeste.

C'est une ville où je présume qu'on se suicide peu par noyade.

C'est une ville où tout se fait encore à la main. Les éboueurs poussent des charrettes, comme en 1750 ou en Afghanistan. Des barges transportent des camions, pour aller faire des travaux sur une île ou une autre. Sur les berges, des grues arrachent de vieux piliers d'amarrage, dents cariées des canaux. Et voici des épieux neufs, pareils à des asperges. Venise est une bouche.

Comparés aux canaux de cette ville, si vivants de bateaux et d'encombrements, les fleuves des capitales, Seine à Paris, Tamise à Londres, sont morts. Le sol bouge par instants, ce qui donne l'impression d'être sur un très gros navire.

Cette ville si raffinée a l'accent le plus vulgaire, collant, avec des « r » qui ont l'air de « l », un accent aqueux. À Venise, tout devient eau.

C'est une ville à brouillard naturel et mouvant, au contraire de feu le brouillard d'usines de Londres, gras et statique. Il lui donne quelque chose de furtif. Ça leur ferait mal, d'éclairer la place Santa Margherita autrement que comme dans un film expressionniste ?

La stupidité de la rumeur est encore plus visible de loin : l'une des rumeurs de Venise veut que le libraire français soit un fils de François Mitterrand. Il y a autant d'enfants de Mitterrand en Europe que d'auberges varoises où Napoléon a couché au retour de l'île d'Elbe. C'est par admiration du pouvoir : des couilles.

Les pêcheurs de *vongole*, qu'on imagine sympathiques, canne à pêche et parcimonie, sont à la tête de la mafia de Venise. Corruption, vols, meurtres.

C'est une ville qui a eu la fantaisie de construire une église comme Saint-Georges-le-Majeur sur un îlot et d'en orienter la façade, non vers les habitants de l'île, mais vers l'extérieur, vers Venise et son plaisir. Cette église est de Palladio. Palladio n'étant pas de Venise ne pouvait travailler qu'en dehors de la ville, à la Giudecca par exemple. Ah, les façades blanches de ces églises roses, couperets de marbre dans la mortadelle ! Je crois que ma préférée est le Rédempteur, château fort à visage baroque, byzantin humanisé. N'oubliez pas, abusés que vous seriez par une idée fausse de Casanova, que cette perpétuelle gâteuse a été une féroce, et l'Inquisition vénitienne l'une des plus sévères d'Europe. Son paganisme est frappant dans le Canaletto de la National Gallery d'Édimbourg, où un doge doré comme un sceptre gothique monte sur le monstrueux Bucentaure

71

afin d'aller jeter son anneau dans l'Adriatique. Et ils se croyaient catholiques. Napoléon a brûlé le Bucentaure ? Barbare ! Omar ! Oriental !

On peut y voir un des seuls, peut-être le seul portrait de la Sainte Vierge vieille. Cheveux blond-gris, elle a cinquante ans, elle semble épuisée. C'est dans la *Pietà* de Bellini, ce grand peintre qui fait un saut dans la pratique de la peinture et se trouve bien plus près de nous que ses dates de 1430-1516 ne le laissent entendre. À Venise encore, le plus intelligent et le plus aimable portrait de saint Joseph qui soit, je veux dire rendu aimable par un peintre intelligent, qui n'a pas cru devoir le représenter en vieillard musculeux : Guido Reni ou un de ses élèves, à San Giovanni e Paolo. Il a soixante ans, des cheveux blancs et courts, un visage jeune, porte l'Enfant Jésus dans ses bras ; ce qui a dû arriver plus d'une fois mais qu'on ne montre presque jamais. L'imagination n'est pas la première qualité des peintres. À Saint-Georges-des-Esclaves, où l'on va voir les Carpaccio, n'oubliez pas, à l'étage, la chaise baroque, baroquissime même : j'en rêverais, si j'étais nain. Aux Gesuiti vous accueille, dès la porte passée, une Vierge en bois peint, avec couronne en argent et robe en brocart dressée devant un grand cadre éclatant de dorure. Ça frôle la superstition à vous rendre protestant.

Au Lido, l'été, le temps est parfois si chaud que, du large, pour regagner la plage, il faut traverser une tranche de mer chaude comme du café. Quand on revient, à la station Giardini, toutes les parties de Venise semblent se réunir, le Grand Canal et le canal de la Giudecca se fondant en une grande baie derrière laquelle se trouverait un sublime encombrement de maisons et de clochers. Par temps clair, on voit la modernité au bout du canal de la Giudecca. Une des plus belles vues, vraiment, que celle des cheminées d'usine à Marghera !

Une ville d'Italie qui ne saura pas ce qu'elle me doit, c'est Naples. Je lui ai envoyé plusieurs personnes qui la haïssaient de confiance et ont révisé leur jugement. Un ami d'Oxford qui la méprisait comme écœurante d'après le rapport d'un Indien, lequel voulait être plus anglais qu'un Anglais et haïssait en Naples sa Calcutta natale ; un écrivain français que j'y ai dépêché y a passé deux jours et en a rapporté une plaquette ; un...

Venise est une ville où, au 3292 fondamenta dei Furlani, vivaient au début du XXIe siècle Hiroko Nishikubo et Fukiko Kido. Aimez-vous aussi lire le nom des habitants sur les cartouches des sonnettes? Êtes-vous romancier?

LISTE DE ROME

À Rome, les palais sont lourds, mais roses. Les grilles en fonte de leurs fenêtres, à leurs rez-de-chaussée évasés comme des revers de bottes de géant, ont l'air d'avoir été nouées par Hercule en personne. Que vous louiez une chambre d'hôtel ou un appartement, demandez le dernier étage. Il y a de magnifiques possibilités de vues. Elles n'ont pas l'ampleur d'Océan de Paris, mais, dans le fatras des petites cheminées et du linge qui sèche, il y a toujours un pin parasol et deux coupoles en ananas. Le profil de Rome, ce sont des cyprès se découpant en haut d'une colline.

La ville est couverte d'affiches électorales, chose qui, avec les lois sur le financement des partis, n'existe plus en France depuis des années et contribue à déréaliser la politique, art inventé à Rome et qui s'y perpétue avec délices depuis deux mille cinq cents ans. Bonne ou mauvaise, toute innovation politique dans le monde semble venir de Rome. C'est elle, par exemple, qui a inventé une chose dont on ne parle jamais parce qu'il est mieux vu de critiquer les élites, dont une des fonctions est de servir de décharge à quolibets : la corruption du peuple. Dans Plutarque, on voit comment « les candidats aux magistratures dressaient des comptoirs de banquiers sur la place publique et corrompaient effrontément la foule ; le peuple stipendié… » (*Vie de César*). (Pour une « Liste des choses dont on ne parle jamais ».) Oui, oui, les politiciens corrompus. Et l'électorat corrompu ?

Il y a dans la ville quelques dizaines de mètres qui embaument au printemps. C'est, via Margutta, via Giulia, les cours et les arches d'où les glycines tombent.

Il pleut. Aussitôt des Hindous surgissent, vendant à la sauvette des parapluies pliants. Cela n'arriverait ni en France, ni en Espagne, je crois. En France par mépris du pratique, en Espagne par orgueil. Adolescent, j'avais acheté le roman d'Anthony Burgess, *Rome sous la pluie*, pour le charme de son titre. Eh bien ça n'est pas gai, Rome sous la pluie. Autant la pluie va au gris de Paris qu'elle fait luire comme une croupe de jument, autant elle rend glaise l'ocre des murs de cette ville qui, malgré tout son marbre, est restée une ville de terre. (L'empereur Auguste se flattait d'avoir laissé en marbre une ville qu'il avait trouvée en briques.) Le retour à la nature se fera sans moi.

Ils tètent la louve et des glaces.

La mode des trois-quarts matelassés bleu marine ne passe pas. C'est l'uniforme du bourgeois romain.

Les jeunes Romains assis à l'envers sur leurs scooters sont les ombres ignorantes des anges à cheval sur les corniches des églises baroques au-dessus d'eux.

L'Europe est peuplée de fantômes : on n'y est jamais seul. À Rome, on se heurte à eux à toute occasion. Qu'on aime l'histoire, on y croise Cicéron en train d'invectiver contre les fauteurs de guerres civiles ; qu'on préfère la littérature, on aperçoit Manzoni déclamant des vers patriotiques ; dans la période contemporaine, c'est le cinéma qui a laissé le plus de créatures dans nos têtes. Un matin, passant devant la galerie du Corso, je vis qu'on lui avait donné le nom de « galleria Alberto Sordi ». Il était romain, ce grand acteur naïf et roublard, moqueur et bigot. Il y a des moments où l'Europe est étouffante à cause de ces fantômes même. C'est le moment où on émigre en Amérique.

Dans cette ville de places plus enthousiasmantes les unes que les autres, je préférerais la piazza Minerva avec son éléphant du Bernin portant un obélisque (quelle idée poétique) et le souvenir de Stendhal qui descendait au Grand Hôtel de la Minerve, s'il n'existait, à quelques mètres de là, un de ces délicieux secrets que tout le monde pourrait voir mais qui sont protégés par des parenthèses de foules. Pendant qu'elles bruissent en hordes cinquante mètres à l'est, place

du Panthéon, et trente mètres à l'ouest, sur le Corso, approchez...
Sant'Ignazio. Cette petite place carrée s'est faufilée entre les hauts
murs du Collegio Romano des Jésuites et la via del Seminario en
mettant les épaules à l'oblique, oumpf, poussons, voilà ! On y entre
par surprise, et c'est une joie sur la terre : la haute façade de l'église
Sant'Ignazio, peau de chamois caressée à l'envers, fait face à trois
petits immeubles baroques, incurvés, peints en jaune, avec des jupons
de fer forgé aux balcons du premier étage (sur trois). On a
l'impression que les fenêtres vont s'ouvrir pour que Rosine chante la
cavatine du *Barbier de Séville*, délices, délices, si je continue je vais
vous raconter la scène.

LISTE DE MILAN

À Milan, il y a beaucoup de noir, on se croirait à Dublin. Il se remarque d'autant plus qu'il est parcouru de taxis blancs. Au moins, c'est sérieux, cassant le lieu commun de l'Italien qui remue les mains. Une ville faite pour le travail. On dira : cela n'empêche pas le plaisir. Je n'en suis pas sûr. Où Stendhal a-t-il pu être touché ? Par le simple fait de se trouver hors de France ? Il aurait rencontré ici, pour employer un mot très lui et sa façon d'appuyer, l'*énergie* que, cent soixante ans plus tard, et aussi écœurés par la léthargie hautaine de Paris, nous allons trouver à Manhattan ?

À Milan, il y a, comme à Londres, une brutalité architecturale 1950-1970 qui grommelle entre de belles constructions anciennes. À l'écart du corso Europa, une petite église baroque est menacée par des immeubles de six étages en béton. Non, je ne pense pas que, après les bombardements de la Deuxième Guerre mondiale, on ait conçu une architecture résistante, ou aussi violente qu'eux. La laideur n'est pas si réfléchie.

À Milan, il y a, qui contribue à son air vieillot, un tramway orange qui avance en craquant. Des voitures basses et silencieuses le remplacent peu à peu, qu'on ne peut pourtant déjà plus dire modernes, avec leur mine de TGV première génération ; municipale ou nationale, la bureaucratie est lente et vieillit tout.

À Milan, il y a, qu'on remarque tout de suite, les petits pavés du sol, assez semblables à ceux de Toulouse, mais on ne se rend pas tout de suite compte qu'il y a peu de verdure. Par rapport à Rome ou Naples, il n'y a pas : de scooters, de bruit, d'hommes portant des manteaux trois-quarts matelassés. Il y a peu de restaurants, mais partout des McDonald. Et des banques! Et des banques! Ayant économisé sur l'escalope, des milliers d'obèses suçant des biberons de Coca vont en file indienne déposer leurs espèces.

À Milan, il y a des statues partout. Lisbonne et Londres sont aussi des villes de statues, la première des poètes, la seconde des généraux; ici, poètes et généraux, plus un grand philosophe du droit pénal. Et voici Beccaria, né à Milan, qui a théorisé la proportionnalité des peines, nous apprenait-on en droit; et le jeune homme, à peine sorti de l'enfance, est si habitué à l'injustice que je n'ai pas été stupéfait que la plus élémentaire humanité ait dû attendre 1764 (son livre *Des délits et des peines*). Et voici Carlo Cattaneo via Santa Margherita et Giuseppe Parini piazza Cardusio, encore de la littérature à lire! Et voici, bien sûr, Victor-Emmanuel piazza Duomo, Cavour piazza Cavour et Garibaldi largo Cairoli. D'une certaine façon, l'unité italienne a été un coup d'État en faveur des Savoie. Et les malheureux Bourbon de Naples de finir à Paris, sans cour, sans protocole, sans enfants, sans argent, sans espoir, sans rien. Libres et tristes.

À Milan, il y a des cathédrales à l'intérieur desquelles c'est sombre comme nos âmes. Et, au milieu de ces tristesses, faisant mon cœur bondir de plaisir, San Babila, petite église romane sabotée par une entrée de métro que surplombe, sur une colonne de marbre fendue comme un savon sec, un lion dont la tête ne tient plus que par une lanière de métal. Ce gothique, ce gothique! Des couteaux sur la peau du monde.

À Milan, il y a la belle épicerie Speck. Réduction (comme on dit d'une sauce) de la rôtisserie de Harrod's, qui a l'air d'avoir été imaginée par Dickens pour faire saliver les enfants pauvres à la vue de tant de poulets dorés, et de la Grande Épicerie du Bon Marché, le chuchotant et chic Chanel de ces délices. Leurs réductions (comme on dit d'une colonie jésuitique) de New York sont à niveau. La plus ancienne est Balducci, fondée, en 1916, par un Italien, qui, de Brooklyn, est passé dans le Village (8ᵉ Avenue/14ᵉ Rue). Évitez Dean & Deluca, si *déco* que c'est à peine de la nourriture, et allez au Gourmet Garage de la 7ᵉ Avenue (10ᵉ Rue) ou, dans l'Upper West Side, chez ce spécialiste du saumon fumé qui signe d'un Z qui veut dire Zabar. (Le dimanche matin, on peut bruncher de bagels au saumon, en face, chez Barney Greengrass. Les serveurs y sont si désagréables qu'on se croirait à Paris.) À l'étage de Speck se trouve un salon de thé et un marchand de douceurs ; au rez-de-chaussée, la boucherie, le traiteur, l'épicerie fine. Il y a du jambon... mais ça, c'est la royauté de l'Espagne.

À Milan, il y a des immigrés asiatiques partout. En mars 2007 s'y est produite la première émeute de Chinois en Europe. Cette communauté si discrète et si estimée des indigènes a fait l'assaut d'un commissariat parce qu'un policier avait empêché un des siens de se garer en double file. Drapeaux de la Chine communiste, cris, pavés, saccage. Le préjugé a été si étonné qu'on en a très peu parlé.

À Milan, il y a la Scala. La première loge côté scène, au deuxième étage (celle qui est accolée à la loge d'avant-scène), est la seule qui ne soit pas rouge, mais bleu Nattier avec des motifs dorés au pochoir, et avec un grand miroir sur le côté. Pourquoi ? Sujet de nouvelle. Un auteur élégiaque imaginera une duchesse tuberculeuse, un moqueur une histoire de vengeance et d'assassinat. Achetant le programme de *La Fille du régiment*, je pense : ah, ces catalogues qui, moi mort, feront à eux tous 5 euros chez un brocanteur, « lot de divers programmes de théâtre » ! On les trouvera peut-être Via Spadari et alentour, le dimanche matin, où des marchands ambulants vendent aussi des timbres, des cartes postales, des pièces de monnaie, de vieux magazines ayant des généraux sur la couverture, enfin ces objets de collection qui font la distraction morose des maris fuyant leurs femmes enlaidies qui les embêtent. Eux-mêmes ne sont plus beaux, ni frais, et ils tiennent parfois par la main un petit garçon rêveur qui, peut-être, ne deviendra pas comme eux.

À Milan, il y a la Pinacoteca Ambrosiana, qui sent le tiède, comme souvent les musées peu visités. On y expose les gants portés par Napoléon à Waterloo. Ils étaient blancs. Qui les a récupérés ? Autre sujet de nouvelle. Voilà peut-être pourquoi Stendhal, vampire comme tout romancier, a aimé cet endroit : il y a trouvé de quoi éveiller son sens narratif.

À Milan, il y a... En arrivant quelque part, on voit aisément ce qu'il y a, mais on se rend difficilement compte de ce qu'il n'y a pas. Et c'est la déplorable force de l'existant.

LISTE DE NEW YORK

On parle partout français : je suis bien à New York. Au restaurant on m'a proposé des *ôdeuves*, le garçon a renversé la *meilleuneïse*, mon amie Serene m'a dit *séleuvie*. À la table du Gamin, j'ai lu le *New York Observer*, hebdomadaire rose et discret qui a eu son moment vers 1995 (c'est là que Candace Bushnell tenait sa chronique « *Sex and The City* »). On pourrait en faire un pastiche. « *Such are the manners of la bohème that, en route to L.A. in his private plane, he refused to return a call to his former protégé and flew directly to his Napa Valley Château with his entourage. Nicole, imbued with femme fatale attitude, was wearing a dashing trench coat sans sweater. Voilà.* » C'est ce que W.H. Auden appelait « le langage tutti frutti ». « Je reviens de Californie. Stravinsky a été extraordinairement gentil. Nous n'avons pas arrêté de parler en langage tutti frutti, allant de l'anglais à l'allemand et de là au français − *"C'est the end, nicht wahr?"* » (*The Table Talk of W.H. Auden*).

Noms de restaurants à Manhattan :
Chez ma tante
Provence
Les Deux Gamins
Pescadou
Capucine's
Chez Matisse
Le Gamin
La Bohême (Cuisine Provençal)

Le spectacle des modes est un des plus distrayants de New York. Elles sont joyeuses et changent vite, au contraire de Paris, où elles sont lugubres et changent lentement. Nous aurons vu les chapeaux cheminée en velours noir (1991), les baskets pied-bot délacées (1993), les restaurants provençaux (1995), le peintre Frida Kahlo (1998) et, quelle que soit l'année jusque vers 2001, les chiens moches. À la fin du XXe siècle, il était absolument impossible de trouver un chien à quatre pattes et deux oreilles dans Manhattan. Il fallait que les pattes fussent Louis XIV, les yeux Churchill, les oreilles en code aéronautique, le museau en champignon, la peau aux mille plis faisant des sourires de douleur au bout de la laisse tenue par une jolie fille. Le symbole de Manhattan n'était plus King Kong tenant Fay Wray dans la main, mais Sarah Jessica Parker à qui on a greffé le corps de son chihuahua dans *Mars Attacks!*.

L'immuable reste le *New York Times* dont l'encre sent l'artichaut. Le week-end, on le vide comme un poulet. Encarts publicitaires pour les ordinateurs, les voitures, l'électroménager, suppléments Sport, Offres d'emploi, à la corbeille, et à nous les livres, la politique, la *Metro Section*, la pensée et l'action vue de notre chambre! Ou du café. C'est un des plaisirs de cette ville que de s'asseoir, le dimanche en fin de matinée, dans un bistrot de l'Upper West Side et d'y lire ce journal en mangeant des *bagels* au saumon parmi les couples ou les solitaires avec ordinateur portable, à moins qu'on ne s'asseye sur un banc en bois près de son gobelet en carton. New York reste une ville à bancs publics. Archaïque, par bien des aspects. Son optimisme, tiens.

On se pose dans divers aéroports. Si JFK est plus agréable pour le trajet (des maisons, de l'urbain, des frémissements d'énergie), les dernières minutes du vol ont plus de charme si on atterrit à Newark, dans le sinistre New Jersey : à condition d'avoir pris un siège à gauche, on verra, par le hublot, les tours de Manhattan.

J'ai rendez-vous avec une amie à Dumbo (*D*own *U*nder the *M*anhattan *Br*idge *O*verpass, sous le passage de l'échangeur du pont de Manhattan). Passerai-je par Soho (*S*outh *o*f *Ho*uston *Street*), Noho (*No*rth *o*f *Ho*uston *Street*), Tribeca (*Tri*angle *b*el*ow* *Ca*nal *Street*), ou Nolita (*No*rth *o*f *Li*ttle *Italy*)? Est-ce New York qui a inventé cette spécialité de tenter le pittoresque au moyen de… comment dit-on? acronymes?

Les tours sont nos fées. Nous en avons tous une de prédilection, dont nous nous plaisons à imaginer qu'elle nous symbolise. Pour moi, c'est le Chrysler Building, avec les plis en acier de sa robe longue et ses doigts vernis qui semblent tenir délicatement le pied d'une coupe de champagne. Achevé six ans après *Gatsby le Magnifique*, il incarne à mes yeux une époque dramatique comme toutes mais allégée par la volonté de frivolité.

New York est une ville de surprises architecturales permanentes. Son hétéroclite semble avoir été voulu. Quand on les regarde de loin, les immeubles semblent tous sur le même plan, comme dans un collage. Ainsi, quand on observe Madison vers le bas à droite du trottoir de gauche entre la 66ᵉ et la 65ᵉ : le tableau se compose d'un immeuble en verre et béton à lanières 1975, d'un *postwar building* en briquettes blanches, d'un immeuble en briques rouges 1930 et d'une petite maison XIXᵉ. La ville change selon l'état de sa luminosité. Le jour s'efface plus tôt dans les quartiers de tours, qui offusquent le soleil dès cinq heures de l'après-midi ; à partir de la 25ᵉ Rue en regardant vers le nord, Park Avenue est gris poussière. La couleur des tours et la largeur des avenues contribuent aussi à leur caractère : la large 6ᵉ Avenue entre la 44ᵉ et la 50ᵉ, bordée de grands immeubles marron ou noirs, ressemble à un cimetière debout. Dans les avenues vides, le samedi matin, on n'y voit que du jaune, celui des taxis.

Et les géométries que ses immeubles font au ciel. Par exemple, les 61 et 69 W 9ᵗʰ Street, immeubles voisins, le 69 faisant le coin de la 6ᵉ Avenue, lorsqu'on vient de la 5ᵉ. On dirait un Braque collé au plafond.

Un de mes immeubles préférés est le *postwar* de briques blanches sur Broadway et la 10ᵉ Rue Est, plus particulièrement vu du nord, quand on sort de chez Strand, la librairie d'occasion. (Peut-être que j'aime le style *postwar* à cause des Lego.) Bedford Street et ses maisons hollandaises est la plus jolie rue du Village. Au 70 naquit en 1807 John P. Room, « *sailmaker & crier of the courts of Oyer & Terminer & Goal Delivery & of the general session of the peace* » (ça sent le salaud) ; en face, au 75 ½, car il y a un 75 ½, tant la maison est étroite, Edna St. Vincent Millay vécut en 1922 et 1923, y écrivant *The Ballad of the Harp-Weaver*, pour lequel elle obtint un prix Pulitzer. On pourrait les filmer tous ensemble pour un court-métrage, y ajoutant, que, sauf erreur, vécurent ici aussi, Dawn Powell et Willa Cather, l'une y écrivant ses comédies cruelles si new-yorkaises, l'autre ses drames de l'Ouest. On y ajouterait le tenancier du bar du 86, d'où vint le verbe « to eighty-six », supprimer, par relation à la Prohibition.

On a quatre-vingt-sixé les tours du World Trade Center. L'anéantissement de tout autre immeuble aurait sans doute moins modifié Manhattan ; non seulement à cause du symbole visé, mais celles-ci, étant les plus hautes, et visibles de quantité d'endroits, surprenaient les regards à tout instant. Dans le Village, on tournait la tête en traversant Thompson Street, et on les apercevait au loin, pareilles à deux index dressés. De Midtown et sans avoir besoin de monter sur un toit, on les voyait. De... Je me rappelle les losanges arrondis d'acier montant le long de leurs façades, l'escalier roulant qu'il fallait prendre au coin de l'immense hall de marbre blanc pour descendre dans le métro, tout discret, comme si ce moyen de transport eût été une chose trop triviale pour tant de richesse, et, sur l'esplanade, le spectacle de danse que j'ai vu un jour à l'occasion de je ne sais quel festival, il y en a ici dans chaque quartier. Un jour, à Bryant Park, j'ai vu le *Duck Soup* des Marx Brothers à côté d'un vieux couple qui me faisait la propagande de Ronald Reagan comparé à la mauvaise tenue de Bill Clinton. Chose rare dans une ville démocrate. Depuis ils ont eu le fils Bush, qu'on aurait pu mettre tel quel dans une comédie des frères Marx. La promenade en ferry Manhattan-Staten Island-Manhattan est devenue moins bien depuis que, au retour, buvant les tours de Manhattan qui s'approchent, on ne voit plus celles du World Trade Center. Un grand manque est là, on peut le dire, qui nous désole. La haine a réussi un beau coup. « *Impavidum ferient ruinae* », dit Horace dans les *Odes*. Ah ! il faut être latin pour dire des choses d'une aussi haute moralité. La ruine des tours ne m'a pas laissé impavide, mais je ne me trouve pas inférieur de ne pas être un *sage*. C'est l'autre nom de l'absence de cœur.

Dans un des poèmes d'*À quoi servent les avions ?*, publié en septembre 2001, juste avant les attentats, j'évoquais un bombardement de New York et la destruction des tours jumelles. Holà ! Un prophète ! Non non non. Au contraire, même. Loin de disposer de quelque mystérieuse prescience, la poésie raisonne. Elle le fait par l'enclenchement des images ou des nécessités de la prosodie, et puis elle peut simplement réfléchir, n'est-ce pas ? Pour le poème en question, je me rappelle avoir pensé que New York était une ville belle et énergique, deux raisons suffisantes pour se faire haïr.

Contribuent à sa physionomie, tout autant que les tours, les grandes bâches publicitaires qui recouvrent les murs aveugles des immeubles (quand ils ont une ou deux fenêtres, comme au croisement de Houston et de Broadway, la bâche est découpée à leur emplacement). Calvin Klein y déploie des odalisques mâles, Evian, des infirmières étonnées ; j'ai écrit un poème sur l'une des premières, « Éros sur le mur ». Un temps, un jeu consista à les bombarder de peinture rouge à l'endroit du cœur.

Quel plaisir que ses klaxons, sa saleté, ses clochards, ses femmes levant le bras en silence pour héler un taxi, ses acacias du Village frêles et têtus comme de vieux fumeurs, ses dais au-dessus des entrées comme dans des films, ses constructions, sa vitalité ! C'est une ville bruyante, brouhaha de paroles, de klaxons de taxis, de roulements de moteurs. Les taxis klaxonnent pour vous héler comme dans le Tiers-Monde, parce qu'ils viennent du Tiers-Monde.

Et comme est sympathique le bordel de Broadway une demi-heure avant les représentations ! Les gens arrivent. Ils parlent fort, rient, s'interpellent, rejoignent les théâtres en traversant hors des clous. Les portiers crient. (« Chacun son billet à la main ! ») Les taxis déchargent des clients. Ceux qui cherchent à en charger klaxonnent. Les voitures protestent. Ça sent le succès.

Darwin : « Paris est sublime d'une manière absolue. S'il y a du sordide, il le cache, dans des quartiers eux-mêmes absolument sordides. New York, tu vois, c'est ceci : le sublime et le sordide côte à côte : le quartier des théâtres, trois banques aux coins du carrefour et, au quatrième, ce *Papaya Bar* minable. »

À New York, la bizarrerie n'étonne personne. C'est une des raisons qui en font une capitale.

C'est la ville des nouveaux métiers perpétuels. En 2005, à Union Square, une roulotte qui semblait vendre de l'*italian sausage* (sandwich à la saucisse et à l'oignon) était en réalité une borne où, pour cinquante *cents*, on pouvait recharger son téléphone portable. Je ne crois pas que son inventeur soit devenu milliardaire.

Chose impossible à New York : un coucouple se tenant par la mimine.

Qui n'a pas de talent de photographe à New York?
C'est le talent de cette ville. Elle le communique.

Les New-Yorkais passent pour brusques, mais je crois que c'est une posture, comme dans bien d'autres capitales, destinée à faire fuir les importuns : si nous vantions nos qualités, les provinciaux viendraient deux fois plus nombreux! (Un des jeux des Parisiens consiste à les épouvanter en leur parlant de la circulation.) J'entre dans une galerie d'art sur la 57e. De son comptoir, tout au bout, la galeriste me salue, puis, comme je m'approche : « J'espère que vous allez aimer l'accrochage, nous en sommes très fiers. » Jamais à Paris. Vous entrez dans une galerie, on vous toise, condescendant à vous donner des renseignements si vous vous approchez avec un air assez mouton, ou, ce qui est pire, assez loup. Juste après, je retourne vers mon taxi où j'ai oublié mon téléphone portable. « Les dieux sont avec vous ce matin », me dit une femme qui traversait la rue. Jamais à Paris, 2. Personne, et surtout pas une femme, n'aurait cette spontanéité. Ou cette assurance.

Les New-Yorkais portent toujours quelque chose. Un sac en bandoulière, le plus souvent. Il contient leur tenue du soir, car ils habitent trop loin pour rentrer se changer. On en voit aussi poussant des diables, tirant des ballots. Où vont ces nomades perpétuels? Nulle part, sans doute. Ils se promènent pour le plaisir et le camouflent en déplacements utilitaires, car, en Amérique, l'oisiveté n'est pas aimée.

Dans le Village et à Soho, en été, le New-Yorkais va volontiers torse nu. Il met une chemise Midtown, une cravate Uptown et un chapeau Upstate, c'est-à-dire à la campagne. En remontant encore, il enfile une sur-chemise à carreaux, puis un trois-quarts doublé, puis des moufles, puis des raquettes, puis tombe dans le trou que l'Inuit a dessiné pour pêcher le poisson.

C'est fait, les New-Yorkais sont plus chic que les Parisiens. En particulier les femmes. Vus de cette ville, nous avons l'air de Portugais pauvres de 1970. Et nous ricanons, avec la supériorité des faibles, pendant qu'ils nous ignorent et s'amusent.

Le charme de cette ville a été diminué par Amazon.com. J'y arrive en en ayant déjà reçu les livres récents et les nouveaux DVD que, naguère, je me faisais un plaisir d'y acheter avant qu'ils n'arrivent à Paris. De même, une partie du plaisir de se procurer de l'eau de toilette Blenheim Bouquet en Angleterre a été éventée par l'ouverture d'une boutique Penhaligon's à Paris (mais je ne lâche pas, je l'achète toujours là-bas, avec mon dentifrice, le Boots Basics à 2 £ 50). La boutique de chaussettes pour ecclésiastiques de Rome aura été bientôt rachetée par LVMH et sera dans les aéroports. À New York j'ai vu disparaître presque autant de librairies qu'à Paris, Rizzoli sur West Broadway, celle de University Place, St. Mark's Bookstore se maintient malgré son déménagement, et, si vous entrez dans le restaurant chinois contigu, traversez la salle, passez par les cuisines, ouvrez la petite porte, montez à l'étage, vous trouverez le bar le plus inattendu de la ville, étroit, tout en longueur, un wagon. Le seul commerce qui ne s'exportera sans doute jamais, ne rapportant pas assez, est le marchand de *pantofole* de Venise, dans la première rue à gauche en sortant du pont de l'Accademia. C'est en velours et beaucoup moins cher que des mules de grand faiseur. Mais comment fait-on pour prendre la nationalité new-yorkaise ?

Nous avons dû rétrospectivement constater que le 11 septembre 2001 marquait une nouvelle ère, le véritable changement de siècle. Dieu sait si celui qui le remplace est peu new-yorkais. Cela ne nous empêchera pas de continuer à adorer cette ville pour ce qu'elle nous a apporté, pour ce que nous lui devons, et nous lui tendrons toujours la main pour lui éviter de couler vers les bouches noires du passé. Donne-moi la main, Babylone.

LISTE DE LONDRES

Quittez les vilains bords de la Tamise et entrez dans la Londres qu'on ne changera jamais : ses quartiers de maisons géorgiennes, briques rouges, porches blancs et jardins verts. À l'intérieur, des Londoniens. On peut les apercevoir, le soir, buste en avant, sortant pour se rendre à leur club, à leur pub. Dans les clubs, protégés derrière le grillage de leurs costumes et mâchonnant une langue sarcastique à l'intérieur d'une bouche presque fermée, ils regrettent le temps où, comme dit Ford Madox Ford, « ils administraient le monde, et pas seulement le département des statistiques dirigé par Sir Reginald Ingleby » (*Some do not...*). Et la BBC4 qui a pris l'accent du Nord ! Heureusement, pour parler le bon vieux *BBC English* à l'intonation londonienne, il y a les Pakistanais, Indiens, Ghanéens et autres peuples de l'ancien Empire qu'accueille cette ville, la plus cosmopolite du monde avec New York. Dans les *bungalows* de Wimbledon (un *bungalow* est une maison à un étage, tandis que ce que nous appelons un bungalow est ici un *chalet*), les vieilles dames à cheveux blancs qui ont voté pour Margaret Thatcher se servent un gin-tonic. Dans les pubs, on boit des pintes de bière en se moquant des *upper classes*, vêtu d'une simple chemise qui sort du pantalon, même en plein hiver. Ceux qui entrent dans leur club, non loin de Buckingham Palace, ont croisé les foules du Kent prenant des photographies. La monarchie anglaise est très *middle class*.

C'est la seule ville au monde où, si vous bousculez quelqu'un, il vous demande pardon. C'est aussi la seule ville où l'on peut voir une jeune fille pâle et grassouillette à cheveux roses et piercings dans la joue renseigner un vieillard à casquette de rappeur, jogging et sac en plastique devant la vitrine d'une boutique de téléphonie mobile.

Ce que je trouve sinistre à Londres, c'est le genre Belgrave Square. La grande place à immeubles crème, tous les mêmes, entourant un bloc vert emprisonné dans des grilles. L'architecturalisation de l'ennui. Tite Street où habitait Wilde se trouve dans un quartier où toutes les maisons sont pareilles, briques rouges et jardins verts, des maisons de riches, pourtant, quelle passion de l'uniformité peut avoir ce peuple qui reproche à la France sa passion de l'égalité. De là les excentriques, impossibles en France, qui n'en a pas besoin, qui s'en fiche. Les excentriques me font l'effet de névrosés à idée fixe qui ont perdu tout humour.

Le colossal défaut de Londres sont ses librairies. Depuis la suppression du prix unique du livre par le gouvernement Thatcher, ce commerce a été dévasté : plus de librairies indépendantes, mais des librairies de chaîne et, quelles qu'elles soient, mêmes livres de poche imprimés sur un papier grisâtre et rêche que camouflent de menteuses couvertures en couleurs. Elles perpétuent les best-sellers. En 2004, on voyait à la vitrine de tous les Borders de Londres *Men are From Mars, Women From Venus*, qui date de 1992. Si le best-seller, un consommable, se met à avoir une postérité, nous sommes foutus. Il n'y a plus qu'à Bloomsbury, dans les *second-hand bookstores* de Charing Cross et les bonnes librairies d'occasion autour du Bristish Museum, que l'on puisse trouver Harold Nicolson, Sacheverell Sitwell et l'*Autobiography of a Super-Tramp*.

Quand elles font des travaux d'entretien, les entreprises privées anglaises en sont si émerveillées qu'elles posent des affiches partout. Dans le métro de Londres, en 2007, on réparait un escalier roulant. Cinq affichettes se répétaient sur le trajet montant et descendant de la cage : « *Improving safety...* » « *Skilled ingeniors...* » On se disait : c'est bien le moins, que les ouvriers soient qualifiés et la sécurité améliorée. Au moins, dans leur manière de faire les choses en boudant, les services publics ne se vantent pas.

St. Mary le Strand et St. Clement Danes, prises comme deux yeux au milieu du Strand, donnent l'heure. Des églises avec des horloges, quelle raisonnable conception de l'éternité ! C'est Londres même. Je rentre à mon club, chantonnant *London Calling*, rêvant que je suis le seul anglophile de France. À Londres, les Français seraient cent mille.

En train de servir de la nourriture, pour la plupart. Hampstead n'est que Café des amis, Crêperie bretonne, Palais du jardin, Café rouge, Manges-tu, Crêperie de Hampstead. Ce que personne n'avait réussi à faire depuis Louis XIV et la révocation de l'édit de Nantes, répandre l'influence française par l'exil, les gouvernements français de la fin du XXᵉ siècle y sont parvenus. Le voilà, le nouveau pas vers les traductions facilitées, le *rayonnement*, la *francophonie* sans ministère !

Londres, quoique amochée par une architecture contemporaine que le prince de Galles trouve pire que les bombardements allemands, est un vieil invalide de guerre qui garde de l'allure. Le Strand, Aldwych, le Temple. *Mighty England.* La certitude et la puissance. C'était quelque chose, l'Angleterre impériale. « Le Royal Exchange et la Banque d'Angleterre étaient assurément les plus insolents édifices du monde », disait Henry Adams (*L'Éducation de Henry Adams*). Elle n'est pas entièrement morte. Les Anglais sont souvent frappés de ce qu'il y ait beaucoup de drapeaux français en France, comme si nous risquions d'oublier où nous sommes : Londres est gardée par un peuple de militaires en bronze noir. Pour y avoir sa statue, « il suffit d'avoir un peu traîné un sabre », disait Victor Hugo dans son livre sur Shakespeare, lequel n'en avait pas ; depuis, on en a érigé une dans Leicester Square, de façon qu'il puisse admirer la place la plus laide de la ville. S'il veut attendre moins longtemps, il faut vraiment qu'un écrivain ait subi une persécution gênante, comme Oscar Wilde, qui a obtenu sa statue quatre-vingt-dix ans après sa mort. C'est, dans Adelaide Street, un sarcophage d'un mètre cinquante à un bout duquel deux pieds pointent en babouches, quand, à l'autre, surgissent une tête et une main tenant une cigarette. Wilde est tout vert, fait de nouilles en chewing-gum, avec un fort air d'avoir le mal de mer. Le sculpteur est sans doute un admirateur du portrait de Dorian Gray, le tableau, dans son état final. Le mois où cette statue était inaugurée, novembre 1998, j'envoyai 150 F pour la statue de Winston Churchill à Paris, car il manquait d'argent pour l'achever, quand nous en avons pour tant d'autres choses. Je n'ai pas été mécontent de faire don d'un morceau de cette personne à la France.

LISTE DE GÜMÜSLÜK

Une heure du matin à Gümüslük, sur la côte égéenne ; on prononce Gumuchluc. C'est une petite baie à vingt maisons qui du temps des Grecs s'appelait Myndos. Derrière celle que je loue, un jardin à hibiscus et bougainvillées ; devant, à cinquante centimètres, la mer. Dans l'encadrement de la porte, une grosse tête de vache qui me regarde avec un œil fardé de noir. C'est toi, Junon ?

Sous un rocher ébouriffé d'arbustes, au bord de l'eau, une mosaïque d'à peu près deux mètres sur cinquante centimètres, à carreaux blancs et bleus principalement, rouges et ocre jaune accessoirement, formant des rosaces. Et un mégot de cigarette, et deux bouteilles en plastique. Descendant dans l'eau, on voit de grosses pierres taillées, restes d'un escalier ou d'une allée monumentale qui mène à quoi ? on plonge : un bloc de grosses pierres taillées, soubassement d'un temple ou d'un mausolée. La ville engloutie !

Les gens du pays se sont servis : trois des marches de ma maison se composent, pour un tiers, de ciment, pour deux tiers, de colonnettes antiques. Pourquoi la municipalité ne dresse-t-elle pas une barrière autour de cette mosaïque ? Ce serait pire : la barrière attire le touriste. Un homme et une femme bronzaient entre les rochers et ne prenaient pas la mosaïque au grave ; c'est très bien, cette familiarité indifférente. Sinon, quoi ? Un *site*, des billets d'entrée, des guides, des autocars ?

Que laissera notre civilisation dans deux mille ans, sous l'eau ? Des parallélépipèdes en fer où on lira « ESSO », et les archéologues écriront des livres passionnants sur ce dieu, prouvant par l'étymologie qu'il était suédois ou malien.

(Pourquoi les fêtards aiment la mer. Le lendemain d'une cuite, alors qu'à Paris on cuirait, précisément, dans le fond de son alcool, les pieds enflés et les joues chaudes, on va au lever se délasser dans la soie fraîche de la mer obligeante.)

L'un des deux charmants restaurants au bord de l'eau s'appelle *Batik Chéhir*, la ville engloutie. Soit, en grec, Myndos. Au milieu de la baie, sur l'îlot aux Lapins, un tas de peaux de melons et trois lapins quasi domestiques : les visiteurs laissent des épluchures à ces animaux qu'ils savent y vivre, à cause du nom. Si l'îlot s'appelait Myndos, les lapins crèveraient de faim. La réputation crée la chose.

« Selon la légende, Brutus et Crassus se réfugièrent un an à Myndos après l'assassinat de César. » Gümüslük fut un village artiste dans les années 1970 ; y vécut, je crois, le premier traducteur de Proust en turc. Pas mal, pour un village.

La maison voisine, « la maison des Anglais », porte tatoués sur son mur blanc un numéro de télécopie et une adresse à Londres avec des codes compliqués de chiffres, de L et de Y qui doivent les rendre modestement fiers. Y vit un genre de colonie d'artistes, comme dans le roman de Mary McCarthy. C'est idéal, une colonie de gens intelligents, intransigeants sur les détails et indulgents sur le général, ayant une conversation spirituelle, faisant des ragots en s'en fichant, et c'est en même temps impossible. Cela se transformerait vite en une cage à volaille haineuse pépiant de jalousie, de scènes, de raisons.

La Turquie est un pays à très jeunes enfants. Ils courent, jouent, tombent sur les fesses, marchent partout. Lorsqu'on rentre en France, on ne voit que des vieux.

Héraclée du Latmos était une ville au bord de la mer, c'est un village au bord d'un lac. Le lac de Bafa reste salé d'avoir été portion de mer. Un pêcheur nous débarque sur une presqu'île. L'île en face, avec ses murs byzantins, est un monastère flottant. L'eau est tiède, des algues succèdent aux rochers gras ; le cadavre d'une couleuvre passe, secoué par les vagues ; l'écume, entre deux rochers, inspire et expire au rythme de l'eau qui se glisse sous elle. La coccinelle jaune que je chasse de mon pied gauche gardera toujours le souvenir délicieux de son goût de crème solaire.

Dans l'arrière-pays, un village de montagne : quinze maisons servant d'étables. Une vache songe dans la salle à manger. Du linge sèche. Linge de qui ? on ne voit pas d'hommes. Dans le jardin de la maison la plus haut placée, un palmier royal. C'est le palais du roi des morts-vivants.

J'aime bien les vieux joueurs de cartes, le soir, en vacances, sur la Méditerranée, leur stupidité distinguée.

En France

LISTE DE CE QU'ON FAIT OU DE QU'ON NE FAIT PAS EN PROVINCE

On « passe » chez les gens. (Sans s'être annoncé.)

Tout ferme « entre midi et deux ».

On va chez les médecins généralistes sans rendez-vous.

On reçoit plus naturellement chez soi qu'à Paris.

On est débordé par des riens. Organiser ou accepter un dîner est une grande affaire, qui se produit une fois par trimestre. Il est généralement impossible d'organiser la moindre chose sans que ce soit loin dans le temps et avec des complications infinies.

On dîne à huit heures et demie pile.

On ne remercie pas d'un dîner.

Un dîner y a de fortes implications.

On y est héréditariste :

Alduy	maire de	Perpignan	après son père
Baudis	....	Toulouse	....
Grenet	....	Bayonne	....
Médecin	....	Nice	....
Montaigne	....	Bordeaux	.... (en 1580,

son père étant mort en 68.)

On porte des vêtements sans veste.

On porte des joggings comme tenue de ville. C'est même incroyable le nombre de personnes que cela représente. On dirait une ethnie à part.

Les femmes de la bourgeoisie y sont plus apprêtées que celles de Paris. Cette province-là commence à Versailles.

On prend sa voiture pour une course de cinquante mètres.

On ne feint pas de prendre à la légère les mœurs des autres.

On y croit davantage à la calomnie, même celle qu'on invente.

Ça ne se fait pas d'être beau.

On sourit plus qu'à Paris. Je ne parle pas de l'Auvergne, du Pays basque ni de la Corse.

On se *fait la bise*.

On n'y fait pas de compliments.

On est courtois, d'une courtoisie froide.

Les commerçants sont aimables. (Les petits commerces ; dans les commerces de luxe, on est plutôt poseur. Le contraire de Paris.)

On y fait du vélo. En 2007, le Vélib' est arrivé à Paris. Paris, depuis quelques années, ça fait province.

Dès les faubourgs des villes, il y a des panneaux partout. Panneaux publics, panneaux privés, « GROTTES DE MÉDOUS », « ZOO », « FUTUROPOLIS », « LE KINDY », « PIZZA », « HÔTEL LES FLOTS BLEUS », « DÉVIATION », rouges, jaunes, bleus, blancs, on en est saoul.

Les « ASSEDIC » et l'« URSSAF » sont fléchés comme des villages.

On ne sait pas faire de beaux bouquets de fleurs.

On parle sans arrêt des Parisiens, pour les dénigrer, et, quand on en rencontre un, on lui demande « ce qu'on pense à Paris ».

On rencontre tous les gens qui ne vous liront jamais. « J'admire les gens qui savent écrire. » C'est sincère. Et aussitôt suivi de : « J'ai beaucoup aimé le dernier Bernard Werber. »

En province, les mots mettent plus longtemps à mourir. En 2008, on y trouve partout des « snack-bars », mot disparu à Paris. Le mot avait sans doute mis plus de temps à y arriver, aussi.

Dans le Sud-Ouest, vous verrez peu de boulangeries : au-dessus des boutiques, les enseignes disent généralement : « Pain. » Je crois qu'il serait naïf d'y chercher une raison raisonnable. Nous sommes en France, pays où l'on imite ce que fait le voisin.

Tant il est vrai que la distance, c'est du temps, il suffit de faire huit cents kilomètres depuis Orly, et on se retrouve à Perpignan en 1970.

On ne quitte pas la province, on fuit une douleur.

LISTE DE CARESSE

En 2005, une de mes cousines et moi allons à Caresse à la recherche de la maison où Paul-Jean Toulet a vécu à son retour de l'île Maurice. Caresse se trouve sur un plateau à quatre kilomètres de Salies-de-Béarn, ville thermale déchue, comme tant, et dont la campagne se caractérise par des fermes à toit de tuile en chapeau tonkinois : partie centrale pointue et parties latérales beaucoup plus courtes et de moindre pente. À la frontière du Pays basque, voici déjà l'architecture des Pyrénées centrales, avec ses murs de galets et ses rues sans trottoirs. Et si Salies, c'est encore la vieille bourgeoisie française, parcourue qu'elle est de vieilles dames très bien habillées à très fort accent du pays, Caresse en est la paysannerie, rustre, méfiante, inculte. Nous avons demandé notre chemin à quatre personnes du village, aucune n'avait entendu parler de Toulet. Une petite fille anglaise dont les parents ont acheté une maison ici ne savait pas davantage. Elle revient en courant. Sa mère lui a dit que c'était ou bien la maison en face de l'école privée, ici, Saint-Ignace, ou bien la maison en face de l'école publique, là, car ce village de six cents habitants a deux écoles. Les étrangers connaissent le mieux l'histoire des lieux, car, voulant s'intégrer, ils apprennent. Les habitants historiques, eux, sont là comme des bœufs, sans mémoire, sans destin. Ils semblent en terre, la même que la terre du pays, prêts à redevenir comme elle dont ils ne se sont jamais vraiment distingués, l'ayant labourée comme leurs pères et leurs pères avant eux, et voilà comme il n'y a pas d'Histoire dans la paysannerie. On a eu l'illusion, dans les années 1970, que tout cela était fini, que la modernité avait tué le naturalisme, mais non, le naturalisme gagne toujours, contre l'hygiénisme machiniste du Nouveau Roman, enfin, croit-on. On m'apprenait en classe une France de trois millions d'agriculteurs, il en reste sept cent mille. Je ne m'en plains pas. La terre nous a trop menti. Je comprends la révolte contre cette éternité de glaise qui, hélas, ne lève jamais, cette éternité horizontale, collante, fataliste, chinoise. Sauf que la révolte de l'hygiène, de la modernité, de la rationalité divinisée, n'est pas une révolte de l'esprit, mais d'une autre matière. « Voici venu le temps des assassins », disait Rimbaud. Nous pourrions dire, et ils ne sont pas moins meurtriers : « Voici venu le temps des gestionnaires. »

Il y a à Caresse un petit café, une petite boulangerie et une petite boucherie ouverts deux jours par semaine, et une grande pharmacie ouverte tous les jours, éclatante sous sa croix verte clignotante. Roman à écrire : *Paysans sous Prozac*. C'est la vraie France qui étonne tellement les étrangers lorsqu'ils y viennent pour la première fois. Le roman pourrait s'appeler : *France des pharmacies*. Presque chaque rue de sa capitale, quand on la regarde de nuit, est illuminée par ces insignes verts. Si les Américains ont remplacé le paganisme par Hollywood, les Français ont suppléé au catholicisme par les pharmacies. Leurs croix latines sont tout ce qui reste d'apaisant dans nos vies féroces. Ne vous en moquez pas : la déesse Temesta et le dieu Prozac, aux noms si gaulois, ne signifient pas que nous sommes malades, mais désespérés d'être aimés.

« Milledieu ! » s'est exclamé le chocolatier de Salies chez qui nous nous sommes arrêtés, au retour, pour boire un thé. Il porte le nom fort local de Lavignasse et fabrique de délicieux biscuits tendres à l'amande et à la fleur d'oranger, les « petits béarnais ». Il s'est plaint de la montée des prix de l'immobilier, jusque dans un bourg comme celui-ci, des commerces français vendus à des maisons étrangères, « les parfumeries Marionnaud à un Chinois, ça va péter ! » Ce n'était qu'un cri dans toute la France, à ce moment-là de l'histoire : nous devenons un pays sous-développé, une villégiature achetée par des étrangers, avec un peuple sous-payé transformé en domesticité ; « ça n'est pas possible, nous avons choisi le mauvais métier ! » Et il vend dix-huit euros la cocotte en chocolat. Prix rendu possible par les Anglais ; prix de Paris, à ceci près que, à Paris, lorsque vous demandez à vous laver les mains dans un salon de thé, on ne vous répond pas : « Sortez à gauche, vous avez les toilettes publiques à cinquante mètres. » On sentait que le référendum sur l'Europe, raisonnable et aronien, serait rejeté, et que nous entrerions pour longtemps dans une lente marée populiste.

LISTE COMPACTE DE PARIS EN VOITURE

La voiture qui nous ramène d'Orly contourne la porte d'Orléans et pénètre dans la capitale de la France par une rue bordée d'immeubles en briques jaunes. Cours intérieures plissées comme des accordéons, sombres alors que le soleil, à 19 h 20, brille encore. Comment peut-on vivre dans des endroits pareils ? Parce que c'est Paris, Paris ! Nous traversons la première place de cette ville de places. (Rome, ville de ruelles. Los Angeles, ville de parkings. Beyrouth, ville de balcons.) Ce sont des déserts de pierre. La Concorde en est l'idéal. Symétrie, nul désordre, l'équivalent en pierre du parc de Versailles. Pas un brin d'herbe, pas un arbre, pas une faiblesse envers la nature : une apothéose d'art. On dirait que c'est pour elle que Baudelaire a écrit : « Je suis belle, ô mortels ! comme un rêve de pierre. » Évitant un chien de cette ville de chiens (Rome, ville de chats), le taxi traverse un pont de cette ville de ponts. Ayant jeté notre sac par la porte vite ouverte de notre appartement, nous regagnons la voiture et donnons au chauffeur une adresse dans le XVIIe. Arrêt place des Ternes. Le cercle de ses fleuristes est éclairé par des lampadaires, et les couleurs explosent : mimosa doux comme des pattes de chat, soucis se prenant pour des oursins, dahlias plus bouillonnants que des foulards, glaïeuls s'évasant en robes du soir, corps de ballet des tulipes saluant le cou ployé ; nulle part ailleurs dans le monde on ne voit autant de fleuristes que dans cette ville de fleuristes. Et s'il y en a tellement, cela veut dire beaucoup de clients, et pour des achats naturels, sans cérémonie, d'hommes se garant en double file pour acheter un bouquet à leur femme, pour le geste, pour *faire plaisir*. Forme de gentillesse d'une ville qui n'est pas si gentille. Nous reviendrons de ce dîner crevant de faim, car un dîner à Paris, cela pourrait s'appeler : une volaille pour douze. Nous ne croyons plus que nous nous y ferons des amis pour la vie, car un dîner à Paris n'a pas de conséquence. Même si, dans les ébranlements de la voiture sur les pavés, nous remuons un cancer, nous ne dirons rien : à Paris, si tu es malade, tu es mort. Nous allumons le plafonnier sans en avoir réellement besoin. Nous autres gens de Paris avons mal été éduqués, avec l'éclairage. Le reste du monde nous semble illuminé par Harpagon. Les États-Unis, l'Angleterre, l'Italie, l'Espagne, le Maghreb et l'Arabie, sans oublier l'Asie, pourraient nous imiter et éclairer mieux leurs rues et leurs restaurants, ces commerces mélancoliques dont il y a aussi à Paris plus que dans toute autre ville au monde sinon peut-être à New York, qui nous rattrape également pour les fleuristes. À ce dîner, il y aura un couple de raseurs, des raseurs même pas importants. Nous y allons quand même : plaisirs, à Paris, veut dire obligations. Si nous avions atterri plus tôt, nous aurions apporté plus original que le champagne happé à la maison, un présent assorti au goût le plus cher de nos hôtes. Cela aurait été au prix de déplacements de plusieurs heures, car à Paris, on trouve de tout, mais à des kilomètres ; en province, on ne trouve rien, mais à portée de la main. Quitter Paris ! Dans les *Pays parisiens*, Daniel Halévy cite une phrase que Péguy lui disait à propos de notre ville : « Celui-là en est le maître qui ne le quitte jamais, pas même l'été. » Pensée de provincial que nous avons eue et pratiquée. En arrivant ici nous avons dix-huit ans de retard, vous comprenez. Il faut rattraper les Parisiens qui, étant dans la place, paressent, et, sûrs d'eux, végètent souvent, laissant la ville aux provinciaux devenus les Parisiens. J'ai été obligé d'apprendre la langue de Paris. Dans cette cité à secrets, il faut être souple. (Sont secrètes Londres et Rome, mais ni New York, ni Naples.) Elle devrait faire clignoter, à chacune de ses entrées par le périphérique, la phrase du *Père Goriot* : « Quand on connaît Paris, on ne croit rien de ce qui s'y dit, et l'on ne dit rien de ce qui s'y fait. » Nous ne ferons pas plus attention que ça aux avis sur les gens. À Paris, on est souvent jugé par des dindons et commenté par des pintades. Écoutant néanmoins avec attention, nous retiendrons tout le bien qu'on dit en s'exclamant de certaines personnes et tout le mal qu'on dit en s'exclamant d'autres personnes, afin de nous méfier des premières encore plus que des secondes. Paris est une ville de réputations, et toutes sont fausses. Lisant une plaque au-dessus d'un porche, nous rendrons son salut au fantôme qui nous adresse cette carte postale en marbre. Elles nous distraient dans les encombrements et détendent des chauffeurs mal embouchés : ainsi l'autre jour, quand, à notre droite, nous avons vu la plaque de la maison où est né Marcel Proust. Nous nous promettons, pour retrouver son Paris impérial et énergique, d'une énergie faite de vitesse, d'humour et parfois de mauvais goût, le mauvais goût même de la vie, un Paris new-yorkais, en somme, de relire les articles d'un homme avec qui il s'était battu en duel pour une mauvaise critique, Jean Lorrain. Natif de Fécamp et mort à Nice, Lorrain était une quintessence de Parisien, si ce qui fait un Parisien n'est pas la naissance, mais l'amour. Il en avait la composition exacte : 50 % de gouaille et 50 % d'admiration, mélange qui fait que, se croyant très malins, les Parisiens sont souvent assez gogos. Nous aimions bien, quand il se trouvait rue du Louvre, entrer dans un taxi, dire : « Au *Figaro* », et qu'il y aille. *Le Figaro* était le journal de Proust. On a privé Paris de plus que d'emplois en exilant les journaux à Levallois-Perret, Neuilly, on ne sait quelles de ces banlieues plus lointaines qu'il n'y paraît. D'une moquerie, principalement. C'est ainsi qu'on transforme une grande ville sceptique et imaginative en une ville provinciale, crédule et stérile. En y arrivant, nous étions si timides que nous n'osions pas fouiller dans les boîtes des bouquinistes. Alors que la voiture patientera à un feu rouge, nous penserons, le coin du front posé sur la vitre froide : « Paris m'a sauvé. » Puis, aussi rapidement que la vitre se réchauffera : « Enfin. Je me suis sauvé à Paris, et je m'y suis sauvé. » Le dîner sera très sympathique, comme souvent les dîners imprévus. Les raseurs n'auront pas pu venir. Dans la voiture qui nous ramènera chez nous, nous observerons des rues à petits immeubles bossus, sans volets et blanc sale en pierre de Paris, nom que cette ville jadis vantarde a donné au plâtre. De Paris nous aimons tout, pierre et plâtre ; le diamant a plus d'éclat près de la boue, la féerie près du vérisme. L'art de Paris consiste à se conserver du désordre, pour ne pas faire fuir la vitalité et devenir une vieille fée édentée qui se prend pour Angelina Jolie. Paris, arrangeuse et piétineuse de fleurs.

Taxi !

LISTE FUYANTE DES TAXIS PARISIENS

Comme j'aime rentrer chez moi en taxi, à trois heures du matin, les soirs de printemps, quand les arbres ont des feuilles et que l'on peut baisser sa vitre, épuisé, un peu ivre, par les voies sur berges! Bercé par le rythme chamellant de la voiture, j'aime cette ville, je pense triomphe, catastrophes, illusions. Dans la journée, j'aime bien y écrire. Cela n'empêche pas certains chauffeurs de laisser leur radio très fort, ni de téléphoner en même temps que vous. La goujaterie qu'on rencontre souvent dans cette corporation est merveilleuse.

On entre dans des voitures qui ressemblent de plus en plus à de la science-fiction. Hier soir, c'était une Mercedes à cadrans rétro-éclairés d'une lumière douce, insonorisée, propre; le chauffeur s'est retourné en émettant un bruit nasillard: un Chinois portant à l'oreille un écouteur-antenne de téléphone portable dont le centre émettait une lumière bleue. Un robot? Il a suivi le trajet que lui indiquait son GPS, et qui n'était pas le plus rapide. Avec ce système a disparu ce qu'on ne pouvait apprendre que là, ces réjouissants raccourcis de connaisseurs qu'on appelait « trajets de taxi ».

Là où l'on voit que la vie est moins bien faite que le cinéma, c'est que, dans la vie, il faut attendre que les chauffeurs de taxi vous rendent la monnaie.

J'aime aussi en prendre qui remontent l'avenue Bosquet et traversent la Seine. Traverser la Seine à Paris est un des plaisirs de la vie. On y voit deux ou trois rois Valois, une actrice heureuse, six étudiants, une hallebarde, un char de Leclerc, un teckel immense qui bondit en l'air comme un arc.

Ils auraient de quoi ouvrir une brocante avec tout ce que j'ai oublié sur leurs sièges, gants, écharpes, parapluies, téléphones portables, livres, un jour, j'en sortirai nu. Je m'y serai ruiné. Hep! hep! c'est moi, jetant euros, livres, dollars par les fenêtres!

LISTE DES TAXIS D'AILLEURS

Comme les taxis de Téhéran détestent les mollahs, ces cierges coiffés de kouglofs attendent des quarts d'heures entiers au bord des trottoirs, levant le bras. Pendant ce temps les chauffeurs s'arrêtent pour les laïcs. À si peu de chose tient la résistance dans les régimes d'oppression, et si vaine est-elle.

Les taxis du Caire, quelle que soit leur marque, sont noir et blanc et poussiéreux et cabossés. On les partage. Ainsi voit-on, comme dans une comédie italienne des années 1970, de petites voitures bourrées d'une femme voilée tenant un sac en plastique noir sur les genoux, d'un gros homme à moustache et portant pull même au printemps, d'un jeune homme en gandourah à la peau des joues percée, de deux ou trois autres personnes regardant droit devant elles ou, de côté, par la fenêtre. Ils vous klaxonnent en passant pour voir si vous ne pourriez pas compléter la farce.

Les taxis de Venise coûtent très cher, c'est un de leurs charmes quand on n'a pas tellement d'argent. Un autre est que ce sont des Riva, les plus beaux bateaux du monde. Un autre encore, que, pendant que les autres passagers normaux (dont je suis souvent) patientent à l'embarcadère du vaporetto et mettront deux heures à rejoindre la ville, on a son taxi sans trop attendre et, longeant à toute vitesse San Michele, on a à peine le temps de songer à la mort qu'on pénètre déjà dans le rose.

Les seuls taxis du Laos sont les touk-touks, triporteurs à moteur où l'on peut entrer à six. On y est secoué comme du riz dans un tamis, ce qui fait qu'on ne voit jamais à Vientiane de ces touristes pareils à des pharaons qui condescendent avec [1] leurs appareils photo du haut de leur siège.

À Rangoon, les taxis pullulent, pourris, pas chers (2 $ pour traverser la ville, et encore, prix de *kala*, de Blanc), prennent plusieurs clients rue après rue, finissant bourrés comme des melons. Existent aussi des *trishaws*, que l'on appelle parfois *sika* (saïka), formé d'après *side-car*, et le chauffeur pédale. Les voitures pullulent d'autant plus que la junte a interdit les motos à Rangoon. On ne sait pas pourquoi (les dictatures : on ne sait pas pourquoi), mais on dit que c'est parce que, un jour, un motard a fait un doigt d'honneur à la voiture officielle du général Than Shwe, « président du Conseil de la paix et du développement ».

Dans les taxis de New York, on a des chances d'entendre parler français à la radio : les chauffeurs sont souvent haïtiens ou marocains. On n'y voit rien que la nuque grossie par la paroi en plastique du chauffeur et des rectangles de ville, avec tous les piétons penchés comme des tours de Pise et tendant le bras.

Tous les taxis de New York ne sont pas jaunes : dans le haut de la ville, Harlem, Washington Heights, ils sont normaux et incapables. Un jour qu'un ami en avait hélé un, le chauffeur ne connaissait pas Washington Square (c'est comme ne pas connaître la puerta del Sol à Madrid) et s'empêtra dans le Village. Ce connard nous a mangé une heure de compagnie. Ne soyez jamais indulgent envers la mollesse. Le but des mous est de tuer le bonheur des autres. Il est charmant de se prendre la main à l'arrière d'un taxi.

À Mascate, les taxis sont blanc et orange ; à Dubaï, beiges à toit gris. À Dubaï, les éclairages sont fastueusement blancs, hauts et nombreux ; à Mascate, parcimonieux, bas et jaunes. Mascate est une vieille Peugeot, Dubaï un Hummer tout neuf.

À Madrid, V... : « Je trouve pas mal d'entrer dans un taxi et de dire : "Las Ventas"! » En effet, les taxis sont les carrosses de nous autres républicains.

---

1. Voui voui voui. Un étrange emploi du verbe condescendre.

Peuples

LISTE SUR LES PEUPLES

L'exception française, c'est la littérature. L'exception allemande, c'est la musique. L'exception italienne, c'est la peinture. L'exception anglaise, c'est la discrétion.

L'Europe, pays du rikiki. Les petites autos des Italiens. Les petits jardins des Anglais. La petite taille des Espagnols. Les grands crimes des Allemands.

Il est impossible de savoir si on a fait plaisir à un Anglais.
Il est impossible de savoir si on a vexé un Japonais.
Il est impossible de gémir autant qu'un Polonais.
Il est impossible de flatter un Espagnol.

On n'a jamais vu peuple moins patriote que les Belges. L'un me dit : « En 1815, au congrès de Vienne, Talleyrand proclamait avec raison : "La Belgique, ça n'existe pas." » Une autre : « Je suis née à Bruxelles, mais je ne me sens pas belge ; pas bruxelloise non plus, d'ailleurs : je suis de ma rue. » Un troisième : « Si la Belgique doit se décomposer, qu'elle se décompose, que voulez-vous que ça nous fasse ? »

« Les étrangers aiment la France, mais ils n'aiment pas les Français », me dit-on. Mais les Français aiment l'Espagne et n'aiment pas les Espagnols, les Anglais aiment l'Italie et n'aiment pas les Italiens. Tous les peuples se haïssent en adorant les pays des autres.

Dès qu'on passe une frontière pour sortir d'un pays, on entre dans le fantasme. « Les Anglais. » « Les juifs. » « Les pédés. » (Frontières perpétuelles pour les deux derniers.)

Les gens et les peuples dont on parle ont souvent l'air affreux, mais c'est parce qu'on en parle. Ne croyez pas que l'obscurité et le silence soient la preuve de la vertu.

Les Anglais n'ont pas de nerfs.
Les Français n'ont pas de tête.

L'avarice des peuples. Ils s'habituent à toutes les laideurs, à tous les inconforts, à tous les sordides, à moins qu'on ne les ait mal habitués au contraire, comme les Français, grâce au bon plaisir de leurs rois. Dites, ça coûte des sous !

Leur hypocrisie en régime démocratique. Ils votent en sachant qu'on leur ment, parce que c'est du rêve, mais après, ils s'en plaignent *comme s'ils n'avaient pas su*. Ils ne se rendent pas compte que c'est envers eux-mêmes qu'ils rusent, car ceux du pouvoir manipulent cette ruse et sont plus malins qu'eux.

Leur fourberie sous les dictatures en guerre. « C'est de la politique », me dit un Russe à propos d'une loi restreignant la capacité d'action des ONG prise sous Poutine. Remarque des peuples opprimés, sans doute, qui n'y peuvent rien, et souvent n'y veulent rien. Les Russes ont dû le dire entre 1917 et 1991, les Italiens entre 1922 et 1943, les Allemands entre 1933 et 1945, les Argentins entre 1976 et 1983. Dans le cas des peuples en guerre, ils espèrent un peu, secrètement, qu'*on va gagner*.

Il y a des peuples désagréables au premier abord, ce qui ne veut pas dire qu'ils ne soient pas charmants ensuite, comme les Basques, les Saoudiens, les Algériens, les Birmans. Il y a des peuples agréables au premier abord, ce qui ne veut pas dire qu'ils ne le soient pas ensuite, comme les Irlandais, les Italiens, les Laotiens, les Tunisiens, les Égyptiens, les Turcs, les Brésiliens.

LISTE RÉFLÉCHIE DES PEUPLES

Les Français se détestent.

Les Russes se déplorent.

Les Anglais se raillent.

Les Polonais se plaignent.

Les Italiens se regardent.

Les Américains s'observent.

115

LISTE DES FRANÇAIS

Les Français, peuple sans cœur. Ils raisonnent. Ils en déduisent qu'on les croit intelligents. Par « raisonnent », entendez le plus souvent qu'ils veulent avoir raison. De là tous ces employés de boutique qui vous répondent « oui mais », voire : « c'est votre problème », et ne cèdent jamais, enragés d'orgueil et de sottise.

Aujourd'hui, au lieu de *La Voix humaine*, Jean Cocteau écrirait *La Voix inhumaine*. Une femme essayant de laisser un message à un amant tomberait sur une boîte vocale qui lui demanderait de parler, de répéter, de recommencer. L'opérateur de la hotline lui dirait, d'un ton méprisant : « Ça arrive », puis : « Si vous n'êtes pas abonnée et que... » « Je suis abonnée. » « Si vous n'êtes pas abonnée et que... » « Je vous dis que je suis abonnée. » « Si vous n'êtes pas abonnée et que... » « Mais puisque je suis abonnée ! » « Si vous n'êtes pas contente, n'appelez pas. » « Monsieur, je vous en supplie, faites un effort... » « Ne me parlez pas sur ce ton. » Pour finir, il lui raccrocherait au nez. La France est devenu un pays de mauvaise grâce. Chacun peste dans son métier, dans ses occupations, contre les autres. Nous sommes devenus un peuple aigre qui mériterait qu'on le réduise en esclavage.

Les Français suivent l'État comme un convoi d'infirmes en criant qu'ils sont individualistes.

Les Français ont tellement peur du jugement des autres qu'ils y soumettent à l'avance leurs élans, lesquels de la sorte ne se produisent jamais. C'est peut-être aussi pour cela que nous sommes le peuple le plus casanier de la terre. Non par vanité nationale, par peur. Existe-t-il un autre pays au monde où l'on entende couramment, et sans que cela choque personne : « Que faut-il en penser ? »

Les Français, peuple le plus social de la terre. Je n'explique pas autrement la voix susurrante des hôtesses dans nos aéroports, énonçant des messages auxquels on ne comprend rien. Ils sont faits pour cela. C'est le pays des finesses, des allusions, de l'entre-nous et tant pis pour les autres, la vraie patrie des Sibylles. Qu'on trouve ça bête quand on revient d'ailleurs !

Les Français ont parfois de l'esprit et aucun humour.

Les Français n'aiment pas la liberté, ils aiment la contestation. Et même, ils la haïssent, la liberté. C'est à se demander s'ils l'ont aimée en 89, qui n'a peut-être été qu'un vent de snobisme plus fort qu'un autre. Ah, nous avons été mal éduqués par des tyrans et des élus méprisants, à quoi il faut ajouter l'admiration de la servilité injectée à tout le pays par Louis XIV.

Il est facile de faire obéir les Français, il suffit de leur dire que les autres font pareil. Un exemple historique est la Révolution. « On a fait la révolution de France en 1789 en envoyant un courrier qui, d'un village à l'autre, criait : *Armez-vous, car le village voisin est armé*, et tout le monde se trouva levé contre tout le monde, ou plutôt contre personne » (Mme de Staël, *De l'Allemagne*). Un exemple bénin est le téléphone portable. Vers 1998, 1999, si je me souviens bien, les opérateurs de téléphonie privée suscitèrent des articles dans la presse sur « le retard des Français » dans la matière : derrière les Italiens ! les Finlandais ! L'année suivante nous étions les premiers.

Il y a en France une passion de la servilité dont on se rembourse par le ricanement.

La fanfaronnade française est à rire. Elle s'exerce sur sa propre débilité, dont elle fait un modèle. « Admirez mes biceps ! » clame le poulet.

Ou le coq. La grille du coq garde avec une grande exactitude symbolique les gens qui nous président. Je parle de la grille du palais de l'Élysée, côté Champs, qui porte un coq à son sommet, doré, torse bombé et se prenant pour un aigle. Sarkozy n'a plus besoin de photographie. Cet animal avait également très bien convenu à Chirac, Mitterrand, Giscard, de Gaulle. Le seul à ne pas se vanter de tout, y compris des incapacités de la France, fut Pompidou.

La France a des réactions de petit pays. Elle flatte avec aigreur les plus petits qu'elle.

Les Français adorent le mot « petit », si caractéristique du sordide national (chaque pays a le sien). Un petit dessert, un petit café, une petite sieste ? Achetez le disque *Le Petit Monde de Brassens* ! « On fait son petit chèque... », dit méprisamment la femme du président de la République (*Vivement dimanche*, France 2, 21 octobre 2001). « Un petit sondage ? » vous demande-t-on sur le trottoir de la rue de Rennes. Et ce petit est si adoré par ce qui est paraît-il mon peuple qu'il l'emploie machinalement, aussi machinalement qu'il devait employer le mot « grand » sous Louis XIV, exprimant sans le savoir sa passion dominante du moment, aujourd'hui celle de la mesquinerie comme alors celle de la gloire, mot devenu si, si respiratoire que le narrateur lui-même d'*À la recherche du temps perdu* l'emploie : « Maman allant justement à un petit thé chez Mme Sazerat [...] » « Petit » est sans doute la dégradation d'une politesse dépréciative imitée de Voltaire qui, dans ses lettres, parle de tel *petit livre* qu'il va publier ; et, au fond, le dernier exemple du style Louis XV, ce roi qui a divisé chaque pièce de Versailles pour en faire trois.

Les Français sont pacifistes jusqu'aux dents.

J'ai assisté à la conférence d'un écrivain français. Il a prononcé quatorze fois le mot de « littérature », mentionné le serment de Strasbourg et cité les beaux vers de Maynard dans « La belle vieille » :

> L'âme pleine d'amour et de mélancolie
> Et couché sur des fleurs et sous des orangers,
> J'ai montré ma blessure aux deux mers d'Italie
> Et fait dire ton nom aux échos étrangers.

« Jeter de la confiture aux cochons » ne décrirait pas l'effet qu'il a produit, car les cochons remuent quand on leur lance une épluchure. Là, regards mornes, bouches tombantes, apathie des corps. Quand il a ajouté : « Lorsque Chateaubriand trompait sa femme avec Pauline de Beaumont... », alors là quel réveil ! Remuements sur les fauteuils, yeux soudain égrillards, ouarf, ouarf des hommes, uh, uh des femmes : enfin de l'intéressant ! Gaudriole, déesse de la France.

Les Français ont l'imagination sexuelle. Souvent, ils se trompent. Comme aucun autre peuple n'ose les imiter, cela leur donne quand même une réputation de malins.

Chamfort est bien le moraliste d'un peuple qui a la passion de raisonner. « C'est que » dès la première page. Je l'aime beaucoup, là n'est pas la question.

Les Français sont si frivoles que leur vindicte n'est jamais longue.

Qu'est-ce qui est le plus important aux yeux d'un peuple ? Ses coutumes. Il y tient, si bêtes soient-elles. Il a l'impression que c'est son cœur, ses yeux, son foie, son âme. Les Français, peuple qui aime l'abstraction, serait celui qui y tiendrait le moins, et aussi parce qu'il est grand amateur de choses étrangères. Et tellement content de lui, peut-être.

Les Français ne sont pas si bêtes que de penser qu'on les aime, mais ils sont assez candides pour croire qu'on les admire. Ils ignorent qu'on les hait.

… Comment ?… Oh ! À chacun de secouer ses concitoyens, il me semble. Si j'étais italien, je déplorerais la ruse, le resquillage, les arrangements avec la loi ; anglais, l'affectation de rectitude et l'affectation d'humour, sans parler de la terreur sociale. En France, nous aimons bien relever les vices des autres, mais Stendhal a attendu d'être mort pour avoir du succès, car il avait pris le risque de critiquer ses compatriotes plutôt que son pays. Aucun lecteur ne se reconnaît dans des entités abstraites comme « la France », mais « les Français », il sait très bien ce que c'est. Nous avons changé, n'est-ce pas ? Nous pouvons admettre de nous critiquer nous-mêmes, faute de quoi nous mourrons desséchés ? Un Français ne sera plus ce pigeon boiteux qui marche insolemment dans les rues, persuadé qu'on le prend pour un paon ?

Les Français ont une relation abstraite à l'argent. Aux États-Unis, en Italie, on sort des liasses et on compte sans gêne. Nous avons inventé l'argent dématérialisé. Personne n'utilise autant les cartes de crédit que nous. C'est une hypocrisie, une gêne, une détestation, une indifférence, un tact.

Les Français sont des angoissés. Je m'en suis rendu compte lors d'un voyage en Iran, où je n'ai eu, en gros, qu'un Français à rencontrer ; et il était, parmi les grands moustachus courtois, ce sympathique Français, petit, pâle, inquiet, nerveux, cherchant à bien faire. Ainsi sommes-nous. La France est-elle devenue le pays de l'angoisse parce qu'elle a atrocement perdu la guerre de 40 ou l'a-t-elle toujours été parce qu'on y est jugé en permanence ? En tout cas, ce Français faisait bien parce qu'il était inquiet. L'angoisse donne de l'imagination. Avec tous nos défauts, nous avons cette qualité.

LISTE DES ANGLAIS

J'aimais tellement l'Angleterre que je disais qu'on y mangeait bien. Rien ne m'enchante plus que de déjeuner, dans un pub, de *fish and chips*. Les petits pois qu'on mange dans ce pays, dans quel dessin animé les cultivent-ils ? Il est vrai que la cuisine anglaise s'améliore de façon déplorable, et le plat national des pubs sera bientôt *ciabatta and chili*. Les Anglais reprochent aux Méridionaux de manger de l'ail, mais ils l'utilisent en toute occasion : ne sachant pas cuisiner, ils ont l'idée qu'ail vaut gastronomie. Menu du dîner en l'honneur de Margaret Thatcher, le 4 mai 2004, au Savoy : « Terrine de fromage de Beaufort fondu. Filet d'agneau à l'ail sauvage. Tarte à l'orange. » Pas d'ail dans la tarte ? La grande plaisanterie des Américains au sujet des Anglais est qu'ils ont une mauvaise hygiène buccale. Je ne dis plus qu'on mange bien en Angleterre, mais je l'aime toujours. Enfin, aimer. Qu'est-ce que cela veut dire, aimer un pays ? On aime des gens, on aime un rêve.

Une littérature, aussi, dans ce cas particulier. Je voudrais bien dire : Shakespeare, qui compte tellement pour moi, comme pour beaucoup d'autres, mais ici comme dans la littérature de mon pays, j'ai commencé par aimer d'autres choses. Passant rue du Bac, je viens de voir, dans une boîte à livres, *La Baie des Anges*, de Max Gallo. Quand je pense que j'ai lu ça en entier à quatorze ans ! J'étais dans l'enfance de l'art. La plupart des adultes y restent. Ce sont eux qui font les best-sellers. Pour l'Angleterre, mon premier amour a été *Chapeau melon et bottes de cuir*. C'est une idée de lui-même que ce pays exportait par ce feuilleton. Ah que c'était séduisant, cette assurance, cette moquerie, cet *understatement*, ce John Steed, cette Emma Peel, ainsi nommée, dit-on, parce que les scénaristes avaient voulu une héroïne qui eût du charme pour les hommes, du *men appeal*, m. *appeal*, *Emma Peel* ; et puis c'est un nom de Premier ministre.

J'aimais tellement l'Angleterre que je disais : « J'épouserais bien une Anglaise. » Une Anglaise pâle et drôle (et vivant là-bas). Elle aurait eu cette légère avancée de la langue sous les dents, naïve et sexy, pour nous qui n'en avons pas l'habitude, qu'entraîne la prononciation du *th* dur chez les Anglo-Saxons. « Méfiez-vous de l'amour d'une Anglaise ! » m'a dit Rivarol qui en avait épousé une.

Écrivains français mariés à des Anglaises : Rivarol, Alfred de Vigny, Jules Laforgue. Elle s'appelait Miss Leah Lee, comme dans une opérette de Gilbert et Sullivan, mais sa vie est moins drôle : sitôt veuve, à 28 ans, de son mari mort à 27, elle meurt. Sa tombe se trouve dans le village de Teignmouth, sur la côte du Devon. Mais où Laforgue est-il enterré ?

J'aimais tellement l'Angleterre que l'air sinistre de ses habitants me ravissait. Ils sont entortillés dans des vêtements noirs, pareils à des parapluies, qu'ils ne transportent jamais avec eux. L'usage, cet autre nom de la folie admise, veut qu'on n'en ait avec soi qu'à la campagne, et encore, à la condition d'être une femme ou un clergyman. Les Anglais l'ont importé de l'Inde, où il était parasol. Le climat est la seule différence entre les deux pays. Pour le reste, l'Angleterre, c'est l'Inde : thé et castes. On parle de l'influence des colonisateurs sur les colonisés, mais le contraire ? L'Angleterre a colonisé l'Inde, et l'Inde a en partie colonisé l'Angleterre. C'est le prix que nous payons cette aberration. En France, le système politique en est revenu cynique, corrompu, congolais.

Ah, je connais leurs défauts : ce système de classes si puissant que les accents *distinguent* encore (en France il y a un accent gratin mais limité à cinq cents personnes ayant autant de pouvoir qu'une cage de perruches, et, à l'accent, on reconnaît de quelqu'un qu'il est de Toulouse ou de Metz, pas ouvrier ou bourgeois), l'horreur de l'intellectualité, le sport, l'excentricité, l'humour anglais, enfin tous les stéréotypes auxquels ils croient devoir se conformer, mais je ne serai pas comme ces Français qui, selon Montesquieu, « voudraient que les Anglais soient comme eux » (*Notes sur l'Angleterre*). Je connais leurs défauts, leur discrétion me les rend adorables.

J'aimais tellement l'Angleterre que ce qu'ils considèrent comme leurs plus grands défauts constituait pour moi leurs qualités les plus charmantes : la pudeur ; la gêne ; l'incapacité à exprimer une émotion. Plus encore, cette discrétion, le tact, la loyauté, la langue. Je me demande si mon attrait pour la langue anglaise ne date pas de ma petite enfance, du *Manège enchanté* et de mon Pollux en peluche qui, lorsque je tirais sa ficelle, disait, avec un accent de parodie : « Wow, wow ! Je voudwais un os en sucwe ! » Cette discrétion... ah voilà : c'est de la timidité. Défaut charmant pour qui l'observe et torture violente pour qui la subit. C'est ainsi que le même pays produit à la fois Jane Austen et Shakespeare : si Fanny Price (*Mansfield Park*) est timide, Hamlet ne l'est pas moins. Chacun résout différemment ce conflit entre soi et soi qui se fait passer pour un conflit entre soi et l'extérieur.

Les Anglais ont du tact. Ils sont rougissants et timides. Et quand ils sont ivres, ils rugissent, brandissent des haches et cassent tout. Cela se passe généralement dans les stades de foot. Pourquoi ce peuple si réservé a-t-il la passion de montrer ses fesses à toute occasion (*mooning*) ?

J'aimais tellement l'Angleterre que je trouvais les Anglais passionnants d'être passionnés par eux-mêmes comme les Français par les autres. Il n'y a que dans ce pays où l'on parle sans cesse de *Brit Pop*, où un milieu aussi cosmopolite que l'art contemporain vante ses *Young British Artists*, où l'on trouve des piles de livres humoristiques sur l'anglicité. Le problème des Anglais n'est pas qu'ils se croient extraordinaires, tout grand peuple croit l'être, parfois même les petits, mais qu'ils se croient excentriques. Les Anglais sont des excentriques comme les autres.

Aucune erreur n'a jamais empêché un Anglais de se croire infaillible. Le gouvernement peut avoir tort, l'armée peut avoir tort, le monarque peut avoir tort (ordre décroissant de la probabilité de contestation), mais lui, l'Anglais, en tant que tel, ne peut pas avoir eu tort. C'est pour cela que les Anglais ne supportent pas cet étranger, tout seul, dans un pays lointain, qui se donne le titre de pape. Les Anglais ont une infériorité : leur supériorité. Ils passent leur temps à persifler les Américains, mais ils ne se rendent pas compte que c'est celle des anciens maîtres déçus d'avoir été dépassés. Ils font contre mauvaise fortune mauvaise langue.

J'aimais tellement l'Angleterre que je trouvais que c'était le seul pays politiquement civilisé du monde. À un Londonien, je demandai comment se présentait le nouveau Premier ministre Gordon Brown. « Brown ? Il ne doit pas être mal, on a l'impression qu'il n'est pas là. » En Angleterre, la prosternation devant le chef est un scandale. Aucun militaire n'y a jamais occupé le pouvoir civil, au contraire des États-Unis, et, au contraire de la France, aucun ancien ministre de l'Intérieur, ministère de la police et des basses manœuvres (Mitterrand, Chirac, Sarkozy l'ont été avant de devenir présidents de la République). Le plus grand soupçon envers l'ancien Premier ministre Tony Blair est qu'il était *presidential* : Margaret Thatcher, tout autoritaire qu'elle était, avait un authentique gouvernement de cabinet, non de conseillers qui décidaient par avance, comme lui, et elle respectait les prérogatives du Parlement. Être présidentiel, qualité en France et aux États-Unis, injure en Angleterre. En France, étant courtisan, on s'admire au garde-à-vous ; aux États-Unis, fasciné par Rome, on admire les centurions. Cela n'arrive pas en Angleterre, qui n'a pas non plus eu d'ancien chef des services secrets pour diriger son gouvernement, à l'image de Bush père, quarante et unième président des États-Unis. Les Anglais sont pourtant les rois du contre-espionnage. Dans les années 1980, apprenant que l'IRA comptait assassiner un fonctionnaire, des agents du SAS s'introduisent chez les hommes de main : au lieu de les abattre, ils retardent les réveils. Le monde n'est pas près de lui ressembler.

La plus grande différence entre les Anglais et le reste de l'Europe, c'est qu'*ils ont gagné la guerre*. Ce sont des vainqueurs. Ils en tirent leur assurance, leur énergie, leur courtoisie. La courtoisie est la politesse des vainqueurs. Et quelle agréable absence de complexes !

J'aimais tellement l'Angleterre que je compatissais à son drame, le mépris de la *middle class*. L'aristocratie y a conquis les libertés contre les rois, en France c'est la bourgeoisie, et tout le monde prononce ces mots de *middle class* comme on crache des grenouilles. Voilà comment les deux tiers de la population sont tenus dans un mépris cultivé par eux-mêmes. L'aristocratie anglaise, et plus encore écossaise, compensait sa mélancolie par l'assassinat. Il a fallu les rois Hanovre pour les mater. Il ne leur est plus resté que la mélancolie. Le complexe social des autres est une chose étonnante. C'est peut-être à cause de lui qu'ils boivent tant. « À ma névrose ! »

Les Anglais, quand vous vous trompez de prononciation, vous reprennent d'un petit ton ironique et blasé qui donne assez envie de les étrangler. Ils ont inventé de dire du mal d'eux-mêmes pour se rendre supportables.

Il n'y a qu'en Angleterre que ceci soit possible : on annonce qu'un bébé anglais a été tué en France par un chien, et on donne des nouvelles du chien (toutes les télévisions, 23 mai 2003). L'Angleterre est un pays où la misanthropie n'est cachée que par le bafouillage.

J'aimais tellement l'Angleterre que j'acceptais leurs invitations à déjeuner pour avoir le bonheur de ne pas les entendre. À table, les Anglais chuchotent et c'est un mot exagéré, on croirait qu'ils sont morts. Quel repos ! Six Anglais ne font pas plus de bruit qu'une mouche sur une table l'été, six Espagnols en font comme un chœur d'opérette, six Américains comme soixante hommes de troupe en permission.

Les Français méprisent ce qui les amuse et respectent ce qui les ennuie. Les Anglais méprisent ce qui les ennuie et respectent ce qui les amuse.

J'aimais tellement l'Angleterre que sa campagne si renommée ne m'intéressait pas. La civilisation anglaise est celle de l'intérieur. On marche sur une place sinistre, entre les arcades blanches d'un centre commercial comprenant une épicerie de chaîne qui vend du *danish ham* carré sous cellophane (bords verdissants), une librairie de chaîne qui vend du best-seller humoristique en *paperback* (« *My Silly Travels Through the Amazing Jungle of the European Commission* »), un marchand de vêtements de chaîne qui vend des joggings de mauvaise qualité à des jeunes gens blafards (démarche d'ours), puis on entre dans une maison, et : canapés, coussins (violets. Les Anglais ont inventé le violet), tableaux de paysages, thé, sandwiches au concombre, livres reliés. Les Anglais ont également inventé le confort.

125

Un des éléments de l'étrangeté de l'Angleterre est le décalage horaire, si bref soit-il. Le reste de l'Europe civilisée (urbaine, non paysanne, artistique, la vieille Europe *des douze*) se parcourt dans un même temps. Europe ou pas, Eurostar ou pas, l'Angleterre reste un pas à côté.

LISTE DES ITALIENS

Le premier avantage de l'Italie, c'est qu'elle est peuplée d'Italiens. L'obligeance, la spontanéité, le sourire n'ont pas d'autre patrie; l'Italie, c'est comme si c'était les vacances. — Oui, oui. Et les Brigades rouges. Et puis les gros cons. — Au moins ils ne les cachent pas. Ils les exhibent même. Une grande partie du cinéma italien leur est consacrée. Les Italiens aiment bien les abrutis. Tant ils sont humains.

L'audace de la comédie italienne des années 70 est qu'elle n'épargnait pas plus les « petites gens » que les bourgeois ou les aristocrates. À Venise, le cloître contigu à San Pietro di Castello est occupé par de ces personnes : c'est en partie cela l'Italie éternelle, celle d'*Affreux, sales et méchants*, le film de Scola. Une bassine, une chaise bancale, du linge mal pendu à une corde, une radio criaillant de la musique, et à part ça le grand silence. (Silence, ton nom est Venise.) Hubert Robert nous a montré gais et pimpants ces pauvres en haillons jouant parmi les ruines; il devait exister les mêmes il y a deux mille ans, dans la Rome antique; c'est très du siècle de Marie-Antoinette, de les montrer gais. Le rousseauisme a rendu service à l'aristocratie. *Affreux, sales et méchants* était la réaction d'un Italien au cliché de l'Italie en Vespa, heureuse et souriante. Tout peuple a les mêmes : beaufs en France, *white trash* aux États-Unis. La misère dont on se moque ne serait-elle pas le lieu commun de l'Italie?

Les Italiens n'aiment pas qu'on dise du bien d'eux. Ils s'irritent, crient au cliché. Ce bien a à voir avec la gentillesse, ce bien a à voir avec la beauté. Leur virilité déjà piétinée par le matriarcat s'offense.

Ils croient que ce sont des qualités féminines. Les Italiens voudraient qu'on les croie Allemands.

En Italie, il y a de vieux chanteurs à lunettes et à moustache. Tant ils aiment la chanson.

Un Italien ne se sentirait pas italien s'il ne portait des lunettes de soleil plantées dans ses cheveux gominés comme un arceau de croquet et n'exhibait les marques de ses vêtements, par jeu autant que par coquetterie. S'il se promène aussi souvent mal rasé et trois boutons de chemise ouverts sur une poitrine velue, c'est pour exhiber une virilité dont le matriarcat les prive. Cela dure depuis Rome, où l'on raillait César parce qu'il s'épilait. Le poil est sacré en Italie.

Il suffit d'aller sur une plage italienne pour voir que *i ragazzi* ne sont possibles que là. C'est une appellation affectueuse de laquelle on peut rapprocher « *the boys* » en Angleterre, mais quand les Anglais disent « *the boys* », il y a une tuerie militaire pas loin. Ici, c'est une réunion de chiots qui se touchent, se bousculent, se renversent, ils se mordilleraient, s'ils y pensaient.

Quand une Italienne est chic, elle est chic. (Quand une Anglaise est chic, elle est endimanchée.) Voici une Italienne telle que je l'ai vue sur la Côte amalfitaine : cinquante ans, cheveux châtains, chemise bleu pâle, gilet sable, pantalon blanc, un bijou doré, fumant, la voix voilée, parfaite. Une vraie du Sud. Elle était applaudie par le fantôme de Melina Mercouri (une Grecque).

Quand elle est drôle, elle devient irrésistible. Lors d'un dîner, je me trouvais en compagnie de trois Italiennes, toutes plus fines et plus sympathiques les unes que les autres. Lorsque j'ai dit que j'aimais Antonioni, elles se sont exclamées en bouffonnant, en faisant des signes de croix et en me huant. C'était délicieux. On devrait leur donner l'empire du monde. Rome l'a perdu. C'est dommage. Le monde aurait meilleur goût.

Il n'y a qu'en Italie qu'on puisse voir ceci et je l'ai vu : dans un aéroport, l'employé chargé de surveiller le passage des bagages à main aux rayons X lit un livre d'histoire de l'art. Grâce aux Italiens, nous mourrons en beauté.

Dieu a peut-être créé l'homme, mais l'homme a créé l'Italie. C'est mieux.

Durant l'été 2007, à Venise, chez Madera, campo S. Barnabo, des carafes et des gobelets en terre cuite étaient disposés comme dans un tableau de Morandi. Le goût naturel de ce peuple vient de ce que, dès l'enfance, il est imprégné de beau. Sorti de chez soi, dans le moindre village, on arrive dans une place aux proportions imaginatives, bordée de maisons aux couleurs exquises, et si on entre dans l'église on y trouvera au moins un tableau de qualité.

« Pseudonyme », en italien, se dit *« nome d'arte »*. Comme c'est joli et révélateur de l'amour des Italiens pour l'art, tandis que les Français disent « nom de guerre ». La stupéfaction des Italiens nous voyant combattre à Fornoue derrière Charles VIII et parlant de *furia francese* vient à mon sens de ce qu'ils nous voyaient accepter de froisser nos habits. Contrairement à ce que nous pensons, ils n'admiraient pas cela.

Le plus grand apport de l'Italie au confort intérieur a été le lit, ces *matrimoniali* larges comme des bateaux et où le corps se perd. L'Italien n'est pas un maniaque du contrôle. On pourrait classer les pays en fonction de leur mobilier : à l'Italie, le lit ; à l'Angleterre, le sofa où, dans la privauté de l'intérieur, on peut se détendre ; à la France, pays de la gastronomie et du jugement social, la chaise.

Les Italiens ne croient pas à la loi. Ils n'y pensent pas plus qu'un cow-boy du Wyoming à la dernière collection de Karl Lagerfeld. Et ils descendent les inventeurs du droit. Il est vrai que les Latins sont aussi le peuple de, mettons, Pompée, qui répondit aux Mamertins de Messine opposant des arguments juridiques à son jugement : « Ne cesserez-vous pas de nous lire des lois, à nous qui portons l'épée au côté ? » (Plutarque, *Vie de Pompée*.)

De l'Italie, j'oublie toujours que les hommes se tiennent par l'épaule, se prennent la main. Que c'est un militaire qui donne les informations météorologiques sur la Rai. Que le beurre est très blanc. Que les maisons du Sud sont petites comme des Fiat 500. Qu'il y a des graffitis sur tous les murs, jusqu'au bord des routes. Que, dans les villages, les cloches des églises sonnent toutes les heures (la France est un pays religieusement muet). Que, dans les restaurants, remplaçant un plat à peine fini par un autre, on vous hâte jusqu'au café, où on vous fiche une paix infinie : on ne voulait pas « libérer une table », comme susurrent les méfiants Français. Que les policiers ont les cheveux gominés, des lunettes de soleil et six bracelets. Ils se tournent pour regarder les filles. On sent qu'à six heures on les reverra sur la place du village, en t-shirt avantageux.

L'Italie et l'Angleterre, ces deux pays néoplatoniciens.

Il existe une tristesse italienne. On ne la voit jamais, à cause du lieu commun de leur gaieté et de la réalité de leur gentillesse.

LISTE DES AMÉRICAINS

Les passions d'un pays libre sont très manifestes : il suffit d'observer le commerce, qui les vend. Ce qu'on voit avant tout aux États-Unis, ce sont des marchands de voitures, des postes à essence et des restaurants rapides. Il s'agit de rouler, rouler, rouler. Nomades ils furent, en s'exilant ici, nomades ils restent, à l'intérieur de leur pays. Un jour, d'un hôtel à l'aéroport de Los Angeles, je regardai les voitures venant se ravitailler à une station-service, onze étages plus bas, incessamment, rapidement, repartant sur la grande avenue, leurs phares s'étirant en spaghettis lumineux, comme en accéléré, comme dans un film satirique. C'est mon œil, Monsieur le Procureur.

Les Américains se croient polis, mais ils mettent les mains dans les poches, boivent à même la bouteille, parlent fort. Il faudrait les éduquer aux musées. Non seulement ils y parlent comme s'ils étaient chez eux, mais c'est pour y faire des commentaires pédagogiques. Leur terrible bonne volonté veut apprendre, et que tout serve. C'est un vice américain qu'il faille qu'une œuvre d'art *apprenne* quelque chose. De même, on leur a fait boire du vin rouge en leur expliquant que c'était bon pour la santé, on n'aurait pas réussi en leur parlant de plaisir. Leur passion d'apprendre est naïve et honorable.

Des Américains j'oublie toujours, et cela me frappe dès que j'arrive dans leur pays, que dis-je ? dès l'avion, les jeans mal coupés. Ou encore leur goût de la musculation, dont j'ignore si c'est la manifestation pratique d'un goût de la force, ou encore les boissons présentées dans des emballages deux fois plus gros qu'ailleurs, ou les lignes électriques qui ne sont pas enterrées et encombrent les côtés du ciel, ou que c'est le pays des blonds, ou leur obsession de la météo, affichée en permanence sur les écrans de NY1 et imprimée sur la moitié de la dernière page du *New York Times*, avec température, taux d'humidité et vitesse du vent. Au fond, ce que j'oublie des pays, c'est le banal que l'on veut croire caractéristique. N'est-ce pas ce qu'on nomme sociologie?

Il y a une épaisseur américaine. Épaisseur des murs, épaisseur des meubles, épaisseur des vêtements, épaisseur de la littérature, souvent restée naturaliste.

Ils aiment trop le marron.

Ils mangent tout le temps. Quelle angoisse doit être la leur!

Charles Olson, ou est-ce Melville?, a dit que l'Amérique avait remplacé l'histoire par la géographie. Ce qui y crée l'ennui, qui peut y être si violent, c'est l'espace urbain non rempli. Au contraire de l'Europe ou l'Asie pleines comme des greniers, la densité de population au kilomètre carré est très faible aux États-Unis, et de là ces banlieues déprimantes parce qu'*on y trouve toujours de la place pour se garer*. On y sent, non la solitude, mais des isolements.

Un problème américain est souvent l'Américaine. Tennessee Williams, entre tant, a révélé « cette volonté de dominer et de diriger qui est une perversion typiquement américaine de la nature féminine » (*Billy et Cora*). De là ces femmes qui parlent fort, d'une voix sarcastiquement écrasante, avec un étrange fond de rancœur. Jeunes, elles font peur aux garçons. À d'autres femmes, aussi bien. J'ai connu une New-Yorkaise, dans l'Upper West Side, qui sous-louait des pièces de son grand appartement à la rage d'une de ses voisines. Celle-ci faisait des réflexions insolentes à toute personne qui se rendait chez elle. Et elle, en peignoir, fumant cigarette sur cigarette et buvant tasse de thé sur tasse de thé, suppliait ses locataires : « Si elle vous demande, dites que vous êtes un cousin. » Elle rétrécissait quand elle croisait sa voisine. L'une toisait l'autre, criaillant comme une pie : « Je vais vous dénoncer à la copropriété! », laquelle était en droit de la chasser. La pauvre femme, qui avait besoin de l'argent pour payer son loyer, en oublia de colorer en blond ses cheveux gris, fuma de plus en plus, but de plus en plus de thé. On l'a retrouvée, allongée en peignoir dans son immense lit en bois, télécommande à la main, devant la télévision en marche, morte d'une crise cardiaque. C'est une femme qui a été tuée par la peur. Et accessoirement un cas, parmi des millions d'autres chaque année, de meurtre impuni.

C'est un peuple sans balcons. Il n'arrête pourtant pas de se mêler de ce qui ne le regarde pas, selon la morale protestante. Et on y voit des gens brandir des panonceaux à l'entrée des tribunaux pour dire, car ils le savent, « DIEU HAIT LES AVORTEURS ». C'est un pays fasciné par la luxure.

Les Américains discutent moins des choses que du droit des gens à parler des choses.

C'est aussi un des rares pays où le droit compte. Chacun a le droit de demander ce qu'il veut, à commencer par ce qui est prévu dans la loi. Dans la plupart des autres pays, le droit fait plutôt ricaner. Et il n'y a pas tellement d'endroits au monde où des gens passent leur vie à se battre contre des injustices faites à des faibles.

Ils font des procès sur tout. C'est un moyen de gagner de l'argent, bien sûr, d'emmerder les autres, aussi, mais cela vient encore de ce que, pour eux, rien ne va de soi. Une des qualités des États-Unis est que le bon sens n'y est jamais tenu pour acquis. Ce peuple juridique croit au raisonnement plus qu'au fatalisme.

Les Américains sont peut-être, avec les Suisses, le seul peuple authentiquement républicain de la terre. Républicains avec ce que cela peut avoir de guerrier. Dans ce pays où les gens sont très enfermés en eux-mêmes, quand ils en sortent c'est pour bombarder, et que les autres leur ressemblent. C'est un cas où les États-Unis manquent un peu de faiblesse.

Un soir, à Oxford, à un étudiant américain qui se demandait pourquoi son pays était tellement détesté, je n'ai pas pensé à répondre qu'il est naturel que le plus puissant pays du monde soit haï. Rome devait être injuriée par toute l'Europe, et la Chine est détestée du reste de l'Asie. Si vous voulez être tranquille, soyez islandais. Et encore, il y aura toujours un phoque pour vous détester.

Leur déplorable admiration de la force les fait traiter de fascistes, mais ils n'ont pas ce trait essentiel qui fait le fasciste : l'admiration de la mort.

L'ironie est qu'ils ont pris au peuple le plus anticapitaliste de l'Occident, les Français, le mot « entrepreneur ». Non, ce n'était pas par ironie, car c'est un peuple sans ironie. C'est aussi un peuple inaccessible au sens du ridicule. Qualité du défaut : on ne s'y moque pas des bancals et des boiteux.

Les États-Unis semblent un pays sans pitié parce qu'il est pressé. C'est un pays d'immigration perpétuelle, et, à peine une génération d'immigrants s'est-elle « intégrée », qu'en arrive une autre, qui doit se recréer une vie, la gagner, se battre, et elle n'a pas le temps pour le raffinement.

C'est le seul pays au monde où il n'y a pas d'étrangers. On peut s'appeler Zgrabenalidongsteinloff sans qu'un sourcil se lève. « À New York, il n'y a pas de *nom impossible* », comme m'a dit un romancier dont le nom faisait lever le sourcil des racistes élégants de Paris. C'est cela qui rend tout possible. Ils ont marché sur la lune parce qu'ils sont la lune. Leur courtoisie est admirable.

LISTE DE SI LES HOMMES

Si les hommes étaient...

... consciencieux comme les Américains
... spontanés comme les Italiens
... abstraits comme les Français
... amicaux comme les Irlandais
... calmes comme les Canadiens
... réservés comme les Anglais
... détachés comme les Arabes

ils seraient parfaits.

Le peuple d'à-côté

LISTE DES ANIMAUX D'ÉCRIVAINS

Lorsqu'il vivait en Sicile, sa femme de ménage offre à Truman Capote une pie aux ailes coupées. Il la trouve laide et croit qu'il ne l'aime pas, jusqu'au jour où elle disparaît : « Lola ! » Le nom, raconte-t-il, lui vient au moment où il la cherche. L'ayant retrouvée, il l'amène à Rome. Les ailes avaient repoussé à Lola, mais elle refusait de voler : Capote l'avait élevée avec ses chiens et elle se prenait pour un chien. Lui advient le drame de ceux qui refusent de se reconnaître pour ce qu'ils sont, dit Capote en une phrase dont nous comprenons bien l'importance pour lui, pour nous. Lola tombe du balcon, atterrit sur une camionnette où, n'ayant pas l'imagination qu'elle peut voler, elle se laisse emporter à jamais. « Lola » est un des meilleurs essais de Capote.

Sa chienne Barbette a donné à Paul Léautaud l'occasion d'écrire une des critiques littéraires les plus drôles que je connaisse : « Les premiers temps ont été un peu difficiles. Mlle Barbette était toute jeune : pas encore un an. Elle dévorait tout. Quand je rentrais le soir, je trouvais mes papiers par terre, en miettes. J'ai cherché dans mes recoins de quoi la satisfaire sans me porter dommage. J'ai trouvé les *Ballades* de M. Paul Fort, dix, quinze, vingt volumes, plus même ! avec de nombreuses plaquettes : on sait l'importance de l'œuvre de ce grand poète. J'ai donné cela à Mlle Barbette, un volume ou une plaquette par jour ou tous les deux jours, selon sa voracité. Elle a été enchantée. Pas un feuillet n'a subsisté. On a rarement vu une œuvre littéraire être appréciée à ce point. » (« Mademoiselle Barbette », dans *Passe-temps.*)

Lord Berners (1883-1950) n'est plus connu s'il est connu que pour avoir été un des modèles de Nancy Mitford dans *La Poursuite de l'amour*. C'est dommage, car il écrit des souvenirs pleins d'humour qui contiennent des portraits comme on sait rarement en faire. Enfant, il avait « entendu quelqu'un dire que, si on jetait un chien à l'eau, il se mettrait instinctivement à nager. De réfléchir à ce fait biologique me fit me demander si un chien jeté en l'air se mettrait instinctivement à voler. Apercevant l'épagneul de ma mère couché près d'une fenêtre au premier étage, je jugeai que c'était le bon moment d'en faire l'expérience. C'était un chien gras, et j'eus quelque difficulté à le soulever jusqu'au rebord de la fenêtre. Après lui avoir donné une tape d'encouragement, je le poussai. J'observai l'infortuné animal pivotant dans les airs, ses longues oreilles et sa queue bouclées étirées par la force centrifuge. (Incidemment, il avait pris une forte ressemblance avec Elisabeth Barrett Browning.) Il ne faisait aucun effort visible pour s'envoler. » On lira dans la suite de *First Childhood* que le chien a atterri sans dommage dans un buisson de lilas. L'expérience n'est pas sans rappeler celle que décrit W.C. Fields, l'humoriste américain (1880-1946) : « Si vous coupez ses pattes à une puce et que vous lui criez : "Saute !", elle ne saute pas. Si on coupe les pattes d'une puce, elle devient sourde. »

Le philosophe Chrysippe (IIIe s. av. J.-C.) serait mort de rire en voyant un âne manger des figues. L'humour des philosophes nous fait parfois douter de leur esprit.

Les écrivains sont parfois si misanthropes que leurs personnages les plus réussis sont les animaux. C'est le cas de Marguerite Yourcenar, qui parle avec le dernier mépris des humains, mais décrit son chien Trier avec une patience presque tendre (*Souvenirs pieux*). Certains vont jusqu'à faire d'un animal leur personnage principal. C'est le cas de Lampedusa dans *Le Guépard* ; du moins le chien Bendicò est-il le principal personnage symbolique du livre, à côté du principal personnage social, le prince Salina. Dans *Les Mémoires d'un âne* (certains présentateurs de télévision ont regretté que le titre soit pris), la comtesse de Ségur fait faire à Cadichon un acte esthétique essentiel que les écrivains du genre humain pourraient imiter plus souvent : il ne se vautre pas dans son enfance. (Première phrase : « Je ne me souviens pas de mon enfance ; je fus probablement malheureux comme tous les ânons, joli, gracieux comme nous le sommes tous [...] ») Le chef-d'œuvre du genre reste sans doute *Le Chat Murr* de E.T.A. Hoffmann, qu'en France nous prononçons « Mur », comme un mur, alors qu'il est « Mour », comme amour : en vrai roman sérieux, celui-ci est, sous l'histoire pour tout le monde (les aventures), une réflexion sur la littérature et la place de l'artiste dans la société. Je recommande le très intelligent ronronnement de Murr à propos des écrivains qui se savent intelligents et que cela empêche de réussir dans le monde. On dirait une démonstration, cent ans à l'avance, à la Marcel Proust.

LISTE D'ANIMAUX TRAGIQUES

... la guêpe de Seldjouk

Au musée de Seldjouk, une guêpe fouillait dans les fentes d'un Apollon de marbre. Tête et buste noirs, que suivent un tube jaune et un as de pique ; longues pattes postérieures cerclées de jaune et de noir ; elle vole en battant des ailes loin derrière, comme une ballerine. Cette élégante, à ce qu'on me dit, est de l'espèce qui mange les araignées puis pond dans leurs tripes chaudes. Tête en bas, elle inspecte de ses antennes pliées le grain de peau du jeune dieu. À la hanche, elle trouvera une fente, où elle glissera un doigt gâteux. Une araignée ! Elle la tuera sur le rebord de ce précipice, avec sang-froid et irritation. Ayant mangé son ventre poilu elle y pondra un petit œuf mat et, calme, hautaine, alourdie, s'envolera verticale pour aller se poser sur le dossier d'une chaise, près du bassin, en face du musée, où elle se transformera en vieillard à canne.

... le chameau de la Cappadoce

En direction d'un village de montagne de la Cappadoce, non loin de la mer, nous croisons des chameaux. Cet animal affreux a quelque chose d'humain : les pattes arrière. On dirait les jambes d'un homme à fesses plates. Devant, un corps caverneux, paralysé, mort, barrique autour de laquelle on a collé une vieille couverture en fourrure, puis la deuxième partie vivante, les pattes avant, dont les pieds semblent des œufs au plat, et le cou lourd comme un serpent au réveil supporte une tête d'alcoolique abruti qui semble ne pas appartenir au reste du corps. La confusion des genres est troublante.

À Monterey, en Californie, ville de peu d'intérêt malgré la chanson « *It happened in Monterey* », ce qu'il y a de beau, c'est l'aquarium. Il est partiellement en plein air, sur une portion préservée de la côte Pacifique. Et c'est là qu'on voit les plus adorables animaux du monde. Les loutres de mer nagent sur le dos, grassouillettes et poil brillant. Elles brisent des coquillages entre leurs petites pattes, sous le regard attentif de leurs yeux millénaires (que j'écris bien!), dans leur tête moustachue d'empereur François-Joseph. Et de temps à autre se tordent en tresse et, hop, se roulent dans l'eau d'où leur face réémerge dégouttante comme un pinceau.

… la baleine blanche du zoo de Brooklyn

On visite peu Brooklyn, c'est dommage; le musée est très intéressant.

Masque de baleine blanche, Colombie britannique,
art kwakwaka'wakw ; XIXe s.

Quant au zoo, avec encore moins de visiteurs, il est morose, petit, entretenu comme ça, sans trop d'argent. Dans un cylindre blanc percé d'une fenêtre dont la peinture fait tous ses efforts pour ne pas s'écailler, on voit tourner indéfiniment une baleine dont la peau épaisse et blafarde est ternie, tavelée par endroits, comme si elle

143

s'était heurtée et que cette peau sans plus d'énergie n'avait pas pu reprendre sa plasticité, restant déprimée comme l'animal même. Se pourrait-il qu'elle se croie libre, à l'instar d'un homme dans son moi ?

… l'orylag

La génétique ! Danger XXIe, clones, chats à tête de cochon, bébés à trompe bleue, robots à peau d'homme ! Cela existe déjà. L'homme a créé un animal pour son utilité. Les marchands de vêtements voulaient une fourrure nouvelle, profonde comme l'hermine, douce comme le chinchilla, et moins chère. Deux savants de l'Institut national de la recherche agronomique décident en 1985 d'inventer l'animal qui la produira ; croisements de lapins pendant quinze ans, et voici l'orylag. Je l'ai touché, le poil de cet orylag dont le nom très factice semble un curieux mélange d'Orly et de *jet lag*, et il est en effet suave ; semblable à son nom, son roux clair et moiré donne une impression de faux. J'ai appris que les élevages se trouvent en Charente-Maritime. Charente-Maritime ! Seuls mots humains de cette histoire. Le reste du site Internet est en vocabulaire anesthésiant, « volonté d'éthique… résolument d'avant-garde… concept-fourrure… » Dépecez !

… le perroquet du Papagayo

À l'entrée de cette boîte de nuit de la banlieue de Toulouse pour étudiants pas snobs, hangar blanc dehors noir dedans, il y avait une grande cage où un ara se tordait lentement, style ara. Il était fou. De douleur, je pense. Voir ces grands corps d'humains niaisement plantés devant lui, dans l'assourdissant bruit d'une musique qui n'était pas celle de la jungle ! Il montrait le désespoir de l'exil et de l'esclavage. A-t-il fini par raconter des blagues psittaphobes, phénomène classique de l'aliénation, comme on l'apprend à ses semblables en leur faisant répéter « Coco » ? Ah que c'est agréable d'avoir chez soi quelque chose pour pouvoir se foutre de sa gueule tous les jours !

Les arbres, les nuages

et la pluie

LISTE DES ARBRES

Je connais mal le nom des arbres. Et l'oublie. Les arbres sont pour moi des symboles ou des souvenirs. Ils sont là, ni amicaux, ni hostiles, à côté de nous, plus anciens et plus durables, muets. Seraient-ils les dieux pétrifiés que nous avons abandonnés au cours des millénaires, pellicules des superstitions humaines toujours renouvelées ?

Il paraît que Beethoven disait : « J'aime mieux un arbre qu'un homme. » Moi aussi, j'aime mieux un arbre que ce type de grincheux.

Dans les tamaris de Simone Berriau Plage, près de Hyères, quand j'étais adolescent, nous dissimulions des capotes anglaises. Sous les lauriers du jardin de ma maison d'enfant, j'avais camouflé un *Hara-Kiri* qui trouvé par ma mère provoqua un beau scandale. Sous un buis taillé en boule, mon chat cachait les squelettes des moineaux qu'il avait tués. Les arbustes sont des nids à secrets.

Dans la plaine d'Ibos, village des Hautes-Pyrénées, vaste étendue rase sans rien que du maïs, se dresse, en plein milieu, au bord de la départementale, un arbre. Pas très grand. Rond. Légèrement tordu. Il a l'air d'une vieille élégante appuyée sur sa canne qu'on aurait oubliée dans la galerie à la fin du vernissage. C'est en hiver que je l'aime le mieux, effeuillé, nu, comme en encre sur le ciel crayeux, avec ses veines de poignet de vampire. Le chevalier est passé avec la mort, au grand galop, car la mort, cette grassouillette, était pressée de bouffer quelque vivant, et le vent sur leur passage a arraché les feuilles.

Les arbres de Central Park vus d'un trentième étage ont l'air de nuages verts vus d'un 747.

Ceux que je préfère, je vais vous le dire : les platanes et leur écorce de girafe sur une place de ville du Midi. C'est pour moi la Rome antique. Il y a aussi les acacias de Greenwich Village. Par exemple, dans Bleecker Street vue depuis W 10th Street, dos à Soho : charmant mail d'arbres maigres dont les branches se rejoignent en hauteur pour ombrager le macadam de cette rue étroite. Les érables du Japon qu'on voit au Canada, rosissant à l'automne, avec leurs feuilles découpées comme des blasons. Les petits arbres des villes, en général.

Et les cyprès, colonnes de la campagne ayant perdu leur linteau. De loin, leurs feuilles serrées et compactes semblent un cerveau, comme dans un tableau de Max Ernst. Les oliviers, tordus et échevelés, produisaient un tiers de la base alimentaire de Rome, l'huile. (Les deux autres tiers : le pain et le vin.) L'if me va, pour son nom, pour son air de tournevis du ciel, pour ce qu'on le taille, parfois, en ah-ah. Le seul arbre que j'aime peut-être pour ce qu'il est, sans l'associer à rien, est le cèdre du Liban. Au fait, ce n'est pas un arbre, c'est Victor Hugo.

Les saules, enfin, moins pour eux que pour le souvenir d'une comparaison que j'en ai faite dans un poème, et moins pour cette comparaison que pour la personne à qui elle se réfère. Ce saule, dans un parc de Londres, écarte sa mèche, puis admire la partition que X..., à son jogging matinal, écrit avec ses pas ; pendant ce temps, désobéissant au soleil, les tournesols se tournent vers ses adorables jambes. Malheureux écrivains, pour qui ce qu'ils ont écrit existe plus que la vie, et dont la sensation se recrée à cause de cela même ! Ils ne savent plus ce qu'ils ont réellement senti. Ce sont des arbres.

LISTE DES NUAGES

Le 26 janvier 2008, au-dessus de la pyramide à degrés de Saqqarah, un gros nuage gris était suspendu dans un ciel bleu pâle. Au-dessus de lui, le soleil étirait les doigts. Une herse de rayons tombait de l'autre côté. Cela semblait avertir les civilisations suivantes qu'elles avaient à savoir qu'elles sont mortelles. Ou non.

Le 17 mai 2007, au mur de l'Ashmolean Museum, une *Étude de nuages* de Constable perçait une fenêtre dans le mur en montrant un essorage de nimbus gris et blancs sur un ciel bleu-jaune. Elle faisait se dire que tout bon tableau est une fenêtre créée par le peintre, qui a nettoyé un rectangle dans l'opacité du monde.

Le 12 mai 2007, à Paris, dans un ciel bleuâtre de 21 h 30 où le soleil n'était pas couché, les dieux ayant fini leur peinture à l'eau essuyaient leurs pinceaux d'encre noire en nuages fuyants au-dessus de la tour Saint-Jacques. À cette heure-là, cherchant le client, les taxis fraient comme des requins, tournant brusquement dans telle rue où ils ont cru voir un client, freinant, repartant, pistant, immondes.

Le 15 décembre 2006, à Mascate, cet émirat où la nuit arrivait vers 17 heures, 17 h 30, par gris successivement plus foncés, sans coucher de soleil, un ciel de nuit se grisa de nuages comme pour redevenir jour. Je venais de finir un roman. Je n'en tirai aucune conclusion. Aujourd'hui que j'écris ceci, je me demande : la vanité est-elle une forme de la superstition, ou la superstition, une forme de vanité ?

149

Le 11 août 2006, à Minori, sur la Côte amalfitaine, ils ne manquaient pas de majesté, ces gros nuages qui surgirent tout là-haut, derrière les montagnes. Ainsi les Barbares devaient-ils être stupéfaits par les légions romaines.

Le 6 août 2006, à 16 h 45, même lieu, un sublime nuage blanc, immense, épais et houleux, souligné d'ombres grises et par-dessus lequel glissaient des rayons d'un soleil rasant, rampa au-dessus de la montagne et vint regarder la Méditerranée. Jupiter devait être assis au-dessus, en plein centre, sur un trône en or, fronçant le sourcil, ayant derrière lui la frondaison des autres dieux dans l'attente. Cela dura moins de temps qu'il ne m'en fallut pour l'écrire, cinq minutes. Le nuage était déjà banal, effiloché, troué, à pluie. Ah, la vie! Mais si, c'était bien Jupiter. A 17 h 01, le ciel devint tout blanc et éclatant de soleil, lança un rugissement et rinça les vacances des humains jusqu'à 17 h 50.

Le 5 juillet 2006, à Paris accablée de chaleur, trois nuages en croupe de jument étaient posés dans le ciel des Tuileries, au-dessus des pavillons de la terrasse des Feuillants, ombre blanche des chevaux de l'arc de triomphe du Carrousel ne pouvant pas repartir sans eux pour Venise où Bonaparte les avait pris.

En août 2005, à Glasgow, à Édimbourg et autres lieux alentour, je trouvai que les nuages sont beaux en Écosse. Bas, pleins, généreux, cendre dessous, coton dessus, amples, variés, nombreux. Et presque aussi brusques qu'en Irlande où, pareils à des chiots, ils surgissent, pissent, s'en vont, reviennent, avec espièglerie.

Le 25 mars 2002, au-dessus de la Seine, apparut un de ces ciels subitement Tiepolo dont Paris se coiffe parfois au printemps. Son bleu tendre se compléta çà et là de boules de nuages, comme si Vénus était en train de faire sa toilette en chantonnant de l'Offenbach, et qu'elle lâchât distraitement des morceaux de coton du balcon de sa salle de bains du ciel. Les automobilistes sentimentaux qui sortaient du souterrain de la Concorde s'attendrirent, un peintre sur son échafaudage envisagea d'abandonner l'art abstrait, trois vieilles dames venues assister à l'enregistrement d'une émission de radio béèrent sur la place François Iᵉʳ devant tant de beauté discrète.

Le 20 juin 2000, dans le ciel de Battery Park, à la pointe de Manhattan, des avions à réaction faisaient des ratures agacées. Un nuage flasque se séchait à l'une de ces cordes. À l'aller, de l'avion, ce moyen de transport qui nous a permis de voir les nuages du dessus, et ils sont très différents, plus solennels, moins motifs à joliesse, j'avais vu un Grand Canyon aussi blanc que l'autre est rouge, et encore plus intimidant, pour un terrestre comme moi. Qu'en aurait dit un maritime ? Un aérien ? Au retour, j'observai les élégants nuages gris qu'ourlait au fond, vers l'Asie, un ruban jaune. Un des plaisirs de l'avion est qu'il nous donne l'illusion de vaincre le temps. Si je vais vers l'ouest au maximum du décalage horaire, je vivrai un jour (de calendrier) en plus. C'est moi, Superman, au siège 28A !

LISTE DE LA PLUIE

J'ai longtemps trouvé la pluie importune. Cette grincheuse vient se glisser sous notre col, gifler nos cuisses, empeser le bas de nos pantalons, force la porte de notre imagination et occupe notre esprit de manière déplacée, car d'une souillon pareille, vraiment, nous ne voulons pas. Enfant, je l'associais au meurtre. Une de mes cousines m'avait amené voir *La Chair de l'orchidée* de Chéreau. La scène d'ouverture est un long plan fixe d'une maison de campagne sous la pluie. Pluie, pluie, pluie. Hurlement. Un homme apparaît, les yeux crevés, suivi de Charlotte Rampling un couteau à la main, les cheveux dégouttants de pluie. Nous dûmes quitter la salle.

Un bel orage. Vais-je me mettre à aimer cela? Et pourquoi non? J'aime changer. Et voilà comment je me suis mis à aimer la pluie, en mai 2007, regardant un orage derrière les fenêtres du square Sédillot, à Paris. Derrière des vitres. C'est un peu la définition de ma vie. Changeons cela aussi.

Une averse, ça peut donc être très gai. Elle met du désordre dans le monde d'une façon non agressive. Et on court en riant sous un journal déployé. Cela me rappelle une gravure d'Hiroshige dont une reproduction a suivi mon adolescence, celle des gens qui traversent un pont sous la pluie en se couvrant la tête de vêtements. Il y a bien des choses que je ne peux supporter qu'en peinture. Qu'en photo. Qu'en livre. Qu'en chanson. Le pays de certains, c'est l'imagination.

L'Écosse n'est pas en terre, mais en eau, plus encore que la Prusse, cette éponge de marais. En Écosse, la mer s'infiltre dans le Royaume-

Uni par des milliers de baies, allant rejoindre l'avant-garde des lacs installés dans les terres ; l'armée de l'air les bombarde d'orages réguliers, lourds, un Blitz. Le jardinier et poète écossais Ian Hamilton Finlay en a inventé un adverbe : « *The rain falling Scotchly, Scotchly* », la pluie tombe écossaisement, écossaisement (*The Dancers Inherit the Party*).

Une pluie amusante quand on ne la subit qu'une fois de temps en temps, c'est la mousson. À Shanghai, une après-midi, elle est tombée si vite que, en deux minutes, j'avais de l'eau aux mollets et que la ville montait sur elle-même. Le cycliste pédalait avec son cartable sur la tête, le petit-fils portait sa grand-mère sur les épaules ; fendant l'eau, Shanghai empilait ses habitants et ses biens les uns sur les autres. Je m'engouffrai dans un magasin pour Chinois. Ils étaient interdits aux étrangers, mais on me laissa acheter des bottes en caoutchouc grâce à l'intervention d'un jeune homme qui baragouinait l'anglais. Quand il vit arriver la police, il marmonna : « Je dois partir, car je n'ai pas le droit de vous parler, et je ne sais pas pourquoi, je ne sais pas pourquoi. » C'est une des choses les plus tristes que j'ai entendues de ma vie. (La tristesse tenait en partie à la répétition : c'est la glu, l'enfermement, le vrai malheur.) La pluie engendre des rencontres impossibles sans elle.

À Mascate, le souk sent l'encens. On en brûle partout. L'encens est d'Oman. On entre au souk par une petite porte, comme dans tous et, comme dans tous, on se trouve à l'intérieur d'un grand système digestif de boutiques rangées par spécialités. Je finissais des achats chez un bijoutier quand il se met soudain à pleuvoir : en une minute, pas plus pas moins, vingt centimètres d'eau dévalent dans la ruelle. Roulant les jambes de mon pantalon, prenant mes souliers à la main, je sors. Au carrefour le plus proche de l'entrée, qui est en pente, ce sont cinquante centimètres d'eau qui fuient par gros bouillons marron où il est impossible de marcher. Un homme m'indique obligeamment un chemin que je ne demandais pas, puis un autre me guide pendant plusieurs minutes à travers les ruelles couvertes, et me voilà sur la baie. C'était vif, inattendu, momentanément romanesque, charmant.

Les pays du Tiers-Monde sous la pluie, c'est souvent triste, car on y voit plus vite la terre d'où nous sortons. Ce n'est pas tant « poussière, tu retourneras à la poussière » qu'aurait dû dire la Bible, que : « Boue, tu retourneras à la boue. » Par beau temps, on voit la poussière et les accrocs, mais au moins le fondu universel de la mort cesse. Dans les villes, la pluie se casse sur les angles droits de la société. Place de la Concorde, la pluie ne donne pas l'impression qu'elle va vaincre le monde.

La douceur éventuelle

de vivre

LISTE DE CHOSES DOUCES

... le matin

Une table de petit déjeuner bien dressée, dans le parc, pour soi seul.

Entendre couler d'une fenêtre, à l'autre bout de la rue, un air d'opéra.

Traverser la Seine.

Les plages à sept heures.

Le début du coucher de soleil en avion.

... le soir

Lire au bord du grand bassin des Tuileries.

Les soleils qui se couchent lassement au bord de la mer.

Mestre vu du canal de la Giudecca.

La baie de San Francisco depuis Alamo Square.

Traverser la place de la Concorde, en voiture.

Se changer pour sortir.

Conduire, le coude sur la portière, sur une route de bord de mer.

Les plages à sept heures.

Les vols qui arrivent les derniers dans les aéroports.

Conduire avec de la musique.

Conduire dans toute grande ville inconnue. On s'étonne, on est surpris, on s'inquiète, on accélère, on s'arrête, on sort, on admire, on repart.

Les plages.

Les autoroutes. Une station-service. Un café. Repartir.

La solitude.

LISTE DES PLAGES À SEPT HEURES

Sur la plage, l'être humain est ramené à l'état, je ne dirais pas de nature, mais de zoo. On y constate comme l'élément mâle de notre espèce est joueur : châteaux de sable, *beach-volley*, aventureuse plongée avec tuba parallèlement au bord, et comme l'élément femelle est sérieux : allongé, calme, il surveille ; éventuellement, il rassure le petit et donne des ordres à l'adulte mâle. La plage le confirme, la femme est une lionne et l'homme un singe.

Quand il ne joue pas, l'homme reste hébété, assis dans le sable, les bras pendants ; il n'abandonne cet état simiesque que pour se planter les mollets dans l'eau, croiser les bras, et, l'air d'un conquérant, observer la foule d'un regard sévère. Il fait des observations scientifiques. Ainsi, qu'une forte chaleur inculquée à l'être humain par la plante des pieds se transforme immédiatement en un tressautement des épaules. Pendant ce temps, les femmes lisent. Elles essaient de comprendre comment les hommes peuvent mener la vie avec tant de maladresse.

Quelles pensées ont-elles lorsque, assises, elles font le geste mystérieux de se caresser lentement l'intérieur du bras, la tête penchée en col de cygne ?

Les plages connaissent un malheureux, l'adolescent bien élevé. S'ennuyant à mourir près de ses parents, il regarde avec des yeux aimantés et sournois les mal élevés de son âge qui, là, tout près, rient et parlent fort. Il n'osera jamais les rejoindre.

Je parle des plages à leurs heures humaines, c'est-à-dire extra-humaines. C'est en dehors de la journée qu'elles deviennent délicieuses. Sept heures du matin, sept heures du soir. Plus de cris, de bruit, de foule. Nous et la douceur.

À sept heures du matin, les vagues se réveillent en écartant les doigts comme un bébé. Le soleil ne donne pas encore ses coups de poing. La nuit a laissé de la fraîcheur. Les formes frémissent, les couleurs se précisent. Tout est nuance. Une promesse passe. Qui sait, un moment de bonheur viendra peut-être aujourd'hui ?

À sept heures du soir, les vagues s'apaisent, la mer se retire en une révérence discrète. Elle prend une couleur de scarabée. Le soleil, que la terre laisse tomber, se peint en orange pour se faire voir, eh, eh, je suis là ! Tout d'un coup moins arrogant, il abaisse sa température, étend les bras, nous caresse et nous lèche, au désespoir de devoir quitter nos corps. Il étire des ombres longues et élégantes. Laisse-nous, vieux cabot ! L'air s'attiédit. Nos gestes se font plus lents. Nous plongeons tous les doigts à l'intérieur du sable devenu gris, humide et épais, comme pour entrer dans la terre, mais non. Les bruits se sont éloignés. On les entend, là-bas, au loin. Seuls, nous imaginons les couples qui se préparent pour la nuit, les bandes d'amis qui assaillent les terrasses des restaurants. Nous éprouvons le sentiment délicieux que la vie se passe ailleurs.

LISTE DÉPLORABLE DU DÉSIR

C'est si XXe siècle, le désir ! Son règne est fini, comme tant d'autres depuis le 11 septembre 2001 : l'espoir, le progrès, la confiance. Nous allons inventer d'autres idées pour justifier nos assassinats. Les anciennes deviendront attirantes ; dans un monde de méfiance, on rêvera de la naïveté ancienne. On la trouve déjà *désirable*.

Le désir a été nommé par Baudelaire. Il l'a découvert, au fond des draps tièdes d'une époque assoupie (une des conséquences des régimes autoritaires), puis nommé et presque défini. Si je dis « presque », c'est que l'imprécision est un élément du désir. Le désir est vague. Baudelaire invite au voyage « ceux-là, dont les désirs ont la forme des nues » et qui rêvent « de vastes voluptés, changeantes, inconnues ». Ne croyez pas les écrivains qui vantent l'irréalisation, l'impuissance et tout ça : ils écrivent, après tout. Baudelaire a le génie, en devinant la chose, d'en tirer de la littérature. « Malheureux peut-être l'homme, mais heureux l'artiste que le désir déchire ! » (« Le désir de peindre », dans le *Spleen de Paris*). Il est le premier des grands insatisfaits à jouir de son insatisfaction.

Il faut un prosateur pour que le désir triomphe, car la poésie n'a de grand public que posthume (si elle en a) : Zola montre le désir en roi secret de l'humanité. Mou et envahissant, il monte comme la mer et engloutit ses personnages. Ce sont les coucheurs, les alcooliques, les assassins. « Toujours le désir l'avait rendu fou », dit-il de Jacques dans *La Bête humaine*. Les plus forts résistent. Ils deviennent millionnaires, ministres. Cette fascination pour la force du désir fera des ricochets tout au long du XXe siècle. « De même qu'une marquise est remuée par le désir brutal d'un charretier qui passe… », remarque Zola dans *Au bonheur des dames* : le relais passe en 1898 à Pierre Louÿs, dont *La Femme et le Pantin* aura au moins quatre adaptations au cinéma, de Jacques de Baroncelli en 1928, avec Conchita Montenegro, à Luis Buñuel en 1977, avec Carole Bouquet (*Cet obscur objet du désir*). Le mélange idéal a été obtenu par Josef von Sternberg et Marlene Dietrich en 1935, le moins plausible par Julien Duvivier et Brigitte Bardot en 1958 : Dietrich est une chaloupeuse qui préfère séduire à coucher, Bardot s'amuse trop de la sexualité pour perdre du temps avec le désir. L'idée naît chez les poètes, est explorée par les romanciers, rendue assommante par les philosophes, connaît l'apothéose, en France du moins, grâce à la chanson. Le désir l'a connue en 1984, où « Désir, désir… » fut chanté par Laurent Voulzy et Véronique Jannot. Affadi, il ne lui restait plus qu'à s'éteindre lentement.

Il avait eu une autre vie, en Angleterre, où il avait fait une grande carrière au XVIe siècle. Le désir coule des élisabéthains comme une résine. Marlowe, dans *Édouard II*, implose de désir réprimé. Shakespeare a trop d'élan pour admettre sans réserve une sensation qui leste. Dans *Hamlet*, Laertes conseille à Ophélie : « Et tenez-vous en retrait de vos sentiments,/Hors de la dangereuse portée du désir. » C'est si puissant, le désir, si étrangement résistant : « N'est-il pas étrange que le désir survive tant d'années à la puissance ? » (*Henri IV*, deuxième partie).

Dans les années 1590, *Le Désir* accostait en Amérique du Sud, comme le raconte Bruce Chatwin dans *En Patagonie*. Et si on avait nommé un navire *Le Désir*, c'est que le désir était devenu populaire : les hommes qui nomment les choses commerciales suivent. C'est à Port Desire que ce navire mouilla. Le désir est un port d'où l'on a peu envie de partir : ne finit-on pas par rien désirer plus que le désir même ?

Le désir rend souvent l'homme veule. Regardez ce sourire en forme de traversin froissé, ce regard d'eau du robinet qui coule ! La veulerie du désir est suivie par son audace. Après avoir reniflé, hésité, il devient prêt à tout pour satisfaire le loup dans le ventre. *« But ah, Desire still cries: "Give me some food!" »*, mais, ah, le Désir clame toujours : « Donne-moi à manger ! » écrit Philip Sidney (1554-1586). Enfin, prêt à tout. Le désir peut être également lâche et prédateur.

Et nous voici *machine désirante*, bientôt énervée de l'être. Le désir a eu mauvaise réputation à cause de ses propagandistes ou de ceux qui le constataient. Dans l'esprit moyen, Deleuze et Guattari (*L'Anti-Œdipe*, 1972) voulaient transformer la France en boîte à partouzes ; Zola a toujours été méprisé, et donc ce qu'il montrait ; Baudelaire, on ne veut pas trop savoir qu'il vivait avec une mulâtresse de profession douteuse. Le désir a inquiété car il est mal élevé. Le désir est un agrandissement du monde. Le désir est ambition, et aucune société n'aime les ambitions, elles dérangent la tranquillité qu'elle peine à maintenir en place. Le désir a été intellectuellement XXe siècle : socialement, il avait triomphé au XIXe en descendant dans les peuples, qui ont fait de ce siècle un trampoline de révolutions. C'est sans doute la raison de la naissance d'une autre idée destinée à écraser ce fauteur d'incessants désordres : la volonté, l'effrayante volonté, qui peut beaucoup plus que lui. Elle a créé les dictatures du XXe, en se disant debout quand le désir passait pour couché. Comme si on ne faisait pas l'amour debout, comme si la plupart des admirateurs de la volonté n'étaient pas couchés devant elle, enfin, laissons ces vieilles passions, leur querelle a tué assez de monde. Les passions animent puis épuisent les époques autant que les hommes. Je ne sais pas quelles sont les deux passions dominantes qui feront s'enthousiasmer puis s'entretuer les deux siècles à venir, qui succédera au velléitaire, mélancolique et égocentrique désir, à la machinale, glaçante et narcissique volonté ; profitons de l'intervalle heureux où rien n'a l'air de se passer pour verser dans nos vies une goutte d'une passion XVIIIe dont la disparition a fait oublier le mauvais côté, la frivolité : bienvenue au plaisir.

LISTE PUNISSABLE DU PLAISIR

Règle n° 1 dans la vie, que l'on apprend souvent trop tard : ne faire que ce qui fait plaisir. Règle n° 2 : savoir ce qui fait plaisir.

La plus belle épitaphe : « Il a eu du plaisir. » Il ne faut pas le dire. Donnons-nous l'air d'adorer la souffrance, déesse des niais qui font, ou plutôt croient faire les réputations.

Si le mal est rarement puni, le plaisir aussi. Nous avons trop cru à « La cigale et la fourmi ». Le monde occidental est puritano-freudo-judéo-chrétien, il devrait être brésilien. En 2007, le pape Benoît XVI a prêché la chasteté dans ce pays. Avec sa mitre, secoué comme une cloche sur un plateau, il est allé, la voix tremblante, car sitôt pape, le chrétien prend la voix tremblante, cet Allemand, ce Carolingien triste comme une aigle de fer, apporter ses tristesses à des gens qui ne sont que gaieté ! C'est cela, le péché.

Les puritains ne sont pas pour la vertu, ils sont contre le plaisir. Tremblant à son idée, ils s'entraînent à ne le prendre que dans la tristesse.

À la mode ou pas, si une chose nous plaît, qu'elle nous plaise. Ne laissons pas notre orgueil nous priver de nos plaisirs.

La deuxième fois est plus fraîche que la première. La première, on arrive avec des idées reçues, des méfiances, des espoirs, des devoirs ; et c'est décevant. La deuxième, en revanche, les devoirs remplis et chues les préventions favorables ou défavorables, advient le plaisir.

Certains se sont indignés que des rescapés du typhon qui a détruit La Nouvelle-Orléans en 2005 aient utilisé les cartes de 2000 dollars distribuées par l'Agence fédérale de gestion des urgences à des achats chez Vuitton. Je trouve qu'ils ont raison. Ils achètent un plaisir qu'ils n'auraient jamais pu s'offrir, avec une nuance de foutage de gueule envers l'État. À quoi servent 2000 dollars quand on a tout perdu ?

Il faut donner aux gens ce qui leur fait plaisir tout de suite. Généralement, on s'en garde, par malveillance ou par reproduction d'un mensonge appris dans l'enfance : « Les choses se méritent. » Le mérite n'est qu'un mot pour : faire attendre. Un bel échange de répliques serait pour moi :
LE PUISSANT : – Qu'est-ce qui vous ferait plaisir ?
LE FAIBLE : – Ceci.
LE PUISSANT : – Vous l'avez.

Un ami que j'avais invité à dîner annule la veille par SMS : on l'a invité au ski, l'excuserai-je ? Je réponds : « Sois sage avec les monitrices. » Aussitôt, lui : « T. extra. Merci ! » Mais non, tu as eu bien raison. Tout remplacement d'une obligation par un plaisir doit être encouragé. Sans même dire qu'il ne m'avait pas menti, ce que je trouve amical.

J'aime faire plaisir. Il ne me semble pas qu'on me le rende souvent. Un instant agréable ? C'est encore trop ! Qu'il croupisse comme nous ! Il faudrait inventer une nouvelle expression, pour décrire ce comportement, ce comportement très français, et même très parisien. De même qu'il existe « faire plaisir », nous aurions besoin de : « faire déplaisir. »

On ne nous donne généralement les choses que quand elles ne nous font plus plaisir.

Tant mieux, peut-être. Cela nous rendrait insupportables de bonheur.

LISTE CRITIQUABLE DU CONFORT

Comme tant de choses utiles à la tranquillité de l'être humain, le confort a donc été inventé par les Anglais. Balzac importe le mot tel quel dans ses romans, et l'écrit *comfort*. Nous n'avions pas tellement idée de ce que c'était, au pays de Louis XIV, qui avait régné, génialement, par l'inconfort. Et quel mauvais goût. Le sultan de Brunei du XVIIe siècle. Un groupe de glam-rock de San Diego a pris son nom, ce n'est pas usurpé. Manches à glands, silhouette d'abat-jour, perruques d'âne. Enfin, c'est la monarchie même, ce goût barbare. Les républiques sont moins tapageuses. Louis XIV crée le *fashion show* de Versailles, avec *catwalk* à glaces où tout le monde se montre, se regarde, s'observe, et tant pis pour le reste. Dorment cinq heures par nuit, empilés dans ce petit château, quinze mille courtisans. La perruque s'écrase sur la joue qui se presse contre un talon rouge que pousse un jarret dans un bas qui se tord. Et, dès l'aube, tout cela se redresse, se défroisse et se rue au lever du roi, lui aussi indifférent à son confort, puisqu'il offre sa vie privée en spectacle. Privé de vie, Louis XIV invente l'État.

Dont l'Angleterre n'a jamais voulu. Ses rois ont été lentement repoussés dans leurs palais par un pays qui leur arrachait au passage tel ou tel bijou de liberté individuelle. Pas de cour décente. L'aristocratie, plus que riche, vit dans des châteaux de quatre cents pièces à douze avec un chien. (Il en reste en Écosse. Préparez les rollers.) La bourgeoisie gagne l'indépendance. Dépourvue des affreux complexes de la bourgeoisie française, elle organise sa vie comme elle l'entend. Son confort signale sa liberté. Elle triomphe : elle est à l'aise. Le coussin est son sabre, le tapis ses armoiries. Aussitôt les

166

moralistes (spécialité française) le conspuent. Ils disent « confort moral » et oh! ah! tout le monde se bouche le nez. Un des livres les plus bêtes du XXᵉ siècle, *Le Confort intellectuel*, de Marcel Aymé, engendre l'Union sacrée. Droite, gauche, enfin d'accord! Le confort intellectuel, c'est l'Amérique! Tapons, tapons unanimes sur le confort, et croyons-nous exceptionnels! Médire du confort est un des moyens d'obtenir en France la réputation d'esprit fort.

Qu'est-ce que le confort a de mal? Empêche-t-il la détermination, le courage, l'intelligence, la générosité? Après le tsunami de fin 2004 en Asie, c'est lui qui a payé, par les contributions des pays riches disant : « Nous regorgeons de biens, nous pouvons donner. » Voltaire, homme confortable s'il en fut et auteur d'une *Défense du mondain* (« Vous avez dit en vos œuvres non pies/Dans certain conte en rimes barbouillé,/Qu'au paradis Adam était mouillé/Lorsqu'il pleuvait sur notre premier père ;/Qu'Ève avec lui buvait de belle eau claire ;/Qu'ils avaient même, avant d'être déchus,/La peau tannée et les ongles crochus »), n'a pas eu le cerveau ralenti pour avoir écrit dans un bon fauteuil. Churchill a gagné la guerre d'un lit où il restait en pyjama jusqu'à onze heures du matin, mâchant son cigare et s'arrosant de Blenheim Bouquet. Et c'est le plus bel éloge du confort que l'on puisse concevoir. Le confort, l'*avachissant* confort, l'emportant sur la force d'une nation tout entière militarisée. On peut gagner une juste cause sans prendre les manières de l'injuste.

Tout en freinant les panzers affalé comme une otarie, Churchill dit aux Anglais : « Le temps des aises et du confort est fini. Voici le temps de l'audace et de l'endurance. » Il entre toujours de la dissimulation dans la critique du confort. Et l'on voit les propagandistes de la planche à clous que sont les moralistes capuchonner leur stylo plume or 18 carats et se caler dans le canapé en soie pendant que la gouvernante augmente le chauffage. Il est bon de croire que la vertu se trouve chez les autres plus qu'en soi-même, sinon on a vraiment trop l'air d'un politicien de l'humanitaire, mais mettre de la morale dans la matière est de la superstition.

L'Angleterre, c'est doux dedans parce que c'est dur dehors. Les maisons ont double confort parce qu'elles sont *semi-detached*. Le ciel est si gris à l'extérieur qu'on brode des fleurs sur les coussins. En Italie, où il fait beau et où les paysages sont enchanteurs, le confort est dehors (avec la frime des Italiens). Tête-bêche sur une des cartes de mon jeu, ces deux pays me *réconfortent* par une idée d'eux que je chéris. Et, comme toutes les généralités se complètent de détails qui semblent les contredire, je dois rappeler que c'est en Italie que se fabriquent les meilleurs lits (fournisseurs de Trimalchion depuis 60 ap. J.-C.) et que le confort anglais a un vice, la moquette. On l'aime tant qu'on en pose jusque dans les pubs, qui y gagnent leur odeur caractéristique : (bière renversée + fumée de cigarette + semelles mouillées) × (nombre d'années). Il n'en reste pas moins que l'admiration de l'inconfort est le premier pas vers l'inhumanité.

Tout ce qui est beau et bon est toujours calomnié. Les moralistes n'y suffiraient pas. Il s'y ajoute les qualités naturelles de l'homme, l'envie, la méchanceté, et la rage de souffrir.

LISTE IMPARABLE DE LA PASSION

La passion existe en dehors de son objet : c'est une barrique qu'on remplit, puis, quand elle est pleine, on passe à une autre. Il y a des passionnés qui, une fois tarie la passion d'être président de la Chambre de commerce, passent à la passion des très jeunes filles, etc.

On croit que l'ambition s'arrête avec son assouvissement. Or c'est une passion qui se renouvelle en permanence, trouvant de nouveaux objets à désirer. L'Allemagne aurait-elle gagné en 45 que Pétain demandait la vice-présidence de l'Europe.

L'avarice est peut-être la passion la plus malheureuse. Ceux qui en souffrent sont persuadés de pratiquer une vertu mal aimée.

La haine est une passion violente et très calme. Prenez garde à ne pas vous habituer à avoir près de vous ce pit-bull bien dressé.

Les passions les plus méchantes sont muettes. L'orgueil. L'envie. Celle-ci est une passion rongeuse qui occupe parfois tellement ceux qu'elle capte qu'ils en oublient d'être nuisibles. Ce sont les buffles de la méchanceté.

La gourmandise est une panique. Le sport est une panique. La frivolité est une panique. Le snobisme est une panique. L'arrivisme est une panique. La panique se déguise sous le nom de passion.

Aux arènes de Madrid on crie « *whisky con hieva !* » jusque pendant la faena. La cupidité ne s'arrête jamais. Comme toute passion, il faut l'abattre.

À la passion d'emmerder les autres on donne souvent le nom d'idéalisme.

Les passionnés deviennent des hypocrites.

La passion est monotone. Voilà pourquoi les passionnés finissent généralement par devenir ennuyeux. Tels, les collectionneurs, les nymphomanes.

Dans ses *Mémoires d'état*, Villeroy, secrétaire des commandements de Charles IX, Henri IV et Louis XIII, dit que Richelieu avait « une passion démesurée de se faire un jour canoniser ». Cela complète le portrait de ce cruel, me semble-t-il. Cruel du pouvoir, qui fut retenu par la passion de servir, la dégoûtante passion de servir. Elle ne l'a pas empêché de *se servir*, car il a fait fortune pour lui et sa famille pour des siècles. Cruel de la fatuité, qui jalousait Corneille et se faisait écrire des pièces de théâtre par des nègres. Et quelle fatuité suprême que de vouloir être *nommé* saint ! Richelieu avait une chatte nommée Soumise, évidemment.

Jean Paulhan raconte l'histoire d'un prêtre imposteur démasqué par un évêque : « Il parlait de Dieu avec trop de passion. »

En février 2007, une astronaute américaine a été arrêtée pour tentative de meurtre sur une rivale. Elle avait roulé en voiture de Houston, Texas, à Orlando, Floride, pour la tuer, portant des couches pour aller plus vite (des couches spéciales créées par la NASA pour le décollage et l'atterrissage des navettes). Je trouve que c'est une histoire pas du tout risible de passion.

Une passion fait apprendre des mots. À une époque où je voulais absolument me débarrasser d'argent, j'ai décidé d'acheter une montre. Et, dans une boutique, sortant d'une autre où je l'avais appris, je me suis surpris à employer le mot « godrons ». (Je le connaissais, mais pour l'avoir lu, et l'avais oublié ; un mot qui ne passe pas par notre bouche ne fait pas complètement partie de notre vocabulaire.) Je n'ai pas trouvé ça si bien, cette sortie du langage commun, ce parler commerçant où me portait une passion qui aurait dû être purificatrice.

Je suis si occupé de lire et d'écrire que je n'en vois parfois plus la vie. Après douze ans dans le même appartement, je viens de me rendre compte que je pouvais m'asseoir sur le rebord de la fenêtre de ma chambre et y téléphoner en prenant le soleil. La passion tue les plaisirs.

La passion est une possession, il s'en faut de quelques lettres. Et alors ? Pendant six mois, un an, on a fait autre chose.

Peut-être que ce qui fait que certains livres marchent, c'est qu'ils sont des bombes de passion.

La passion n'est jamais ridicule, hélas.

LISTE MESQUINE DES MŒURS

Les mœurs passionnent les esprits religieux et les petits-bourgeois.

L'homme qui dénigre les mauvaises mœurs de son voisin ne connaît pas celles de son père.

Nous ne savons jamais ce que l'on dit de nous.

L'homme fait une loi de ses mœurs.

LISTE TÉNUE DU TACT

Bien choisir des cartes postales. J'ai un ami qui en a l'art. La gentillesse, devrais-je dire. Il a passé du temps à songer à ce qui pourrait me faire plaisir.

Parler bas dans les lieux publics.

Prendre garde à ne pas asperger d'eau quand on passe entre les matelas de la plage.

Lier les lettres entre elles lorsqu'on écrit.

Dans *La Prisonnière*, Andrée dit au narrateur : « Cela m'a fait grand plaisir d'entendre votre voix, et (comme maintenant l'usage du téléphone était devenu courant, autour de lui s'était développé l'enjolivement de phrases spéciales, comme jadis autour des "thés") elle ajouta : [...] » Voilà des délicatesses dont on pourrait prendre davantage peine, dans un monde où tout doit servir et immédiatement. Un monde non proustien, non chinois, sans tact.

Feu la reine d'Angleterre femme de George VI et mère de l'actuelle reine Élisabeth II, restée habillée en civil toute la durée de la guerre alors qu'elle aurait pu porter l'uniforme du WNRS et en tirer de la gloriole militaire. Elle a préféré se placer du côté des civils, de la faiblesse.

Qu'il y ait peu de police dans les rues ; et ce n'est plus souvent le cas, dans nos pays civilisés.

Le tact est l'imagination de ce que peuvent ressentir les autres. Qu'il ressortisse à l'imagination explique qu'il soit si rare.

On a du tact parce qu'on a du cœur.

LISTE BRANLANTE DU BONHEUR

Je vois, dans un magazine de mode masculine, une photo : sur du sable, une veste crème, un nœud papillon noir dépassant d'une poche, un verre à cocktail, et j'ai un coup au cœur : c'était pour moi l'élégance, adolescent. Bogart dans *Casablanca*, Fred Astaire dans *Top Hat*, les comédies hollywoodiennes de luxe. Les heureux pas damnés.

Et puis on apprend que ça n'existe pas, que Fitzgerald est exact. Les heureux sont les damnés. Dans un de mes romans, je me suis inspiré d'un couple d'amis beaux, gais, rieurs, généreux, sortant, qui s'étaient approchés le plus près possible du bonheur, l'avaient même atteint. J'ai imaginé que l'homme était haché par la maladie, comme pour détruire cette aberration dans le malheur commun. Cela s'est produit quelques années plus tard. Évidemment. Ce n'est pas Fitzgerald qui est naturaliste, c'est la vie.

Les gens veulent être heureux. C'est souvent pour cela qu'ils sont malheureux. Le bonheur est un état qui s'enfuit dès qu'on cherche à le définir. Intoxiqués par les livres, les films et les chansons, on rêve à un idéal trompeur. Les hommes sont bien irréfléchis de partir à sa recherche. Il ne s'en attrape que le courant d'air, par hasard, quand on a éliminé des parasites qui semblaient n'avoir rien à avoir avec lui. Le courant d'air s'échappe. C'est plus tard, ayant pris conscience que le climat a changé, qu'on se rappelle sa fraîcheur. C'était donc ça, le bonheur ? se demande-t-on.

Pour moi, j'enrage de ne pas m'en rendre compte plus vite. À chaque fois que, chez moi, je regarde l'affichette d'un festival de poésie de San Francisco où je me trouvais voici quelques années, je me dis : un des plus heureux moments de ma vie, et je ne suis pas sûr de me l'être formulé sur le moment.

Les femmes qui projettent leur bonheur comme un désodorisant sont souvent très malheureuses. « Je suis très heureuse » égale : « Je suis très malheureuse mais je ne veux pas me le dire. »

Le déchirant bonheur d'avoir cru à des gens.

Ce n'est pas le bonheur qui est haï, c'est l'air du bonheur. Toute apparence de bonheur est payée au centuple. Plus que le bonheur lui-même, sans doute, car le bonheur fait peur. Les méchants s'éloignent, intimidés par la force des heureux. Elle leur vient de l'indifférence à toute autre chose que soi.

Si j'avais à donner les conditions du bonheur (pour ce que j'en sais !), je dirais : ne pas freiner ses élans ; faire ce qui fait plaisir ; fuir.

C'est parce que le bonheur donne de la force qu'on ne veut pas que nous en ayons.

Si j'étais superstitieux, de temps à autre, j'imaginerais le bonheur.

Et chacun vogue, tant bien que mal, sur son petit désespoir personnel.

LISTE TUANTE DES QUALITÉS DE TRISTESSE

La tristesse exsangue des enfants de familles pieuses.

La tristesse lointaine des enfants obèses.

La tristesse aboyeuse du fado.

La tristesse voguant sur une mare de whisky de Dorothy Parker, Judy Garland, Wallis Simpson.

La tristesse de poupée de la danseuse qui se laisse tomber avec un geste de cygne.

La tristesse rêveuse des blondes à la campagne dans les tableaux de Thomas Lawrence. Encore cent ans, et elles se feront sauter par le garde-chasse, comme dans le roman d'un autre Lawrence.

La tristesse humiliée des personnages de Tennessee Williams. Ils savent qu'ils sont haïs pour ce qu'ils sont.

La tristesse apeurée des chiens.

La tristesse sous vide des pays communistes. Je crois n'avoir rien connu de plus déprimant que les « pays de l'Est » avant la chute de l'URSS. Dictature et pauvreté font un attelage particulièrement sinistre quand ils sont conduits par la bêtise.

La tristesse glaciale du Financial District, à New York, une fois les bureaux fermés. Il n'y a rien, pas une boutique, pas un café, juste des gratte-ciel de verre sombre, sans une lumière. On se croirait sur le bord d'un couteau.

La tristesse liquide des saints du Greco. On dirait que c'est à eux qu'a pensé Federico Garcia Lorca quand il décrit saint Gabriel archange dans le *Romancero gitan* : « *boca triste y ojos grandes* », la bouche triste et les yeux grands.

La tristesse infernale qu'exprime le rire des hommes qui ne rient qu'extérieurement. Il y a quelques semaines, j'apercevais, à quelques tables de moi, dans un restaurant, un homme de ma connaissance parlant à une femme qu'il essayait d'impressionner. Pendant deux heures, cela a été des rires giclant comme de la haine. Il était étrange d'observer ce rire sans drôlerie, systématique, succession de ricanements respiratoires, maladifs. Sa méchanceté l'a mangé. Il cessera un jour d'en être triste, et sera passé du côté du diable.

La tristesse à la Musset d'Oriane de Guermantes quand, à la fin d'*À la recherche du temps perdu* et d'une vie, elle dit au narrateur : « Adieu, je vous ai à peine parlé, c'est comme ça dans le monde, on ne se voit pas, on ne se dit pas les choses qu'on voudrait se dire ; du reste, partout, c'est la même chose dans la vie. Espérons qu'après la mort ce sera mieux arrangé. »

Tirez la langue à la tristesse.

LISTE GRACILE DES MOMENTS GRACIEUX

Les premières représentations où se révèle un grand chanteur d'opéra. Je me rappelle, à Paris, Renée Fleming, ou Juan Diego Flórez, petit, presque louchon, plantant le pied devant lui d'un air avantageux comme pour justifier le dicton d'opéra, « con comme un ténor », et ce pizzaiolo chante, et cela a été les anges. Les spectacles quand ils sont réussis sont un instant de divin qui transporte les hommes.

La façon que le pianiste Samson François (1924-1970) avait de casser le doigt avant de frapper la touche, créant un léger moment suspendu.

Une véronique d'une seconde où le torero frôle la mort.

En 1966, la chorégraphie de Bob Fosse pour les numéros « The Aloof » et « The Heavyweight » dans *Sweet Charity* : des chapeaux ronds, des justaucorps noirs, des gants blancs, un délice de moquerie sensuelle. *Dances at a Gathering*, de Jerome Robbins, serait plutôt un chef-d'œuvre de narquoiserie, alors que, dans le ballet classique, celle-ci est généralement réduite au moment où la danseuse s'éloignant égoutte son pied comme un chat qui a trempé sa patte dans l'aquarium. Au baisser de rideau, elle vient faire un salut chichiteux, exagéré, comme si elle était bouleversée, et elle l'est peut-être. Les pointes de ses omoplates se lèvent dans son dos comme des ailes.

Quand le cinéma italien était le frère du cinéma français.

179

Mai 1922, hôtel Majestic, Paris. Les mécènes anglais Sidney et Violet Schiff donnent une soirée en l'honneur de Stravinsky, de qui les Ballets russes viennent de représenter l'opéra-ballet *Le Renard*. Entre Stravinsky, suivi de Diaghilev, l'imprésario des Ballets russes, de Picasso, animal, moqueur, séduisant, de James Joyce, ivre, mal habillé et laconique et, à deux heures du matin, dans une houppelande noire et ganté de chevreau, pâle et suçant le caramel du triomphe du dernier volume d'*À la recherche du temps perdu*, de Marcel Proust. Proust et Joyce ne se disent rien, n'ayant rien à se dire : Joyce ne s'intéresse qu'aux (seins des) chambrières, Marcel Proust qu'aux (paroles des) duchesses. Cette non-rencontre, Nabokov la fera se passer dans un taxi. Pour la rendre définitivement mythique, il faudrait la compléter de versions différentes et contradictoires. On se disputerait. — Comment ? Mais pas du tout ! Proust n'a jamais amené Joyce au bordel de Le Cuziat ! — Ni Proust déjeuné chez Joyce, les deux, muets, servis par Nora Barnacle ! — Joycien ! — Proustien !

Quand, à la sortie de la soirée d'inauguration du Salon de Livre en 2008, un jeune homme souriant distribuait des tracts : « Monsieur, je vous offre un poème ! » (C'était « Oraison du soir » et « Un soir d'été » – poemedu15eme@voila.fr). La charmante idée ! Si tous les tracts étaient ainsi, au lieu d'amers, revendicatifs et mal écrits, le monde entier serait en grève !

Quand un homme d'un certain âge cède le pas à une femme. Plus généralement, les formes discrètes de la courtoisie. Nous ne sommes pas si souvent japonais, en Occident.

Quand un grand adolescent prend sa mère par la taille et l'embrasse.

Le jour d'avril où, après des semaines durant lesquelles le ciel a vidé ses fonds de marmite, un voile s'écarte, le laissant plus pur, l'avion à réaction qui s'éloigne zippant le bleu. Un soleil plus chaud arrive. Les frisures des arbres brillent avec gaieté. Le printemps.

Quand deux personnes que vous n'aviez pas vues vous abordent pour vous saluer. On discute un instant, ils s'éloignent, c'était berçant. Surtout si c'était un beau couple. Un beau couple est une grâce. Je peux devenir amoureux d'un beau couple. C'est clos comme un coquillage, un beau couple. Cela représente une sorte de pureté, comme tout ce qui réussit à former une unité à deux.

Le moment gracieux est parfois un peu con. C'est le moment de frivolité qui ne sait pas qu'il se finira par un massacre. Au tout début de la guerre de Sécession, les soldats sudistes refusaient de monter la garde, s'étant engagés pour battre les Yankees, pas pour piétiner devant des guérites, et les soldats du Nord en marche contre eux réclamaient le droit de rompre les rangs pour aller cueillir des baies dans les fossés (Shelby Foote, *The Civil War*). On sifflote sous d'énormes canons dans le ciel, sans les voir.

Le dernier voyage de Rutilius Namatianus (Ve siècle ap. J.-C.) : Rutilius est un des derniers païens de Rome, et je ne devrais pas employer ce terme injurieux ultérieurement imposé par les chrétiens vainqueurs : c'était un Romain avec la religion de tout le monde, ou presque. L'empereur s'était converti au christianisme quatre-vingts ans auparavant, mais sa religion était assez peu répandue, en tout cas les cadres de l'Empire, tel Rutilius, gardaient l'ancienne. Ils se croyaient éternels comme Rome. Membre d'une famille de hauts fonctionnaires, Rutilius retourne dans sa Gaule natale et relate son voyage dans *Sur son retour* (*De reditu suo*). C'est un livre déchirant. Rutilius n'arrête pas d'exalter la grandeur de Rome, mais les détails de son récit le contredisent : en Étrurie, il ne peut pas trouver d'hôtel, car la région a été saccagée par des incursions barbares. Et, nous qui savons que la vieille Rome suffoque, mettons dans son optimisme jaculatoire la mélancolie de savoir qu'il est l'un des derniers de cette civilisation en train de se fondre dans les forêts ignobles du Moyen Âge, au cours d'un ultime et délicieux printemps où le vieux corps de l'Italie n'en peut plus des coups de corne des Goths. (Pardonnez cette élégie, le chagrin m'emporte.) Un des plus beaux vers de ce sublime livre est : « *Tempestas dulcem fecit amara moram* », une dure tempête engendra un doux retard.

Les mouvements empêtrés, hésitants, déçus, d'une grue qui fouille dans un chantier. Ce sont les moments presque humains des machines.

LISTE VITE DU VICE

Le vice plaît parce que c'est quelque chose *en plus*.

LISTE ESPACÉE DE L'ESPOIR

Jeune, en meute comme des chiots, on ne se quitte pas, on rit, on s'aime, on n'a pas besoin du dégoûtant espoir car on est l'espoir. La vie fracasse tout cela, créant des isolements. On se met à espérer. Espérant, on se met parfois à croire que ce qu'on espère va se produire. Et on ne fait plus rien. L'espoir est fataliste.

L'espoir, c'est pour les paresseux, les heureux, les peureux.

Prévoir, c'est mourir.

Tout cela me semble facile à savoir, sinon à admettre : les moments les plus malheureux de ma vie ont été ceux où j'ai espéré.

Il se peut que l'espoir soit un autre nom de la vanité.

L'oisiveté est mère du délire (hypocondrie, narcissisme, espoir, désespoir).

La technique moderne, en particulier celle des communications, a multiplié l'espoir et donc l'angoisse des hommes. Jadis, quand on ne pouvait pas avoir facilement des nouvelles des gens éloignés, on ne s'inquiétait qu'au bout de plusieurs jours. Avec la quasi-immédiateté des contacts actuels, c'est sur-le-champ.

L'avare espère lutter contre la mort.

Quand le dernier espoir d'un être humain est le sommeil, il va mal.

Ce qui tue, c'est l'espoir.

LISTE DES AVANTAGES ET DES DÉSAVANTAGES
DE L'AMOUR

L'amour nous occupe. Cette armée étrangère qui nous a envahis par surprise (nous disons-nous), nous l'avons souvent souhaitée, espérée, suppliée, et nous collaborons avec elle. En même temps, nous lui résistons. Nous sommes en amour Pierre Laval et Jean Moulin à la fois.

Une des conséquences positives de l'amour est la coquetterie. Tous les efforts qu'on fait pour attirer l'attention de l'autre nous améliorent.

L'amour nous élève au-dessus de nous-mêmes pour nous faire admirer.
L'amour nous élève au-dessus de nous-mêmes, pour nous faire admirer.

Je suis très porté sur une personne native d'un pays étranger ; cherchant à connaître son décor, puisque c'est pour moi quelqu'un d'arraché à son arrière-plan, je lis des choses sur ce pays. Avantage de l'amour : il nous cultive. Ces connaissances vont servir à m'approprier un être venu de ce pays. Désavantage de l'amour : il rend l'universalisme particulariste.

Vie de l'homme le plus cultivé du monde. On le croyait un retiré, et c'était le plus grand des amoureux. Tous les six mois de sa vie, il avait eu des amours de tous les pays : pour se les approprier, il apprenait tout sur l'histoire, la culture, les mœurs de ces pays. Un de ces amours, qui n'était pas moins cultivé que lui et trouvait qu'il lui faisait très bien l'amour, l'avait surnommé Pic de La Mirandole.

« Et j'aimais beaucoup moins tes lèvres que mes livres », dit Tristan Derème dans un poème. Au moins une fois dans ma vie, j'aurai pu dire : « J'aimais beaucoup moins mes livres que tes lèvres. » L'amour nous sort de nous-mêmes.

Hélas c'est bref car nous sommes notre propre prisonnier, et le vilain petit moi ne cherche qu'à assouvir une passion personnelle. L'amour, c'est vivre un instant pour quelqu'un d'autre. Cela entraîne assez vite un sentiment d'appropriation. Méfiez-vous des gens qui vous aiment. Ils vous veulent tels qu'ils vous désirent. En bonne santé, prêts à jouir, etc. L'amour peut être la forme la plus vicieuse du narcissisme.

L'amour est retors. L'amour hait la liberté. L'amour tend vers le couple, ce comble de l'égocentrisme.

Le premier mouvement de l'amour élève, le second abaisse. On veut plaire, s'améliorer, faire du bien. On veut capter, posséder, se satisfaire.

Sa voracité : Édith Piaf et Théo Sarapo, son dernier mari, chantent. Elle est petite, malade, ratatinée comme un insecte, avec des yeux écarquillés vers cet amant qu'elle a institué chanteur, et, pendant qu'il chante, elle suit les paroles des lèvres. Le métier croit justifier l'amour.

L'amour rend rusé. Je compte cela parmi les désavantages.

Il peut engendrer une logique de peur encore plus répugnante que l'esprit de conquête. Et on tremble pour une stupidité qu'on aurait dite, une maladresse qu'on aurait commise, un geste, ce qu'on est. C'est fait, on est esclave. L'amour est un petit égocentrique qui se nourrit d'inquiétudes ineptes.

L'imagination de l'homme amoureux est une boussole folle. Elle fibrille, rêve au Sud, écoute la voix de la raison, sait qu'elle est aussi folle qu'elle, et se poste sur le Nord décourageant.

Telle méprise qui croyait s'éprendre !

J'étais bien tranquille quand je n'étais pas amoureux. Amoureux comme une bête, bête comme un âne, brayant de souffrance.

Je suis souvent frappé par la geignardise de l'amour chez le mâle. Même quand cela se passe bien, les amoureux trouvent le moyen de craindre, de se plaindre, de geindre. Personne n'est plus féminin que les grands mâles passionnés par les femmes. Eh! on devient ce qu'on aime.

L'amour, c'est vif les trois premiers mois, quand on se fait coq, puis ça devient la pantoufle. À cette pantoufle pour se rendre capable de la supporter on continue à donner le nom d'amour.

L'amour peut nous faire aimer des personnes ou des choses méprisables. Nous les savons telles et les aimons quand même. C'est à son désavantage. À l'illusion s'ajoute l'outrecuidance de penser que nous pourrons les changer, à quoi succède généralement la résignation.

C'est l'amour qui fait de nous cet autre, ce paon, ce niais, ce béat, ce retors, ce distrait pour toute autre chose, cet idéaliste pratique, cette andouille.

L'amour est une passion sans honneur, et c'est très bien comme ça. Il est si rare qu'on a le droit de tout faire pour l'obtenir. L'honneur est parfois le nom que l'on donne à la mort du cœur.

L'amour nous fait trouver enchanteurs les défauts de l'être à qui il s'applique. Ainsi, pour moi, que X... n'ait aucun sens de l'orientation. Je devine derrière une distraction, une rêverie, des défauts charmants. L'atroce dureté est abattue par l'amour.

On aime parfois les gens loin de nous pour ce qu'ils nous ressemblent, au contraire des proches qu'on aime pour ce qu'ils en diffèrent. Si j'écrivais une

SOUS-LISTE DE MON AFFECTION POUR X...,

qui vit sur un autre continent, elle dirait :

Il perd tout. Il est distrait, c'est-à-dire pensif. Il a le sens du confort. Il peut être aussi attentif que lointain. Ce qu'il a de mieux que moi : il est grave, réfléchi, sans impatiences. Ou plutôt, les impatiences sont en dedans. Il a des foucades et des dégoûts rapides. Espérant, il a des déceptions. Il m'inquiète par ses exaltations et ses renoncements. Parfois, pensant à lui, je m'exclame : « C'est moi ! » en riant.

Ces foucades, ce sont les miennes. J'ai toujours vécu pour une personne, parfois une bande à la fois, sans jamais faire de placements à côté, misant tout, y croyant toujours, gagnant je ne sais pas.

Je n'ai jamais progressé que par ricochets d'amour. Mes entichements sont peut-être ce que j'aurai eu de meilleur.

Je suis toujours amoureux de toute nouvelle personne dont je fais la connaissance. L'élan me semble plus important que la réalisation, et c'est la différence entre l'amour et le mariage, et la raison de la popularité finalement supérieure du second : il est statique. Or, pour moi, la seule chose qui peut égayer nos vies, c'est le changement, le mouvement, la fuite, la danse, n'importe quelle marche de côté, pas d'être une pendule de maison de campagne.

Un ami d'Oxford me dit : écoute les disques de The Divine Comedy, c'est excellent. J'en achète deux, ils me plaisent, j'achète les autres, les écoutant sans discontinuer, de même que, quand un écrivain me plaît, j'essaie de tout lire de lui. Mon enthousiasme me pousse parfois à vouloir la chose et, dans ce cas, à faire en sorte de l'obtenir sans attendre. La patience est une sagesse qu'on n'a jamais réussi à m'inculquer. « Tu ne supportes aucune contrainte ! » Eh non. Eh si, pourtant, comme tout le monde. Mon impatience dans les petites choses n'a d'égale que ma patience dans les grandes, je crois. Partant pour voir Neil Hannon, le leader du groupe (il écrit, chante et renouvelle les musiciens), j'imaginais notre amitié deux ans plus tard, tu te rappelles, j'ai été enchanté par ton imagination, non c'est moi, etc. Quand j'aime, je m'amourache, quand j'admire, je m'enthousiasme : ce bondissement du cœur, je l'avais reconnu, et il y a longtemps que j'ai décidé de le suivre. Je n'ai jamais rien fait de bien qu'en m'enthousiasmant. Et même si, parfois, cela ne m'a mené à rien de concret, ni nouveau livre ni nouvel amour, je me suis toujours retrouvé ailleurs et plus complet. De là que les gens que je ne vois pas souvent me reconnaissent à peine : comme tu as changé, disent-ils, et c'est eux qui sont restés sur place. Mais peut-être qu'en réalité cela arrive à tout le monde. L'humanité suit les bonds de son cœur, parfaitement folle, rencontrant sans arrêt des amours nouvelles et, parfois, retrouvant à des endroits inattendus d'anciennes connaissances qui se sont elles aussi transfigurées. Enfin, cela me fait plaisir de le croire.

J'ai toujours accepté qu'on m'aime, mais en me fichant la paix. Quelle erreur. L'amour qui n'aime rien tant que déplacer les meubles s'échappe devant tant d'ennui. Il est moins difficile de savoir aimer que de savoir être aimé.

On a un idéal, puis on l'appelle un type, et enfin on se met en couple avec quelqu'un de tout à fait différent. Ce sont des personnes que l'on doit aimer. Les célibataires sont ceux qui ne l'ont pas admis.

Ce n'est pas parce que quelqu'un nous aime que nous lui ressemblons.

Nous ne sommes pas obligés d'aimer qui nous aime. C'est même un piège que nous tend je ne sais qui, utilisant l'appât de l'amour.

Je t'adore. Je t'adore, tu m'agaces. Tu m'agaces, je t'adore. Et tout cela en même temps. Les gens ne comprennent pas que l'amour contienne la critique. Ils veulent que l'on soit à genoux devant les gens qu'on aime, par amour principal du mensonge.

L'amour est un poignard que, à la fin, les autres retournent vers nous.

Je décale l'orientation usuelle de mon portable pour mieux voir sa nouvelle photo, que j'ai posée sur mon bureau. Ce n'est pas rien, de décaler une orientation usuelle. C'est l'amour. Rapport étrange de la photographie et de l'amoureux. Il photographie sans cesse la personne aimée, comme s'il voulait s'approprier l'être en en *captant* l'image. La photo devient une forme de rapt. Une superstition. « Ne deviens pas japonais », dit une jeune femme à son amant qui la mange en photos. Il exprime ainsi le fétichisme et le pessimisme de l'amour :

si l'amour s'arrêtait, il lui resterait au moins ça. Et ce serait le pire, n'est-ce pas : le souvenir perpétuel.

Amour et téléphone. Sitôt raccroché, elle n'a envie que d'une chose : rappeler. C'est-à-dire, serrer dans ses bras. Le téléphone est un instrument symbolique, à l'instar du ciboire.

« Tu peux m'appeler quand tu veux. » Les allusions des amoureux ne sont pas légères. L'amour est si inquiet qu'il croit qu'on ne le comprendra pas s'il n'insiste pas. L'amour tue la litote.

L'amour est un chantage.

Un des rares avantages de l'amour est qu'il refroidit l'idéalisme.
Un des nombreux désavantages de l'amour est qu'il refroidit l'idéalisme.
L'amour refroidit l'idéalisme.

L'amour entraîne l'espoir. C'est un très grand désavantage, car l'espoir est de la pensée magique. Il entraîne ensuite le désespoir, désolant antidote du précédent, mais nous avons quand même le cœur en morceaux. Privons les dieux, mensonges créés par nous, de ce sceptre dont ils se servent comme d'une baguette narquoise.

L'amour est une partialité.

Amour est un mot abstrait.

L'amour est un néoplatonisme.

Ce ton pédant, c'est la pédantise de l'amour, comme sont pédants les adolescents qui viennent d'apprendre une chose qui les a éblouis. Chose bien différente de la cuistrerie des adultes qui ont appris les faits et oublié l'enthousiasme.

> Le Premier ministre [...] nous a parlé des deux frères d'Esmond Harmsworth, tués lors de la dernière guerre. L'aîné, qui avait les cheveux blonds et les yeux bleus, était un bon garçon. Harold (Lord Rothermere) était dévoré d'amour pour lui. Une nuit, le Premier ministre se rend au Ritz, où Rothermere vivait : celui-ci lui dit que

le garçon est en permission, et amène le Premier ministre à sa chambre. Ils entrent sur la pointe des pieds. Il était très tard : lorsque Harold ouvrit la porte, il put le voir dormant comme un enfant. Rothermere demanda à Sir John French de prolonger la permission, ce qui fut accordé. Mais le garçon devint impatient et écrivit à son bataillon pour qu'on le rappelât. Il partit. Le Premier ministre pense qu'il fut gazé et en mourut. « C'était un bon garçon », répéta le Premier ministre, à demi pour lui-même.

Lord Moran, *Churchill at War*

L'amour, c'est : « Tout pour moi. » Et après tout. Il y a tant d'autres choses contre nous. J'admets maintenant la réponse du maréchal de Bassompierre à l'annonce de la mort de sa mère alors qu'il était en train de danser, avec la reine Marie de Médicis, je crois : « Ma mère ne sera pas morte tant que je n'aurai pas fini de danser. » J'ai en ce moment un voyage à Venise en vue et un parent mourant. Moi-même mourant, j'espère que j'admettrai le Venise d'un filleul qui aura une amoureuse à y amener. La vie doit gagner sur la mort, dans ses manifestations les plus charnelles. La chair sauve l'esprit.

Je n'ai rien vu de Venise. (Définition de l'amour.)

Les gens qui nous aiment n'ont aucun goût.

L'amour, on croit que c'est « Un jour, mon prince viendra », comme dans *Blanche-Neige*. Mensonge qu'on inculque aux petites filles. Tout en leur apprenant qu'un prince, ça se piège. Et elles se maquillent, attirant un homme qui ne cherchait sûrement pas à être leur prince, mais quelque chose de plus rudimentaire. Elles créent l'amour. L'amour est la littérature de tout le monde.

C'est en cela que l'amour est une œuvre d'art. Dans la vie, à part lui, je ne vois que l'existence des imposteurs et la création de sa personnalité par tout homme qui sort de la route qu'on lui avait désignée.

C'est bien enfantin, l'amour. Grande qualité pour l'âge adulte, où l'homme devient généralement une brute en costume. L'amour le bouscule, et il cesse un instant d'être calculateur, prudent, stratège pour sa carrière.

L'amour, cet auteur d'attentats heureusement impunis contre la société.

L'amour donne du talent. Le talent rend beau l'objet auquel il s'applique. Il justifie ainsi l'amour de départ. Au naturel, et dans ses premiers films, Marlene Dietrich était une brave fille à grosses cuisses. Josef von Sternberg la met en scène : elle devient ce canard sublime. Je ne crois pas que les romanciers soient exclus de ce raisonnement avec leurs personnages. « Pour écrire, je dois être amoureux de mon personnage », disait je ne sais plus quel romancier.

L'amour donne de la mémoire ; et aussi bien de la mémoire qu'on ne veut pas. Sans un appel amoureux inattendu, l'autre jour, j'aurais déjà oublié la journaliste qui m'interviewait au moment où le téléphone a sonné, son visage soufflé à peine sorti de l'adolescence, ses mollets larges, son assurance souriante. Ne pouvant parler comme je le voulais, j'ai haï cette pauvre fille qui n'y pouvait rien.

On apprend par volonté, on ne retient que par amour.

L'architecture de la génération précédente est abandonnée parce qu'elle est celle de nos parents, qui nous gouvernaient ; celle de la génération antérieure est préservée, parce qu'elle est celle de nos grands-parents, qui nous protégeaient. On dédaigne les murailles du pouvoir, on chérit les boucliers de l'amour.

C'est souvent par amour qu'on est bon en langues étrangères. On aimerait être de ces pays.

Quand on souhaite que quelqu'un soit heureux, on l'aime.

Quand on voudrait savoir comment est l'endroit où vit une personne éloignée, on l'aime.

Quand on aime regarder une personne dormir, on l'aime à la passion. Cette forme de superstition voudrait nous faire accroire qu'on va s'approprier le mystère de cet être sans défense, abandonné, tout ça. Or, personne n'est moins abandonné qu'un dormeur : il a sur lui le masque de l'impassibilité et nous laisse moins prendre de lui qu'un éveillé. Et on l'aime, tout seul, content.

Quand on passe son temps à écrire sur quelqu'un, on l'aime, ou on le hait.

La haine est une forme enragée de l'amour.

Je me demande si on n'aime pas davantage le soir. Le soir, on est plus libre, plus disponible, plus rendu à soi-même. C'est aux soirs qu'on juge les amoureux.

On croit qu'il existe des pièges à amour : ce sont des pièges en effet, mais où l'on s'enferme soi-même, l'amour ayant pris soin de rester dehors.

Quand on se met à avoir honte, l'amour est mort.

Quand il y a blasphème envers les dieux, il y a souvent amour de la religion.

Une commodité de l'amour est que ses sottises sont immortelles. Les compliments qu'on adressait à une jeune femme en 970 pourront être réutilisés en 2106. C'est ainsi que les amoureux recopient des formules contenues dans de vieux livres et qu'elles paraissent fraîches. La vanité nous fait trouver embaumante la mauvaise haleine du moment qu'elle accompagne des flatteries.

La prochaine fois que je serai amoureux, ma première lettre finira par la phrase : « Je me souviendrai du bonheur que nous aurons eu. »

Le propre de la lettre d'amour est souvent d'engendrer de la peur. Je parle de celle qui s'adresse à quelqu'un qu'on espère convaincre. On l'a écrite pour capturer, on tremble de l'irritation qu'elle pourrait engendrer. Si on reçoit une réponse aimable, on soupire de réconfort, et il s'ensuit généralement une lettre encore plus exigeante qui redouble nos inquiétudes. L'amoureux est un audacieux rempli de lâcheté. Je ne parle pas des lettres du cynique, car le cynique en amour me paraît un type d'être humain risible. Rien n'est plus pathétique que les conseils de conquête d'un homme intelligent comme Stendhal dans *De l'amour*. Ces fanfaronnades et leur petit ton fat font bien sourire les femmes ! On croit montrer qu'on est un esprit fort en provoquant le sentimentalisme, mais notre vie est-elle assez longue que l'on perde du temps à contredire la niaiserie ? « L'amour, c'est l'infini à la portée des caniches. » Oui, oui, et Céline est le génie pour adolescents incultes, avec Van Gogh et Beethoven.

Si les femmes adorent les recueils de lettres d'amour, c'est qu'ils leur rappellent le seul moment de leur vie où leur mari a été attentionné. Avant d'obtenir ce qu'il veut d'une femme, coucher ou le mariage, l'homme est séducteur comme Zorro. Une fois qu'il l'a obtenu, il se transforme en cheval de Zorro, qui rentre à l'écurie tous les soirs, le regard morne, et broute son foin sans rien dire.

L'amour dépersonnalise. Tout le monde dit les mêmes choses à son sujet, sauf les écrivains. Leurs lettres d'amour ne sont banales que lorsqu'ils disent « je t'aime ». Étant écrivains, ils ne peuvent généralement pas s'empêcher d'écrire autre chose. Alors, cessant d'être des écrits pour femmes (ou hommes), leurs lettres deviennent de la littérature pour tout le monde.

L'amour est un créateur de vocatifs. Alors que, avant lui, nous étions dans l'indistinct des non-aimés, et donc, des non hélés, nous réacquérons tout d'un coup notre prénom. Et avec une nuance exclamative. « Charles ! » Ce prénom est un soleil, nous semble-t-il. De là que l'amour plaît à l'aimé : il lui apporte une fierté. Cela accompli, l'amour devient un utilisateur de vocatifs, soit qu'il les invente, c'est rare, soit qu'il les pioche dans un panier de sucreries, il faut s'y faire ; et nous voilà chassés de notre prénom pour devenir « coco », « bébé », ils changent à chaque fois. À nouvelle aventure, nouveaux vocatifs.

Quelle sensation de liberté quand l'amour s'arrête ! On se retrouve avec soi, comme dans un appartement désencombré. Hélas, on espère vite d'autres cartons.

On n'aime pas l'idée de laisser aller un amour, pour la personne que l'on aime sans doute, mais aussi pour soi, car c'est un morceau de ce qu'on a été qui part à la dérive derrière nous, sur une rivière bondissante et bien triste.

L'idée qu'on est malheureux par amour peut être un des éléments de sa perversité, ou de son snobisme, mais l'amour est une création qui peut aussi être sincère. Et on se croit, et on est comme ces jeunes héros de Shakespeare vagissant poétiquement sur leur malheur. Ils ont plus d'ironie que nous.

La jalousie, cette cousine vieille fille de l'amour, je l'ai récemment éprouvée pendant quelques jours. J'allais dire quelques heures, mais cette trompeuse, dont l'art consiste à faire croire qu'elle n'est pas là et que c'est la raison qui parle, ne m'a pas abusé. C'est un sentiment honteux. J'ai honte, moins de l'avoir éprouvée que de l'avoir laissée faire, et de m'avoir laissé dire des choses cruelles.

La jalousie est si énergisante qu'elle transformerait, ne serait-ce que pour quelques secondes, un veau en serpent. C'est la dope des délirants.

Les erreurs d'amour ne sont jamais des erreurs. On a tenté quelque chose, transporté son cœur autre part. Et si on a l'impression d'être revenu sur place, triste constat, il est faux : on l'a aéré, ce cœur.

L'amour est ce petit être que l'un, rêvant d'un second, crée en tiers. Substitut, il devient principal si l'objet espéré ne se donne pas. Et voilà comment on se met à aimer l'amour. Prends garde que ce ne soit pas un supplétif à aimer *quelqu'un*.

L'amour est un usurpateur mis en place par nous-mêmes dans l'espoir d'une royauté impossible. Aimer l'amour est le pire des dépits.

Le confort délicieux des larmes chrétiennes quand on a un chagrin d'amour. On se rappelle ses fautes, on les déplore, on meugle un blues. « *In the upper room with Jesus, / Singing in tears blessed fears, / Daily there my sins confessing, / Begging for his mercy sweet* », dans la pièce du haut en compagnie de Jésus, / chantant en larmes des craintes bénies, / y confessant mes péchés chaque jour, / implorant sa douce pitié. Tout amoureux déçu devient Mahalia Jackson.

Et quand ça va mieux, on devient Amy Winehouse, « *Tears Dry on Their Own* », les larmes sèches toutes seules.

195

Puis revient l'oursin des souvenirs, et on se trouve pas si malin, avec sa forfanterie. Ô douceur du malheur! Intéressant qu'on est, seul au monde! Enfin, on revient à la société. On se console. On ne vit plus. Vivement la distraction de l'amour! Etc. L'amour nous occupe.

LISTE DE QUESTIONS SANS RÉPONSE ASSURÉE

Suis-je amoureux ? C'est une question qui a généralement une réponse affirmative du seul fait qu'elle est posée.

Suis-je heureux ? Ce n'est pas une question qui a une réponse affirmative du seul fait qu'elle est posée.

Suis-je bête ? C'est une question qui, du fait qu'on se la pose, entraîne une réponse modérément négative.

Suis-je méchant ? Ce n'est pas une question qui, du fait qu'on la pose, entraîne une réponse négative.

Le beau & le chic

LISTE DU BEAU

Au musée archéologique de Madrid, un Apollon en bronze du Ier siècle, la moitié du visage arrachée par le temps, l'air d'une sculpture de Gargallo, semble dire : fouillez dans mon corps, le vide du beau est dedans. Il reste splendide. On n'arrive pas à défigurer le beau. Le beau survit à l'altération de sa forme. Le beau est éternel.

Il cesse parfois d'être pris pour beau. Le beau d'hier fait rire. Non, quel mauvais goût avaient nos grands-parents ! Vous avez vu les bouches en cerise de 1910, les joues en pomme, les yeux en fenêtre ! Il faut plusieurs générations pour que le beau du passé retrouve, quelquefois, de la séduction. Comme si on ne voulait pas que cette réussite ait existé à un moment dont nous pouvons avoir une connaissance vivante, par la parole des Anciens.

On la croit permanente, alors qu'elle change tout le temps. La beauté permanente n'est que la banalité à laquelle on s'est habitué. Elle est sans cesse bousculée et redéfinie par la vraie beauté, qui est le talent joint à une personnalité.

Imprimez la tête d'un homme laid dans deux mille magazines et sur deux millions d'affiches, il deviendra beau. Elijah Wood, l'acteur du *Seigneur des anneaux*, pourrait être l'homme de l'année de *Fouine Magazine* et fait rêver trente ou cent millions d'admiratrices. Le beau est démocratique. Essayez d'imposer un beau idéal, vous n'y arriverez pas. Les actrices de cinéma ont souvent quelque chose de trivial qui rend le reste supportable. Une beauté aristocratique n'aurait aucun succès dans ce métier.

201

Vieux beaux, mais beaux. Les vieux devenant de plus en plus nombreux, on se met à trouver beaux des éléments de leur physique. On ne peut pas dire à une portion importante de l'humanité qu'elle est laide, d'autant moins que nous sommes destinés à la rejoindre : nous nous préparons un futur admiré. On nous proposera bientôt de la beauté obèse.

La quantité créant sa beauté, il va aussi falloir que nous trouvions des qualités esthétiques aux êtres humains qui, de plus en plus nombreux, se font refaire le visage et le corps, rendant Picasso réaliste. On verra défiler de ces femmes botoxées aux faces lisses et luisantes qui ressemblent à des plats mycéniens, et, qui sait ? nous les trouverons peut-être excitantes.

Le beau est une variable. Sous l'ère Meiji, les Japonaises trouvaient beau de s'épiler les sourcils et de se teindre les dents en noir, habitude qui a persisté jusque dans les années 1970 au Vietnam, où la grand-mère d'une Vietnamienne qui me l'a raconté fut bien embêtée quand il fut question de reblanchir les siennes. Le beau n'est pas un ajout.

On voit l'évolution de Cézanne à Braque. D'où la popularité du second. On devine d'où ça vient. On comprend. Il y a travail. Le grand beau ne se fait que par sauts.

Highway One, au sud de San Francisco. C'est si beau qu'on pourrait se tuer ici. La tragédie est plus tragique au soleil, contrairement à ce que me disait un admirateur de Fidel Castro, selon qui le soleil faisait mieux supporter le socialisme. Quelle torture, au contraire ! La tendresse, la caresse, l'appel du loin, en permanence avec soi, et l'interdiction d'en profiter. La tragédie est grecque. Le drame est neigeux, poisseux, pluvieux, russe.

Le beau d'une mosquée, c'est le rapport entre la distance du bâtiment principal au minaret, compte tenu de sa hauteur.

Le beau n'est pas le vertical qui brille, mais l'horizontal qui se dissimule. Versailles, l'hôtel Chedi de Mascate, Valery Larbaud.

Souvent, les gens qui aiment le beau n'ont pas de cœur.

Le beau est une paresse.

LISTE DE LA BEAUTÉ

Diogène Laërce, dans les *Vies et doctrines des philosophes illustres*, dit ce que d'autres philosophes pensaient de la beauté :

Socrate : « une tyrannie de courte durée » ;
Platon : « un privilège accordé par la nature » ;
Théophraste : « une tromperie silencieuse » ;
Théocrite (historien) : « un bijou de pacotille à l'éclat d'ivoire » ;
Carnéade : « une royauté sans gardes du corps ».

Tyrannie pour qui ? pour ceux qui *subiraient* la beauté ? Qui sait si elle n'en est pas une aussi pour ceux qui sont beaux ? Platon, ce que vous dites est plat, vous repasserez en septembre. Quant à vous, Théophraste et Théocrite, théoriciens du beau trompeur, vous serez réincarnés dans la sotte et orgueilleuse chanson où Jacques Brel meugle : « beau et con à la fois. » Le plus intéressant, vraiment, est Carnéade. Major de la promotion. Il choisira l'inspection des Finances.

Après la guerre, il était difficile d'avoir été nazi, et les incessants mensonges de Leni Riefenstahl, l'actrice et réalisatrice de cinéma, étaient des manières de ne jamais dire : j'ai eu tort et je regrette. La force vient en grande partie de l'entêtement. Leni Riefenstahl a vécu jusqu'à 101 ans. Riefenstahl, il est temps qu'on le dise, était bête. Et, quand la sottise se joint à l'entêtement, la force devient effrayante. Il faut des coups de pied pour l'arrêter. On n'ose pas. Et voilà comment, avec le soutien d'un parti, d'une bande, d'un gang, on devient une puissance. Leni Riefenstahl a cru se trouver une excuse dans la recherche de la beauté. Or, quand c'est un absolu, comme chez elle, cela révèle souvent le monstre. Quelle beauté, pour commencer ? Pour elle, c'était la pseudo-statue grecque. Le critère s'appliquait à tout le monde sauf à ses amis : Hitler avait l'air d'un petit chien bâtard hargneux, Goering d'un goinfre de banquet. Le vice de Riefenstahl est qu'elle confondait la beauté et l'esthétisme. (Son génie d'artiste est une galéjade politicienne, comme pour Céline.) Elle a rendu un bien mauvais service aux Noirs d'Afrique en faisant leur propagande dans la deuxième partie de sa vie.

La mondialisation des images pourrait laisser croire que la beauté est un absolu, puisque des Japonaises rêvent de se marier à George Clooney et des Congolais de coucher avec Sharon Stone, mais enfin, les Tahitiennes ont fait rêver Gauguin avant l'invention du cinéma, et l'admiration de la beauté ne se calque pas toujours sur celle de la puissance. La faiblesse peut être jugée belle. Les vieux opiomanes à la peau fine et jaune, maigres, impuissants, me semblent très beaux. « La beauté a tout d'abord été l'explication que la sexualité s'est donnée à elle-même », dit Fernando Pessoa (« Lettre à José Pacheco par Álvaro de Campos »). La beauté est une forme d'hypocrisie. Il y a aussi le moment de dinguerie pure qui peut s'élever jusqu'au gracieux et rend ces explications bien courtes.

La beauté ne tient pas pour nous à l'immuabilité, et voici peut-être la différence entre l'Occident et l'Orient : nous mettons la beauté dans l'originalité, le renouvellement, l'individu, pour lequel l'Orient n'a fait aucune révolution, ce pauvre individu (nous) toujours obligé de se justifier contre les groupes.

La beauté rend bête. Les autres. X... me disait des choses très intéressantes, et moi, bu par ses yeux, qui sont si beaux, si noirs, je les regardais, ne comprenant rien.

La beauté intimide et n'est pas contredite.

Un homme normal est embelli par son esprit.

La beauté qui tue : la duchesse de Coventry, une des plus belles femmes d'Europe, portraiturée par Quentin de La Tour, meurt à 27 ans d'un empoisonnement dû au blanc de plomb et à l'arsenic contenus dans son maquillage.

Un jeune homme très beau qui se marie devient généralement banal.

De même qu'il y a des têtes d'époque, certaines annoncent à l'avance une époque ultérieure. À l'exposition Roslin de Versailles, en 2008, parmi tous ces marquis de Marigny et Mme Victoire roses et fanfreluchés, apparaissait un portrait moderne, celui de Zoïe Ghika (une ancêtre du prince Ghika qui a épousé la courtisane 1900 Liane de Pougy?), fille de l'hospodar de Moldavie et de Valachie : le simple vêtement local et les cheveux courts qu'on y porte, c'est déjà Charlotte Corday, l'arte povera, Françoise Hardy :

Quant à D.H. Lawrence, fils d'un mineur, s'il est beau, ce qui me frappe surtout est qu'il a la tête éternellement moderne du prolétaire, et c'est leur vengeance, face aux aristocrates qui ont si souvent l'air de mollusques échoués.

Une réplique accessoire des *Trachiniennes* de Sophocle me rappelle l'intention que j'avais avant de commencer *Je m'appelle François* : écrire un livre sur les conséquences fatales de la beauté. « J'étais là, passive, atterrée par la crainte que ma beauté ne me valût que des souffrances », dit Déjanire. C'est fréquent, et les hommes se les infligent parfois eux-mêmes. Voyant une photo de Chet Baker jeune à côté d'une photo de lui vieux, c'est-à-dire très abîmé après avoir été très beau, je me suis dit : il l'était tant qu'il en a eu honte et a détruit cette beauté, et donc lui-même. La beauté peut être une gêne pour le beau. Il sait que les regards sont sur lui pour une chose qui ne dépend pas de lui. Que ces regards soient d'admiration ou de concupiscence, ils ne signalent rien de sans calcul. Au fond de tout cela il y a souvent de la haine. Oui, la beauté engendre la haine.

La beauté est sans doute plus difficile à porter pour un homme, car il est entendu par les autres, pour se la rendre supportable, qu'elle est un signe de bêtise. Par une misogynie courante, la bêtise n'est pas considérée comme grave chez les femmes, mais infamante chez les hommes. Un homme beau est doublement maudit.

Cela ne veut pas dire que les femmes supportent mieux ce mépris. Elles y sont habituées comme les juifs le furent longtemps à l'antisémitisme.

C'est une forme singulière de la muflerie de parler à quelqu'un de sa beauté, comme si c'était quelque chose d'extérieur, un labrador qu'il ou elle promènerait au bout d'une laisse. C'est très intime, au contraire, et lui donne un sentiment d'injustice. Il est beau, elle est belle, et n'y peut rien. Pourquoi admire-t-on ou envie-t-on cette caractéristique pour laquelle je ne suis pas responsable ? L'être beau a bientôt le sentiment d'avoir usurpé quelque chose. Il veut qu'on l'aime pour lui-même, comme le riche veut qu'on l'aime pour autre chose que sa richesse, qu'il a pourtant créée et qui est une émanation de sa personnalité. Il est difficile d'admettre ce qu'on est, quand on y a mêlé la notion de responsabilité, ce qui est peut-être une forme d'orgueil. À la longue, le sentiment d'être coupable risque de s'adoucir en passivité. Sans s'aimer, l'être beau se laisse adorer. Et rien ne l'a plus séparé du monde que cette qualité qui le fascine.

La beauté est un malheur.

LISTE DE LA TIMIDITÉ

Voici C..., la belle, la très belle actrice. C'est une timide. Pourquoi être timide quand on est aussi belle ? Mais parce qu'on est belle. La beauté est un fardeau.

Sa timidité expliquerait sa façon de parler vite et fort, par moments : on empêche l'autre de nous poser des questions que nous trouverions gênantes ; son assurance, qui ne serait qu'apparente ; sa façon de relever des défis, comme quand elle s'est mise dans la culture du vin en Italie. « Tu n'y arriveras jamais. » Et elle y est arrivée. L'orgueil serait-il la revanche enfantine de la timidité ?

À une remarque tout à fait anodine de ma part, elle a rougi. Et je me suis dit : oui, voilà son secret. Je peux me tromper, mais il ne me semble pas, car ce secret, c'est aussi le mien. Nous faisons partie d'un club où nous nous reconnaissons sans nous nommer, le seul club sans solidarité ni entraide, le club dont les membres se fuient, ayant honte de leur spécificité, enfin je vais le dire et même le redire...

Le timide répète. Ce n'est pas à l'intention de l'autre qu'il prendrait pour un imbécile, mais pour lui-même qu'il cherche à convaincre qu'il ne se trompe pas.

J'ai pris un verre avec l'homme le plus ennuyeux de Paris. Il est ennuyeux à force de timidité. Hésitant, bafouillant, il s'arrête avant d'avoir rien dit, paralysé à l'idée de vous poser une question, enfin tout cela fait des « conversations » épuisantes. Son incapacité d'élocution est telle qu'il ne peut même pas décrire ce qui le passionne, à moins de harponner plusieurs fois ses sentiments, et là il finit par se chauffer et dire ce qu'il éprouve avec une certaine irritation.

Y…, me dit-on, l'a intimidé. Or, Y… est un timide. Y… est aussi un cruel. Il l'a surpris en position de grande timidité dans la rue : seul, il marchait le front baissé, avec un sourire en coin, comme s'il s'excusait de la place qu'il prenait auprès de passants fantômes. De devoir répondre à une simple question de Y… sur l'heure d'un prochain rendez-vous l'a fait rougir et bafouiller, sur quoi Y… est parti, sec et content. Il y a des timides qui intimident comme il y a des homosexuels homophobes.

La première fois de sa vie où Z… a passé une nuit avec quelqu'un, cela lui a été très simple, à sa grande stupéfaction. Sa timidité lui avait fait craindre, jusque-là, de ronfler, de péter, d'être humain, en somme. La timidité serait-elle une conséquence de l'orgueil ?

Tous les gens qui rougissent, bafouillent, transpirent, ne sont pas nécessairement des timides. Les faux timides en ont appris l'art et l'appliquent, afin d'attendrir leurs interlocuteurs et de mieux les égorger. Cela irrite les vrais timides, qui reconnaissent ces hypocrites mais n'osent (ne peuvent) le dire, sinon indirectement (hypocritement, dirait-on de loin), en les accusant d'un autre défaut que le leur, qu'ils tremblent de nommer, de peur de se dénoncer eux-mêmes.

C'est un grand malheur d'être timide. La timidité est envahissante, mais de façon secrète, et devient une passion, mais invisible. Les passions sont souvent cachées, car elles contredisent la morosité vindicative de la société, mais on devine assez vite les gourmands, les joueurs, les avares, je ne sais quels autres. Les passionnés par leur timidité sont sans doute les plus dissimulateurs des passionnés avec les passionnés du sexe.

C'est facilement que cette maladie devient une passion, car elle s'attaque à un individu qui s'isole. Comme l'écrivait Hervé Guibert dans *Incognito* : « Je me suis habitué à mon malheur, je l'aime. » Lui-même était sans doute un timide. Il en avait la violence.

Z… a l'agressivité des amoureux timides. Ne voyez-vous pas qu'il faut le violer, malgré ses hauts airs ?

LISTE DU CHIC

Le rouge pompéien des murs du musée de Capodimonte à Naples.

Le vert canapé des murs des Galeries nationales d'Écosse, à Édimbourg.

Le cartouche jaune de la Deutsche Grammophon.

La première collection Budé à couverture cartonnée souple, rose pour les Latins, jaune pour les Grecs. Plus chic encore, chez le même éditeur, les volumes qui ne portaient pas de marque. Je crois même que l'objet le plus chic que je possède est le *Traité des injures* de Suétone, codex latin avec exemples en grec, grand format sous une couverture vert tilleul portant le titre, le logo de la collection, et aucun nom de maison d'édition. La pensée avant l'argent, et le beau ne se trouve pas comme on se sert d'essence.

La nouvelle série à bon marché de chez Penguin, format poche, couverture en carton vert tilleul, titre, nom de l'auteur et de la collection (« *Popular Classics* ») en blanc. Sans parler de l'intérieur, texte sans note, préface ni explication, tel que né, frais, libre, et nous aussi.

Un fils de famille. Pull à col zippé chamois, chemise bleu pâle, jean râpé, Lobb à double boucle.

Une jeune Japonaise en col roulé noir.

Les magazines chers qui ne durent pas plus de trois ans, comme *City*, *Uovo*, *Monocle* je l'espère. S'ils persistent, ils deviennent des pastiches d'eux-mêmes, puis ridicules, puis communs, comme *Wallpaper*, le magazine de décoration américain, qui a maintenant l'air d'un gratuit de compagnie aérienne.

Les journaux pas chers, mal imprimés et bourrés d'art ou de littérature.

Sir Thomas Beecham, le chef d'orchestre, arrêtant un taxi dans Regent Street une chaude journée d'été, y mettant son manteau et disant au chauffeur : « Suivez-moi. »

Vanessa Redgrave âgée.

Les films d'Antonioni. Trop chic, même, d'une certaine façon. Mais enfin, il y a suffisamment de pas assez chic pour qu'on le lui passe. Le vrai défaut d'Antonioni, c'est la vie privée. Par moments, il est en plein roman-feuilleton ; le chic le cache. Sans cela, quelle banalité de pensée ! On dirait du *Nous Deux* sous la couverture de *Vogue*.

All Souls College, Oxford (on n'y enseigne pas).

LISTES DE L'ASSORTI

Sable et blanc, dans des vêtements d'été.

Jaune et blanc, comme dans le drapeau du pape.

Chocolat et bleu clair, comme dans un maillot de bain.

Gris et blanc, comme dans : une veste grise et une chemise blanche, à la façon de Benjamin Franklin dans le portrait de Joseph Duplessis (1725-1802), en vente à Drouot le 13 décembre 2006.

Chocolat et violet, comme dans : un jean de la première couleur et une veste en velours de la seconde. (Le pull et les souliers devraient être noirs, vous dites ?)

Rouge brique pilée et blanc craie, comme dans : les lignes des courts de tennis en terre battue.

Du texte imprimé alternativement en noir et en rouge, comme dans la page de titre de l'*Iconographie ou Vies des hommes illustres du XVIIᵉ siècle avec les portraits peints par le fameux Antoine Van Dyck et gravés sous sa direction*, à Amsterdam et à Leipzig, chez Arkstée et Merkus, 1759 (musée du Louvre, département des Arts graphiques).

Du velours ras, puce à reflets verts, avec de la dentelle blanche, comme dans le portrait d'Hyacinthe Collin de Vermont par Alexandre Roslin (château de Versailles).

La robe verte à larges bretelles et à col carré et la personne d'Eva Green dans *Casino Royale*.

Des cheveux blancs et des sourcils noirs, comme sous Louis XV.

Un chignon et une danseuse classique.

Les yeux bleus cheveux noirs.

Non assorti : une blonde en jaune.

N'étaient pas assortis dans mon enfance le marron et le noir, ils le sont maintenant et à très juste titre. « Assorti » est un terme au sens fluctuant, comme la plupart des termes d'esthétique.

Les sulfates, c'est dégoûtant, etc. Oui, mais ça fait aux grains de raisin de belles nuances de fresque romaine qui s'efface.

En 2006, aux arènes de Bayonne, Sébastien Castella a eu du génie. Toréant comme Justin Timberlake danse, il portait un costume café au lait très clair aux broderies noires, association ravissante : je repeindrai ma chambre de cette couleur, me suis-je dit [1].

---

1. Fait (octobre 2006).

LISTE DE LA MODE À LONDRES

On ne peut pas dire que les Anglais se ruinent en fringues, mais, quand ils sont bien habillés, ils le sont mieux que personne. Dans Bond Street, à Londres, j'admire la taille et le *bespoke suit* d'un homme qui avance avec l'assurance que lui donne la coupe merveilleuse de ce costume, gris, hanches marquées, un peu jupe, et du fait peut-être que, quoique blanc, il est plus sexy et mieux fait que le Noir pourtant beau et mince qui l'accompagne. Je venais de croiser un petit brun un peu *bombastic* dans un costume bleu parfaitement coupé, comme, j'espérais, celui que j'allais essayer à Savile Row.

Le dessous de poêle à frire que dans cette ville on appelle ciel est généralement bas. Sur les trottoirs qu'il menace d'une pluie impromptue, marchent, buste en avant, de grands êtres hydrocéphales et blêmes qui se sont généralement vêtus de noir pour ne pas prendre le risque d'une faute de goût. On les prendrait pour des croque-morts s'ils n'étaient aussi pressés. Leur hâte ne se manifeste pas, comme à Paris, par une brève démarche de ciseau, mais par un rythme de demi-fond que rien n'arrête une fois qu'ils sont lancés, pas même la Wehrmacht. Ils ont buté sur l'Himalaya en 1850. Ils allaient conquérir l'Inde pour fuir la musique de Haendel.

Souvent, ils portent des jeans qui leur vont bien à cause de leur grande taille et de leur allure fripée. Ce sont les Anglais qui ont inventé le jean chic, avec les Américains il serait resté un vêtement de déménageur. Cela ne tient pas à la coupe, qui n'a été améliorée qu'après 1995 et par les Italiens, mais à la forme des corps. Les Américains ont généralement de grosses cuisses.

Entre le genre épouvantail dépendu et le genre mannequin de vitrine en costume rayé, il semble n'exister aucun autre style de corps possible en Angleterre. Le premier est une prise de position politique contre le second. Être fripé, c'est réprouver l'*establishment*. Cela ne se ferait pas en paroles ou en votes, comme en France, d'ailleurs tout Anglais est aussi bien élevé qu'un duc ou le croit, telles les caissières de province qui vous rendent la monnaie en vous disant : « *Thank you, love.* » En Angleterre, l'amour est moins choquant que la beauté. Un bon film sera qualifié de « *lovely* », mais on ne dira jamais à un homme qu'il est « *beautiful* ». « *Handsome* » à la rigueur, mais « *handsome* » est presque abstrait, moral. On préférera « *sexy* », mot inventé ici, car le sexe est tellement lointain qu'on n'imagine pas qu'il puisse avoir quelque chose de choquant. Les Anglais confondent le sensuel et le sexuel. C'est pour cela qu'ils emploient sans cesse et sans gêne le mot sexe et ses dérivés, et que d'ailleurs « *sexy* » veut en réalité dire « sensuel ». Cela engage si peu le sexe que, pour « coucher avec quelqu'un », on dit « dormir » (*to sleep with*). Comme le disait le *News of the World* de Londres dans les années 1920 : « Amour est un mot à utiliser avec beaucoup de précautions. Dans certains cas, il a une signification sexuelle. »

LISTE DU PAYS DES HOMMES
LES MIEUX HABILLÉS DU MONDE

Les Omanais sont parmi les hommes les mieux habillés du monde. Je trouve magnifique, et les rendant tous beaux et égaux en chic, la robe blanche à manches longues, le dishdash (on prononce dishdasheu, le « e » final à peine marqué), dont le seul ornement est un cordon à gland, le ferakha, qui pend du col, les raffinements se dissimulant dans les coutures, les boutons, les ganses. Quelle blancheur ! La propreté arabe y éclate. Les Omanais portent le ferakha court et sur la clavicule, non pas long et pendant comme les habitants des Émirats voisins, et, plus coquet que leur keffieh, un calot brodé d'une inventivité de dessin qu'on ne verrait pas dans un échantillonneur de tapisseries anglaises. « Dishdash » est l'appellation omanaise ; dans les Émirats, on peut aussi dire « gandoura ».

Presque toute la coquetterie réside dans ce calot, la gutra. Il y en a de toutes sortes, brodés, charmants. Mon chauffeur de taxi a payé le sien 50 rials, soit plus de 100 euros. Et il n'est qu'en coton. On le pose à peine sur le crâne, pincé au milieu afin de faire saillir le pli.

Et puis avec ces robes ils ne peuvent rien porter, rien avoir dans les poches. En « Occident » nous sommes des portefaix, en Arabie le moindre mendiant est un seigneur. Et cela n'est dû qu'à l'habillement.

Et leurs voitures, blanches comme leurs robes, et propres, et luxueuses ! Ils sont passés du bédouinat au pétrolat.

Ces longs hommes minces avec de petites mains fines et du poil noir aux phalanges portent souvent au petit doigt une bague en argent sertie d'une pierre semi-précieuse. Infime éclat rouge, bleu, jaune.

Pourquoi ne sont-ils pas rasés ? Ils n'ont pourtant pas, comme les Italiens, à prouver une virilité contestée par une société catholique, féminine, tendre.

Ils adorent les parfums délicats (le narguilé, ici « shisha », est volontiers parfumé à la pomme ou à l'orange). Notre monde post-industriel et nordique doit leur paraître puant.

On voit des femmes en voile noir, mais avec du strass aux manches, au voile. Il était une fois un prisonnier snob. Depuis son adolescence, il était enfermé dans une cage sombre. Il souriait. Ses menottes étaient en or.

Je m'installe au bar de l'hôtel avec quelques livres et un carnet où je fais des croquis des calots de mes voisins. Les deux plus proches, ayant parlé de moi à plusieurs reprises, finissent par se lever et me demandent, en mauvais anglais, ce que je fais, car ils me voient prendre des notes, ne serais-je pas écrivain ? L'un d'eux l'est, je les invite à ma table. Il a vingt-huit ans, ce Jabir al-Riyami [1], et a publié, à compte d'auteur, un recueil de poésies au Liban. Il cite sans cesse Mahmoud Darwich, Adonis et la chanteuse Fayrouz, qu'il adore. La poésie, pour lui, ce sont l'amour et les femmes. Il est de 2007 et pourrait être de 1007. Après tout pourquoi pas ? Je le prie de me dire, en arabe, un de ses poèmes, il est suave à l'oreille, des cailloux roulant dans du miel. Un ami lui en envoie une traduction par téléphone. C'est un poème arabe d'amour classique, métaphorique et fleuri, banal m'a-t-il semblé, banal comme l'éternité, et sympathique grâce à son auteur. Les auteurs de mes livres, par exemple Proust, lui sont inconnus, ainsi qu'à son ami ; *Anges et Démons*, de Dan Brown, excite leur passion. L'ami est étudiant en communication à l'université de Mascate. Je me demande ce que l'on doit apprendre, en communication à l'université de Mascate. Il veut devenir journaliste tout en se plaignant de ce que, dans son pays, on ne puisse rien dire, ni contre le gouvernement, ni contre la religion. Parce que

---

1. J'ai changé le nom.

tu le voudrais ? Et comment ! *« I am an atheist ! »* clame-t-il avec fierté, comme s'il montrait son torse, comme le disent les Américains irréligieux, comme devaient le dire les Français sceptiques de 1550, comme le disent tous les habitants sensés des pays bigots ; et à moi, Français du XXIe siècle, c'est comme s'il annonçait : « J'aime le chocolat. » Il est obsédé par les filles : comment fait-on avec les filles en France, les filles, les filles, les filles. Il est malheureux : « On ne trouve personne d'intelligent ici. Quand je dis que mon ami est poète, on me répond qu'il est fou. Je suis athée, et je ne peux pas le dire, même à mon père : il me tuerait. » Il a 18 ans. Des amis les rejoignent. L'un parle des écrivains qui, « comme les photographes, voient ce que nous ne pouvons pas voir ». C'est le plus intelligent et il a l'air ironique. « Les Français n'aiment pas les Arabes. » Je lui dis que c'est faux, c'est sans doute vrai. Rêve de France quand même. *« In Bâriss, you have fridoum. »* Le lendemain, il m'a semblé comprendre la raison de la popularité de Dan Brown : *Anges et Démons* est interdit par un pays musulman bien rétrograde, l'Iran. Telle est la culture aberrante qu'engendrent les dictatures et les familles d'autodidactes.

Lorsque Jabir a posé le pied sur le bord de la table basse, j'ai vu un os de cheville en forme de noix dépasser d'un mollet fin, noir que gardaient des dagues de poils. Le bord de son dishdash était gansé blanc sur blanc.

LISTE DES VÊTEMENTS, DES MODES ET DE LA MÉMOIRE

Les vêtements disparaissent plus vite que quoi que ce soit d'autre. C'est l'objet humain le plus fugace, plus encore que le papyrus, dont on a pu retrouver des exemplaires dans le climat sec de l'Égypte ; eux, poussière et dédain. Que dis-je, dédain ? On n'y songe même plus, rares sont les musées qui prennent la peine de les conserver, alors qu'ils sont une grande partie de nous-mêmes. Mort, on dirait que l'homme n'a été que nu. Quelle ingratitude envers cette invention qui l'a tant aidé ! Invention de son fait, dont il pourrait être fier, mais non, le puritanisme, c'est-à-dire l'orgueil, la renie. Il l'avait embelli.

On dit grand mal des modes. Elles sont pourtant ce qui met de la variété dans la vie, si uniforme, si terne, si trottoir. Les modes et leurs enfantillages nous font plus de bien que de devoir nous habiller en uniforme, comme sous la Chine de Mao ou selon quelque coutume locale.

On croit souvent que les modes sont les mœurs. C'est parfois une question de pure imitation du plus grand nombre ou du plus puissant. Dans les années 1970, les Égyptiens sont allés en nombre travailler en Arabie saoudite. Pour montrer que leurs maris gagnaient fastueusement leur vie dans un pays arabe riche, leurs femmes, au retour, mettaient le voile. Ma grand-mère disait bien : « On ne sortait pas en cheveux. » Ce n'était pas religieux, mais social (c'est Gervaise qui allait *en cheveux*), et le genre de chose récupéré par les religions, qui suivent plus les mœurs qu'elles ne le clament.

Les vêtements imitent l'architecture de leur époque. Voyez comme les dames du Moyen Âge portaient des coiffes en tourelles de château fort, avec le ruban flottant qui en rappelait les bannières, voyez comme les élégantes 1890 du bois de Boulogne portaient des robes sinueuses comme des grilles de portail de Guimard. Les vêtements *sont* de l'architecture.

Un président de la République élu par mode est plus amusant que les autres. Les derniers ont été Giscard, en 74, et Mitterrand, en 81. On se souvient d'eux comme d'une robe ou d'une cravate qu'on a aimée.

Le petit côté insolent de la casquette à l'envers. Qui l'a inventé le premier, qui a eu ce coup de génie ? Est-ce un gavroche, un gamin, une racaille, rusée et pas si rusée, car sa forfanterie le désigne à la police, « tant il y a toujours du fat dans le cœur d'un enfant de Paris » (Stendhal, *Lucien Leuwen*), ou au contraire un vieux bandit édenté à la Léautaud, désabusé à la Chateaubriand et narquois à la Mérimée ? C'était à Mantes-la-Jolie en 1991, à Paris en 1848, ou dans la Basse-Égypte quatre mille ans avant Jésus-Christ ?

Je n'aime pas faire des courses, mais j'aime bien, à l'improviste, entrer dans une boutique et me laisser habiller par un vendeur que je connais. Un temps, j'ai eu, chez ..., un long jeune homme plat comme un poisson, avec belle tête de poisson aussi, sérieux, attentionné et patient, plus le grain de folie de pratiquer un sport de combat en usage dans l'armée israélienne (j'ai oublié le nom). En 2007, à L'Éclaireur, rue Malher, le très bon vendeur à tête hallucinée et à l'accent anglo-saxon, je crois qu'il est néerlandais, m'a vendu un jean japonais qu'il qualifiait de « Rolls ». Il est en tissu mélangé à 30 % de papier et travaillé selon la méthode des panneaux coulissants des maisons japonaises, les kakishibu ; genre vieilli, couleur tabac ; il a été teint au kiwi : la production ayant été mauvaise, le créateur a reçu une livraison de fruits pourris, et de là la teinte marron d'un pantalon qui aurait dû être vert. « La Rolls, monsieur. » L'air exalté et de très bon conseil, il m'a également vendu, ce jour-là, une ceinture que je n'avais pas prévue, des souliers dont je ne voulais pas et une veste grise alors que j'en demandais une bleue. Si on est gentil avec moi, on me fait tout acheter. Le plus agréable est Mr Alexander, de Londres. Il émet un bref : *« Oh! How are you, Sir? »*, puis, quand nous nous parlons, est d'une discrétion moindre qu'on ne l'attendrait d'un Anglais, mais ça me va. Je n'ai jamais appris à ne pas payer mon tailleur, comme je lisais avec admiration dans les pièces de Wilde.

Les costumes vieillissent d'un seul coup. On les quitte un soir convenables, sinon parfaits, on les retrouve au matin immettables, et déprimants. Comment ai-je pu porter ça ? Qu'on se le demande est peut-être une preuve qu'on aime encore vivre. C'est la même chose avec les amis. Un jour, tout d'un coup, on ne reconnaît plus ce qu'on pouvait avoir de commun. Et on en change.

Un des signes de la mort approchante est la basket. Je croisais récemment un acteur célèbre, méchant vieillard : amaigri, blafard, la démarche branlante et l'imperméable taché, il portait des baskets blanches toutes neuves qui éclataient à ses pieds, hautes, confortables, à semelle ergo-je ne sais quoi. Sentant que la vie nous échappe, nous chaussons des souliers hermétiques pour empêcher que ça fuie. Le siège de l'âme est dans le pied.

LISTE DES HOMMES LE PLUS RIDICULEMENT
HABILLÉS DU MONDE

David Beckham.
Silvio Berlusconi.
David Bowie.
Fidel Castro.
Johnny Depp.
John Galliano.
Brad Pitt.
N'importe quel rappeur français en jogging blanc. Le jogging est la mort de l'humain. L'homme y perd toute forme et y devient une chose flasque, hors de tout règne, même végétal.

... les mieux habillés

Les antiquaires en général.
Tout torero.
Belmonte en tenue de ville.
Gary Cooper.
Édouard VII.
Hamid Karzaï, président de la République afghane.
Haakon, prince héritier de Norvège.
Louis XV.
Muskar XII, roi de Syldavie.
Le Spirit de Will Eisner.

... un peu trop bien habillés

Fred Astaire.
Jean Cocteau.
Édouard VIII.
Mandrake.

LISTE D'ILS ONT ÉTÉ BEAUX HUIT JOURS

Le prince William d'Angleterre. Il s'est équinisé.

L'infant d'Espagne Philippe, prince des Asturies. On dirait un brave vieux monsieur qui somnole à la terrasse du café.

Mohammed VI du Maroc. Il est frappant comme la vulgarité du pouvoir s'est installée sur son visage, l'épaississant, le boursouflant, pinçant ses yeux qui ont pris une forme d'yeux de serpent.

Jude Law. L'Anglais mignon quand il passe 35 ans prend souvent l'air d'un palefrenier.

Vincent Pérez. Vincent *qui?*

LISTE DU DANDYSME

Pour faire de votre enfant un dandy, vous lui donnerez à regarder la série télévisée *Chapeau melon et bottes de cuir*, à lire *Le Portrait de Dorian Gray* d'Oscar Wilde, à écouter les premiers disques de Marianne Faithfull, qui raconte dans ses mémoires que le comble du chic dans sa jeunesse et dans sa bande consistait à lire *À rebours*, le roman de Huysmans. C'est fait. Votre enfant se créera des ennemis en étant simplement ce qu'il est.

Précisons qu'*À rebours* est le dandysme vu par un petit employé hargneux du ministère de l'Intérieur et ridiculement écrit. La niaiserie est une gobeuse qui se croit snob. On lui désigne comme rares des livres qui ne le sont pas, comme *À rebours*, et elle le croit. Et le répète. Et le public suit. Huysmans a tous les défauts de vulgarité qu'on reproche à Zola, qui n'est pas vulgaire. Les niais ne savent pas que Mallarmé aimait Zola, et ils se croient dandys d'aimer ce mesquin enragé.

Le dandysme est la provocation de la honte. Un dandy est souvent un fils de duc ruiné ou un fils de concierge aimant sa famille et souffrant de la voir nulle.

Le dandy ne peut en aucun cas être : paysan, naturiste, sportif, écologiste, hollandais. Il ne peut supporter : les chiens de chasse, les plages, la couleur orange, les formes rondes, la charcuterie. Évoquer la nature devant un dandy, c'est parler d'ail au diable.

Les femmes dandy sont rares, à part Greta Garbo, qui d'ailleurs était à peine une femme : c'est la lune. Elle est pâle, plate et muette.

225

Quand elle rit, elle penche la tête en arrière et son cou s'étire comme celui d'un cygne cherchant à attraper un croûton de pain. C'est-à-dire qu'elle ne rit pas. Elle est en dehors de la vie. « Personne ne voudrait de moi. Je ne sais pas faire la cuisine. »

Le père de l'étude du dandysme en France est Jules Barbey d'Aurevilly. Rouge et cambré comme une écrevisse, Barbey a publié le premier livre sur la question, *Du dandysme et de George Brummell*. Il révèle l'« impertinence somptueuse » et l'« impassibilité » du dandy, et nous comprenons que ce flegme étouffe une sensibilité et ces sarcasmes les grincements de dents d'anciens petits garçons malheureux.

L'enfance est la période des créateurs. Le dandysme est de l'adolescentillage.

Les dandys aiment bien les vampires, leurs frères pâles et vêtus de parme. Ils en rêvent en regardant de bons films comme *Entretiens avec un vampire*, de Neil Jordan, et en lisant des romans kitsch comme *Âmes perdues*, de Poppy Z. Brite. Le dandy est ce qui se fait de plus proche du vampire dans le genre humain. D'après les films, les vampires ont les ongles noirs ; souvent, le dandy ne se lave pas. C'est qu'il s'adore : tout ce qui émane de sa merveilleuse personne doit être conservé. Comme d'autre part il est souvent un impuissant littéraire, la crasse lui tient lieu de création. Je ne sais pas si vous vous rappelez le journaliste Alain Pacadis. Il était laid, il ne s'aimait pas, il aimait ce désamour. Haine de soi, haine de soie (style dandy). Il a laissé des écrits, comme *Un jeune homme chic*, qui valent plus par l'idée qu'on s'en fait que ce qu'ils étaient vraiment. C'est souvent bâclé, Pacadis ; il était si las qu'il ne prenait pas la peine. Et c'est sans doute ce qui le rapproche le plus du vrai dandysme en littérature : il rate ce qu'il écrit, et ce ratage est son succès.

Un écrivain ne peut pas être un dandy, puisque, précisément, il écrit. Écrire est une forme de labeur, et le dandy est le fainéant suprême, le fainéant qui a le meilleur goût, inactif écœuré par l'imperfection de toute action. Sur l'échelle de l'idéalisme, le dandy est quelque chose entre l'ange et le célibataire. L'écrivain est plus humain : il *essaie*, plus mêlé aux autres qu'il ne le croit, puisqu'il leur parle. Le dandy, c'est Brummell, pas Oscar Wilde. Au regard du dandy, Wilde est un forçat avant d'en avoir été un : qu'est-ce qu'écrire, sinon s'incruster à une table et faire de méticuleuses écritures de signes laids comme des insectes sur des pages cessant d'être blanches? Le dandy préfère les peintres, qui sont souvent coquets, sinon cabots, comme Gustav Klimt qui s'était fait tailler une longue robe à motifs imprimés pour peindre et se faisait photographier la portant. En matière artistique, le modèle est Leslie Winter, le parrain de Lord Chatterley qui désapprouve les écrits de son filleul : « C'était un dandy de l'époque du roi Édouard qui jugeait que la vie est la vie, mais que gribouiller est une autre affaire. »

Lytton Strachey a écrit une satire sur les *Éminents victoriens*; proéminent victorien, Oscar Wilde a énoncé la célèbre observation selon laquelle la vérité est dans le masque : l'homme véritable serait dans ce qu'il montre, non dans ce qu'il cache. Ses juges ne l'ont pas cru. Dans ses mémoires, Yeats raconte que les prostituées de Londres ont applaudi de joie à l'annonce de la condamnation de Wilde. On est toujours trop sentimental envers les putes. (Proverbe dandy.)

Aubrey Beardsley, qui ressemblait à un os de seiche frôlé par une patte d'alien

,

a été l'illustrateur de la première édition anglaise de *Salomé*, la pièce qu'Oscar Wilde avait écrite en français et qui a été interdite par la censure sous le prétexte qu'il était interdit de représenter des personnages bibliques sur la scène. Dessins sinueux, sombres, des iris. Dans *1066 And All That*, Sellar et Yeatman écrivent qu'Oscar Wilde *« wrote very well but behaved rather beardsley »* (écrivait très bien mais se comportait plutôt beardsleyment; on joue sur le suffixe *-ly* qui est celui de l'adverbe).

Le dandysme croit à ce qu'il fait, le *camp* en fait un jeu. A été *camp* d'adorer *La Ferme Célébrités*, émission de télé-réalité où d'ex-célébrités fanées trayaient des vaches en direct, alors que le dandy peine à regarder la télévision. Si le dandysme est volontiers lugubre, le *camp* se moque de tout. L'héroïne de *Femmes au bord de la crise de nerfs*, le film d'Almodóvar, éclate en sanglots. On la croit malheureuse. Elle : « Non : je ne peux pas supporter la couleur de ta robe ! »

LISTE DES SNOBS

Les auteurs de livres sur le snobisme font souvent partie d'une catégorie particulière d'êtres humains : les hommes qui se croient snobs. En 2008, l'auteur d'une *Histoire du snobisme* se présentait comme snob parce qu'il buvait du café Illy, vous savez, le café italien dans des boîtes en fer. Je me suis renseigné auprès d'une amie, une snob patentée. Elle m'a dit : « Mais ça n'est pas snob, le café Illy ! Ce qui est snob, c'est le café équitable que l'on trouve dans les épiceries extrêmement chères, ou, au contraire, le café pas cher du tout qu'on va acheter dans une épicerie indienne du XVIIIe arrondissement. Encore mieux, se faire envoyer son sac de café par un cousin qui possède une plantation en Colombie. Encore encore mieux, le snob ne se préoccupe ni de fournitures ni de fournisseurs. Les marques, ça n'est pas chic. » C'est pour cela que les plus malignes ont conservé la tactique des maisons de couture du début du XXe siècle qui employaient comme mannequins des filles de l'aristocratie ruinée : aujourd'hui, elles ont dans leur service de communication des filles de famille mal payées, chuchotantes et polies, qui apportent à ces filiales de multinationales souvent dirigées par des requins plaqués diamant des grâces de cygne aux ongles sans vernis.

Le snobisme social est le seul méprisable. Quand Chateaubriand, Bonaparte étant tombé, écrit son pamphlet *De Buonaparte et des Bourbons*, il commet une double mesquinerie : d'attaquer un homme tombé, de le faire sur son origine, comme si d'ailleurs ce vicomte de peu descendait des Mérovingiens. Qu'on l'aime ou non, Napoléon l'avait justifié, son nom francisé.

L'origine latine s[ine] nob[ilitate], sans noblesse, est fausse, comme celle de « good as you » pour gay. C'est le type même de l'étymologie rétrospective. On ne sait pas d'où vient le snob. On sait souvent où il va. La banalité la plus cruelle l'attend, dit-on. Les non-snobs sont-ils moins banaux ? Est-il plus dur de pousser un chariot vêtu d'un jogging dans un hypermarché de banlieue ou d'acheter un t-shirt chez Zadig & Voltaire parce qu'on l'a vu dans le Vogue Homme italien ? La différence est que les snobs adorent qu'on les dénigre. Fustigés et punis, ils peuvent poursuivre la pratique de leur vice. Le snobisme, c'est comme l'Église. Les églises seraient-elles des snobismes de masse ?

On dit du snob qu'il est condamné à l'imitation. Il y a pourtant des snobs originaux. Tout snob n'est pas terrorisé par les avis des autres. Au contraire, il est parfois cadenassé dans son assurance. Et elle est là, sa punition. Ses plaisirs sont souvent écrasés par son snobisme.

À moins que son snobisme ne soit son plaisir. Un soir de la fin de la première décennie du XXIᵉ siècle, dans un taxi approchant péniblement du théâtre par les rues de Broadway illuminées et bondées, je disais à la personne qui m'accompagnait des foutaises fastueuses, snobement vautré. « J'aimerais qu'une litière me transporte jusqu'au théâtre, portée par six esclaves à ceintures de palmes. » Je plaisantais, n'est-ce pas. C'est l'important avec le snobisme. Dès qu'on le prend au sérieux, que ce soit pour s'en vanter (rien n'est plus ridicule) ou pour le dénigrer (rien n'est plus pompeux), on devient bête. Ce qui compte, ce sont nos plaisirs. Si le mien consiste, comme quelques mois plus tard, à aller à l'opéra, puis à acheter un costume chez un faiseur qui cache sa boutique dans un passage et habille ses vendeurs en infirmiers, enfin à lire des poèmes sur une des chaises qui entourent le bassin du Palais-Royal, est-ce du snobisme, puisque ça me fait du bien ? Snobisme est souvent le nom que l'on donne aux plaisirs incompris.

Il y a des snobs intellectuels. Eh bien, si cela leur fait lire Mallarmé ! Mieux vaut en effet que ce snobisme s'applique au génie : je ne vois rien de plus sottement poseur que de prétendre qu'on aime les mauvais livres, comme le fait le poète W.H. Auden dans un article (« Writing », Prose 1926-1938).

Dans un pays rationaliste et snob comme la France, le sujet d'un livre conditionne la moitié du jugement. Francis Jammes (1868-1938) est passé pour un imbécile parce qu'il parlait d'ânes. Et pourtant il avait écrit un chef-d'œuvre, *De l'angélus de l'aube à l'angélus du soir*. Et bien sûr il n'y avait pas que cela. Il s'est perdu par sa fatuité, déduisant de ses sujets qu'il était Virgile. Il avait été un snob de lui-même.

Dans son charmant « Suis-je snob ? », Virginia Woolf écrit que « l'essence du snobisme est qu'on cherche à impressionner les autres ». Ne cherche-t-on pas aussi à s'impressionner soi-même ? Ce n'était pas le cas de Françoise Sagan, moins snob qu'elle ne le disait. L'autodénigrement a été une de ses meilleures qualités, et bien peu française. Française elle a été, en revanche, en se laissant snober par Mitterrand. Au moment de l'affaire des écoutes téléphoniques organisées avec l'approbation de celui-ci, on trouvait à Paris quantité de gens ravis de dire qu'ils avaient été écoutés. Ils s'en croyaient importants. Le snobisme rend impossible toute civilisation politique en France.

La France est le pays le plus snob du monde. Non que le snobisme n'existe pas à l'étranger, mais, en Angleterre, mettons, il est défini et clair (les *public schools*, les clubs, les ducs). En France, il est raffiné, multiple, méchant, moiré. Présidents de la République snobs : de Gaulle, Giscard, Mitterrand. Pas snobs : Pompidou, Chirac, Sarkozy. Mitterrand, plus duplice que les autres, a su se faire passer pour pas snob.

Mots fétiches des snobs : « intelligent » et « gentil ». « J'ai eu une gentille table » veut dire qu'on a été très bien placé. Quant à « intelligent », c'est la valeur suprême par laquelle ils croient sortir du jugement mondain. Tout au contraire, il le révèle. Chacun connaît une dinde de cocktails qualifiée d'intelligente parce qu'elle connaît les manières et quelques formules toutes faites. Je me demande si le snobisme ne va pas mieux aux hommes.

LISTE DE DAMES SO CHIC

Sei Shônagon.

Virginia Woolf.

Karen Blixen.

Oriane de Guermantes.

« I have a friend in Paris. She's so chic, you can't stand it. »
Judy Garland,
Madison Square Garden, 23 avril 1961

La Femme maigre de John Currin (1992, Whitney Museum, New York) :

LISTE DE BEAUX GESTES

Ayant publié *Le Cœur du problème*, Graham Greene est applaudi par un critique polonais pour cette supposée renonciation à l'Église. « J'écrivis au journal communiste que, en tant que catholique, je considérais que j'avais le droit de traiter de la perte de la foi aussi librement que de la découverte de la foi, et que j'étais sûr que, si j'étais un écrivain communiste dans son pays, je serais libre de choisir pour personnage un communiste relaps. Je demandai que l'argent qu'ils me devaient pour leurs longues citations […] fût versé à la fondation pour la restauration de la cathédrale de Varsovie » (*Ways of Escape*).

Victor Hugo acceptant que soit inséré, dans les exemplaires de *Quatrevingt-treize*, des prospectus pour un livre d'Henri Rochefort, qui sortait de prison.

Léon Tolstoï abandonnant les droits d'auteur de *Résurrection* aux doukhobors, mouvement anarcho-pacifiste chrétien persécuté par le gouvernement, afin de leur permettre de s'exiler au Canada.

Maurice Barrès faisant régulièrement verser de l'argent à Verlaine sans se faire connaître.

Giuseppe Verdi léguant ses droits d'auteur à la Casa di Riposo, maison pour vieux musiciens qu'il avait fondée.

André Gide, qui passe pour avare, faisant donner de l'argent au jeune Francis Jammes pour lui permettre d'éditer une de ses premières plaquettes de vers, *Un jour* (Jammes, *L'Amour, les Muses et la Chasse*).

Léautaud voyant Verlaine à la terrasse d'un café de la rue de Tournon (ce café existe encore) achète un bouquet de violettes à un marchand ambulant, l'apporte à Verlaine et s'en va.

Le comte de Monte-Cristo, ayant pourchassé ses ennemis, n'accomplit pas sa vengeance finale. Elle s'appliquerait à leurs enfants.

En mai 2008, un homme en sauve un autre de la noyade à Coney Island et s'en va après l'avoir ramené sur la berge. Quelqu'un l'avait pris en photo : il a été reconnu, et le *Daily News* de New York qui a enquêté révèle le plus beau : ce jeune marin de 30 ans a déjà sauvé plusieurs autres personnes et est parti. Gloire à Kevin Campion, le sauveur discret !

LISTE DE BELLES INSOLENCES

Chamfort raconte que, condamné à être exécuté, puis gracié, un Anglais dit : « La loi est pour moi : qu'on me pende. »

Napoléon à une femme réputée légère : « Vous aimez toujours les hommes ? — Oui, Sire, quand ils sont polis. »

Lors d'un voyage officiel aux États-Unis en 1965, la princesse Margaret d'Angleterre fait caprice sur caprice. Avec la vulgarité des gens pour qui tout est destiné à leur plaisir, elle fait demander, lors d'une soirée à Beverly Hills, à Judy Garland de chanter pour elle. « Je chanterai après qu'elle aura inauguré un navire », répond l'actrice.

Les corps & le sexe

LISTE DES CORPS

Notre corps est moins impur que notre esprit. L'esprit court et le corps reste. Sage corps.

On change de corps comme de chemise. Le corps qui a couché avec un autre il y a vingt-quatre heures n'est plus le même que le corps de maintenant. Il a oublié son plaisir ; mais pas qu'il en avait eu un, ce qui lui donne l'envie de recommencer. Les corps ont une mémoire abstraite. Ce sont les esprits qui ont une mémoire matérielle, du détail de l'endroit du corps qui jouissait plus que l'autre.

S'il ne garde pas la mémoire des plaisirs, le corps, dans sa sagesse, n'oublie ni l'existence, ni la sensation des douleurs.

Dans *Hamlet*, le roi d'Écosse dit : « *There's no art / To find the mind's construction in the face* », il n'existe pas d'art qui permette de trouver la construction de l'esprit dans le visage (I, 4). C'est plus fin que de dire : les visages ne révèlent pas l'esprit. Personne ne peut mieux le savoir qu'un auteur de théâtre, qui voit des acteurs aux têtes différentes interpréter si bien les mêmes rôles ; et c'est une tentation que doivent fuir les romanciers, qui décrivent souvent des têtes et des corps afin que les lecteurs en déduisent un comportement.

Quel déchirant moment, sur les corps, que celui qui précède le craquement ! Les griffes sur la peau au coin des yeux, un pli moins élastique à la main lorsqu'on la plie, etc. Le touchant des 30-35 ans. Cela, ou 17-20. Les corps juste avant l'éclosion.

Les cicatrices sont les romans des corps.

Au téléphone, X... perd presque tout son charme, comme dans un conte de fées où, touché par cet objet, il deviendrait en pâte. Le téléphone est un appareil qui nous prive de notre physique et de ce qu'il nous ajoute. Une personne qui nous téléphone n'est pas la personne complète que nous connaissons. Phénomène très différent d'une lettre, car le destinataire comme l'expéditeur d'une lettre connaissent l'élément de représentation de cette forme d'écrit, dans le sens théâtral du terme. Qui écrit une liste cherche à émouvoir, fait connu de qui la lit.

LISTE DES COUS

Le cou en fumée d'une sainte pâmée du Greco.

Le cou en tronc de sapin de Clint Eastwood dans ses derniers films.

Le cou de colonne dorique d'une décathlonienne.

Le cou de bœuf des grands vieillards de pouvoir.

Le cou d'oie gavée des goitreux.

L'absence répugnante de cou chez certains enfants gras.

Le long cou de momie inca à plis verticaux dissimulés derrière un collier de chien à six rangs de perles d'une milliardaire de 90 ans.

Le cou de tulipe d'un extraterrestre.

Le ravissant duvet à la base de la nuque d'une adolescente qui se penche pour regarder ses genoux sur une chaise longue (effet de lumière).

LISTE DE L'INDIFFÉRENCIATION DES SEXES

La chirurgie esthétique, ça vieillit. Regardez les photos de l'acteur Kirk Douglas, 90 ans : cireux, bosselé, sans paupières, il a l'air d'en avoir 200. Il n'est plus homme, ni femme. La chirurgie esthétique accentue le processus de la vieillesse par lequel les femmes se virilisent et les hommes se féminisent. Naît le Vieillard Refait, sans sexe, sans élan, aux passions bouillonnant avec tiédeur sous la peau. Elles ne sont pas moins violentes que les passions jeunes : plus d'un n'est mort que parce qu'il avait trébuché en tendant le bras pour peloter l'infirmière.

Avec ses longs cheveux noirs et son visage grave qui la faisaient ressembler à Irène Papas, la tragédienne grecque, Susan Sontag était belle, chose rare pour une intellectuelle de gauche. Au-delà de 40 ans, la droite réussit mieux aux femmes : l'apprêt qui fait une grande partie de leur idéologie les maintient. Il existe un type de femme de gauche, « je pense donc je ne me peigne pas », fatal à l'apparence. La beauté de Sontag était virile, allais-je dire en oubliant que, lorsqu'elles vieillissent, les femmes se mettent souvent à ressembler à des hommes. Dans le même temps, bien des hommes se mettent à ressembler à des femmes, et se prépare ainsi, dans l'indifférenciation des sexes, la grande neutralisation de la mort.

LISTE DU SEXE

La chair n'engage à rien. C'est bien pour cela que la société, créée pour nous lier, lui impose toutes les contraintes possibles, qu'elle nomme « sacrements » si elle est Église ou « lois » si elle est État.

Toutes les différences, comme la différence de taille, sont abolies par le sexe. Si elles paraissent extraordinaires à la société, elles ne sont pas ressenties ainsi par les couples : quand deux personnes couchent ensemble, elles pensent se ressembler et se ressemblent à cause de la fusion des jouissances.

Le moment du déshabillage est pour moi si important, celui de la délicatesse, de la tendresse, de l'humanité avant la bestialité, si on n'y prend pas garde, précisément, que je suis choqué quand on le fait avec indifférence. On est dans un moment mystérieux, presque sacré, et on dirait qu'on va réparer un lavabo.

Le *Casanova* de Fellini (1976) a été très dénigré. C'était, sans qu'ils se désignent comme tels car il est tactique de ne pas avouer la raison réelle de ses attaques, par les baiseurs. Ils se sont sentis visés, à juste titre. « Mais non, Casanova n'était pas comme ça ! Son amour n'est pas diabolique comme celui de Don Juan, mais gai, allègre, enlevé ! » La conception de Fellini me semble pourtant assez exacte. Les baiseurs sont des gloutons, et les gloutons sont sinistres. Le film montre que la consommation effrénée de corps est une sorte de course contre la mort qui ne mène qu'à la mort. Je parle de la mort sociale que l'unique intérêt de baise entraîne, puis de la mort intellectuelle. Le cerveau s'est transformé en sexe. Quels hypocrites, à la fin, ces grands baiseurs! Molière y fait une allusion très perspicace dans la scène du « cachez ce sein que je ne saurais voir » de *Tartuffe* : ce n'est pas une gauloiserie, mais le signal que le sexe absolu, sous ses airs de franchise, est aussi dissimulateur que l'ambition de pouvoir qui instrumentalise la religion.

Le sexe rend loup.

Certains hommes à femmes sont très coquets, voire efféminés, et on les soupçonne. C'est simplement, me semble-t-il, que l'on s'imbibe de ce que l'on fréquente. Un de mes amis, grand coucheur, parle des nuances de rouge à lèvres avec une précision inconsciente et des mouvements délicats : pour en avoir tant vu dans des salles de bains, il s'est imprégné de l'art des cosmétiques, adaptant ses gestes à son milieu.

La sexualité d'un homme est à côté de sa biographie. Ce sont des actes accomplis à côté de la vie courante, on devrait dire stagnante, celle où l'on gagne sa vie, conduit des voitures, accomplit le labeur et le dormir, l'épouser et l'enfanter, l'entretien de l'individu et la reproduction de l'espèce. Le sexe comme l'art est une branche rare ressortissant à l'imagination. Deux imaginations différentes et sans rapport, du reste : on peut avoir un écrivain écrivant du sexe et chaste dans sa vie, un obsédé sexuel dans la vie muet sur la question dans ses œuvres. Peut-être que, pour être exacte, une biographie devrait s'établir en trois parties : la vraie vie (l'ennui) ; le sexe (la gaieté) ; les œuvres (l'autre vie).

La chair égaie.

LISTE DU SEXY

Un crâne rond.

Une brune avec une chemise blanche d'homme.

Une blonde en pantalon.

Un brun avec un pull marron.

L'espace entre les seins d'une femme portant un tailleur échancré, équivalent de la naissance de l'aine au-dessus d'une ceinture d'homme : la piste de descente.

Un sourire lent.

La minceur.

Une forme corporelle sous un vêtement. Un omoplate, un muscle, bouge, évoquant une vie lente qui ne demande qu'à s'exalter.

Les beaux êtres qu'on croise dans un escalator montant lorsqu'on est dans un escalator descendant.

Un être beau qui n'a pas conscience de l'être.

Je me souviens de l'apparition dans nos sexualités de Kevin Costner, Brad Pitt et Sharon Stone. Le premier (dans *Sens unique — No Way Out*, 1987) portait très bien le spencer de la tenue de gala de l'officier de marine et mieux encore le pantalon blanc de la tenue d'été. Le deuxième (dans *Thelma et Louise*, 1991) éclatait de maussaderie lascive entre deux femmes à qui il donnait par sa simple présence l'air de vieilles louves ; à la sortie, tout le monde disait : « ... et tu as remarqué le splendide second rôle qui imite James Dean ? » La troisième (dans *Basic Instinct*, 1992) était le tableau d'Uccello à l'Ashmolean où des centaines de petits chiens pénètrent dans une forêt sombre. Un tableau très sexuel.

Dans son *Journal*, Henry « Chips » Channon, député conservateur anglais, rapporte un mot de Diana Cooper sur Lady Chamberlain, la femme du Premier ministre, revenant d'Italie : « Ce n'est pas la première fois que Rome a été sauvée par une oie. » Je le lis à bord d'un avion d'Air France me transportant à Biarritz, et j'ai à mon côté, occupant le tiers de ma vision droite, un bras qui m'intéresse plus que mes remarques. Bras adolescent, nu depuis l'épaule ronde. La peau est brunie par le soleil, d'une teinte cuivrée. Fine, sans un grain de beauté, une verrue, une cicatrice. Il faut qu'un dieu se soit mêlé de la dérouler en la lissant sur la chair. Afin de l'humaniser, d'éviter qu'elle ne se fasse marbre, il l'a parsemée d'un duvet blond. Après la dépression de l'épaule, la truite du biceps frémit : tout mol qu'il semble, il a sa fierté. De temps à autre, la tête lui appartenant remue un rideau de cheveux à la façon d'un setter. Ils sont mi-longs, lourds comme s'ils avaient été mouillés, châtains. Le prodige de ce corps est le bras. Le dieu qui l'a moulé a pu avoir la cruauté d'atrophier l'autre, car les dieux sont si méchants qu'ils rendent impossible toute perfection dans l'homme. Ils envient sa grandeur, qui est dans son imperfection.

On peut se montrer nu sans être sexy. L'attrait sexuel n'a qu'un rapport marginal avec la nudité. L'espoir qu'on a d'elle ? Ce n'est même pas cela qu'on désire, mais le sexe, l'objet sexe, et un contact tactile alentour qui n'est que la manifestation de la propagation de ce sexe, pendant un moment, dans le reste du corps ; d'un corps entier transformé en sexe.

Qui aurait pensé, il y a dix ans, qu'on trouverait sexy un corps alangui près d'un clavier d'ordinateur ? Évocation de la drague sur Internet. Il y a eu des filles nues sur des tracteurs. La technique crée son sexy, ou l'homme s'adoucit la vie en mettant du sexy dans la technique? Le sexy est un ajout de corps étranger à une habitude personnelle. J'aime lire. Imaginer un corps nu tenant un livre est pour moi sexy. Pour un autre, ce sera sur une moto, etc.

Gens

LISTE DE PERSONNES

... émouvantes

Les vieux, les ruines, les gens qui ont été.

... touchantes

Un petit garçon dans l'eau jusqu'à la taille qui se concentre pour mettre les mains en position de brasse. (Lido, Venise, 2005.)

Un petit garçon qui se faufile entre les adultes avec une méfiance de chat. (Istanbul, 2005.)

Un petit garçon la tête dans une boîte en carton dont l'avant se relève en visière. Il sourit, aux anges. (Luang Prabang, 2007.)

Un petit garçon blond en jean slim et t-shirt vert qui avance dans le couloir du métro en levant un journal vers son œil pour cacher un cocard quand on le croise. (Paris, mai 2007.)

Des petits garçons qui comptent leurs centimes à voix haute en marchant vers le marchand de glaces. (Venise, juin 2007.)

Des enfants serrés autour d'adultes en train de parler pour boire leur savoir.

Une femme ayant peur au passage pour piétons. 65 ans, blouson, pantalon, lunettes, blonde, ridée, belle. Elle regarde les feux, ne comprend pas, fait un pas, écarte les mains, sourit gênée au premier conducteur de la file, se lance. (Biarritz, avenue de la Marne, août 2007.)

Une femme tenant un parapluie dont une baleine est cassée.

Un homme qui pose à l'élégant et a les jambes en parenthèses.

Les clients qui flagornent les garçons de restaurant.

Un grand niais de métro qui se tape sur les cuisses comme un batteur de rock.

Un étranger qui, pour avoir l'air de parler naturellement une autre langue, emploie des expressions populaires démodées.

Un Japonais teint en roux.

Un commerçant de quartier qui vous dit : « Cher ami. »

Les cadres supérieurs, moyens, et gentils couples qui se mirent au rollers en 1999 et qu'on vit avancer en chasse-neige, genoux pliés, buste en avant, craignant de tomber.

Un homme qui dîne seul dans un restaurant.

Un adolescent qui lit *Le Canard enchaîné*.

... comiques

Les pincés.

Les aigres.

Les susceptibles.

Les gens qui se croient extraordinaires.

... rares

Un chasseur qui ne soit pas un pédant de la chasse.

Voir un être humain, de quelque nationalité qu'il soit, de quelque âge, de quelque genre, de quelque métier, marcher avec un livre à la main.

... troublantes

Une femme dont les yeux ne sont pas assortis aux seins. C'était à un dîner, en 2007. À un coin de la table était assise cette femme aux seins ronds, bondissants vers le menton, gais, et aux yeux de chienne qui vient de faire pipi sur le canapé.

... *effrayantes*

Les veuves de square.

Les veuves de la brasserie du Lutetia. Elles déjeunent seules, veuves et ravies d'être veuves, ayant enterré leur mari et mangeant, mangeant, mangeant jusqu'à quatre heures, après quoi elles vont prendre un thé avec des petits gâteaux.

Un enfant à tête d'adulte.

... *affolantes*

Quelqu'un qui court dans un hôpital.

... *curieuses*

Un médecin qui, pendant la consultation, ne vous parle que de lui.

... *étonnantes*

Une hôtesse d'avion qui voit que vous dormez et vous demande si vous voulez du café.

... *surprenantes*

Un garçon de café qui pose les bouteilles sur la table en les tapant.

Une petite fleur dans un très gros pot.
Un homme avec une toute petite tête.
Un culturiste.
Un hypocrite sentimental à la télévision.
La chanteuse Björk, son physique et sa voix de chat qui a failli tomber à l'eau.
Tout artiste qui sort de son talent.

… irritantes

Les enfants qui jouent aux enfants.
Les minaudières.
Les facétieux.
Les garçons de restaurant désinvoltes.
Les gens qui promettent sans cesse et ne tiennent pas leurs promesses.
Une Japonaise qui traîne les pieds.
Les frivoles. Je cherche des motifs au comportement aberrant de B…, qui ne fait pas ce qu'il devrait faire, ni pour les autres, ni pour lui-même : de motif, il n'y a pas. C'est juste un frivole. Il n'y a rien en lui, ni passion, ni pensée, ni obsession, ni amour, ni haine, ni ambition, pour lui ou un art, ni même intention. Rien. C'est un vent aimable puis irritant.
Les misanthropes.
Les maussades.
Les quinquagénaires à sac à dos dans les transports en commun.
Les gens à qui vous apprenez une chose et qui vous disent « bien sûr » d'un ton froid comme s'ils l'avaient toujours sue.
Les intervieweurs qui vous balancent une saloperie puis, au démaquillage, viennent vous dire : « Sans rancune. »
Les gens qui emploient le mot « bouquin ». Aimeraient-ils qu'on leur demande de la « viandasse » s'ils étaient bouchers ?
Les gens qui s'attribuent en votre présence un bon mot, une information ou une connaissance qu'ils tiennent de vous.
Moi le lendemain d'un dîner où j'ai bu et où je me suis cru spirituel.

— Les gens sont comme ils sont.
— Ils ont tort.

... risibles après avoir été un instant irritantes, pour devenir pathétiques
et redevenir irritantes avant que, finalement, on s'en foute

Les gens qui vous remercient de vos livres en parlant des leurs.

... méprisables

Les prêtres mondains.
Les prudents de vingt ans.

... légèrement répugnantes

Une femme de soixante ans, teinte en blonde, cigarette au milieu de la bouche, qui s'accroupit sur le trottoir et ramasse dans un sac en plastique la crotte de son chien.

... mesquines

Les gens qui vous reprennent sur un détail anodin en pensant démolir l'ensemble. On trouve toujours un envieux pour dire à Mansart : « Il y a une mauvaise herbe au coin de l'aile droite. »

... ennuyeuses

Les médecins qui vous expliquent longuement ce que vous avez.

Les égocentriques.
Les truculents.
Les complexés.
Les plaintifs.
Les gens qui ont eu raison (« comme je l'avais dit... »).
Qu'ils cherchent à séduire, se croient irrésistibles ou que ce soit les éternuements de leur méchanceté, ceux qui rient tout le temps.
Les gens qui ont l'explication du monde.

... insupportables

Un angoissé à côté de soi en avion.
Les gens qui vous parlent pendant que vous lisez.
La femme du grand homme et sa comédie. Toujours sur le qui-vive pour lui, qui joue le détaché. Elle harcèle et il se fait adorer. Il aime et elle soupçonne. Elle dédaigne et il câline. Il est indulgent et elle est intransigeante. Elle calomnie et il flatte. L'exposition Nabokov à la Bibliothèque publique de New York, sur la 42e Rue, en 1999, en était un exemple. Heureusement, les lettres de Vera se trouvant dans des vitrines, on se sentait protégé de ses jets d'acide.

... accablantes

Un bavard.

... tuantes

Les gens qui croient vous faire plaisir en vous disant que vous avez mauvaise mine.
Les rabibocheurs.
Les femmes narcissiques. Vous leur faites un compliment sincère, en leur disant : « Cette lumière vous va bien », elles vous répondent,

d'un ton aigre : « C'est parce que je suis mieux dans le noir ! » Si, au lieu de hausser les épaules, le malheureux amant explique, elles baissent la tête, mais un instant : celui d'après, elles l'écrasent de leurs plaintes. Je comprendrais que ton mari te batte, lui dites-vous, mais oui, comme on battrait une camée, une possédée, une qui a perdu toute humanité, en pensant que seul un choc chassera le démon de leur ego. Elle ne se choque pas. Rien n'humilie le narcissique. Une engueulade ? C'est toujours parler de lui. Et elle recommence, blessée, à dévider son moi.

... *scandaleuses*

Les imbéciles. Oui, je sais, je suis encore jeune.

... *révoltantes*

Les ignares dans leur spécialité.
Les niais.
Les visiteurs de malades qui parlent de leur santé à voix haute.
Un laid qui se croit beau.
La fille de bonne famille sèche et mal lavée qui se tripote les cheveux pendant qu'on lui parle, les lisse, les lance d'un coup en avant comme une jument, les relance en arrière, les relisse, les re-relisse, les tord, y passe un élastique et les noue. Équivalent d'un homme qui se met les doigts dans le nez.
Les vieux qui *ont des droits*. Et, aigres, hargneux, sournois, haïssant la jeunesse, ils bousculent les jeunes en grommelant.
Les gens qui vous parlent pendant que vous écrivez.
Les gens payés pour une tâche qui la font mal et objectent : « On peut se tromper » ; « l'erreur est humaine » ; « vous pourriez me parler autrement. »
Les ennuyeux. L'enfer, c'est eux.

Un alcoolique avec un chien.

Un kinésithérapeute qui s'interrompt, se cure l'oreille et reprend son massage.

Les adolescents quand, ayant passé la période brillante de l'enfance, ils déchoient. Et le génial enfant de douze ans qui avait dix-neuf de moyenne devient un niais qui en a quinze, puis quatorze, puis neuf. On ne félicite pas assez les adultes qui restent géniaux. Cela se passe de deux manières : à l'élevage intensif par les grandes écoles, où on leur apprend des tours qu'ils répètent toute leur vie à l'ébahissement des foules, ou de façon individuelle, comme ils peuvent, à coups de machette dans l'inconnu. Les premiers sont les polytechniciens, les seconds les artistes.

... grossières

Un journaliste venu vous interviewer qui vous annonce, très *matter-of-fact* : « Je n'ai pas lu votre livre. »

Quelqu'un qui s'approche de votre bureau et en examine les objets tout en vous parlant.

... décevantes

Sur la plage, un homme ou une femme d'une beauté élégante qui révèle un tatouage en s'éloignant.

... amusantes

Les mères qui s'excusent de l'absence de leurs enfants, persuadées qu'ils passionnent l'univers.

La voisine de restaurant qui a un gros chien importun et vous emmielle de « il ne vous embête pas trop », sourires, caresses au chien, tapes sur son museau, autres sourires, et vous ne pouvez plus rien dire. Elle repart avec un sourire rêveur.

… sympathiques

Les femmes qui aiment la corrida.
Les femmes qui disent : les petites filles, c'est bête.
Les femmes qui jouent aux cartes.
Les femmes du Sud-Ouest.
Les enfants maladroits.
Les adolescents arrogants.
Les vieux couples qui s'amusent l'un l'autre.
Les insolents.
Les gens un peu toqués.
Les régents. Le duc d'Orléans, successeur de Louis XV, le prince régent, successeur de George III. Ils ont subi les vieux tyrans en même temps que le reste du pays et assouplissent la politique avec une élégance charmante qu'on accuse bien sûr de corruption. Je parle des régents de famille, pas des régents de coup d'État à la Horthy, qui font exactement le contraire : renversant l'irritant et doux désordre de la liberté, ils mettent les pays au garde-à-vous.
Sacha Distel. Ce chanteur (1933-2004) exprimait dans ses chansons un certain genre des années 60 : légères, fringantes, la plage, la danse, les filles. Il a été la gaieté même.
Les gens qui prennent des taxis alors qu'ils sont fauchés.
Un père qui porte son enfant en bas âge, par la taille, jambes pendantes, comme un pot de géraniums.
Un ami qui en reconnaît un autre marchant dans la rue devant lui, se met à sourire et trotte pour le rejoindre.
Les hommes seuls qui se penchent sur les vitrines des librairies d'ancien fermées le dimanche, dans Cecil Court, à Londres. Les femmes lisent la littérature vivante, les hommes, la littérature morte.
Les filles élégantes qui sortent de voiture les unes après les autres devant les restaurants à la mode.

Les fêtards qui se réveillent à la vie vers 6 heures du soir.

Des enfants dormant en tas comme des chiots.

Les adolescents habillés mode au tout début de cette mode, par exemple, en 1999, pantalons baggy plissés comme des trompes au-dessus de grosses baskets, petit blouson à col tube.

Trois jeunes gens endimanchés pour un mariage qui marchent vite en parlant dans la rue.

Une vieille dame regardant avec affection une jolie jeune fille qui traverse la place du village.

... charmantes

Un homme de 70 ans, portant une casquette, qui traverse une avenue à petits bonds et rattrape un ballon blanc à pois bleus qui s'échappait au bout de son ruban.

Dans *Donc...*, Henri de Régnier rapporte que, à la fin du XIXe siècle, dans la forêt de Chantilly, il restait des bornes marquées d'une fleur de lys que le duc d'Aumale saluait toujours d'un coup de chapeau. Les hommes sont fous. C'est ce qui les rend supportables.

... réjouissantes

Un imbécile condescendant.

Un imposteur puni.

... enthousiasmantes

Les hommes chaleureux.

Les femmes rieuses.

Les enfants affectueux.

Un ami qui a du succès.

... délicieuses

Drew Barrymore, Cameron Diaz et Lucy Liu dans le film *Drôles de dames*, de McG (2000).
Celles qui sentent bon au réveil.

... exaltantes

Les jeunes, les insolents, les gens qui seront.

LISTE DE CATÉGORIES DE PERSONNES
PEU INTÉRESSANTES

Celles qui n'ont jamais fait de latin.

Celles qui n'entrent jamais dans un musée.

Celles qui n'ont jamais lu un livre.

Celles qui s'intéressent à une œuvre d'art pour son sujet.

LISTE DES GENS DONT IL VAUT MIEUX SE MÉFIER

Les obséquieux.

Les sucrés.

Les mous.

Les persifleurs de poésie.

Les vantards de leurs riens.

Ceux qui ne font jamais un compliment.

Ceux qui n'ont jamais tort.

Ceux qui rient trop.

Ceux qui ont tout compris.

Ceux qui n'aiment pas les Italiens.

LISTE DES GRINCHEUX ET AUTRES DÉSINVOLTES

Les grincheux sont un triste produit des niais. Le destin des grincheux est de rester derrière la grille à aboyer. Le destin des niais qui passent, regardés par eux, est de trébucher dans le ravin, à deux mètres. Le grincheux est quelqu'un qui se crée volontairement des mauvais souvenirs. La niaiserie est la bêtise qui voudrait être bonne.

Cassandre désire la catastrophe.

L'amertume est un spectacle comique.

Une des plus grandes causes des violences vient de l'homme qui veut avoir raison, et même : qui veut avoir eu raison. Il détruirait l'humanité plutôt que de céder.

L'étroit contentement du sarcasme. Habitué au goût de l'aigreur, on la recrache.

Que les gens à remords sont pénibles ! Ils veulent rendre tous les autres coupables.

Un puritain est un homme qui donne au mot pureté une valeur morale, comme si la pureté était nécessairement blanche, claire et faste. La pureté est l'absence de corps étrangers : il peut exister une pureté noire, obscure, fatale. Jeanne d'Arc est pure, le marquis de Sade aussi. Un puritain est quelqu'un qui refuse le mélange.

Quand on prêche la pureté, on est un puritain. Un puritain est un homme qui réprouve et bientôt nie l'impureté, laquelle est constitutive de l'homme. Du puritain lui-même. De là sa pente à devenir un hypocrite.

On met de la morale partout où elle ne doit pas être. D'arrêter de fumer n'est pas moral. Le rabâcher indigne les gens intelligents et les pousse à la sottise de penser que continuer à fumer est un acte d'insolence envers la morale courante, un acte immoral et recommandable. Penser le contraire d'une imbécillité n'est pas nécessairement l'intelligence.

La morale est la justification que se donne tout ce qui a un intérêt pratique.

Nous voyions du complot, et nous trouvons de la négligence. Nous voyions de la morale, et nous trouvons de l'ignorance. Les choses se font comme ça, dans l'indifférence universelle remuée par de vagues élans de méchanceté.

LISTE DES CONS

Le français dispose de nuances au mot « con » aussi nombreuses que le vietnamien à « pluie ». Et, de même que ce dernier nomme la pluie vaporeuse, la pluie à verse, la pluie à la source des fleuves, la pluie d'aurore, la pluie de mars, d'avril, de juin ou de juillet, la pluie de nuit, la pluie instantanée de fin d'automne, la pluie venant après de fortes rafales de vent, la pluie au loin et tant d'autres encore, de même, le français distingue :

le grand con,

le petit con,

le sale con,

le pauvre con,

le gros con (sous-catégories : a – le jeune gros con qui marche dans la rue en balançant les bras, pieds en V et jambes en arc, cambré, bas-ventre en avant ; b – le gros con qui imite le cri du cochon dans les cinémas ; c – le gros con qui meugle sur la plage (spécialité italienne)),

le vieux con (il est très souvent adoré, car les gens aiment trouver des motifs à leur envie, leur dépit, leur mépris, leur rage, enfin tous ces bons sentiments ; une variété invisible, qui permet des carrières plus brillantes que celles où sont confinés les vieux cons de base, est le vieux con fringant : on ne voit pas qu'il est vieux con parce qu'il est fringant, et il séduit les femmes en se faisant approuver des hommes),

le connard (a – le connard qui fait pétarader sa moto en ville, b – pire, sa petite mobylette ; le premier est souvent grand et assez beau, le second gras et laid ; c – le connard qui parle très fort à ceux qui l'accompagnent dans les lieux publics, en jetant des regards en coin pour vérifier qu'il épate les autres), le con qui vous approuve (très savoureux),

le con sublime (d'un air maussade, il vous dit que le sujet dont vous lui parlez ne l'intéresse pas),

le con pompeux (il se manifeste généralement par une voix de stentor – pour moi, le mot de « stentor » en est venu à signifier « con », ce con qu'il annonce comme une trompe ; les gens qui ont fréquenté l'Académie française dans les années 1988-2008 en ont eu un merveilleux spectacle sous la forme d'un de ses employés, âne fastueux qui, outre cette voix, jouissait d'un torse appelant les décorations de président africain des années 1960 : cet homme dont le métier consistait à ouvrir les portières et placer les invités aux réceptions s'écriait, dès qu'il voyait le moindre important : « Monsieur le Ministre ! Je suis ravi de vous voir chez nous ! » ; il est dommage qu'il ait été licencié, un autre génie manque à cette assemblée),

le con de l'espèce illuminée (le royaliste inconnu qui, en mars 1814, dans Paris envahi par les Alliés, la statue de Napoléon ne tombant pas de la colonne Vendôme, monte tout en haut et la gifle ; Louis Hillairaud, voyageur de commerce français qui donne un coup de poignard à Bazaine réfugié à Madrid en 1887 ; l'ayatollah Khomeiny),

la conne (a – la conne qui croit que son avis importe ; b – la conne arrogante au point qu'elle ne se rend pas compte qu'elle est importune, ni qu'elle se ridiculise. J'en ai rencontré une qui, un jour, émettait des assertions si sottes que tous les convives ont éclaté de rire ; quand tout autre se serait interrompu mortifié, *elle a continué*, sûre d'elle, le menton en l'air, la voix autiste. Une conne arrogante est une force en marche),

la connasse (a – la connasse qui *vous gronde* : « — Je n'ai pas tout compris à votre livre, je vous en ai voulu » ; b – les connasses par paires qui manifestent leur impatience quand deux hommes se disent des choses intéressantes en leur présence ; c – la grande connasse, telle l'élégante qui ne vous adresse même pas un regard quand vous lui tenez la porte ; d – la connasse d'exposition : vous savez, cette femme de quarante ans, à mine blême, lunettes à montures noires, qui pontifie en vocabulaire intello auprès de sa copine ou de son fiancé ; ils approuvent d'un air passionné qu'ils conservent même quand elle ne parle plus, de crainte, j'imagine, de ne pas pouvoir le rattraper assez vite quand elle reprendra la parole).

LISTE DE MONSTRESSES

Jiang Qing, veuve Mao. Ancienne danseuse, vindicative, haineuse, on n'avait pas vu d'aussi beau spécimen depuis Agrippine, peut-être. Lors de son procès, retransmis en public, elle a injurié ses juges avec un courage admirable. Sachant qu'elle allait mourir, elle ne se soumettait pas aux convenances de l'honneur supposé.

Elena Ceaucescu. Un degré en dessous, mais son « procès » n'a pas été inintéressant. Rattrapée avec son mari dans la campagne alors qu'ils fuyaient Bucarest en voiture, elle a été jugée à l'intérieur d'une salle de classe transformée en tribunal de fortune — moment immonde. Alors que son mari, abattu, lui disait de se taire, elle lève le menton et crie aux juges : « C'est nous qui vous avons nommés ! Sans nous, vous ne seriez rien ! » Ce que n'avait pas dit Pétain à son juge, par exemple. Il est curieux comme les hommes, descendant des petits garçons qui jouaient à la guerre dans la cour de l'école, acceptent les règles de la vie même quand elles leur sont défavorables. Ils n'ont pas cessé d'être ces enfants ; les femmes, qui tiennent à la vie avec plus de ténacité, dirait-on, contestent les règles.

Winnie Mandela, première femme de Nelson. L'intéressant chez elle est le phénomène de la réputation. Les sociaux-démocrates d'Europe l'ont vénérée comme la Tigresse Qui Défendait les Intérêts de l'Égalité en Afrique du Sud, alors que seul le premier mot lui convenait, qu'on le disait, qu'on s'en doutait, mais ils ne voulaient pas l'entendre. Pendant soixante-dix ans, ils n'ont pas voulu entendre de mal de l'URSS au cas où cela ferait le jeu de la droite. Tant pis pour les égorgements, si on peut y préserver un canton !

On me raconte que la très méchante femme d'un ancien ministre a menacé le concierge du Martinez incapable de lui trouver une chambre lors du festival de Cannes : « Vous savez que nous allons revenir au pouvoir... » Les méchants s'en fichent, qu'on raconte ce qu'ils ont fait, parce qu'on ne peut raconter qu'après. Ils auront eu ce qu'ils voulaient. Ils sont morts. Ils ont fondé une famille qui profite de leur pouvoir, de leur argent, devenue propre ! et chic ! et inattaquable, puisque les fils ne sont pas responsables des fautes des pères. Comptables pourtant, ne serait-ce que du point de vue financier. Les Romains n'avaient pas tort de dépouiller les fils des corrompus de l'argent de leur père. Et il est bien compréhensible que la religion chrétienne, puritanisme créé contre le gouvernement romain, ait édicté une moralité inverse. Ce que l'on croit son humanité était de la politique.

Margaret Thatcher. Elle n'a tué personne, mais elle a eu cette phrase de barbare : « La société n'existe pas. » (« *Comme on sait, la société n'existe pas. Il y a les individus et il y a la famille* », Interview à *Woman's Own*, 31 octobre 1987.)

LISTE DE FESSÉES PERDUES

Alexandre le Grand.

Napoléon.

Les trois cinquièmes des sœurs Mitford. C'est vraiment parce qu'elles avaient des relations qu'on n'a pas emprisonné à vie ces connes infernales.

Il est rare qu'un écrivain soit plus tête à claques que ses admirateurs. Marguerite Duras réussissait cela très bien.

Yasmina Reza. On lui a fait croire qu'elle était intelligente. C'est déjà trop tard. Depuis son livre sur Sarkozy en 2007, elle a pris la place de la femme la plus vaniteuse de Paris laissée vide depuis la mort de la précédente.

Ann Coulter. Cette Américaine donne des avis péremptoires sur les mœurs et la politique et montre qu'une femme peut être mufle comme un homme. Elle est soutenue par de pauvres aliénées qui croient qu'être comme un homme, c'est bien. C'est la connasse de droite, figure de proue de la première décennie du XXIe siècle. Pourrait-on m'expliquer pourquoi ces femmes si réactionnaires sont blondes comme des prostituées du Midi ?

LISTE DE LA BONTÉ DES HOMMES

Pendant la canicule de l'été 2003 en France, un homme a violé trois vieillards.

En mars 2004, dans un village de mille habitants de la Meuse, un homme de 49 ans qui vivait avec son père de 80 en a découpé le cadavre et fait cuire les morceaux avec des carottes et des petits pois qu'il a mis au congélateur. On ignore s'il l'avait tué.

En 2007, au cours d'une fête, Gordon Fyvie, un Écossais, révèle à son ami Neal Todd qu'il est gay. Son ami Neal Todd l'assomme de coups de poings et se remet à boire. Gordon Fyvie, employé à l'Armée du Salut, meurt douze jours plus tard ; les médecins qu'il avait consultés n'avaient pas décelé son traumatisme cérébral. Au tribunal, son ami Neal Todd a reconnu l'agression. Son avocat a déclaré qu'il n'avait pas eu idée de la gravité des blessures. Il a précisé à la cour qu'il était dépendant au cidre White Lightning et que d'en boire l'avait rendu « irrationnel ». Le juge l'a condamné à 18 mois de prison. (*BBC News*, 27 juillet 2007.) On doit appeler ça les amis du genre homo, je suppose. Il y en a deux dans l'affaire, le condamné et le juge : un violeur de femme est condamné à 25 ans de prison et l'assassin d'un homme à 18 mois.

Ils ont la passion de juger. En 2008, je suis convoqué, à mon grand malaise, pour être juré aux assises de Paris. Quantité de personnes m'ont dit, des femmes surtout : « Quelle chance tu as ! Comme ça doit être passionnant ! » Je n'ai pas été retenu au tirage au sort.

L'assassin se tue.

Disant cela, je présuppose la conscience. Bien des assassins non pris vivent cinquante ans de bonheur. Et même, le plus souvent, le mal n'est pas puni. Staline, Mao, Pol Pot sont tranquillement morts dans leur lit.

Le mal est irrémédiable.

Les méchants ne viendront pas, nous dit-on toute notre enfance. Ils viennent.

LISTE DES GUERRES SECRÈTES DE L'HUMANITÉ

On connaît les guerres déclarées : les Noirs contre les Blancs, les Arabes contre les juifs, les Sud-Américains contre les États-Unis, et parfois vice versa, les musulmans contre le reste du monde, ainsi que les querelles moindres : amateurs de chiens contre amateurs de chats, préférant l'Atlantique contre préférant la Méditerranée, Saint-Jean-de-Luz contre Biarritz, vous connaissez tout ça. L'humanité trouve le moyen de perfectionner sa haine contre elle-même par des guerres secrètes, les plus cruelles :

La guerre des malades contre les bien-portants. La maladie crée un peuple entièrement nouveau à l'intérieur de l'humanité. Un peuple occupé par une puissance étrangère, qui modifie sa constitution. Le malade est deux. Le bien-portant est un. Et il parle au malade comme s'il était resté un. L'occupant s'en réjouit, l'occupé s'en offusque. Le malade finit par haïr le bien-portant. Et vice versa.

Il y a une guerre de laquelle les haïs se rendent très rarement compte : celle, parfois, des gens qui ont des enfants contre ceux qui n'en ont pas. Elle vient de la rage du devoir accompli. Les parents s'embêtent à élever les enfants, à les nourrir, les éduquer, les soigner, bien de l'argent, de la peine et du temps pour cinq minutes de plaisir, et nous, les pinsons, sifflotons dans les mimosas sans entendre leurs calomnies en bas.

La haine contre les solitaires est très vive : car c'est une haine de la liberté, que la plupart des hommes envient et n'aiment pas.

LISTE DE RÈGLES POUR RÉUSSIR

Bono, le chanteur de U2, pour les Indiens, le biologique, la bonté, la fraternité, contre la guerre, la famine, la violence, le capitalisme international, domicilie sans la moindre critique une partie de ses avoirs aux Pays-Bas où les taxes sur les artistes sont basses (août 2006) ; on annonce quelques jours plus tard, sans plus de critique, qu'il prend des parts dans *Forbes*, le magazine du grand capital. Si vous voulez être tranquillement loup, bêlez.

Si vous êtes un escroc, ne soyez pas bronzé.

Ne jamais contredire un chauve maigre en public.

On n'embête que les faibles. Ne reconnaissez jamais vos torts.

Pas une moquerie contre vous-même.

Le but de la société est de tuer l'enthousiasme. Ayez l'air ennuyé.

Soyez de gauche à Toulouse, d'extrême droite à Toulon, hypocrite à Lyon.

La gentillesse est méprisée. Elle passe pour une faiblesse. De là à être piétiné, cela va vite. Passez pour un salaud.

Chassez le brio : il vous ferait chasser.

LISTE DE CE À QUOI ON RECONNAÎT

... *l'imbécile*

Il rit de ce qu'il ne connaît pas. Et par exemple : des coutumes et des noms étrangers. L'étranger faible, n'est-ce pas : rien ne le fera plus s'esclaffer qu'un nom malgache à six syllabes, mais, de l'étranger puissant, tout l'épatera.

Il emploie des abréviations de spécialiste en dehors de sa spécialité, de connaisseur quand il n'y connaît rien. « La créâ. »

Il admire la célébrité.

Il écrit au Courrier des lecteurs des journaux.

Il se moque de la course empêtrée de l'éléphant de mer.

En général : il rit de ce qu'il ne comprend pas et se moque de la faiblesse.

... *le monstre*

Il est pour le vote à main levée.

Il prend des otages ou trouve normal qu'on en prenne.

Il organise la délation.

Il défend la violence.

Il ne rit jamais.

... l'orgueilleux

Il utilise une rhétorique toute particulière. Jamais il ne pose de questions, car il est supposé tout savoir. Il dit une chose, vous l'approuvez, il vous contredit. Moyen assuré d'avoir raison. Il vous parle indéfiniment d'une chose qui lui serait utile pour que vous finissiez par lui dire : « Je pourrais le faire », et vous le dites. Il répond : « Si vous voulez. » Il vous concède une chose qu'il vous a poussé à demander. Il ne fait jamais d'excuses, et, s'il le faut absolument, il en fait, mais d'une façon qui consiste à ne pas s'excuser : « Je regrette qu'on ait mal interprété mes paroles. » Il ne peut pas reconnaître qu'il a eu tort.

... le fat

Il a une ample signature illisible.
Il donne des prénoms pompeux à ses enfants.

... le fat blessé

Il se vante de ses ignorances.

... le susceptible

Son jugement le plus enthousiaste est : « Il est gentil avec moi. » Gentil signifie : avoir des égards méticuleux.

... le novice

Il expose avec enthousiasme ce qui est connu de tous.

... l'homme à préjugés

Il est surpris quand on lui annonce qu'on aime telle ou telle chose.

Il fait une remarque péremptoire ou pincée. « Vous ne savez pas conduire, vous. » « Tiens ? tu nages très bien ! »

... qu'un siffleur n'est pas à l'aise

À ce qu'il siffle.

... le non-écrivain qui rêve d'en devenir un

Il vous pose une question sur la façon d'écrire. Les écrivains ne parlent jamais de méthode. Ils n'ont pas le temps.

... l'actrice vieillissante qui souffre de la solitude

Elle épouse son coiffeur.

... un Anglais

Il lit un livre sur Napoléon.

... l'hypocrite

Quand il vous voit arriver, il a un sourire ému, ravi, transporté, lumineux : Christ est ressuscité, Christ est là !

… l'insincère

À l'empressement qu'il met à vous adresser ses compliments.

… le politicien médiocre

Tout le monde le félicite pour sa fidélité au parti.

… le politicien avisé

Il est ingrat envers ses partisans une fois arrivé au pouvoir.

… qu'on a eu peur

La chose est finie sans qu'on se soit rendu compte qu'elle s'est passée.

… l'hystérique

Il éclate de rire en bondissant en arrière.

… le mafieux

Il vous offre une protection que vous ne lui demandez pas.

… le corrompu

Il est martial.

... le haineux

Aux petites remarques aigres, sur le mode cordial, qu'il vous fait dès que quelque chose de bien vous arrive. Exaspéré par ce bien, il est poussé par sa haine, que sa fourberie drape dans un paréo de sympathie.

... l'homme bas

Une pensée le fait rire. « Que c'est con ! » clame-t-il plein de joie.

... l'homme qui n'a jamais souffert

Il a une qualité de regard plus claire. Les gens qui n'ont jamais souffert sont différents des autres, vous savez. Ils avancent plus légèrement dans la vie, en vous considérant comme inférieur si vous énoncez quelque chose qui demande de ralentir, de contourner, de prendre soin. Leur force peut être stupéfiante. C'est l'heureuse force de l'ignorance.

... l'homme à chérir

Il est si attentionné qu'il disparaît derrière ses attentions.

LISTE DES CONVIVES QUI ONT LE PLUS DE SUCCÈS DANS LES DÎNERS

Les commandants de long-courriers. Tous ces dangers mortels auxquels on a échappé !

Les écrivains qui font les « nègres ». Ils ont des anecdotes sur les personnes célèbres pour qui ils écrivent.

Les journalistes politiques, pour les ragots de coucheries.

Les médecins qui ont affaire à des suicides. Tout le monde se renseigne. Les hommes ne sont pas heureux de leur condition finale.

LISTE DES « IL EN RESTE DES COMME ÇA »

(Êtres vus)

Un vieil homme aux cheveux en brosse, moustache blanche à la gauloise, veste cintrée à petits carreaux, qui grommelle contre le monde.

Le vieil homme assis sur un banc, poignet maigre, canne. « Louis XIV disait à ses ministres... » « Les politiciens procèdent de deux manières. Premièrement... » « J'ai mon franc-parler. »

Il y a un quart d'heure, rue Dupin, j'ai croisé un homme qui marchait en lisant[1]. Jeune, jean, chemise ouverte, veste en cuir. Je regarde la couverture de son livre : *Libres enfants de Summerhill*. Mon Dieu, ça existe encore, ces choses-là! Et on nous dit que des espèces disparaissent! Quand j'étais adolescent, nos professeurs nous conseillaient de lire ce livre, ce que par conséquent je ne fis pas, mais

---

1. 25 mai 2000. Soleil. Rayons plus courts, jupes aussi. Klaxon d'un autobus qui se prend pour un méthanier rentrant au port. Kiosque Sèvres/Saint-Placide vomissant de journaux. *Le Figaro* : « Premiers aveux des coupables. » C'est pas moi, c'est pas moi! (Je prends mes précautions, dans un monde qui aime tellement les coupables, qui les crée, qui les mange.) Paperasses sur le bras, je me dis : « Le plus orgueilleux des écrivains français depuis Rousseau et qui nous rend Rousseau aimable, car Rousseau est maladroit, pas putassier, Jean Genet, est un mélange d'imagerie 1900 du petit mousse et de dessins de Tom of Finland sans le comique (tu sais, ces types qui s'enculent avec des braquemarts d'un mètre vingt). » Ce qui ne veut pas dire que je l'écrirai. (Préparatifs *Dictionnaire égoïste de littérature*.)[a]

    a. Je ne l'ai pas écrit, car je pense le plus grand bien de la littérature de Genet, en tout cas de ses romans et en particulier de *Notre-Dame des Fleurs*. Je n'ai retranscrit ceci que pour montrer les mouvements d'une pensée. Les livres donnent toujours l'impression que celle-ci est sortie pure, immuable et casquée de la tête de l'Auteur.

ils nous en parlèrent suffisamment, l'œil mouillé de gentillesse et la lèvre amère, pour que je devine que ça parlait d'enfants à qui on laissait plus ou moins faire ce qu'ils voulaient. Les gardiens de prison prônant la lecture du *Comte de Monte-Cristo*. Ah! je les comprends. Ils doivent se donner l'illusion de s'en évader, y passant toute leur vie.

LISTE DES MINORITÉS

Les majoritaires veulent parfois faire partie d'une minorité : je connais un Anglais en train de se faire gallois. Malheur à lui quand il le sera ! Il connaîtra l'obsession d'être caractérisé comme membre d'une portion de la population tenue au pire pour inférieure, au mieux pour irritante, malgré les rêves de tolérance des majoritaires, qui ne sont que des rêves, et d'ailleurs la tolérance n'est qu'une tolérance. Il languira de redevenir membre du grand tout neutre où l'on n'est pas défini par une caractéristique aussi exclusive que la région, la religion, le goût sexuel, où la pensée, libre de ces lests, risque moins de devenir maniaque. Se sentira peut-être libre à l'intérieur de sa minorité éventuellement constituée en communauté, mais la communauté n'est qu'une minorité de la minorité. Au reste, les communautés n'existent pas. Où en avez-vous vu ? Sur quelle plaque d'immeuble, quel papier à en-tête, quel fauteuil d'assemblée ? « Communauté » est une traduction littérale de l'anglais des États-Unis faite par la police jacobine française afin de discréditer les minorités. Il y a des militants, c'est autre chose. Bien des minoritaires sont de grands hypocrites, qui profitent de leurs combats en se donnant l'élégance de la nuance. Ils cherchent à s'intégrer dans le grand tout neutre et tiennent leur caractéristique à l'écart, car ils ne la considèrent pas comme essentielle, mais ils savent bien qu'elle l'est par moments et ont besoin de voir leurs semblables ; les communautés ne mettent personne en danger.

Le destin du minoritaire est le plus triste : ou il s'exclut du grand tout neutre et devient obsédé de sa caractéristique, ou il s'y inclut en se forçant, toujours sur le qui-vive, ne pouvant jamais s'abandonner.

Destin pire que celui de l'immigré, à qui le chœur, dans l'*Œdipe à Colone* de Sophocle, dit : « Résigne-toi, ô malheureux, étranger en terre étrangère, à détester tout ce que ce pays par tradition abhorre, à respecter ce qu'il chérit » : si on félicite l'immigré qui a adopté les coutumes de son nouveau pays, on soupçonne généralement le minoritaire qui les respecte. Le malheur final des minoritaires est que les minorités ne se soutiennent pas entre elles.

Et pourtant. Le plaisir, dites. On fait partie d'un petit nombre. Et comme si les majoritaires ne s'entretuaient pas. D'une certaine façon, tout le monde cherche à faire partie d'une minorité. Le brave marchand d'articles de sport de l'avenue de la Californie, à Nice, qui regarde le foot sur TF1, joue au loto, oublie son anniversaire de mariage et accompagne sa fille à l'école, rêve de faire partie du club de boules de Fabron. La minorité est un préoccupant bonheur.

Il est rare qu'on soit absolument minoritaire. Par un élément ou un autre, on est membre d'une majorité : un Noir peut être riche et chrétien en Europe, etc. Cela dit, il doit exister, quelque part dans un pays arabe, une métisse indienne lesbienne et agnostique qui ne doit pas se sentir très soutenue. Et puis les autres vous font assez sentir que c'est ça l'essentiel. Un essentiel distrait, aussi bien, pour eux, car ils n'y pensent pas tout le temps, ils sont civilisés, mais c'est pire : c'est un postulat, la distraction le prouve. Il n'y a que les choses douteuses auxquelles on pense tout le temps.

En toute logique, il est également rare qu'on soit absolument majoritaire, mais cela, on ne veut pas le savoir.

Certains minoritaires ont tendance à se croire passionnants. C'est une forme de consolation. Le faisan n'aurait pas survécu s'il n'avait pas été snob. Les autours en enragent. « Pour qui se prend-il ? »

Les Français, peuple égalitaire, ont horreur des minorités, sauf des minorités pittoresques, c'est-à-dire inoffensives. C'est ainsi que les Marseillais sont populaires. Pour moi, je les trouve souvent fatigants : du moins ceux qui, dès qu'on leur adresse la parole, vous entreprennent sur la spécificité de l'être-marseillais, ajoutant qu'on ne les aime pas et qu'on les calomnie, dans une forme très singulière de machisme geignard. Leur humour n'est alors qu'une forme de vantardise triste.

Les majoritaires sont très ignorants de ce que font les minoritaires. C'est la preuve de leur force et le commencement de leur faiblesse.

La minorité gagne toujours. Parce qu'elle en est une. Elle est consciente, méfiante, agissante. La majorité va, tranquille et broutant, et se retrouve renversée.

Ralph Ellison, l'auteur de *L'Homme invisible*, a dit : « Tous les romans portent sur des minorités. L'individu est une minorité » (*Paris Review*, 1955).

LISTE DE FEMMES COMME ON EN VOUDRAIT
DANS SA FAMILLE

Louise Labé. Elle affirme son état de femme sans se plaindre, fait partie d'une bande de gens d'esprit, des poètes (Clémence de Bourges, Pernette du Guillet, Maurice Scève, Olivier Magny), révèle une gaieté lyonnaise teintée d'Italie, écrit un des plus beaux vers à hiatus que je connaisse : « Ainsi Amour inconstamment me mène. »

Mme du Deffand. C'est la vieille amie de Voltaire qui a eu à affronter la petite hypocrite aux airs penchés nommée Julie de Lespinasse, dans une histoire plus tard racontée dans le film *All About Eve*. Enfant, elle prêchait l'athéisme à ses camarades de classe. On lui envoie l'évêque Massillon. Lui ayant parlé, il quitte le couvent en disant : « Elle est charmante. »

L'impératrice Joséphine. Et puis, ces robes Empire qui donnaient aux femmes l'air de tenir devant leur poitrine le drap du lit d'où on sort après l'amour...

La reine de Naples dans *À la recherche du temps perdu*. Elle est l'auteur d'une splendide vengeance que je raconterai plus loin, si une peau ne me happe pas en chemin. Vous ne vous damneriez pas pour une peau, vous ?

Gertrude Stein. C'est un des plus grands écrivains humoristiques américains.

286

La romancière Rachilde. C'est l'incarnation de la Copine. Elle faisait des farces avec les garçons, comme Alfred Jarry, qu'elle adorait, aidait ceux qui avaient des ennuis, apportant des vêtements à Jean Lorrain qui s'était fait voler les siens dans un hôtel de passe de la rue de la Huchette par un gendarme qui l'avait tabassé. Elle éclairait les réunions du Mercure de France de ses rires.

La mère de Martin Scorsese dans son court-métrage *Italian-American*. On dit toujours : les hommes qui font rire les femmes, c'est gagné ! C'est possible. Moi, une femme qui me fait rire, je fonds. Il y en a aussi peu que d'hommes, car, malgré ce qu'il m'arrive de dire, l'humour est aussi rare que l'intelligence.

Toute belle Italienne. Une belle Italienne, quand elle est intelligente et fine, ce qui me semble arriver plus souvent qu'à aucune femme d'un autre pays, c'est la crème et le sucre, parce que, en plus, elle est gentille. Une Française ou une Américaine quand elles sont belles se croient obligées d'être des pimbêches.

LISTE DU PRÉFÉRABLE

Les actrices aux acteurs.

Les rois aux reines.

La tendresse à la douceur.

Les insolents aux impertinents.

L'idée que l'on nous fasse des cadeaux aux cadeaux que l'on nous fait.

Les chats aux amateurs de chats.

Les êtres aux lieux.

LISTE DE L'AMITIÉ ET DE L'INIMITIÉ

On croit qu'on passe naturellement de l'amour à l'amitié. Or, l'amour et l'amitié ont très peu de rapports : un sentiment de vampire, un sentiment de maçon. Pour l'amour, on peut être seul à l'éprouver, car même si on n'est pas aimé en retour, il y a soi *et l'amour*, ce problème, ce joujou, cette énigme. Et que l'autre ne nous aime pas, quelle importance ! Notre voracité se contente de l'acte d'aimer. (Quand on est aimé en retour, c'est trois qu'on est, soi, l'autre et l'amour, devenu délicieux plutôt qu'inquiétant.) En amitié, il faut absolument être deux à l'exercer, car précisément elle s'exerce au lieu que l'amour s'éprouve et n'existe pas en tant que tel dans les rapports entre les êtres : l'amitié est une construction, une création délicate qui nécessite de l'attention et du tact, au contraire de l'amour, cet increvable moustique.

Bien peu de gens pensent, quand vous avez perdu un ami, à vous dire un mot. On le réserve aux deuils de famille. C'est dire si l'amitié est aimée.

Un livre, un tableau, une amitié, veuillez-les, essayez-les. Parfois ils arrivent ensemble. Cela m'est arrivé. Que ce tableau est beau, que j'aimerais l'avoir, que j'aimerais que le peintre soit aimable : et j'achète le tableau, et le peintre est aimable, et c'est une amie. Cela ne marche pas toujours, mais il suffit que cela marche quelquefois. Forçons la main à la vie, qui voudrait que notre existence soit un étang.

Je suis atteint d'un orgueil particulier qui veut que mes amis soient courageux, originaux, hautains et tendres, les meilleurs possibles enfin, pour donner de hauts motifs à mon attachement. Cela me rend parfois insupportable avec eux.

Beaucoup aiment leurs amis pour leurs défauts. Cela leur donne tellement de jugement! Selon Chamfort, il existe trois sortes d'amis : « vos amis qui vous aiment; vos amis qui ne se soucient pas de vous, et vos amis qui vous haïssent ». Voici un exemple d'amie qui me hait. Alors qu'elle aurait eu vingt fois l'occasion de me dire : je suis contente pour toi de tel ou tel article élogieux sur un livre que je publie, elle ne me laisse un message sur mon répondeur que pour me dire qu'elle voulait « commenter avec moi » un article désagréable. Elle l'a fait seule. Cette amitié authentique entretenue par une méticulosité malveillante n'est pas ce dont j'ai besoin. Une autre, supposée me téléphoner « dès la fin des vacances », le fait le jour où elle m'entend au journal de France Inter. Elle ne tient plus à moi que par ce que je peux représenter à dire dans un dîner en ville. Je rencontre ce matin un de ses amis qui me dit qu'elle et son mari lui ont dit le plus grand bien de moi, etc., alors que je ne les ai pas vus depuis des mois. Que les « amis » sont décevants.

Si on dit du mal de ses amis, c'est qu'on les connaît. C'est la chance de nos ennemis : la plupart nous sont inconnus et, aussi bien, avec la plus grande naïveté, nous en disons du bien.

Il y a des gens qui se croient amis parce qu'ils ont des dégoûts communs.

Je cherche un ami foutraque.

J'aime avoir des amis qui ne se connaissent pas. Outre que l'amitié n'est pas commutative, il existe des voleurs d'amis.

On connaît les ennemis héréditaires. Ils finissent en général par ne rien faire de plus que grommeler à distance, satisfaits du vieux couple qu'ils forment. Une vieille inimitié n'est plus si différente d'une vieille amitié. Les motifs sont loin, les batailles aussi, tout cela a tiédi, on a une habitude de l'autre qu'on finit par préférer aux nouveaux, ces intrus. Les amis héréditaires, sûrs du droit que leur confère l'amitié, et le confondant souvent avec le sans-gêne, vous piétinent à vie. Rien n'est pire que ces très vieux amis-là. Puisque nous sommes des amis, plus besoin d'être attentif : et on ne téléphone jamais, on annule les rendez-vous au dernier moment. Comme s'il n'y avait pas assez des salauds, voici les amis.

On devient ce que l'on hait. La haine nous fait nous occuper tellement de son objet que nous ne pensons plus qu'à lui (et c'est sa ressemblance essentielle avec l'amour ; l'amitié, sentiment paisible, se satisfait de l'éloignement), d'abord pour lui nuire, ensuite machinalement. À la fin, on est devenu assez enragé pour s'équiper de ses défauts afin, espère-t-on, de les lui faire subir. C'est le danger du mal qu'il réussisse à nous rendre semblable à lui, nous persuadant qu'il ne peut être combattu qu'avec ses moyens. Dédaignez vos ennemis. La nonchalance est plus heureuse.

Je connais une bande de violents. Pas du tout en jogging et capuche, non, en costume on ne peut mieux coupé, et d'une affabilité parfaite. Ils sont amis. Eh bien, mieux vaut être leur ennemi : au moins, on mérite leurs injures. Ils disent sur eux-mêmes des horreurs encore plus méprisantes que sur leurs ennemis, par cynisme. Je crois même qu'ils y ajoutent l'amour du cynisme. Étant des violents, ils préfèrent l'inimitié. Le nom d'amis, ils l'usurpent, ou alors il faut donner un nouveau sens au mot. Ce n'est pas des amis qu'a leur chef, mais des obligés. Et, quand on est son obligé, il se sent fondé à dire des horreurs sur vous. Ses *amis* en sourient d'un bonheur malsain quand ils l'entendent parler des autres. Imaginent-ils qu'il en dit autant sur eux ? Cela leur serait égal : c'est d'eux qu'il parlerait. Son nez en est tordu de côté, comme s'il cherchait à fuir la puanteur de ses paroles. Vaine prosternation des esclaves, triste amertume des esclavagistes.

On ne peut pas être ami avec A... : il n'a aucun cœur. Ceci n'est pas une formule : à l'intérieur, il est absolument dépourvu de toute émotion. L'amitié, et c'est me semble-t-il une différence essentielle avec l'amour, qui peut s'exercer en restant tacticien, nécessite un abandon. Évidemment, je ne parle pas de la ville de Paris dans le pays nommé France, où on se déclare amis quand on a dîné une fois chez quelqu'un.

J'ai parlé à un ami qui avait l'orgueil de son malheur. En raccrochant le téléphone, je me suis dit : ce n'est plus un ami.

Une amitié brisée est-elle réparable ?

Les autres nous limitent. Voilà pourquoi on se fait de nouveaux amis : on essaie d'étendre sa gamme. L'autre peut toucher en nous une corde inconnue et en tirer des vibrations dont, seul, nous aurions été incapables. Une amitié est une possibilité d'amélioration. L'amitié, c'est contre l'ignorance.

L'amitié peut être une délicieuse défaillance. Je trouve touchante l'exclamation d'Alexandre Ier de Russie bien des années après la chute de Napoléon : « Que j'ai aimé cet homme ! » Cet homme l'avait battu à Austerlitz, Eylau, Friedland, avait brûlé Moscou, tenté d'abattre la Russie. Que voulez-vous ? Son charme !... Ce genre d'élan révèle, plus que la qualité de celui qui le suscite, le bon cœur de celui qui le laisse aller.

Si vous n'arrivez plus, à force de le fréquenter et de l'opacité que cela entraîne, à déterminer le caractère d'un homme, regardez ses amis. Nos amis sont nous.

LISTE DE LA VENGEANCE

La vengeance est avec le moi et la mort une des plus pauvres choses de l'humanité. Longtemps, j'ai pensé qu'il fallait l'accomplir pour la justice, comme si ce qui m'arrivait d'injuste était plus immoral qu'aux autres. Et puis, récemment, alors que d'habitude j'oublie de le faire, je me suis vengé de quelqu'un qui m'avait fait subir une avanie quelques années auparavant : cela ne m'a fait aucun plaisir.

Un modèle de vengeance sans défense possible a été raconté par Jules Laforgue dans *Une vengeance à Berlin*. Une cantatrice, un pianiste ayant refusé de lui céder l'exclusivité d'un inédit de Liszt, se rend à son concert, le regarde dans les yeux et tape son éventail dans sa main à contretemps.

Une vengeance gaie est celle de la Sanseverina contre le prince Ernest-Ranuce dans *La Chartreuse de Parme*. Ces choses-là arrivent-elles dans la vie ? Dans la bonne société anglaise des années 1950, on se moquait de Mme Croker-Poole, grande arriviste sociale *« recently hyphenated »* (ayant récemment acquis un trait d'union, car en Angleterre seules les classes supérieures ont des noms doubles). Un farceur se fait passer pour un journaliste et lui téléphone : « Votre fille Sally vient de se fiancer au duc de Kent, quel est votre commentaire ? » Sa pâmoison fit rire les rieurs, qui sont souvent des sots. Croker-Poole a obtenu sa vengeance quelque temps plus tard : désignée « débutante de l'année », sa fille a épousé l'Aga Khan.

Maria Callas, mal accueillie en 1950 à la Scala par son directeur Ghiringhelli, lequel refuse de l'engager autrement qu'en tant qu'invitée dans *Macbeth* en 1951, déclare : « Un jour, je rechanterai à la Scala et Ghiringhelli paiera sa discourtoisie pour le restant de ses jours. » Et elle l'a fait payer dès cette même année 51. Après son triomphe dans *Les Vêpres siciliennes*, Ghiringhelli va piteusement la voir à Florence pour lui proposer un engagement. Callas, d'exigence en exigence, de caprice joué en caprice joué, année après année, lui a tué les nerfs. Je le raconte parce qu'elle nous venge tous. Les triomphes des divas sont les pansements des faibles, et nous sommes tous faibles, à un moment ou un autre.

Les seules vengeances estimables sont celles que l'on accomplit pour les autres, comme la reine de Naples constatant que Charlus est humilié par Mme Verdurin. Lui donnant le bras, elle dit à voix haute : « Il a résisté au siège de Gaète, mon cousin, il en verra d'autres. »

L'une des plus réjouissantes vengeances est celle qu'accomplit Brutus sur Théodote de Chios, le sophiste qui avait conseillé au roi d'Égypte d'assassiner Pompée demandant l'asile après sa défaite à Pharsale. Ils n'auraient plus à le craindre et feraient plaisir à César : « Un cadavre ne mord pas », avait-il dit, utilisant sans doute un lieu commun, un de ces lieux communs que les hommes convoquent dès qu'ils s'apprêtent à faire quelque chose d'ignoble. Et la tête coupée de ce si grand général avait été présentée à César débarquant à Alexandrie. Théodote en fut si peu récompensé qu'il dut s'enfuir, César indigné ayant fait exécuter deux autres conseillers du roi. Théodote erra « en proie à la misère et à la haine », dit Plutarque, et, César mort, alors qu'il aurait pu se croire hors de danger, Brutus le rechercha dans le monde entier. Il fut découvert en Asie et mis à mort.

LISTE DE LA SAGACITÉ DES AUTRES

Si on s'en approche, tout homme est une énigme. Les raisons de ses actes, si évidentes de loin, s'obscurcissent, comme elles étaient d'ailleurs obscures pour lui-même. Ce sont souvent les autres qui comprennent pour nous. En tout cas, ils contribuent à nous définir. Il est peut-être impossible d'être un homme seul.

Les autres voient de nous des choses que nous n'avions pas discernées. Nick : « As-tu jamais pensé vivre à New York ? » Surpris, je réponds cinq trucs incertains, effilochés, dubitatifs, comme autant d'ampoules hésitant à s'allumer ou à s'éteindre. « Pourquoi pas ?... » « Paris, ville merveilleuse quand on est écrivain... » « Je pourrais... » Ma stupéfaction venait de ce que je n'avais pas su me voir.

Les autres savent avant nous ce que nous sommes. Nous n'osons parfois pas reconnaître en nous-mêmes un penchant, un goût, une passion. Avant même d'en avoir été un, le voleur est deviné par ses camarades de classe. C'est facile, aussi. Ils voient un seul de nos moi quand nous devons nous dépêtrer parmi plusieurs.

N'étant pas encombrés de détails séduisants dont, de loin, ils reconnaissent la tromperie, ils savent ce que nous allons devenir. Et évidemment, ils se trompent souvent, surtout quand ils vieillissent : l'âge adulte consiste à apprendre les stéréotypes et, alors qu'on joue la comédie soi-même, de ne pas concevoir que les autres la jouent (et parfois à eux-mêmes). On veut être hypocrite, mais pas que les autres le soient. Et, d'un comportement de rustre, on déduit la franchise, alors que l'homme en question est un artiste de la traîtrise.

Tout ce que les autres savent de nous, ils ne le savent pas pour eux-mêmes.

LISTE DE L'HOMME EN GÉNÉRAL

L'homme est bon : il oublie le mal qu'il a fait.

Lorsqu'on raconte leur vie, on ne crédite jamais les hommes de ce qu'ils n'ont pas fait. La tentation n'est pas assez répandue.

L'homme croit les paroles. Il n'entend pas la musique.

On dirait que l'homme ne voit que ce qui s'est passé hier, et pas avant-hier.

L'homme est un animal artistique.

Chaque homme est une planète.

L'homme est intermittent.

L'homme n'est pas né pour marcher, il est né pour danser.

Les choses

LISTE DE CHOSES

... fugaces

Le jeu d'un acteur de théâtre. Dès qu'il est mort, qu'il n'est plus là pour l'incarner, il disparaît. Le cinéma n'y aide en rien. Le cinéma, c'est le masque grec. La télé, les grimaces dans l'œilleton de la porte. Le jeu qui n'est pas mis en conserve, celui qui prend des risques et peut être le plus catastrophique mais aussi le plus sublime, fuit comme le vent.

... tenaces

Les odeurs. Elles sont plus durables dans notre souvenir que bien d'autres choses, par exemple les corps. Trente ans après, l'une d'elles que nous avons connue dans notre enfance nous effleure, nous la reconnaissons, nous avons l'impression de revivre ce moment. Elle était associée à une émotion.

... qui paraissent éternelles

Une après-midi d'été sous un soleil immuable.
La campagne.
L'ennui.
La conversation d'un imbécile.

301

Les costumes doublés de blanc.

Les jeans à pinces.

Les livres de conseils (*Comment réussir dans le management*).

Les livres comiques qui ne sont pas drôles. *Tout ce que l'on sait sur les femmes* : on ouvre, et toutes les pages sont blanches.

Écrire dans les cafés.

Le genre artiste.

Le genre génial.

Le genre.

... tristes

Mourir près d'un ennemi.

Mourir près d'une bavarde.

Mourir dans un endroit qu'on n'aime pas.

Mon oncle diminué par une tumeur au cerveau lui faisant dire un mot pour un autre a un éclat de larmes quand il prononce le nom de sa femme divorcée qui se tient à côté de lui. Avoir pour compagne quotidienne une personne qui l'a humilié ! Quand je l'ai quitté, il m'a serré très fort l'avant-bras, c'était un adieu. Adieu, mon oncle, je t'aurai bien aimé. Que tu ne meures pas trop mal. (Et il est mort très mal.)

Une femme mariée à un homme qui lui est inférieur.

Un homme vivant avec une admiratrice.

Un homosexuel qui rit de blagues homophobes et, généralement, tout minoritaire devant rire de méchancetés sur sa minorité.

Un poivrot hargneux.

Un Français qui, ivre, dans un café, feint d'être américain. J'ai vu cela au Harry's Bar de Paris en 2001. Il faut dire que c'est un café de gros cons.

Un étal de commerce de bouche peu fourni.

Un homme qui porte des chaussures d'hiver en été.

Qu'on impose à un enfant une vie d'adulte. « On », cela peut être des adultes, ou simplement « la vie », en l'occurrence sa négation, la maladie ou la mort d'un parent.

La Méditerranée sous la pluie.

Du soleil apparaissant dans un ciel gris.

Une bibliothèque vide.

La porcelaine blanche.

Les hommes qui, à trente ans, se mettent à dire : « Les jeunes. »

Une vieille femme en peignoir dans la rue, l'après-midi.

Ne pas avoir de menton.

Se consoler de la perte d'un amour.

Prendre l'habitude du malheur.

La résignation.

Un handicapé lisant un journal vulgaire. J'ai toujours pensé que les minoritaires devraient être des prodiges d'intelligence et de tact, par une espèce de compensation divine qui ne se produit pas. La vie, ce n'est pas la justice. Ce n'est même pas l'équité.

... d'abord gaies, puis tristes

Les débuts de la maladie d'Alzheimer. À trois heures du matin, une vieille dame sort dans le jardin en culotte et soutien-gorge, avec escarpins et sac à main : « Mais où allez-vous, bonne-maman ? — Eh bien, à la messe ! » Après un an de colère, de criailleries, d'abattement, de bave, de mutisme, elle est morte.

... qui ne sont pas risibles

Les malheurs d'amour.

... décevantes

Lever la main et se rendre compte qu'il n'y a plus de poignée au-dessus de la vitre de la voiture.

Un bel adolescent avec un oignon au pied.

Avoir un ami mal élevé.

Une belle personne qui se met à parler et sa voix est gouailleuse.

Le lendemain d'un dîner, se rendre compte qu'une des personnes à qui on n'a pas parlé est quelqu'un à qui on aurait eu mille choses à dire. On n'avait pas compris son nom.

Les retours d'hiver au début du printemps.

Les surprises, souvent.

Se savoir perdu et apprendre qu'on est aimé.

... faux chic

« Je n'aime pas le champagne. »
« Je n'aime pas le caviar. »
« Je n'aime pas Noël. »
Le luxe.

... maladroites

Dire à un homme de mauvaise humeur qu'il est de mauvaise humeur.

... pesantes

Les restaurants d'hommes (nappes à carreaux, costumes bleus).

... déprimantes

Les photographies de plats cuisinés dans les magazines anglais. Le veau y a des bords framboise, les spaghettis luisent comme un nez d'adolescente.

Les phrases toutes faites pour égayer la conversation ou pour révéler sa biographie à haute voix. « Cœur : qui n'en a pas en meurt ! » Au garçon de café : « Pour moi, un café : ça va me réveiller. »

Le *camaïeu*.

Les hôtels de chaîne.

Les salles d'attente.

Les jours chômés.

Les *jingles* des radios FM.

Un poisson mort qui flotte.

Une chaussette qui glisse à l'intérieur d'une bottine.

Prendre un train en première ou un avion, tôt le matin, entouré de gens d'affaires. Hommes en chemise et cravate (ils ont proprement plié la veste de leur costume) qui téléphonent, femmes en pantalon qui tapent sur leur BlackBerry. Les femmes sont les plus effrayantes, car elles ne s'arrêtent jamais, au contraire des hommes qui finissent par déplier *L'Équipe*.

S'habituer (l'idée de s'habituer).

... démoralisantes

Des tables de salles d'attente couvertes de très vieux magazines.

... angoissantes

La neige.

Les sous-bois.

... regrettables

Une belle adolescente se tenant voûtée.

Mourir le même jour que son ennemi en croyant qu'il est toujours vivant. John Adams, deuxième président des États-Unis, successeur de Washington, meurt le 4 juillet 1826 en prononçant le nom de Jefferson, lequel l'avait battu lors de sa tentative de réélection en 1800 ; Jefferson était mort quatre heures avant, il l'ignorait.

Le nombre de fois où un hymne national a été joué en l'honneur de salauds.

305

... désagréables

Donner des ordres.

... malheureuses

D'être un délicat.

... désolantes

Voir une femme seule pleurer.
Courir à sa boîte de courrier électronique après la sonnerie et découvrir que c'est une publicité.
Sur la table encombrée de tasses et de pots dans le jardin d'une maison de campagne, une motte de beurre dévastée.

... atroces

L'ennui.

... inquiétantes

Un autobus vide, la nuit, dans le quartier excentré d'une ville de province, dont il traverse, brillant de néant, des rues noires.
« Achat d'or, rue Lauriston. »
L'œil vitreux de la femme imbécile.
Les coutumes.

... effrayantes

Un bateau seul sur la mer, la nuit.
Les hommes pratiques.
La puissance de la volonté.

... tuantes

Les souvenirs.

... intrigantes

Ce qu'un policier peut indéfiniment taper sur son clavier lorsqu'on porte plainte.

La sorte d'humour méridional qui consiste à dire les choses en feignant d'être furieux ; puis, comme on n'est pas méchant, d'en rire aussitôt.

Un homme regardant en cachette un homme qui regarde un homme en cachette.

... amusantes

Les compliments par antiphrase. À Nice : « Malheur ! » qui veut dire bonheur, ou : « Le concert de 50 Cents, une tuerie ! »

... étonnantes

Dans une tour de verre parallélépipédique et entièrement close, une fenêtre ouverte.

L'arrogance de certains romanciers populaires.

Qu'on nous photographie sans autorisation.

L'idée de la déité. Elle s'est répandue parce qu'elle était aberrante. On ne croit pas au raisonnable.

… fascinantes

La lenteur des femmes à ranger leurs affaires dans leur sac aux caisses des magasins.

La muflerie de certaines femmes bien élevées, et de tous les êtres sûrs de leur droit à la préséance.

… invraisemblables qui ont pourtant eu lieu

Bernard Tapie a été ministre. Un chanteur de 45 tours, un monteur d'affaires approximatives, un condamné en correctionnelle, mais propriétaire du club de football le plus populaire de France.

Dans une émission de télévision intitulée *Je suis une célébrité, sortez-moi de là*, un ancien athlète (le cycliste Virenque) a été enfermé dans une cage où il a récité des vers pendant qu'on lui déversait des vers de terre sur la tête.

… gênantes

Avoir mauvaise haleine.

Une voix qui n'est pas assortie au corps, comme celle de Marlon Brando, qui donnait l'impression qu'une souris de dessin animé habitait dans son torse de déménageur.

Voir un mauvais acteur jouer.

Les sermons et les cantiques de l'Église catholique. Est-ce aussi niais dans les autres cultes?

Je n'ai jamais eu aussi honte de ma vie qu'après avoir donné des conseils à un jeune homme qui n'en avait pas besoin.

... agaçantes

Perdre un seul gant.

... irritantes

Les choses qu'on dit. J'appelle « choses qu'on dit » les choses qu'on répète. « Les tragédies et la poésie de Voltaire sont nulles. » Et personne ne les a lues.

Les prétextes.

Le numéro virtuose du violon solo.

La littérature de fumeur de pipe.

L'accent parigot, l'accent beur, l'accent de Marseille, tous les accents de protection et de couilles en avant.

Dire à un taxi : « Avenue Perronet » et qu'il vous réponde d'un ton assuré : « Rue. » Vous précisez : « Non, avenue », et il ajoute, vexé : « Bon. » Et il se trompe en arrivant, se lançant dans une longue explication destinée à prouver qu'il avait raison : « Nous avons un abonné qui se fait toujours déposer près de l'avenue de Paris et dont le nom de rue ressemble à ça, et... »

Les plages de galets.

... exaspérantes

Demander à un chauffeur de taxi de baisser le son de sa radio parce qu'on veut téléphoner et qu'il le fasse, tordant le nez, d'un milliardième de décibel. Le redemander, et même résultat. Cela m'est arrivé hier, 5 janvier 2008, et à la fin de la chanson un animateur annonçait qu'on écoutait Radio Courtoisie. Le chauffeur m'a volé en prétendant que je lui avais donné un billet de 10 euros quand c'était 50. Qui a dit : « Les taxis de New York sont jaunes, les taxis de Londres sont noirs, et les taxis de Paris sont des cons » ?

Un taxi mal suspendu.

Les sièges d'un théâtre trop serrés et mal rembourrés.

... *légèrement répugnantes*

Le dessous d'un sac à main de femme qu'elle a posé par terre.

Marcher avec des souliers de ville dans une salle de bains.

Une nuque d'homme avec une mousse de petits poils.

... *fastidieuses*

Écouter un enfant qui montre comment il joue d'un instrument de musique.

Remplir un carnet d'adresses.

Répondre à un flic.

Les drames.

... *insupportables*

Dans une maison de campagne où l'on s'est couché très tard après avoir trop bu, un oiseau sautant de ses pattes en acier sur le toit, à l'aube.

... *scandaleuses*

La goujaterie de la police française.

La puanteur des couloirs moquettés d'immeubles 1970.

La langue flamande.

La politisation des enfants.
Les taxis qui puent.
Les livres raisonnables.

... révoltantes

Un Indien hideux.
Le mérite.

... écœurantes

Entrer dans un restaurant qui sent le poisson cuisiné.
Un gros chien qui défèque consciencieusement sur un trottoir.

... dégoûtantes

Un avion plein.
Un clavier d'ordinateur sale.
S'asseoir sur un siège tiède.
Les portraits des hommes célèbres de la Troisième République par Bonnat au musée de Bayonne. Comment les hommes, à un moment donné de leur histoire, ont-ils pu décider de devenir aussi poilus, aussi simiesques, aussi laids ?
Les petites fleurs, campanules, bleuets, primevères.
Les valses de Vienne.
Le vocabulaire hypocoristique. « Bébé », « papa », « maman », « petit ». Élisabeth Gille, fille de la romancière Irène Némirovsky, écrit à une employée de la Société des Auteurs et Compositeurs dramatiques qui lui demandait des renseignements sur « sa maman » : « Les droits de cinéma, de théâtre, de télévision, d'adaptation radiophonique, etc., d'Irène Némirovsky, laquelle n'est pas ma *maman*, mais ma *mère*, sont entre les mains de ses éditeurs respectifs [...] » (Archives Grasset). Je pourrais la citer en entier, c'est une des meilleures lettres de moquerie envers un imbécile que j'aie lu.

311

Les émissions télévisées du matin.

Les chansons de récital pour courtiser le public. (« Ma plus belle histoire d'amour. »)

L'admiration de l'excitation sexuelle chez les vieillards. Il bande encore ! C'est un faune ! Une bête !

Les photos de fleurs en gros plan.

L'intime.

Les rites.

Les informations télévisées.

Les ciels blanchâtres.

La vulgarité subite des gens de pouvoir quand on leur résiste. Elle explose comme de la chantilly hors d'une bombe.

Ce qu'il y a dans le cœur d'un homme.

... grossières

Faire des jeux de mots sur le nom de famille des gens.

Arriver à un enterrement avec un journal dans la poche.

... ignobles

La guerre est une autre forme d'enfance, dans la simplicité des rapports de force. Notre monde a perfectionné la brutalité en permettant d'enrôler les femmes dans les armées. Plus de frein à la tuerie universelle.

... immondes

Les fêtes de Bayonne.

Une chemise jaune.

... ridicules

Les gens qui se font photographier en faisant la gueule.
Un maillot de bain trop serré.
De juger les hommes en fonction du ridicule. Ou plutôt, ne serait-ce pas pathétique ?

... comiques

Vers 1960, Barbara Cartland, l'auteur de romans sentimentaux qui s'habillait comme un paquet-cadeau de cerises Mon Chéri, a brûlé un exemplaire de *L'Amant de Lady Chatterley*. Elle ne savait pas que la vulgarité, c'était elle.

... qui font légèrement plaisir

Arriver sur le ponton au moment où le vaporetto aborde.

... profitables

Les attaques des vieux cons. Vous en sortez frais, rajeuni, populaire.

... qui distraient d'un convive ennuyeux

Remuer un lourd verre en cristal contenant un bourbon-glace.

... pas antipathiques

Déjeuner à 14 h 30 dans un bistrot vidé de l'agitation de midi, avec juste un raseur parlant fort à la patronne, un homme à manuscrit, une vieille dame.

Un orchestre jeune.

Les plaisanteries faites aux statues. Le 1er février 2002, place Vauban, un torchon blanc qu'on avait passé au bras du maréchal Gallieni, lui donnant un air garçon de café. Sur le socle de la statue d'Auguste Comte, place de la Sorbonne, un graffiti qui y resta longtemps : « Ni Comte, ni Sponville » (André Comte-Sponville était un philosophe contemporain).

Le mot « fada ».

L'air morgueux que sa grosse mèche donne à un adolescent en réalité timide.

La bougrerie insolente. (Gore Vidal.)

Les fouteurs de merde. (Norman Mailer.)

Une jeune fille de 20 ans qui, s'apprêtant à sortir pour le réveillon, salue les invités de ses parents, s'assied avec eux, discute et reste jusqu'à 2 heures du matin.

Les employés du boucher qui, quand vous partez, vous saluent les uns après les autres d'un « Au revoir, monsieur, merci ! » C'est du Rossini en français.

Toute très jeune personne qui entre dans un métier avec assurance.

... naïves

Les discours des amateurs de chats. Comme ils croient être originaux ! « Ce n'est pas *mon* chat, mais c'est moi qui lui appartiens. »

Les extases de conversation que procurent les feux de cheminée.

... gaies

Le son des instruments de musique en cuivre.

Les meubles rococo.

Les moineaux.

Un chiot qui jappe derrière son maître, comme ceux qui suivent Marie de Médicis dans son apothéose par Rubens (musée du Louvre).

Une partie du charme de la place Saint-Pantaléon, à Toulouse, vient de son nom commedia dell'arte. Deux de mes amies y habitaient, deux sœurs, à un dernier étage d'où l'on voyait une fontaine au milieu de son triangle. Un jour, je vais dans la chambre du fond alors que l'une des sœurs me suppliait de ne pas le faire, j'ouvre la porte, je vois l'autre au lit avec un de mes amis : elle me fait, tirant la langue : « Na ! »

... gaies pour des enfants

Une balançoire.

... gaies pour des jeunes filles

Une balancelle.

... agréables

Avoir un Japonais pour voisin du dessus.
Les chansons un peu tristes.
Le picotement des paupières inférieures annonciateur de la fièvre.

... agréables qu'on ne remarque qu'a posteriori

Quand, dans un long-courrier près d'arriver, un bébé dans la rangée voisine se met à hurler, et on se rend compte qu'on a évité ses cris pendant dix heures.

L'heure d'été, comme son nom l'indique.

Adolescent, marcher, en s'adaptant à son pas lent, à côté de sa grand-mère qui vous raconte des choses anciennes. À moins que ce ne soit à ranger parmi les choses irritantes ?

... entraînant une rêverie aimable

Un homme lisant un roman.

Un tableau représentant une fenêtre ouverte.

Un beau visage sur un beau corps.

Les œuvres pour piano seul.

Un immeuble démoli, en ville. C'est de l'espoir. Parfois, sur un mur mitoyen, est resté un rectangle de papier peint. C'est du roman.

Deux chaises dans un parc avec, sur le dossier de l'une, un gilet de femme en cachemire.

... apaisantes

Un bouquet de pivoines perdant lentement ses pétales dans le salon d'une maison de campagne où l'on ne va pas souvent, l'été.

... délicieuses

Dans la chambre glaciale d'un château, se glisser dans un lit qui a été chauffé au moine.

Dans un couple, se réveiller le second, en voyant un doux visage au-dessus du sien. On referme lentement les yeux, on développe cette image dans son for intérieur, on la range bien soigneusement dans sa mémoire puis on rouvre les yeux, lentement, très lentement, pour jouir de ce moment de beauté.

La vie brésilienne.

... délicieuses à l'adolescence

Les complications.

... détestables entre vingt-cinq et quarante ans

Les complications.

... délicieuses après quarante ans

Les complications.

... délicieuses après cinquante ans

Je ne sais pas.

... excitantes

Être contredit.

... enthousiasmantes

La gaieté.
Les triomphes.
Jeter.
Changer.
Écrire.

317

... délicieusement moqueuses

Le *Liszt* de Dantan, au musée Carnavalet. Assis à un piano, une longue chevelure tombe jusqu'au sol, d'où ne dépassent, sur les côtés, que deux mains frappant le clavier. Dantan est le seul sculpteur au monde qui fasse rire.

... graves

Avoir dix-sept ans.

... ardues

Les souvenirs d'amour.

... exaltantes

Les grandes choses vastes et les petites choses baroques.
Les élans.
Les chefs-d'œuvre découverts par hasard.
Acheter des livres.
Acheter beaucoup de journaux et de magazines à la fois.
Faire l'amour.
La justice.
Le talent.
Les premiers vents de l'orage. « Nettoyez-moi ça ! »

... admirables

De grands beaux bouquets de fleurs dans de grands vases sur des grandes colonnes cannelées.

... réjouissantes

Une brigade de restaurant qui travaille harmonieusement. On s'attend à voir les garçons s'esquiver avec des entrechats.

Rentrer chez soi au moment des premières gouttes de pluie.

Un teckel traversant un square d'un pas net, la cuisse ferme et dodue, les griffes faisant un tic-tac de pendule, gai, exclamatif et pimpant.

... inutiles

Les appels au secours.

LISTE DE CHOSES PROCHES

La nonchalance et l'application.

Le cynisme et l'ingénuité.

Le persiflage et l'obséquiosité.

La bouffonnerie et le désespoir.

La cocasserie et le suicide.

New York et Venise.

Le parler d'un sourd et le braiement d'un âne. Ne croyez pas que je me moque, je connais peu de choses plus tragiques que la surdité, qui fait habituellement rire, et le cri de cet animal qui semble souffrir de ne pouvoir exprimer ce qu'il ressent. Quelle parole capitale cherche-t-il à nous communiquer? Tout homme écoutant n'est-il pas un sourd? Tout homme parlant n'est-il pas un âne?

LISTE DE FAUX RISQUES

Se reconnaître un défaut latéral que son interlocuteur peut qualifier de qualité. « Mon intransigeance. »

Les succès de scandale.

Attaquer le vice et non les vicieux.

LISTE DE COMPORTEMENTS COMIQUES

Les hommes qui marchent avec une lenteur ostentatoire.

Les non-Japonais qui écrivent des haï-kaïs.

Les mamours.

L'esprit de sérieux.

Pontifier.

La posture de la vertu.

L'air lassement exaspéré.

LISTE DE COMBLES

Il n'y a de comble à rien, tant l'humanité renouvelle ses folies, mais quelque chose qui s'approche du comble de la superstition est la veuve de Mussolini, réfugiée à Ischia, qui consulte un tireur de cartes, *en 1949* (Truman Capote, « Ischia », *Portraits and Observations*).

Un comble de l'impudence pourrait être le président des États-Unis Bush (2000-2008) annonçant qu'il avait renoncé au golf par respect pour la guerre en Irak qu'il avait provoquée. « Je ne veux pas qu'une mère dont le fils serait mort voie le chef des armées jouer au golf. » (Interview à politico.com, 13 mai 2008.)

Un des multiples combles de la canaillerie rigolarde de la politique : lors de sa candidature au Congrès en 1999, Barack Obama avait eu pour seul soutien un Irlandais d'un certain district de Chicago qui a fait voter pour lui en distribuant des tracts « O'Bama ».

Un des combles du cynisme : l'État de Virginie ainsi nommé par Walter Raleigh en hommage à la virginité de la reine Élisabeth Ire d'Angleterre, qui n'était pas vierge (1584).

Comble de la duplicité : une canaille qui rougit. Elle croit que cela cache sa canaillerie.

Comble de la barbarie dans une société « civilisée » : ne pas répondre aux lettres. On ne feint pas de penser que l'autre importe.

Comble de la vulgarité . un SMS de condoléances.

Comble du raffinement : que le pape soit athée.

Comble de la câlinerie : Artie Shaw jouant *Beguin the Biguine*.

LISTE DE SI

Si j'étais le boxeur Mike Tyson, je trouverais un emploi dans une usine de dentelles.

Si j'étais un rêve, j'aurais honte de mon peu d'imagination.

Si les moustiques faisaient de la musique, ce serait de l'électro-jazz.

Si je marche sur le bord du trottoir sans avoir mordu la jointure, j'aurai marché sur le bord du trottoir sans avoir mordu la jointure.

Si j'étais le fantôme de Verdi, je donnerais une caresse sur la joue de Bernardo Bertolucci pour avoir réussi la meilleure scène d'opéra de l'histoire du cinéma : dans *La Luna* (1979), l'adolescent (qui ressemble à Jacky Kennedy) va voir sa mère chanter *Le Trouvère* de la coulisse, et on aperçoit les machinistes, les trucages, le chef des chœurs, entendant les bruits parasitaires, et c'est enthousiasmant. Seul un Italien pouvait filmer avec cette familiarité qui n'empêche pas l'amour.

Si j'étais le contre-ré, j'aimerais la bouche de Juan Diego Flórez par laquelle je suis si prodigieusement passé dans *La Fille du régiment*.

Si j'étais une liste normale, j'aurais énoncé que la note la plus haute pour un homme est le contre-fa de « *Credeasi misera* » des *Puritani* de Bellini.

Si le conditionnel n'existait pas, l'humanité se serait exterminée.

LISTE DE CE QU'ON N'A JAMAIS VU

Un bébé pigeon.

Une Japonaise enceinte.

Un Italien courir.

Un théâtre français sans toux.

Un picador non sifflé dans une corrida.

Un Anglais articulant.

Un Parisien aimable.

Un enfant misogyne.

Un mauvais bar à tapas en Espagne.

Un bon ailleurs.

Un roman à un seul personnage.

Un menu de restaurant chinois sérieusement traduit.

Le bras atrophié de Guillaume II.

D'acteurs dire « je t'aime » dans un film porno.

Un jeton tomber par terre dans un casino.

LISTE DE BRUITS

... surprenants puis réjouissants

L'orage faisant un bruit de meubles qu'on déplace à l'étage au-dessus.

... effrayants

Le vent dans une bâche de plastique sur un échafaudage.
Une moto vrombissant soudain dans la rue.
Un ballon rebondissant sur un sol dur.
Les cris d'une folle.

... apparus à la fin du XXe siècle

« Frot frot scratch zip frot frot frot » : homme portant un *bomber* qui fait glisser son sac à dos sur une chaise, abaisse la fermeture Éclair du *bomber* et l'enlève. (Un *bomber* est un de ces blousons qui ont l'air gonflé à la pompe à vélo.)

Le bruit de friture des gens qui écoutent de la musique au baladeur.

La sonnerie de réponse des fax, stridente et continue. Lors de leur apparition, vers 1988, quand, s'étant trompé de numéro, on obtenait cette sonnerie, on était surpris.

À la Galerie d'art moderne de Milan, une *Rue de Paris* de Boldini étroite et brune, un cheval attelé au premier plan, très lisible, le reste moins, et c'est le bien, ça gicle. C'est un tableau qui donne une impression de bruit.

Dans son roman *La Belle Vie*, Jay McInerney montre comment la littérature gagne ce qui est interdit au journalisme : le gouvernement américain a empêché que l'on diffuse les images des gens se jetant des tours jumelles le 11 septembre 2001 ; lui nous les révèle en écrivant simplement que leurs corps s'écrasaient avec un bruit de fruit pourri.

… faisant rêver

Le bruit froissé des palmiers dans le vent.
Le bruit de battoir des yachts lancés.

LISTE D'ODEURS

... surprenantes

Les gifles d'odeur d'eau croupie au coin d'une ruelle de Venise.
Les caresses d'odeur de chèvrefeuille, non moins subites, dans la même ville.

... écœurantes

Un chewing-gum à la fraise mâché près de soi.

... humaines

L'odeur des *donuts* grillés au pied des gratte-ciel de Manhattan.

... disparues

L'odeur de la résine des pins qu'on saignait dans les forêts des Landes. Et la résine coulait, épaisse, ambrée, collante, dans des coupelles pareilles à des ciboires dont on avait ceint les troncs.

... faisant s'attendrir

Sur un testeur en papier, l'odeur du parfum de la personne aimée qui se trouve loin.

L'odeur du mimosa en passant.

LISTE DE SPECTACLES

... odieux

Une petite fille appliquée à jouer à la princesse.

Un homme disant une saloperie dans le dos d'un sourd.

Deux vieilles femmes qui s'injurient, dressées comme des serpents.

Un concierge acceptant 100 euros d'une vieille dame timide et ne sachant pas bien la valeur de cette nouvelle monnaie pour avoir planté un clou.

Le mauvais théâtre. C'est le pire ennui sur la terre, pire encore qu'un office religieux, pire qu'un voyage en long-courrier. Il y a des pièces qu'on applaudit parce qu'elles sont finies.

... curieux

Un nain portant un pantalon à pattes d'éléphant.

Une vieille dame lisant *Moto Magazine*.

... romanesques

Un jeune homme téléphonant la nuit, au bord d'une route départementale, dans une cabine éclairée comme une piste d'atterrissage.

Un petit garçon appliqué à construire un château de sable.
Un petit garçon appliqué à détruire un château de sable.
Un château de sable seul sur une plage, le soir.

Famille, enfants,
frères, sœurs

LISTE DE LA FAMILLE

L'état de mari est considéré comme si humiliant par certains hommes qu'ils fuient le jour de leur mariage. Jamais je n'ai entendu parler d'un pareil acte accompli par une femme. Je trouverais ça bien rieur.

Mme de Staël a dit que la gloire ne pouvait être pour les femmes qu'« un deuil éclatant du bonheur » (*De l'Allemagne*). Depuis la mort de la princesse Diana, le prince Charles d'Angleterre connaît le bonheur éclatant du deuil.

Le sens exquis de l'expression « bien élevé » dans les familles bourgeoises.

Une famille, c'est une marmite où mijote parfois une sauce délicieuse pour les autres. On appelle ça roman. Après un dîner, pendant qu'un convive discute avec son voisin, sa femme se tourne vers moi. Une Rinuccini ! La voilà qui prend une profondeur subite, un passé, un poids, un charme. Elle a une perspective, son mari bourgeois n'a, comme nous tous, que lui-même. Elle a l'avantage et le désavantage d'avoir un passé, il a l'avantage et le désavantage de se créer un avenir. Le romanesque, chez elle, est acquis, il est en train de se créer. Voilà pourquoi la plupart des grands artistes sont des bourgeois, sans doute. Leur classe leur donne un semblant de culture et une indépendance vis-à-vis des coutumes. Elle raconte des histoires très intéressantes, étant reliées à des lieux. Un palais à Lanciano. L'Italie même. Reliées à des êtres, aussi. L'un d'eux offre un sujet de fiction à titre Chateaubriand mais à sujet très XXIe. *Le dernier des*

Rinuccini. C'est son cousin. Né avant terme, il pesait sept cents grammes. On l'a mis dans une boîte à chaussures. Une infirmière le veillait nuit et jour, renouvelant le coton imbibé d'huile d'olive dont on l'avait entouré. Il a survécu. Son père était furieux. Un Rinuccini, ce brin d'herbe ! Sa cousine en parle avec affection. « Quand un adulte entrait dans notre chambre pour vérifier que nous faisions bien la sieste, je chuchotais : ferme les yeux comme ça, Sixte !, car il les plissait de toutes ses forces. » Ne mesurant jamais plus d'un mètre cinquante-cinq, il a fait la connaissance d'une guide japonaise au Vatican, et le dernier descendant d'une famille qui a eu un pape est leur enfant métis. Ce n'est pas le sang japonais qui effraiera les Rinuccini, car rien n'est plus impur que l'aristocratie, n'est-ce pas. Elle s'est toujours mélangée à des étrangers. Un eurasien prince d'Italie ! C'est le monde contemporain, celui où un métis est candidat à la présidence des États-Unis, où l'Occident corrompt l'Orient musulman en lui envoyant des œuvres d'art !

Toutes les familles végètent ou dégénèrent, sauf quand apparaît un meneur ou un insolent. Le premier précède le troupeau et le guide, le second le fuit et l'illustre. (Sans qu'il l'ait cherché, le troupeau bêle sa gloire après avoir rugi contre lui.) Le premier est Napoléon, le second est l'artiste.

Les familles d'artistes ! Certaines vendraient les morpions de leur grand-père s'il avait eu la syphilis.

L'armée comme l'Église a des rancunes lentes. Soixante-dix ans après, la marine française reste antigaulliste. Cette perpétuation de la rancune se retrouve dans les institutions privées. Dans une entreprise, les haines et plus encore les indifférences se perpétuent, on ne sait plus pourquoi, mais elles y passent plus vite que dans les institutions publiques, car le fils y succède au père et finit par réprouver ce qu'il juge des enfantillages, et cela va encore plus vite avec un successeur nommé par un conseil d'administration. Degré intermédiaire, les familles. Le monde serait plus tendre s'il n'était composé que d'individus. Un individu ne peut persuader un étranger de partager sa rancune, que sa paresse finit souvent par lui faire oublier.

« Abattu par le scandale, Spitzer annonce qu'il se concentre sur sa famille » (*New York Times*, 13 mars 2008). Spitzer est un gouverneur de l'État de New York qui a démissionné pour avoir couché avec des prostituées alors qu'il s'était fait élire sur l' « éthique » et en avait assourdi ses concitoyens après en avoir fait enfermer plusieurs pour atteinte à la morale publique quand il était attorney général. (Sans parler du prix de la passe. Que peut bien faire une prostituée pour 4000 $?) Quand un homme se met à se vanter de sa famille et de ses enfants, c'est en général un repère assez sûr : il a fait une saloperie. Le stade ultime est le patriotisme, comme l'a remarqué voici longtemps le Dr Johnson : « Le patriotisme est le dernier refuge du voyou. » Rappelez-vous ce secrétaire général d'un parti politique français qui, condamné pour financement illégal de son parti, a fait un tonitruant discours avec drapeaux français, *Marseillaise* et « Vive la France ! »

Nouvelle : « Un couple de monstres. » Un couple simple, marié, quatre enfants, *heureux*. Leur féroce égoïsme de meute. Profondément asociaux, même s'ils ont un métier et un dîner en ville tous les trois mois. Ils laissent mourir la mère d'un des deux. C'était à cause du bonheur, monsieur le Président.

La famille rend asocial. Heureusement qu'il y a les célibataires, les divorcés, les veuves et les homosexuels pour créer une société.

LISTE DE MA FAMILLE

Romulus Augustule, dernier empereur romain, fils du patrice Oreste qui l'avait placé sur le trône. Boabdil, dernier des souverains arabes de Grenade. Le cardinal-duc d'York, dernier descendant direct des Stuarts, battu avec son frère « Bonnie Prince Charlie » à la bataille de Culloden. Césarion, le fils de César et de Cléopâtre assassiné sur l'ordre d'Auguste. Louis XVII même pas XVII. Le duc d'Enghien, dernier prince de Condé, fusillé sur ordre de Napoléon. Le duc de Reichstadt, fils rendu autrichien d'un empereur des Français. (Époque fatale aux fils, même aux siens, c'est bien naturel, elle s'était fondée sur le refus de la succession.) Le prince impérial, fils de Napoléon III, tué à 23 ans par les Zoulous. J'ai toujours éprouvé de la tendresse pour les derniers régnants des longues dynasties, les jeunes héritiers malheureux, les ultimes d'une famille. J'en serai un.

Un jour auront disparu tous ceux qui auront connu les membres de ma famille et avec qui je peux en parler familièrement. Je serai seul avec mes morts.

Ces fantômes pleurent déjà de savoir qu'ils mourront avec moi, le dernier à en conserver des souvenirs ou des anecdotes. Et je serai d'autant plus isolé que je n'aurai plus personne pour vérifier certains faits, et, estropiés, mes fantômes tourneront en bourrasque autour de moi, piquet au bord du promontoire, me conspuant. Et puis un jour, plouf, je tomberai dans l'Océan du rien, dans l'indifférence la plus charmante de l'humanité occupée par ses passions voraces. Elle aura bien raison, de son point de vue. Du mien, je pense aux milliards d'hommes oubliés depuis la quatrième génération de l'humanité. Où êtes-vous ? Dans la fiction, peut-être.

LISTE DES TYPES DE FAMILLES

Les familles suivent souvent des types. Non seulement des types physiques, familles de blonds, familles de chauves exophtalmiques…

> famille d'Orléans avec des yeux de baudroie,
> famille Arnault avec des têtes de chiens des rues hérissés,
> famille Gibb (Bee Gees) avec des dents de râteau,
> famille Borbón y Borbón avec des joues d'épagneul,
> famille Agnelli avec des lenteurs de squale,

… mais aussi des types moraux. Il y a des familles de lesbiennes, des familles de bâtards, des familles où tous les hommes sont puérils, des familles où les femmes méprisent les hommes, pour ne mentionner que des types que je connais.

Moraux, c'est beaucoup dire. Les familles sont des modes. Chacun s'imite. Il y en a un snobisme fréquent. Chacune est son propre idéal. De là l'imitation consciente ou non à l'intérieur de chacune de ces tribus.

LISTE DES FAMILLES À STÉRILISER

Les Cassandre. Cassandre, fondateur de Thessalonique, fait assassiner Roxane et le fils d'Alexandre le Grand, l'enfant Alexandre, ainsi qu'Héraclès, âgé de seize ans, bâtard d'Alexandre et de la princesse perse Barsine. Cassandre est le fils d'Antipater, le général d'Alexandre qui, reprenant le pouvoir à Athènes, avait ordonné le suicide de Démosthène.

Les Lépide. M. Aemilius Lepidus, consul en 78, tente d'abolir la Constitution de Sylla en proposant des lois populaires, se met à la tête d'une sédition en Étrurie et marche sur Rome, mais est battu par Pompée et par le second consul. Son fils est le triumvir qui a participé à la guerre civile avec Octave et Antoine. Le fils de ce fils, M. Aemilius Lepidus, machine en 31 une conjuration contre Octave (réprimée par Mécène). Un autre M. Aemilius Lepidus conspire contre Auguste en 39 (exécuté), il avait épousé la sœur chérie de Caligula, Drusilla.

Rome avait le génie de la perturbation de la tranquillité publique. C'était une poêle d'où les ambitieux giclaient comme du pop-corn. Ainsi, les julio-claudiens, les empereurs romains qui ont succédé à César (parfois par adoption) et ont été si parfaits : Tibère, Caligula, Néron, etc.

Les Wagner. À chaque génération depuis le musicien, un membre de la famille au moins s'arrange pour casser les pieds de l'humanité. Wagner lui-même a publié, deux fois, l'une honteusement, anonyme, en 1850, l'autre fièrement, sous son nom, en 1869, un pamphlet contre les juifs dans la musique, *Das Judentum in der Musik*. (C'est révéler l'évolution de l'antisémitisme et comme il est devenu à la mode à une certaine époque.) On dit qu'il l'a écrit par jalousie de Meyerbeer, qui triomphait à Paris où il n'avait eu aucun succès, mais c'est bien pire : il le pensait. Sa veuve, Cosima, fille de Liszt, a été encore plus déchaînée que lui sous ce rapport. Son gendre, Houston Steward Chamberlain, était le théoricien anglais du racisme. Sa bru, Winifred, autre anglaise, galloise, précisément (Winifred Williams-Klindworth), Hitler étant en prison, lui envoie de la documentation pour *Mein Kampf*, et, quand il en est sorti, en applaudit la mise en pratique. Au début du troisième millénaire, c'est Katharina, arrière-petite-fille, qui fait des mises en scènes importunes pendant que le reste de la meute s'injurie.

Les Bibesco. Il y eut dans les années 1930 toute une tribu de ces gitans mondains qui se croyaient artistes ; ils continuent à nous importuner dans les mémoires de second ordre de l'époque. Marthe Bibesco (Bibesco par mariage) était d'une modestie à rendre Victor Hugo jaloux : « le souverain de mon pays [la Roumanie] m'appelait "chère Marthe" » (Robert de Saint-Jean, *Passé pas mort*). Anna de Noailles (née Bibesco), dont Paul Valéry disait que le recueil *Les Forces éternelles* aurait dû s'appeler *Les Faiblesses momentanées*, a eu un bon mot sur le vice de la famille, le bavardage égocentrique : « Quelle belle situation nous avons eue, Guillaume II et moi. Et nous l'avons perdue par nos bavardages ! » (Henri de Régnier, *Cahiers*). Antoine Bibesco, gaffeur, c'est-à-dire peut-être méchant, était le genre d'homme disant tellement de bêtises qu'on se demande s'il n'est pas très rusé. Ils survivent par leurs fréquentations, eux qui croyaient sauver les autres par la leur, devenant les parasites posthumes d'un homme qu'on qualifiait de parasite des aristocrates, des parasites de Proust : Marthe Bibesco a écrit un mauvais livre (entre tant) sur lui, Anna de Noailles roucoule dans sa correspondance où il flatte son génie de poétesse, non sans se foutre d'elle à force de flagornerie, Antoine a en partie servi à créer le personnage de Robert de Saint-Loup.

Les Kennedy. Père pronazi, fils président 12/20 ayant peut-être bénéficié d'une fraude électorale à Chicago et au Texas, son frère Robert qui passe pour le meilleur d'entre eux, bien plus tard son fils John qui avait dirigé un bien mauvais magazine, *George*, fermé après sa mort, mais il ne se vendait déjà pas. Ils étaient agréables à regarder, et peut-être que si le destin, si injuste, les a hachés, c'est qu'ils n'étaient pas *si pires*.

LISTE DES MÈRES

Une mère accouche dans une clinique. Huit jours plus tard, la veille de rentrer chez elle, son mari passe la prendre pour dîner en ville avant de regagner la maison. Au retour, comme il s'apprête à prendre le nourrisson à la clinique, elle lui dit : « Oh ! laissons-l'y. Elle y est si bien traitée ! Tu reviendras la prendre demain ? » Quarante-six ans plus tard, cet enfant, leur fille unique, mourant d'un cancer généralisé dans une autre clinique, elle refuse de la loger chez elle durant une rémission. « Il n'est pas question que tu rentres ! » Dès la maladie déclarée, elle a acheté une concession au Père-Lachaise et le lui a dit. (Authentique.)

La comédie sexuelle inculquée aux enfants l'est le plus souvent par les mères : et tu es amoureux de la petite fille ? qui c'est ton fiancé ? il t'a embrassé sur la bouche, eh bien ! Pas besoin d'aller au zoo, on a des singes à la maison. (Authentique.)

Qui n'a pas eu de mère envahissante ne peut pas comprendre la nouvelle de Bruce Benderson où un jeune homme, après avoir sagement supporté la sienne pendant une après-midi, n'a plus que la rage d'aller baiser sitôt qu'elle est partie. (« La visite de maman », dans *New York Rage*.)

Les mères n'ont souvent aucune déférence envers leurs enfants. Cela vient d'un sentiment impérialiste de l'intimité. Ainsi, les mères célibataires et les veuves qui font des scènes de ménage à leurs fils. Tant qu'un fils n'est pas marié, il ne reçoit de sa mère qu'ordres et conseils. Il n'y a qu'une autre femme pour faire reculer cette lionne.

Dans ses mémoires, *L'avenir dure longtemps*, Louis Althusser raconte un acte de sa mère. Une mère réservée, paisible, pudique. Et un matin, cette mère réservée, paisible, pudique, ramène son fils dans sa chambre et, montrant du doigt « les larges taches opaques et durcies dans mes draps » (tant d'années après, il n'emploie pas le mot « sperme »), dit : « Maintenant, mon fils, tu es un homme ! » « Je fus accablé de honte et contre elle d'une insoutenable révolte en moi. » Les mères ne comprennent généralement pas où se situe l'obscène pour leurs fils.

Elles ne comprennent pas non plus toujours où se situe la liberté pour leurs filles ; et parfois, ne le comprenant que trop bien, elles s'emploient à le bombarder. C'est le physique. Ou cette mère a été plus belle que sa fille et elle la méprise, ou elle ne l'a pas été et fait croire que si, à tel ou tel détail. « Tiens, essaie cette robe, je la portais quand j'avais ton âge... Oui... Bien sûr... Elle ne te va pas aussi bien. »

Dans *Sexually Speaking*, Gore Vidal s'oppose à la circoncision comme abus de pouvoir des mères américaines. Je me rappelle que, enfant, j'avais peur qu'on me le fasse et en avais imaginairement mal. Une mère me raconte que son fils a longtemps eu des réactions de peur quand on s'approchait de lui après sa circoncision. Le monde s'indigne de l'excision, mais la circoncision, vous pensez ! Un homme, c'est solide ! Les raisons d'hygiène sont l'hypocrisie de la coutume. Quand Voltaire fait dire à Zadig s'opposant à une violence coutumière : « La raison est plus ancienne », il est optimiste comme Candide. La raison n'est pas plus ancienne que la coutume, elle est *aussi* ancienne. En même temps que la capacité de raisonner est apparue la passion de tuer le raisonnement. Et c'est ce perpétuel combat, de la naine et dure raison, contre la géante et molle coutume, qui se perpétuera jusqu'à la fin des temps.

On reproche à sa mère de vieillir.

Dans les pages « Commentaires et débats » du *Guardian* (26 novembre 2005), une dame écrit : « Nous avons la responsabilité de surveiller les enfants – pas seulement les nôtres. » Et on tremble.

Nous vivons le monde où l'on dit « maman ». Il n'est pas tendre.

Une mère n'a pas le droit de plaisanter. En mai 2008, en Allemagne, une jeune femme de 23 ans met son bébé aux enchères sur Internet. « Mon bébé (l'acheteur vient en prendre livraison), presque neuf, à vendre parce que trop bruyant. » Dénoncée par des utilisateurs citoyens, elle a été mise en garde à vue et l'enfant pris en charge par les services sociaux, grâce auxquels il pourra être bien traumatisé, et la morale rassurée.

Une mère à son fils, elle veut qu'il réussisse : « Si tu as les moyens de faire ta situation aux États-Unis, d'y rester, mon chéri, fais-le. » Une mère peut être prête à donner l'indépendance à son fils. Les femmes ne sont pas nationalistes. Aucune catégorie n'a raison, ni tort en soi. Toute pensée par catégorie devient rapidement fausse.

LISTE DES PÈRES

Si on pouvait être grand-père tout de suite, je crois que la plupart des hommes le choisiraient. Les hommes sont des oiseaux.

Tous ne veulent pas spontanément faire des enfants. La plupart de mes amis ont été terrifiés à l'idée d'en avoir un, la première fois. Ce sont leurs femmes qui les ont convaincus. Les hommes sont des oiseaux capturés par des chattes.

Alors qu'un père peut facilement décider d'enfiler la panoplie de l'autorité, qui lui est tout naturellement tendue par la société, certains trouvent cela au-dessous d'eux. Et de fait, quel mépris elle a pour les individus, la société, à leur assigner des rôles ! Après des millénaires de mensonges colportés par la tragédie, la prose la plus simple, celle d'une lettre, est venue montrer ce que peut être la vraie « noblesse » chez un père. LeRoy Pollock, père du peintre Jackson Pollock et de ses quatre frères, écrit à l'un d'eux, en 1929 : « Le seul espoir d'évolution pour ce pays réside, d'un point de vue national, dans l'accroissement des protestations de la jeunesse » (*Lettres américaines*). Vous ne trouvez pas ça beau, ce refus de la forme d'usurpation qu'est l'acceptation d'une succession, celle du rôle de père comme celle du titre de roi ?

Antigone le Borgne, général d'Alexandre, avait un fils, Démétrios, bon soldat, homme de plaisirs. « Apprenant que Démétrios était de nouveau malade, il alla le voir et rencontra à sa porte un beau garçon ; il entra, s'assit près de lui et lui tâta la main ; Démétrios dit que la fièvre venait de le quitter : "C'est bien vrai, cher petit, dit-il, je viens de la rencontrer à l'instant qui sortait." » (Plutarque, « Démétrios » ; c'est Démétrios Poliorcète, « le preneur de villes ».)

Mohamed al-Fayed a proposé de restaurer l'hôpital Nasli d'Alexandrie, d'où il est natif, à condition qu'on lui donne le nom de son fils Dodi, mort dans l'accident de voiture qui a tué Diana, la princesse de Galles (refusé). Il y a un entêtement sympathique chez cet homme méprisé par toute l'*upper class* d'Angleterre qui n'est pas si bégueule avec les voyous russes achetant ses clubs de football : la passion d'amour pour un fils mort.

Le rôle plus souple, et donc le préféré, me semble celui de grand-mère. On ne voit pas bien à quoi ça sert, sinon à l'indulgence, dont l'humanité manque toujours ; le grand-père est ou un patriarche ou un fantôme. Le patriarche est un fantôme à qui l'on feint de rendre des hommages.

Quelqu'un me demande : « Quels sont pour vous les grands "romans du père"? » Eh bien, j'en trouve assez peu, sinon aucun. *Le Guépard* est un père, mais accessoirement à son état de prince. M. Micawber dans *David Copperfield* est un père, mais qui disparaît vite. C'est le destin des pères. Les mères sont d'une importance considérable pour bien des écrivains, qui ont beaucoup écrit de « livres de mères », non sans sentimentalisme – sur eux-mêmes : ce n'est pas tant d'elles qu'ils se souviennent avec affection, mais d'eux-mêmes et leur chère enfance. Les pères, eux, arrivent tard dans nos vies et à un moment où nous voulons être libres. Et, dans l'ensemble, ils nous laissent libres : par égoïsme, par légèreté sans doute (ce sont des mâles), mais par respect aussi. Ils ont assez subi le gluant des mères. Au fond, les pères, ça n'existe pas.

LISTE DE L'ENFANCE

Une des formes de la vulgarité consiste à utiliser une supériorité fortuite sur autrui. Celle d'être parent, par exemple. Comme c'est *naturel*, on laisse les parents faire ce qu'ils veulent aux enfants. C'est leur droit sacré, paraît-il. Après ça, comme ils peuvent, les enfants grandissent.

> Raconte une ancienne histoire sur la jeunesse de Lord Halifax que son père terrifiait en se recouvrant d'un drap pour faire le fantôme dans les longs couloirs du château ancestral. Le frère de Lord H... serait mort jeune à la suite d'un ébranlement nerveux causé par cette fantaisie dont l'objet, paraît-il, était d'aguerrir les deux enfants.
>
> Julien Green, *Journal*, 25 mai 1943

Dans les années 1970, des équipes d'éducation sexuelle se rendaient dans les écoles et projetaient des films aux enfants. Il y en avait un sur un accouchement, en gros plan, avec tous les détails, lèvres qui se déchirent, sang qui gicle, coupole gluante du crâne qui force le passage. Tout à fait comme une vidéo de beauf filmant l'accouchement de sa femme au camescope, mais autorisé par l'Éducation nationale. J'avais huit ou neuf ans, je m'en souviens encore. Cette vulgarité-ci, comme tant, provient du manque d'imagination, c'est-à-dire de l'incapacité de chercher à savoir ce qu'un acte pourrait produire sur la sensibilité d'autrui.

L'éducation que Frédéric-Guillaume de Prusse donnait à ses enfants, racontée par la margrave de Bayreuth : à table, au deuxième service, il se resservait, puis crachait dans le plat, pour les habituer à la frugalité ; il les obligeait à manger des mets qu'ils n'aimaient pas, après quoi ils vomissaient ; quand il était immobilisé par ses attaques de goutte, il les obligeait à rester près de lui toute la journée et les injuriait ; il s'amusait à cache-cache avec eux, en leur jetant une béquille sur le dos dès qu'il les avait aperçus ; dans tous les cas il les battait [1].

Cet aimable Frédéric-Guillaume avait lui-même été élevé suivant un système d'éducation précis : aucun enseignement de l'histoire antique, du latin, du catholicisme ni de la prédestination. Ce système avait été mis au point par Leibniz. Je dois dire que je trouve ça pas mal, si l'intention est bien ce qu'elle me semble, éloigner l'enseignement du meurtre par l'exemple, mais l'exemple précédent montre qu'aucune éducation ne réfrénera un pouvoir libre d'être brutal.

En URSS, quel était le nom de ce petit garçon qu'on força à dénoncer son père et qu'on fit Héros de l'Union soviétique ?

La mère de Lord Byron se moquait devant lui de son pied bot.

Le père de Tennessee Williams, parce qu'il préférait lire des livres dans la bibliothèque de son grand-père à jouer au base-ball, l'appelait Miss Nancy, miss Tapette [2].

Le père de Mishima, qui voulait lui donner « une éducation spartiate », le mène devant une voie ferrée et, un train passant dans un fracas de bruit et de fumée, le brandit face à la machine en lui disant : « As-tu peur ? Si tu cries comme une mauviette, je te jette dans le fossé. » Considérant, selon la doctrine confucéenne, qu'un écrivain, comme tout artiste, est un être efféminé et inférieur, il a déchiré les premiers manuscrits de son fils.

Il y a des pères étonnés que leurs fils se suicident.

En 1973, à l'âge de dix-sept ans, John Paul Getty, dit John Paul Getty III, petit-fils du milliardaire américain John Paul Getty, est enlevé contre une rançon de trois millions de dollars. Le grand-père,

---

1. Un de ces enfants était le prince impérial, futur Frédéric II.
2. Rapporté par Williams dans l'avant-propos à *Sweet Bird of Youth*.

milliardaire à raison de centaines de millions de dollars et célèbre avare, refuse de payer, *pour le principe*; les ravisseurs envoient une oreille du jeune homme, menaçant de lui couper un pied. Après avoir durement négocié, le grand-père paie. John Paul Getty III est ensuite déshérité par son père pour s'être marié avant l'âge de vingt-six ans (rite familial) et, à force de drogue et d'alcool, devient aveugle et paralysé. Ce père, naturalisé britannique, passe au Royaume-Uni pour un grand philanthrope. Il a donné cinq millions de livres au parti conservateur, cinquante millions à la National Gallery.

Peu d'hommes ont autant tenu leurs promesses d'enfant que le dramaturge Henry Bernstein (1876-1953). Un des auteurs à succès de l'entre-deux-guerres, il écrivait un théâtre à sujets de société traités sur le mode brutal. Jean Rhys a écrit *La Prisonnière des Sargasses*, Henry Bernstein pourrait être qualifié de prisonnier des sarcasmes. Et il ne nous surprend pas trop, quand nous avons vu son portrait enfant par Manet, mains dans les poches, assuré, prêt à conquérir le théâtre à coups de pied dans la porte des coulisses.

L'enfance est un masque posé devant l'âge adulte afin de le tromper. Derrière ces visages, nous ne voyons rien, et supposons la pureté, la gentillesse et la bienveillance. Les enfants sont tous les mêmes pour nous comme tous les Noirs sont tous les mêmes pour les gens sans regard. Rappelons-nous combien, enfants, nous étions entourés de salauds, d'abrutis, de méchants; et *nous savions les voir*. L'adolescence est un drame parce qu'on y devient aveugle pour le restant de nos jours.

Vialatte, *Chroniques de « La Montagne »* : « Nous sommes les fils de notre enfance. » Ça va être gai.

Aimez vos enfants, ça fera un peu moins de monstres. Pas trop, ça ferait des inaptes.

Tout enfant est seul.

LISTE DE L'ÉDUCATION DES PARENTS

À partir d'un certain âge, les enfants prennent en charge l'éducation de leurs parents. À trente ans, les parents sont les esclaves de leurs enfants, et ils en sont ravis. À quarante-cinq ans, ils en sont les dupes, et ils en sont ravis. À cinquante ans, ils sont leurs élèves, et ils en sont ravis. À quatre-vingts, ils sont leurs enfants, et ils en sont ravis. Le ravissement de subir.

Les parents obéissent à leurs enfants de plus en plus tôt. Certains en ont un, et leur vie s'arrête. Ils refusent les dîners ; puis partent en vacances avec leurs enfants en bas âge ; puis ne vont plus au théâtre, etc., et, quand leurs enfants ont vingt-cinq ans, ils se rendent compte, dans le fauteuil du salon, que cela fait vingt-cinq ans qu'ils n'ont pas participé à la vie.

Bernardin de Saint-Pierre se promène avec Rousseau aux Tuileries. Des enfants jouent. « Voilà des gens que vous avez rendus heureux. On a fait ce que vous avez voulu », dit Bernardin. « Il s'en faut bien ! On se jette toujours dans les extrémités. J'ai parlé de ce qu'ils ne fussent pas tyrannisés, ce sont eux à présent qui tyrannisent leurs gouvernantes et leurs précepteurs », répond Rousseau (Bernardin de Saint-Pierre, *Essai sur Jean-Jacques Rousseau*).

La fille de neuf ans d'une de mes amies descend l'escalier en brandissant son passeport et en hurlant : « Maman ! Tu vas mourir l'an prochain ! C'est écrit : "Date d'expiration : 2008" ! » Un pas derrière elle, sa cadette de deux ans : « Je t'avais bien dit qu'elle allait crever ! » Scène d'ouverture pour un film avec deux sœurs adultes se haïssant.

Les enfants sont un peuple qui a envahi le peuple des adultes. On le voit par les photos de famille : naguère, on voyait des photos d'enfants à leur baptême, puis ils disparaissaient jusqu'à leur première communion, après quoi ils disparaissaient de nouveau pour ne revenir que vers l'âge de quinze ans. Ma génération (nés entre 1955 et 1980) a commencé à apparaître sur les photos d'adultes vers l'âge de dix ans. Aujourd'hui, les enfants sont là sans discontinuer depuis le jour de leur naissance. Sous leur regard sévère, les adultes n'osent plus s'amuser.

La chose la plus humaine qu'ait dite Napoléon, qui n'en a pas dit beaucoup, c'est, au médecin lui demandant que faire lors de l'accouchement de Marie-Louise qui se passait mal : « Sauvez la mère ! » La mère, n'est-ce pas, pas « ma femme », ce n'était pas un affectueux. Par ces mots il laisse peut-être aussi entendre que le *ventre* reproduirait ce qui aurait été perdu, mais enfin il n'en reste pas moins qu'il sauve un adulte. Les adultes sont généralement considérés, et par eux-mêmes, comme bons à jeter.

On devient adulte quand on apprend qu'il ne faut pas manger un kilo de crème avec les fraises. On l'a appris *à ses dépens*, expression bien triste. Préférez-vous être Sophie avec ses malheurs ou la comtesse de Ségur avec ses certitudes de folle ?

Nous devenons adultes le jour où nous cessons de croire à ce qu'on nous dit.

L'hérédité, ce sont des bouffées.

L'adolescence est un racornissement subit. On nous comprime pour nous faire passer dans le tube de l'entonnoir. Quel âge atroce, quel malheur.

Les enfants nous vieillissent, quand ils sont tout petits et que nous passons tout d'un coup de la jeunesse à l'état de père ou de mère, puis nous rajeunissent quand ils ont seize ans et nous racontent ce qui se passe dans la vie, que par conséquent on admet ne pas vivre. Puis ils nous tuent.

LISTE DE FRÈRES ET DE SŒURS

Ptolémée XIII d'Égypte et Cléopâtre. Ils sont aussi mari et femme. Elle l'anéantit.

Frédéric II de Prusse et Wilhelmine. Ils sont seuls complices contre la méchanceté de leur père Frédéric-Guillaume qui les brutalise, Frédéric en particulier. La complicité demeurera toute leur vie.

Louis-Philippe, roi des Français, et Adélaïde. En exil ensemble en Angleterre pendant la Révolution. Ils s'adorent. Elle est son bon côté. Elle meurt avant lui, il est bouleversé.

Dans *Un demi-siècle à Hollywood*, le cinéaste Raoul Walsh raconte l'histoire d'une de ses maîtresses. Une rixe qui oppose étudiants et soldats à Monterey fait deux morts chez les soldats; le frère de cette Maria, injustement accusé, est condamné à vingt ans de prison. Le général Gomez, qui commande la place, s'oppose à tous les recours. « Si Maria l'accompagnait à Santa Ynez quand il y serait muté, il ferait libérer son frère. » Maria dit à sa fille qu'elle est nommée institutrice et y rejoint le général. « Parfois, comme aujourd'hui, je suis triste, dit-elle à Walsh. Mais j'ai sauvé mon frère. » Elle aurait dû avoir sa statue à l'entrée du village.

Un frère et une sœur se haïssent. Ils vivent ensemble depuis cinquante-sept ans. La sœur possède un perroquet. Il le tue sous ses yeux et sans qu'elle s'en rende compte, en lui faisant écouter le septuor du *Voyage à Reims* de Rossini. (Authentique, 1998.)

Quel dommage que Louis XIV n'ait pas eu de sœur.

Et d'ailleurs : ceux qui étaient fait pour avoir une sœur (quelqu'un qui leur permette de développer l'affection d'un bon cœur) et n'en ont pas eu. Stendhal. Sa nièce y a suppléé quelque temps, comme pour Flaubert sa nièce Caroline. La nièce est un substitut de sœur, comme peut l'être une cousine. J'écrirai peut-être un jour l'affection toute spéciale qu'un cousin peut avoir pour ses cousines.

LISTE DE FRÈRES ET DE FRÈRES

*(C'est moins intéressant. Dans la plupart des cas,
chacun se développe séparément.)*

Louis XIV et Philippe d'Orléans. Louis XIV craignait les colères de son cadet et lui passait ses mignons, ses frasques, ses assassinats peut-être (comme celui, a-t-on dit, de sa première femme Henriette d'Angleterre, voui, voui, celle de MADAME se meurt MADAME est morte).

Alfred et Paul de Musset. Paul très admiratif de son aîné, et sans condescendance, il savait qui était le meilleur et l'admettait sans amertume. Socialement, Paul n'était pas à plaindre, il était à l'Académie française, ce qui pouvait lui faire croire que littérairement non plus. Il a écrit le joli conte pour enfants *Monsieur le Vent et Madame la Pluie*.

Marcel et Robert Proust. Robert, médecin comme leur père, sans aucune jalousie (pourquoi y en aurait-il eu? parce qu'ils étaient frères), a travaillé avec dévouement à l'édition posthume du roman de Marcel.

Sacha et Jean Guitry. Le frère fantôme. Il est tué dans un accident d'automobile en 1920.

André et Marie-Joseph Chénier. Le second, subissant la calomnie d'avoir fait exécuter son frère, a été défendu par Vigny dans *Stello*.

Jack et W.B. Yeats. Le premier ne s'en tire pas aussi mal qu'on aurait pu le craindre relativement à l'écrasante notoriété que le prix Nobel a apporté au second : l'Irlande est un petit pays qui a besoin de tous ses artistes, et Jack remplit le musée national d'un Dublin dont les collectionneurs n'étaient pas si cosmopolites qu'ils achetassent du Picasso.

LISTE DES FILS MALHEUREUX

Astyanax, le fils d'Hector et d'Andromaque, est prisonnier chez Pyrrhus en Épire après la chute de Troie. Le pire est-il d'être un héritier dépossédé, ou d'avoir eu un père envahissant?

La plupart des rois de France enfants. Louis XI était un enfant humilié. Louis XIII, un enfant écrasé. Louis XIV, un enfant vexé. Ont dû être plus heureux les enfants dont on ne pensait pas qu'ils succéderaient, comme Louis XVI, qui devait se tourner tranquillement dans sa niche avant la sieste.

Le fils aîné de Murat, le maréchal de Napoléon : après l'exécution de son père, il s'enfuit aux États-Unis où il devient *postman* à Lipona, comté de Jefferson ; meurt en 1847. Après tout il a peut-être été un très heureux postier, de même que « le fils de Cimarosa, dont il a été impossible de rien faire » (Stendhal, *Promenades dans Rome*).

Le petit-fils de Corneille, ou du moins celui que Victor Hugo appelle ainsi dans les *Choses vues* et qui, maigre, vieux, boitant, chemise de forçat et chaussures de roulier, une pièce au genou du pantalon, lui remet une requête à transmettre au président de la République Louis Napoléon (1er avril 1849) ; c'est sans doute un arrière-petit-fils. Voltaire, le méchant Voltaire, le sans-cœur Voltaire, le vénal Voltaire, avait recueilli à Ferney la petite-nièce ruinée de Corneille.

Le fils de Verlaine, chef de gare, alcoolique.

Les parents de Toulouse-Lautrec, qui étaient cousins germains, ont fait de lui un quasi-nain (1,54 m, il a tout de même été enrôlé dans l'armée) à la suite d'une maladie qui se nomme peut-être pycno-dysostose ; on l'envoyait en cure à Lamalou-les-Bains, où on lui suspendait des poids aux jambes en lui donnant de la morphine. Sa mère le considérait comme une punition envoyée par Dieu pour s'être mariée avec son cousin. Il est mort à trente-six ans, comme Mozart, mais cela n'a rien à voir. Voici une brève

SOUS-LISTE DE COÏNCIDENCES, ET APRÈS ?

C'est le jour de la naissance d'Alexandre que le tombeau d'Artémis à Éphèse passe pour avoir été incendié.

Mme de Staël est née un 14 juillet.

Marie-Antoinette est née le jour du tremblement de terre de Lisbonne, qui a détruit la ville, fait plus de 50 000 morts et impressionné le monde comme le tsunami de 2004.

Louis XVI et Lénine sont tous deux morts un 21 janvier.

Alphonse Allais et Arthur Rimbaud sont nés le 20 avril 1854.

Un des fils d'Arnold Böcklin, fou.

Le fils de Kipling, que son père force à s'engager lors de la Première Guerre mondiale. Il y est tué.

Les fils d'Oscar Wilde. Amenés hors d'Angleterre par leur mère après la condamnation aux travaux forcés de leur père. En Suisse, le propriétaire d'un hôtel leur demande de partir. Leur présence choque la clientèle. Constance Wilde doit changer de nom, de là que les descendants de son fils cadet Vyvyan portent aujourd'hui son nom de jeune fille de Holland. L'aîné, Cyril, s'est engagé en 1914 et s'est fait tuer. Il voulait prouver qu'il n'était pas homosexuel comme son père. Quand j'ai demandé au fils de Vyvyan, Merlin Holland, s'il ne comptait pas reprendre le nom de son grand-père (Constance Wilde, tout en refusant de divorcer, avait repris son nom de jeune fille, Holland, à la suite des avanies qu'elle subissait depuis le procès, et leurs enfants furent eux aussi nommés Holland), il m'a répondu qu'il laisserait son fils décider : « Ce scandale, vous savez ... »

Les fils des Vietnamiennes et des GI's. Les fils des Japonaises et des GI's. Les fils de tous les soldats d'armée d'occupation dans un pays étranger.

Patty Hearst. Cette petite-fille du milliardaire américain William Randolph Hearst a été enlevée à 19 ans, en avril 1974, par un groupe terroriste d'extrême gauche qui se donnait le nom d'« Armée symbionique de Libération ». Rançon : 70 millions de dollars à distribuer aux pauvres de la Californie. Le père n'en donne que 6. En septembre 1975, Patty Hearst est arrêtée après un braquage de banque commis avec d'autres membres de l'« Armée ». Elle était passée de leur côté. Condamnée à sept ans de prison, sa peine est commuée par le président Carter, elle sort après n'en avoir accompli que deux, et à la mode : Patti Smith lui dédie une chanson, elle tourne dans des films de John Waters.

Le fils du propriétaire du Nain bleu, le grand magasin de jouets de Paris, à qui ses parents disaient : « Avec tout ce que tu vois tous les jours, tu n'as pas besoin de jouets ! » (*Hello Middle East*, décembre 2006). Les gens sans principes sont pires que les gens sans morale.

LISTE DE FILLES ÉNERGIQUES

Il existe un type particulièrement sympathique de filles, les filles à père. Leur père a été un homme autoritaire et actif, a accompli des choses héroïques à leurs yeux et parfois aux yeux de tous, résistant, inventeur, été quitté par leur mère et les a élevées seul. Elles en parlent spontanément et sans cesse. Elles-mêmes sont en général extrêmement bien élevées, droites, décidées et souriantes (d'un sourire ferme). Alexandra de N... est ainsi, fille d'un propriétaire de vins de Champagne qui s'est engagé dans la 2ᵉ DB à 18 ans et été le premier soldat français à pénétrer dans la cave du « nid d'aigle » de Berchtesgaden en 1945. Il en a rapporté un grand in-folio relié de vert sur les empereurs d'Autriche, portant au tiers supérieur un médaillon rectangulaire en relief : on ouvre, et, à l'intérieur, un ex-libris à croix gammée : « Adolf Hitler. » Le général Leclerc lui avait dit : « Puisque vous êtes vigneron, à vous l'honneur de la cave ! »

Les filles de militaires sont folles. Les fils aussi, souvent. Le fils du général Mac Arthur était travesti. Un ami d'ami, fils de général ayant grandi dans des garnisons de province, arrive à Paris la nuque bien dégagée, un an après je le croise boulevard Beaumarchais déhanché et pouffant. Ils ont subi une éducation aberrante. Les militaires eux-mêmes sont une catégorie de gens tellement à l'écart de la société, dans les sociétés d'Europe de l'Ouest tout au moins, qu'ils sont souvent toqués. Cela vient de l'inquiétude. De cet écart, mais aussi de devoir obéir toute leur vie et d'être menacés d'une sanction ou d'une autre. Ils vivent dans un Manège enchanté qui ne prépare pas leurs filles à nager à l'aise dans la société des civils. Elles s'en foutent et n'en font qu'à leur tête. Elles marchent les jambes arquées,

360

épousent un homme assez tard, divorcent après trois enfants. Elles vont à l'église et montent à cheval et, si elles le pouvaient, iraient à l'église à cheval.

LISTE DES ENFANTS BOURBON
ET DES ENFANTS BONAPARTE

Dans le romantisme des enfants de dynasties déchues, il y a toujours un cousin pour l'emporter sur l'autre. Chez les Bourbon, l'enfant de la branche aînée, le duc de Berry, assassiné à l'Opéra, est précisément plus lyrique que Ferdinand d'Orléans, fils de Louis-Philippe, renversé par une voiture à Neuilly ; ces deux jeunes hommes sont bien entendu surpassés par leur cousin Louis XVII. Chez les Napoléon, le duc de Reichstadt cache le prince impérial. Duc de Reichstadt, avez-vous dit ? Non, non. Et savez-vous quel est son véritable nom ? C'est celui qu'au théâtre Sarah-Bernhardt le public 1900 murmurait avec passion : le petit Bonaparte ! La pièce d'Edmond Rostand, *L'Aiglon*, a été une providence posthume dans la propagande que cette famille a utilisée sans vergogne. Voyez, au Museo napoleonico de Rome (sur le Tibre, en face du ministère de la Justice), les estampes, assiettes et textes de chansons populaires où l'on montre unie et fidèle une famille dysfonctionnelle comme toutes.

Napoléon III a lui aussi abdiqué en faveur de son fils : en cas de nouveau coup d'État, le futur empereur s'appellerait Napoléon V. Il s'agirait pour l'heure du prince Napoléon, qui a éclairé la première page du *Monde*, les 28 et 29 décembre 2004, d'un article intitulé : « Napoléon, un géant sur la route de la démocratie et de l'Europe », lui qui a dévasté l'Europe de guerres et instauré une dictature. Il ne faut jamais hésiter à dire des énormités si l'on veut arriver au pouvoir et exprimer le génie du truisme qui caractérise les Véritables Hommes d'État.

Ce fils de Napoléon III, le prince impérial, a fait son service militaire dans l'armée britannique et été tué en Afrique : un Napoléon est mort au service de l'Angleterre. Dans sa dernière photo, il a dix-sept ans, on lui a ajouté un duvet de moustache afin d'émouvoir les bonapartistes français. Ne s'appelaient-ils pas les Ratapoils ? Il a le regard mélancolique de sa mère, qui n'empêchait pas la dureté.

On peut voir deux de ces jeunes gens rapprochés de façon touchante avec une autre malheureuse à la Fondation Lázaron Galdiano de Madrid, dans la salle de ce qu'on appelle là-bas des *retratos de faltriquera*, portraits de poche. (Le nom m'a donné une idée de livre. Gros.) Et voici mes *Trois malheureux* derrière une vitrine, le prince impérial en veste de velours bleu nuit, avec l'œil tombant d'Eugénie ; un assez beau duc de Reichstadt, le cartouche se demandant si c'est réellement lui, mais aucun doute : même nez, même front ; et, à côté, l'amie de Marie-Antoinette, la princesse de Lamballe, dégagée, moqueuse, accoudée au dossier de sa chaise, dont les révolutionnaires s'occuperont. Pauvre chérie, donne-moi ton cou.

LISTE DE CEUX QUI ONT BIEN FAIT DE NE PAS NAÎTRE

Le fils de George Sand et d'Alfred de Musset.

Le fils de Hitler et d'Eva Braun.

Le fils de Marguerite Gautier, la « dame aux camélias ».

LISTE DES CONSÉQUENCES DES ENFANTS

Les enfants font régresser les adultes. Essuyer le caca, expliquer que copier ça n'est pas bien, écouter les mensonges, subir l'humiliation de ne pas savoir répondre aux questions d'algèbre puis, quand on y arrive, l'oublier dans les six mois, au lieu de se maintenir à un niveau de vocabulaire et d'intérêt élevé, au fond, est-ce que ça n'arrange pas ?

Ils rendent les pères béats. « Je promenais Jules dans la rue, et une jeune femme s'est approchée pour lui faire des compliments tellement elle le trouvait mignon », me dit un ami. « Ô candide ! lui dis-je ; elle pensait au père. »

Je connais peu de personnes aussi odieuses que les mères d'enfants mal élevés. Ils cassent l'univers autour d'eux, et elles continuent leur papotage. Les mères sont sourdes. Après, elles deviennent aveugles.

Bien des parents s'en remettent à leurs enfants du métier de « réussir ». Ils deviennent des nourrisseurs, comme il y avait des nourrisseurs de bétail jusque dans les années 1940, et renoncent à tout pour eux-mêmes.

Et, après tout ce que j'ai dit des parents, les enfants indignes, n'est-ce pas. Ceux qui battent leurs parents. Ceux qui les tuent à petits coups de cruauté. Ce sont des enfants devenus adultes. Dès que la force est acquise, l'ignoble force, elle cherche à s'exercer.

LISTE DU CÉLIBAT

D'être célibataire garde jeune longtemps. La vieillesse est un fait physique, mais aussi une poussée sociale. N'étant pas entouré de jeunesse physique (d'enfants), le célibataire n'a pas de posture autoritaire à prendre.

Les célibataires sont peut-être l'unique réalisation de l'idéal sur la terre.

La tourterelle « sans pair s'envole égarée », dit Christine de Pisan. Pensez aux trésors d'adresse que doivent dépenser les célibataires pour ne pas être tués dans la vie sociale : ils ne sont pas guidés par le demi de mêlée qu'est l'épouse. Un célibataire qui a réussi est un génie.

En avril 2008, une journaliste du *Monde* me dit que, pour le plan de licenciement de 130 journalistes, on a annoncé que la préférence serait donnée aux personnes mariées et aux parents. J'allais dire : pauvres célibataires ! C'est en réalité : pauvre talent ! Il n'entre pas un instant en compte. Et tout de même si, car on n'a pas dit « parents » contre « célibataires » (si célibataire signifie « sans enfants »), mais « personnes mariées et parents » contre « célibataires ». La solitude fait encore plus peur que la stérilité.

Le premier avantage du mariage est qu'il bloque l'imagination de la société. Elle passe son temps à se demander quelle est la vie cachée des célibataires, alors que les personnes mariées sont, dans leur esprit, enfermées dans une petite boîte qui contient aussi un feu de cheminée, de la confiture et des vacances à la mer. Raconter l'histoire de l'hypocrite qui s'était marié pour se cacher, à l'abri de quoi stupre et cupidité. « C'est la dernière fois que vous me voyez », marmonna-t-il, au bras de sa femme, en haut des marches de l'église.

Un célibataire reste un fils.

Le métier de ma vie a consisté à chasser le passé. Je ne sais plus la date de mort de mes grands-parents, de mon père, de mon frère. Le célibataire se délie de la vie-sang, transmission, lien. Il est retourné à la poussière avant la mort.

On devient célibataire dans l'espoir que la vie ne vous remarquera pas.

Le carré d'as

qui ne gagne jamais

LISTE DE LA SOLITUDE

Rome : « *Il conto per il signore solo!* » dit le garçon en entrant dans la cuisine du restaurant. Les gens seuls paient toujours des comptes. Ceux à famille sont protégés. Dans la comédie sociale qui vaut vingt têtes nucléaires, avoir une femme, des enfants, une famille, un clan, cela vous renseigne, prévient les attaques et sert à les rendre, évite d'avoir trop de talent, parfois. Enfin, quelle liberté, aussi, de ne pas en avoir ! Une cousine qui se sépare de son quatrième mari et s'établit seule à New York en est tout éblouie : « Quand je me dis que depuis autant de temps tu as pu faire tout ce que tu voulais ! »

Mon sentiment le plus profond, que j'éprouve depuis l'enfance, et sans qu'il soit malheureux, est celui de la solitude. Rien ne m'exalte plus, quand j'ai passé du temps avec des gens, que de me retrouver seul. Et je me le dis : « Enfin seul ! » Je respire. Je m'ouvre au monde. Un seul être près de nous, et c'est un écran devant ce monde. La solitude n'est pas l'isolement.

En 2002, après le suicide du poète Mario Stefani, on lisait, devenu graffiti sur une palissade de Venise, ses vers : « *Solitudine/non essere soli/è amare gli altri inutilmente* », la solitude, ce n'est pas d'être seul, mais d'aimer les autres en vain.

Il est curieux que la liste des péchés capitaux ne comprenne presque que des défauts gênants pour l'homme seul : la luxure, la paresse, la gourmandise, l'envie, l'avarice, l'orgueil. (L'unique « péché » qui touche les autres est la colère.) On peut vivre avec des hommes qui en sont atteints, en les laissant de côté. La société qui les a choisis haïssait les solitaires. Et puis elle aimait l'argent, n'est-ce pas : il n'y a pas la cupidité.

La société, qui n'existe que par regroupements, organise dès l'enfance la guerre à la solitude. Dans les écoles, les enfants solitaires sont méprisés *par les autres* avant d'inquiéter les professeurs. L'action de civiliser, qui se manifestera plus tard par des bombardements, commence par la coalition entre les brutes et les maîtres afin d'empêcher toute singularité de naître.

Rien de grand ne se fait que seul.

Et nous savons bien sûr qu'il faut se garder de « l'arrogance, compagne ordinaire de la solitude » (lettre de Platon à Dion).

Un artiste, c'est le triomphe de la solitude contre la société.

Le seul inconvénient de la solitude, ce sont les boutons de manchettes.

LISTE DE L'IRRESPECT

La mode est au respect. Il y a des campagnes radio pour le respect, des publicités dans le métro pour le respect, des tracts dans les écoles qui n'appellent plus à la grève, mais au respect. Respect, respect, tout n'est que respect, et pas question de le contester. Or, il me semble que tout doit se contester, dans le sens où cela veut dire : ne rien accepter sans examen. Enfant, j'étais indigné lorsqu'un adulte disait : « Tu me dois le respect ! » Cela signifiait : ne cherche pas à comprendre et obéis. La définition même de l'arbitraire.

Un des grands drames de la vie vient de ce que les adultes oublient combien ils ont souffert enfants. Le respect est le commencement de la mort. Quand on respecte quelqu'un, on ne l'aime pas. Quand on respecte une œuvre d'art, on ne la regarde plus. On l'admire, on se prosterne, elle devient quelque chose de religieux. L'esprit n'a plus le droit de la juger, et le cœur qu'à se taire.

Les hommes et les œuvres n'ont pas besoin de respect. Ils ont besoin de politesse, ils ont besoin de déférence, ils ont besoin d'amour, ils ont besoin de passion, ils ont besoin de rage, ils ont besoin d'enthousiasme, ils ont besoin d'être vivants, mais sûrement pas de respect. Respect est le mot magique des hommes d'ordre et des hommes de désordre, lesquels ne sont que des hommes qui rêvent de faire de leur désordre le nouvel ordre. « Respect » est le mot de la police, « respect » est le mot des voyous de banlieue, « respect » est le mot des mafieux, et c'est celui qu'on entend le plus dans *Le Parrain* et dans *Les Soprano*. *« Show me some respect ! »* clame l'homme qui vient d'en tabasser un autre, d'en égorger un second et

373

d'en violer une dernière. Le respect est ce qui s'oppose à la liberté. Le respect, c'est la mort vivante.

LISTE DE LA FAIBLESSE

La force, la force! Il y a des hommes qui ne croient qu'aux rapports de force. On appelle cela des brutes. Ils gagnent, parfois. À l'aube, tendant les bras vers le ciel, ils rugissent, dominant un champ de ruines.

Les moments de faiblesse des forts sont leur part d'humanité. Quand George Washington, le premier chef d'État élu des temps modernes à quitter régulièrement le pouvoir, a renoncé à se représenter, il a dû passer pour faible auprès de ses confrères rois. Sauf Louis XVI, qui, poussant un soupir, s'est demandé comment faire pour obtenir la nationalité américaine.

Les délicats souffrent et on les raille. L'épaisseur, l'absence d'art, l'approximation, la malhonnêteté vous blessent, allons! allons! Chochottes! Précieux! Ce sont les violents qui l'emportent. Sur le moment, tout au moins. « Ici-bas », précise saint Matthieu. À la fin, la faiblesse gagne. Oh! Cela n'advient pas pour la venger, mais parce que c'est la condition de la survie de l'esprit. Après, ce sont les délicats qui l'emportent. Après. Ils sont morts. Les brutes ont bien vécu.

Le général américain Wesley Clark a dit d'un candidat à la présidence de la République américaine : « La faiblesse de John McCain est qu'il a toujours été pour l'usage de la force » (MSNBC, 13 juin 2008). Phrase d'autant plus remarquable qu'elle est dite par un militaire.

De *La Corde*, je garde le souvenir d'un film indigne : Farley Granger prétentieux et lâche parce qu'il est pédé. Seulement, quand le film est sorti, il y avait si peu d'œuvres d'art avec des homosexuels qu'ils ont pris celle-là avec passion. Ils buvaient l'acteur des yeux. Ils admettaient l'injure, tant qu'ils étaient *montrés*. C'était toujours mieux que la clandestinité, preuve de l'infériorité. Et c'est précisément la bassesse de Hitchcock, ce cinéaste de trucs, d'avoir montré un faible méprisable. Non que cela n'existât pas, n'est-ce pas, qu'il n'y ait pas d'homosexuels lâches, dédaigneux et meurtriers, mais ce n'est pas le rôle d'une « œuvre d'art » de les montrer tant que les autres sont ostracisés. Aurait-on admis un film sud-africain d'avant la fin de l'apartheid montrant des Noirs méprisants et assassins ? Ce n'est pas du point de vue des mœurs que je me place, mais de celui de la faiblesse. Elle pourrait être sociale ou physique, j'en dirais autant.

Faibles, notre défense est l'hypocrisie. Ah ! je me rends compte que j'emploie ce mot tantôt positivement, tantôt négativement. L'hypocrisie louable n'est pas autre chose que la posture de cadavre que prend un animal pour éloigner un agresseur. Ce qui est détestable est l'utilisation de l'hypocrisie à des fins de pouvoir, ce qu'en France nous appelons tartufferie. J'ai le bonheur de connaître un Tartuffe pourvu de toutes les caractéristiques qu'avait relevées Molière, à commencer par l'obséquiosité. Il m'en a révélé une autre que Molière ne pouvait peut-être pas décrire, soit par méfiance envers un puissant qui se serait reconnu, soit parce que le théâtre doit révéler des caractères simplifiés : l'obsession sexuelle. Elle se manifeste chez cet homme par des giclées de calomnie à ce sujet, d'autant plus savoureuses qu'il ne cesse de clamer son douloureux sens moral. Est-il faible ? Est-il fort ?

Se moquer de la faiblesse est un moyen de lui dire : tu n'es pas si fragile, puisque je te bouscule. Tu es des nôtres. Me rappelant que c'est la tactique de certains avec les grands malades, qu'ils épuisent à force de jovialité, je n'en suis plus si sûr.

Les hommes qui exhibent leur faiblesse, ne serait-ce pas pour cacher une force dont sans cela on se méfierait, ou un bien un pire défaut, comme la cruauté ?

Nous vivons un monde d'aristocrates déguisés en plébéiens, de putschistes ne prenant presque plus la peine de se coiffer en démocrates, de républicains virant aux populistes un peu plus que le temps d'une élection, de démagogues en un mot, et dangereux. Chirac fut le dernier des modérés d'une époque qui avait vu le monde régi par des Giscard, des Heath, des Carter. Sa démagogie était électoraliste, à l'ancienne, et cessait généralement dès qu'il revenait aux affaires : il aboyait, mais de sa niche. On aurait pu le surnommer Matamore Gandhi. Sa honteuse campagne de 2002, où il fit monter le sujet de l'insécurité pour doubler le candidat socialiste, faisant par là celui de l'extrême droite accéder au second tour, fut le début d'une glissade où les candidats suivants, de droite et de gauche, se sont jetés avec passion. Mitterrand, sous ses airs d'intransigeant, était un de ces faibles. Louons la faiblesse.

LISTE DE LA NUIT

Tout ce qui se transforme la nuit est intéressant. Les amoureux, les loups.

La nuit transfigure. Une chose aussi banale le jour qu'un arrêt de bus y devient fascinant. Tel, en descendant les marches de l'École de commerce de Reims, celui qui fait face, entre deux arbres, éclairé de fortes lumières blanches. Magritte n'a pas fait mieux.

Dans les *Antimémoires*, une femme internée à Ravensbrück dit qu'elle s'est ensuite étourdie dans les boîtes de nuit : « De quoi s'agissait-il pour vivre ? D'être aveugles. Alors, nous sommes redevenues aveugles. » Le raisonnement est réversible : le jour aussi, on est aveugle. Aux choses de la nuit. À celles de l'humanité, également. La guerre qui venait d'avoir lieu était une chose de jour, les dieux de l'Enfer le savent : discours des Japonais, des Italiens et des Allemands, attaques des armées, tout cela était en pleine lumière.

« La nuit, négresse vénale » (Maïakovski, *La Guerre et l'univers*, 1917). Pauvre nuit calomniée. Et le jour, encore une fois, ne connaît-il pas les meurtres, les viols, une cupidité encore plus féroce ?

Où sont les beautés qu'on voit sur Internet ? Dans la vie normale, nous ne croisons que des gens comme nous, avec un nez trop petit ou des oreilles trop grandes, une peau flétrie ou une nuque d'hyène, des dents ternes ou un œil étroit... Mais où sont-ils donc, ces corps et ces visages excitants qui, muets comme des statues, nous font croire que l'idéal existe ? Ils sont enfermés dans des réserves, sans doute, où les grands prédateurs qui les ont capturés se servent pour leur consommation de sexe. Parfois ils les laissent sortir la nuit, dans des boîtes très privées fréquentées par les inoffensifs vampires de la fête, voyeurs, parleurs, caresseurs au mieux, espérant toujours, réalisant peu, enfin, parfois si. Telle est ce qu'Allen Ginsberg appelle *« the machinery of night »* dans *« Howl »*, cette machinerie qui effraie tant les hommes qui se calfeutrent chez eux dès le soleil couché. Ils croient maîtriser la machinerie diurne, encadrée et codifiée qu'elle est par des métiers et des entreprises, et confondent la clarté du jour et celle des comportements. Où sont les beautés qu'on voit sur Internet ?

La nuit est plus humaine que le jour. Les humains sont moins nombreux à pouvoir nuire.

Une amie : « Je n'aimais pas Castel, qui était une boîte pour les vieux et les putes. » Jean Castel avait une autre boîte, le taxi londonien qui lui servait de voiture et qu'il garait dans le parking de la rue Lobineau, aujourd'hui disparu. Taxi noir, nuit noire, boîte noire, dont on sortait souvent noir.

Qui a inventé les boîtes de nuit ? Encore un qui devrait avoir sa statue sur les places. Quelle idée humaine, de creuser des cocons de légère ivresse et de danse, où des êtres humains apprêtés oublient le sérieux du jour ! Et de peu de paroles, n'est-ce pas.

Un musée « en nocturne », et c'est tout autre chose. Les troupeaux sont partis et leurs bergers aussi, qui font du bruit en leur disant quoi penser des œuvres. Seuls restent les attentifs, les amoureux, cinq, dix, silencieux, recueillis. Les œuvres reprennent le pouvoir. Ou plutôt, l'esprit. Elles s'animent. « Enfin entre nous ! »

Manhattan rend la nuit vivante. Cela en fait une ville asiatique.

Une des qualités de l'Espagne est que la moindre petite ville vit la nuit, tous habitants dehors. Dans notre chère Italie, tout ferme à onze heures. On y fabrique des lits trop confortables.

La nuit, Rome devient noire comme une figue.

L'Afrique est noire. Sur Internet, une photo prise par satellite montre la terre de nuit. La Mer est d'un bleu très foncé, les continents étant à peine plus clairs, avec des saupoudrages de blanc aux endroits où l'électricité nous éclaire. Les plus éclairés, les plus dispendieux, les plus riches sont la moitié orientale de l'Amérique du Nord et la moitié occidentale de l'Europe, qui s'observent et s'attirent. Puis la Californie, une partie du Mexique, les régions de Rio de Janeiro et de Buenos Aires, les Japon, les Émirats, l'Inde, la côte orientale de la Chine. Pour l'Afrique, quelques points le long de la Méditerranée, Abidjan et alentour, Le Cap, Johannesburg et rien. La nuit, l'Afrique est dans le noir, l'Afrique est noire. L'Afrique est le poumon noir de la terre. Elle a la pureté, la férocité et le rythme ancien. Vivement qu'elle se couvre de villes sublimes, pour que cesse cette funèbre emphase !

Omelette de ciel de nuit brouillé de nuages. L'avion offre de bien belles visions, inconnues à nos ancêtres, qui ne les avaient pas imaginées, de même que nous n'imaginons pas ce qui paraîtra si naturel dans quelques siècles. C'est bien réaliste, l'imagination.

J'aime la mer la nuit, quand, assagie par la lune, elle lape épuisée le bord des plages. Des barques sommeillent. À Dalkey, en Irlande, serrées sur l'ongle du port, proue vers la terre, tournant le dos à leur destin, elles semblent rêver aux occupations brillantes des humains. C'est sur la petite île en face que le personnage de *The Dalkey Archive*, de Flann O'Brien, rencontre saint Augustin. « Dalkey est une petite ville à peut-être douze milles au sud de Dublin, sur la côte. C'est une ville improbable, tassée, calme, faisant semblant d'être endormie. »

C'est la nuit qui fait la séduction du tableau de Hopper, *Nighthawks* (Art Institute of Chicago) ; et plus précisément la nuit en ville. Un bar est illuminé, des célibataires accoudés, un couple pas très légitime ou pas très bon genre, on croit qu'ils sont tristes, mais non.

Les nuits les consolaient des jours.

Coutumes

LISTE DES PREMIÈRES FOIS

La première crucifixion dans l'art daterait du début du Ve siècle : sur la porte de l'église Sainte-Sabine de Rome. Il a donc fallu quatre cents ans pour que ce que nous croyons l'élément le plus essentiel du christianisme soit considéré comme important et devienne un motif courant de la représentation artistique. La théologie est de la mode, comme la haute couture.

La première statue royale de Paris est tardive : Henri IV au Pont-Neuf, commandée par Marie de Médicis (détruite en 1792).

La première banane de la littérature française se trouve mangée dans le *Journal* des Goncourt.

Le premier morceau de sucre enveloppé dans du papier s'en trouve sorti dans le *Journal* de Paul Léautaud.

Le premier thé bu en Angleterre l'est dans le *Journal* de Samuel Pepys.

La première scène en avion dans un roman est le premier chapitre du *Dernier Nabab*, de Scott Fitzgerald. Ça secoue. L'avion s'arrête en chemin. Il fallait deux fois plus de temps entre New York et Los Angeles qu'aujourd'hui. Cet avion des années 1920 contenait des lits. Il a fallu le retour des milliards sans gêne, dans les années 1990, pour que réapparaissent les lits en première classe. Je dirais que c'est une compagnie asiatique qui en a installé la première. Japan Airlines ?

Le premier autodafé de disques a eu lieu aux États-Unis, à l'instigation d'un animateur de radio rock enragé par le succès allègre du disco : la *Disco Demolition Night*, au Comiskey Park de Chicago, le 12 juillet 1979. 50 000 personnes jettent des disques dans le stade, on en fait exploser au milieu, le stade est envahi, la police anti-émeutes évacue.

Année des premières idées de génie : 1973, premier concert dans un stade, au Golden Gate Park de San Francisco ; 1998, ouverture du Champ-de-Mars, à Paris, aux supporters de football, pour fêter la victoire de la France à la coupe du monde.

LISTE DU TU ET DU VOUS

Selon Étienne Pasquier (1529-1615), dans ses *Recherches sur la France*, notre premier livre d'histoire, on trouverait le premier vouvoiement de la Rome antique dans une lettre de « Pline Second » (Pline le Jeune, 61 ou 62-113 ap. J.-C.) à Trajan : « *Ut primum me domine indulgentia vestra promovit ad praefecturam* », aussitôt après, Sire, que votre indulgence m'a promu à la préfecture. Trajan l'avait chargé de réorganiser l'administration en Bithynie. Pline, dont les lettres privées sont aussi gaies que celles de Vincent Voiture, exerça des fonctions aux titres devenus poétiques : il fut curateur du Tibre et préfet du trésor de Saturne. Le vouvoiement apparaît avec l'Empire et la chute de la liberté. Aussi lentement, aussi sournoisement. Les premiers empereurs s'étaient gardés de s'appeler empereurs, c'est un usage moderne : ils continuaient à se faire élire consuls, maintenant la fiction de la République. César, qu'on tutoyait, fut tué parce qu'on pensait qu'il allait se faire roi, scandale barbare aux yeux des Romains. On tutoie son fils Auguste, mais déjà « certaines villes d'Italie firent commencer l'année du jour où il les avait visitées pour la première fois » ; la courtisanerie n'attend pas plusieurs règnes pour connaître son apothéose, puisqu'on veut l'appliquer à un mort : « Un sénateur suggéra qu'on transfère le nom d'Auguste [août] au mois de septembre, car celui-ci l'avait vu naître, et le premier mourir. » (Suétone, v. 70-122, *Vie des Douze Césars*.) Il se fait ensuite un mouvement de la tyrannie à la politesse. Pasquier :

> Et comme ainsi que notre langue empruntât plusieurs choses de la latine, ainsi nos vieux Gaulois tournant ces flatteries à honneur laissèrent les règles communes de la grammaire, pour s'accorder à

celle de la cour des empereurs auxquels ils obéissaient, et usèrent du mot de *vos*, pour *tu*, ou *toi*, envers ceux qui avaient quelque prééminence sur eux, gardant les préceptes de la grammaire envers les autres qui leur étaient de plus basse condition : et qui est chose fort notable, encore *tutoyons*-nous ceux-là (telle est la diction française que nous avons forgée de *tu*) avec lesquels nous exerçons une bien grande privauté, et encore nous dispensons-nous quelquefois de nos œuvres poétiques, par un privilège particulier de nos plumes, qui ne rougissent point de *tutoyer* quelquefois les rois, princes et grands seigneurs.

Et voilà un splendide exemple de ce que, lorsqu'on brandit son honneur, c'est qu'on l'a perdu.

LISTE ALÉATOIRE DU SUCCÈS

Quand il n'arrive pas trop tard, le succès adoucit les mœurs. Enfin, celles des bienveillants. Un affreux que je connais a été rendu encore plus amer par le succès, qui lui permettait moins facilement de protester contre la persécution dont il se prétendait l'objet. Heureusement, il lui reste la mauvaise foi.

Un moyen d'avoir du succès consiste à ne parler que des gloires Michelin. Homère, Cléopâtre, Napoléon, Lincoln... Je préfère les gens qui me parlent *aussi* de Théocrite. Au demeurant, c'est l'erreur de certains de croire qu'ils obtiendront nécessairement des succès parce qu'ils auront choisi des sujets populaires ; et ils voient l'*outsider* passer la ligne devant eux monté sur Théocrite.

On peut plus facilement trouver les raisons de l'échec que celles du succès. À ceci près que ce sont souvent les mêmes. Un film « élitiste » : pas une entrée. Un film « élitiste » : et il arrive à un moment où le public a envie d'être snob. Un succès, c'est une envie.

Il y a au Mexique un Hotelito Desconocido, nom charmant, et il est évidemment ruineux. Ce sont les hôtels pas chers qui s'appellent « Impérial Palace ». Celui-ci se trouve sur un lagon du Pacifique et a été construit par un Italien, fondateur d'une marque de jeans à succès, milliardaire, investisseur dans la Formule 1, se déplaçant en hélicoptère, qui a vendu ses affaires et ouvert cette maison. « Tout le monde » y va. Son succès est son drame : il ne peut pas s'empêcher de faire de tout triomphe et millions. Pour s'en excuser, il se donne le genre bohème, pas rasé, mouchoir sur la tête et chemise trouée.

Enfin, le fardeau du succès, cela me rappelle ce que m'a dit une belle actrice de cinéma à propos de la beauté qui détournerait l'attention de ce qu'on est vraiment : « Celles qui le disent, si elles ne sont pas contentes, qu'elles attendent : ça passera. »

On a beaucoup moins de temps pour se plaindre d'un succès qu'on n'en a pour savourer un insuccès.

Quand ça marche, vous êtes courtisé. Quand ça marche moins bien, vous êtes seul. Et cela n'a rien à voir avec vous : les courtisans croient se dorer à votre succès, par superstition, et, par superstition, fuir votre malchance.

Ceux qui écrivent le plus pour la littérature sont les poètes. Il y a chez les prosateurs plus de désir de succès, ou un désir moins naïf, ou moins patient. Parmi eux, les romanciers sont les moins pressés ; pour les autres, auteurs d'autofiction, de mémoires, etc., c'est gloire immédiate, vite, donnez-moi ça, que je me goinfre, et ils servent leur jambon sous vide à consommer avant trois mois dans l'espoir qu'ils verront voler des soupières de caviar sur leur table. Et cette revêche de littérature de ne servir le caviar qu'au caviar.

On ne pense jamais, à cause de sa gaieté, à la tristesse que l'insuccès de ses livres a fait tomber sur Stendhal. Se savoir un bon écrivain et être pris pour un excentrique ! À tous les auteurs de trois livres qui parlent pompeusement de leur *œuvre*, on conseillera d'ailleurs l'humour avec lequel il commente certains passages de son *Lucien Leuwen*, ce qui ne veut pas dire qu'il ne le prenne pas au sérieux. « Quelle jeunesse dans this author ! At 25x2 ! » Apparaît au passage le problème de la fin de la jeunesse chez lui. Il éclate dans la déchirante annotation : « Pourquoi pas la joie de Milan en 1816 ? Parce que 18 ans de plus. » En même temps, après un éclat d'agacement dans le roman, il commente : « Cet être-ci [c'est lui] ne sera jamais blasé. » Étonnez-vous que son cœur l'ait lâché à cinquante-neuf ans. Tout le blessait, ce primesautier.

Le succès posthume laisse parfois croire qu'on en a toujours eu. Dalida, dont j'étais le voisin à Montmartre, meurt. On s'était moqué d'elle pendant dix ans, dont elle s'était vaguement relevée grâce au succès critique d'un film de Youssef Chahine, *Le Sixième Jour*, succès uniquement critique, et elle vendait moins de disques. Un journaliste de M6 m'appelle : il va y avoir des milliers de personnes sous ses fenêtres, je peux venir chez toi ? Ils étaient dix.

Il y a des gens qui croient avoir du succès alors qu'ils n'en ont pas.

Le succès ou l'échec, cela n'existe pas.

LISTE DE LA GLOIRE ET DE LA CÉLÉBRITÉ

Jusqu'à la Première Guerre mondiale, au triomphe du maréchal Foch menant les troupes alliées au « défilé de la victoire » le 14 juillet 1919, existait une chose qui s'appelait la gloire. On l'obtenait à condition d'avoir fait quelque chose. Un général victorieux connaissait la gloire, un écrivain auteur d'un grand livre connaissait la gloire, un grand savant qui avait fait une découverte capitale connaissait la gloire. Une chose nouvelle apparaissait pourtant qui s'apparente à la gloire en ce qu'elle apporte la même notoriété, mais s'en distingue en ce qu'elle s'obtient, tout au contraire, à condition de n'avoir rien fait qui ait l'air « supérieur ». C'est la célébrité. Les galopins avaient entrepris d'en obtenir par des provocations calculées, par exemple lors de la première du ballet *Parade* en mai 1917 ; Cocteau et Picasso avaient aussi du talent pour le bruit. Peu à peu, la célébrité s'est perfectionnée : pour l'obtenir, l'idéal est désormais de n'avoir *rien* fait. Pas un seul petit morceau d'exploit sportif ni de bon mot. Sa déesse est Paris Hilton, l'une des héritières de la chaîne d'hôtels, qui ne s'est donné que la peine de naître, comme disait Stendhal des aristocrates d'avant la Révolution. S'étant fait connaître par une émission de télé-réalité où elle vivait un mois dans une ferme, elle est allée dans des fêtes où elle montre ses seins. La célébrité est immorale, et c'est ce qui en fait le charme pour ceux qui ne savent rien faire.

Elle existait avant 1919, mais on lui trouvait quelque chose d'un peu con. Alcibiade, insupportable fils de famille devenu célèbre à Athènes pour ses manières tapageuses, n'a pu relever sa réputation qu'en se comportant bien à la guerre, remplaçant la célébrité par la gloire.

The Queen, de Stephen Frears, est filmé comme par une lessiveuse, mais raconte de façon intéressante comment le Premier ministre Tony Blair et la reine d'Angleterre ont réagi à la mort de Diana, la princesse de Galles. Cela, c'est le sujet apparent ; le sujet réel, c'est le combat de la tradition contre la célébrité. La reine a été désemparée par l'émotion populaire parce qu'elle se prenait pour la personne la plus légitime du monde, quasi de droit divin (le droit divin, c'est quand sa famille est aux affaires depuis plus de cent ans), avec toutes les bonnes raisons des traditions pour elle (le film explique pourquoi le drapeau de Buckingham ne devait pas être mis en berne, alors qu'on a tant reproché à la reine de ne pas l'avoir ordonné tout de suite) : elle a pourtant dû reculer devant cette puissance nouvelle en Angleterre, la foule. Les Londoniens qui se flattaient d'avoir supporté les bombardements allemands sans desserrer les dents durant la Deuxième Guerre mondiale se mettaient à genoux par centaines de milliers en pleurant. Sainte Femme, larmes, robes pastel : catholicisme engluant la nation qui l'avait rejeté depuis 1534 ! Alain Souchon a chanté les foules sentimentales, mais il n'en a pas dit la férocité. Ces gens éventreraient leur mère pour se donner le plaisir de se voir pleurant à la télévision. La reine a été obligée de s'y repentir publiquement.

La célébrité est un métier, comme charcutier ou ébéniste. Il faut s'y appliquer. L'ânerie n'y est pas inutile, alors qu'elle anéantirait la gloire. Le général Boulanger, qui avait été glorieux, s'effondra dans le ridicule de la célébrité à cause d'une maîtresse qui l'avait fait pleurer. Aujourd'hui, au lieu de se suicider, il irait à la télévision et ferait applaudir ses tristesses sous des rires gras. La célébrité est un métier qui se paie au prix de l'humiliation.

Les États-Unis ont inventé un type particulier d'acteur à humilier : la star. La star est un acteur qu'on fait monter, monter, monter, puis, quand il ou elle est bien haut et bien énorme, vu de tous, on le rabaisse par des ragots et des procès. L'Envie est satisfaite.

La célébrité peut être une tentative de s'élever hors du travail par la plèbe. Et mon Dieu, le travail, elle a bien raison de le fuir, la plèbe, car en général il n'est pour elle que labeur.

Les gens simples pensent que la célébrité confère le privilège de la muflerie. Voilà sans doute pourquoi, lorsqu'ils deviennent des célébrités, ils se font mufles.

Ce que les vrais puissants, ceux de la finance, de l'industrie, des très grandes entreprises, ne pardonnent pas, c'est que l'un d'eux cherche à devenir une célébrité. Qu'on soit en photo dans le carnet mondain de *Point de Vue* reste admissible, mais participer à des émissions *people* à la télévision, c'est rompre un pacte. Ils sont perdus.

La popularité de certains tyrans au XXe siècle a été la première manifestation, et aussitôt à son apogée, sans progression, tout de suite hyperbolique, de la soumission à la célébrité. Les intellectuels français, italiens, anglais, américains, sont allés visiter Mao comme ils seraient allés tendre les bras au pied de la scène où chantait Mick Jagger. Cela a ensuite été Castro, et il y en a pour baiser les rangers de l'affreux Chavez. Aussi naïfs que des groupies, et aussi retors : ils espèrent en revenir célèbres.

Lorsqu'elles sont prises à deux en photographie, les « célébrités » savent qu'il ne faut penser qu'à soi et sourient violemment, tout éclat dehors, sans s'adapter à l'autre ; et ainsi elles n'ont pas l'air ensemble, mais réellement côte à côte.

Je connais peu de spectacles aussi répugnants que le désir de célébrité chez les enfants. J'ai rencontré une petite fille qui, me croyant « célèbre », s'est mise à trépigner : « Moi aussi, je veux être célèbre ! » Tu ne le seras qu'au prix de ton honneur, pauvrette.

La célébrité est une maladie qui affecte surtout celui qui ne l'a pas. Celui qui admire la célébrité est plus atteint que le célèbre, qui fait souvent tout pour avoir l'air normal.

LISTE DE L'ENNUI DES FÊTES

Il existe quatre âges de l'homme. Enfant, il regarde ses parents, qu'il trouve splendidement habillés, partir pour des fêtes qu'il imagine merveilleuses. Jeune homme, il sort tous les soirs, plus attentif à sa tenue qu'un proxénète noir de Los Angeles, et avec une obstination d'athlète. Il ne s'agit pas pour lui de s'amuser, mais d'être là où il faut être. C'est un jeune homme de devoir. Adulte, son corps vieillissant lui refuse la permission de sortir autant ; il fait des enfants pour justifier son incarcération. C'est vers quarante ans que son destin se décide : ou moine, ou soldat. Ou bien il demeurera chez lui jusqu'à la fin de ses jours avec des distractions aussi déprimantes que le bricolage, ou bien il recommencera à sortir et deviendra comme ses parents. Certains en restent dehors toute leur vie.

Leur métier devient un intervalle rêveur entre les soirées, et leur appartement un entrepôt où ils passent se changer et récupérer leur femme qui s'est elle-même préparée avec la gravité qui précède l'assaut. Et ils vont, fantassins des fêtes, d'une soirée à l'autre, fourbus à 20 h mais redressés à 21, se marmonnant l'insolente phrase de Racine : « Mes nuits sont plus belles que vos jours. »

Il faut être cuirassé pour assister aux fêtes. Elles sont une guérilla urbaine. On doit se lever en permanence pour saluer les femmes qui arrivent, au mépris des sciatiques, être prêt à répondre sur-le-champ aux persiflages des *talking snipers*, subir des histoires sans intérêt racontées comme si c'était l'*Iliade*. Personne ne doit mieux savoir s'ennuyer qu'un fêtard. Comme la garnison du *Désert des Tartares*, il attend le mot d'esprit qui ne viendra jamais. Entre les mêmes personnes marmottant les mêmes anecdotes, brinquebalent des vétérans féminins blessés cent fois et liftés cent une, des vétérans masculins aux cheveux roux d'ammoniaque ne parlant plus que par sursauts, pareils à des robots dont la pile lancerait un dernier courant électrique. Ces créatures ont vaincu plus d'un brillant causeur. À leur approche, on entend un bruissement : « José Luis de Villalonga… Tony Gandarillas… Charlie Morel… » Méfiez-vous du chant de ces vieilles sirènes, elles vous entraîneraient sur l'île de la Tentation de la Fête éternelle ! La Fête, ce n'est souvent que de l'Ennui avec de la mousse de foie gras.

On peut dire des fêtes ce que Pascal disait de la prière : le geste entraîne l'esprit. D'abord, on peste contre les obligations : sortir, toujours sortir, mon régime, et quand je pense qu'il y aura les Duroc qui sont des veaux et les Vaneaux qui sont du toc ! Au fur et à mesure qu'on s'habille, c'est-à-dire qu'on s'améliore, on s'attendrit. Après tout, il y aura aussi les Ségur et les Mabillon, et si le champagne n'est pas servi dans des gobelets… Vous voilà forçat. « Agenouille-toi et la foi viendra » est le plus abject des conseils. Oh, sûrement, tout vient avec l'habitude, tout s'accepte, tout s'admet, tout se justifie, toute bassesse, toute inhumanité. C'est une honte pour la liberté des hommes, une *pensée* pareille. Dans les camps d'extermination on acceptait de ne plus être des hommes, nous a appris Primo Levi. Et on voit nos bagnards en smoking ramper de fête en fête avec l'acharnement du prisonnier qui, loin de vouloir s'évader, chercherait à atteindre le plus profond de la prison, pourquoi ? parce que d'autres y sont.

Les cœurs sensibles, comme Scott et Zelda Fitzgerald, se sont brûlés à ces combats. *À Gerald et Sarah Murphy — beaucoup de fêtes (many fêtes)* dit la dédicace de *Tendre est la nuit*, accrochée à l'entrée du livre comme un ex-voto. C'est la promesse du crépuscule.

Comme aurait pu le dire Gertrude Stein, une fête est une fête est une fête : toujours les mêmes personnes, les mêmes effilochages de conversation, les éclatants sourires qui s'éteignent dès le dos tourné, les platitudes qu'on dit brillantes, Chateaubriand faisant l'ennuyé qui se tient par coquetterie tout au fond de la pièce. « TALLEYRAND : —— Avez-vous des nouvelles de M. de Chateaubriand ? QUELQU'UN :

— Il paraît qu'il devient sourd. TALLEYRAND : — C'est qu'il n'entend plus parler de lui. » Il y a en France une idéologie de la conversation qui fait la persistance des dîners en ville. Ce qu'on appelle conversation n'est en général que le brillant monologue d'un écrivain envahissant, ou une féerie qui n'existe que dans les romans. Et une tête branlante de se tourner dans un craquement sinistre vers le plat que tend le domestique, pendant que sept autres hochent la leur sur leur assiette, y laissant choir des gravats de fard et des paroles fades.

Rien n'est plus fastidieux que les endroits où l'on va par devoir, fût-ce celui de s'amuser. Tout devoir devrait être banni hors de la vie. À Tarbes, mettons.

Rien n'a dû être plus ennuyeux que :
    le bal oriental d'Alexis de Rédé à Paris en 1969 ;
    le bal noir et blanc de Truman Capote à New York en 1966 ;
    le bal Beistegui de Venise en 1951 ;
    les « Plaisirs de l'île enchantée » de Louis XIV à Versailles en 1664.

Rien n'a été plus gai que quelques fêtes que quelqu'un que je connais a données à Toulouse entre 1984 et 1986.

Comment était le bal que Reynaldo Hahn a donné dans les tranchées en 1917 ?

Certains peuples font sauter les bouchons de champagne comme ils gagnent des victoires. Pendant que je terminerai ma thèse de deux mille pages sur « Démilitarisation de la société et perte du goût pour les fêtes », vous réveillonnerez à Washington, parmi le peuple le plus belliqueux et le plus sorteur de l'univers. Alors, fidèles descendants de Louis XIV, vous serez à la fois dansants et victorieux.

— On ne voit plus les Washingtoniens qu'en treillis ou en smoking, disait la comtesse Desert-Storm tout en happant, de ses doigts en bec de toucan, un petit-four sec.
— L'important, répondit la marquise de Kaboul, c'est de recevoir les cartons et de ne pas y aller.

Rien n'est pire qu'un fêtard, sinon un morose. « Je n'aime pas sortir. » C'est souvent que personne ne l'invite.

L'important est de faire ce qui chante. Fuyez les grincheux, évitez de le devenir en ronchonnant contre les fêtes, sortez, ne sortez pas, mais soyez allègres.

LISTE DU SPORT ET DES FEMMES

Certains sports ne peuvent prétendre à aucune utilité sociale, ressemblant alors vraiment à la littérature. Le badminton, par exemple. Celui qui a eu l'idée de demander à deux équipes d'êtres humains de s'envoyer une balle à volants selon des règles précises est le duc de Beaufort, qui a importé dans sa maison de Badminton un jeu semblable auquel les soldats britanniques jouaient en Inde, me dit-on, et je le crois. Le duc : un homme. Les soldats : des hommes. Le sport est une invention d'hommes.

On a gardé les noms de vainqueurs aux Jeux olympiques de l'Antiquité, Alcibiade, Hippocléas, on en invente même, à la façon du site Internet du Comité international olympique qui annonce que Platon a gagné deux fois au pancrace. Les programmateurs étaient sans doute distraits par la lecture dans Pausanias, l'auteur de la *Description de l'Attique*, dans la série grecque de la collection Budé (le fameux Guide jaune), d'histoires de corruption des jeux antiques, ces mauvaises manières n'existant plus aujourd'hui. Les femmes étaient interdites de Jeux. Par morale, dit-on. N'était-ce pas pour que les hommes puissent continuer à *jouer*? Les hommes sont des êtres légers, les femmes des êtres lourds, m'a dit une femme. C'est sans doute exact. Les hommes volent, les femmes marchent. Elles semblent même avoir la passion de la fixité; la première est le mariage. Les femmes y entraînent les hommes, qui sans cela seraient aventuriers, artistes, marins. Enfants, voilà. Le rêve perpétuel des mâles. Plutôt que de les laisser le rester, les femmes s'en font faire. Il faut rentrer à la maison, avec un costume dont les rayures pourraient être horizontales et plus larges, portant une serviette qui pourrait tenir par une chaîne, pour changer des couches parce qu'on vous l'a demandé. Reste l'échappatoire du sport.

C'est son origine masculine qui en fait l'enfance, c'est-à-dire l'aberration de règles prises au sérieux. Pendant une heure et demie, *on s'amuse à y croire*. Et on raffine les complications, comme les enfants cherchant à perpétuer des amusements qui sans cela s'arrêteraient trop vite. Au badminton, ce sont les cas où le volant cesse d'être en jeu : lorsqu'il touche le sol, dès qu'il effleure le vêtement d'un joueur, et bien d'autres raisons aussi déraisonnables. Le sport collectif est un moyen de continuer à jouer aux cow-boys et aux Indiens passé l'âge.

Les Jeux olympiques ont accepté les femmes en 1900 à Paris. Au moment où, au bois de Boulogne, des élégantes en forme de sablier faisaient de tout petits pas dans de longues robes étroites, tirées comme sur des roulettes par de minuscules chiens frisés, leurs sœurs, sur l'île de Puteaux où se disputaient les matches de tennis, se lançaient dans le sport, en partie par esprit de revanche, en partie parce que l'hygiénisme s'emparait du monde. Dans la Rome antique, on tenait le sport dans le plus grand dédain, et c'est une des raisons de mon penchant pour cette société. Tout ce qui a un côté sportif me paraît un peu con : les aviateurs de 14, les trois mousquetaires, Ulysse. Les trucs d'hommes, en fait.

Et le sérieux. C'est le problème, et cette femme se trompait sans doute, et moi avec elle. Ce n'est pas parce qu'un membre d'une catégorie énonce une généralité à son sujet qu'elle est exacte. Les mâles ne sont pas si enfantins, ou alors l'enfance est un abattoir. Je suis frappé par la violence des suppléments Sports des journaux anglais où, football, rugby, cricket, on montre en gros plan des hommes qui bondissent en serrant les dents, se heurtent, rugissent, grimacent comme des torturés. Le *National Geographic* spécial animaux sauvages est plus civilisé. « Le sport, comme la tragédie, purge les passions », me souffle un professeur à l'oreille. On ne doit pas en faire assez, alors. Il reste des meurtres. Autour des stades, entre autres. Les femmes sont lourdes et les hommes sont lourds.

Une des différences entre les deux est que les femmes, même si on a réussi à les transformer en supportrices peinturlurées, restent minoritaires dans les stades. Combien de lectrices ai-je entendu déplorer : « Mon mari lit *L'Équipe*... » Mon mari lit *L'Équipe*. Et mon genre ne se cache pas de honte dans des caves remplies de livres ?

Les hommes se croient sérieux et la plupart du temps ils ne sont qu'ennuyeux. Ils rendent le sport ennuyeux, à force de le prendre pour autre chose qu'un divertissement. Ils rendent le travail ennuyeux, à force d'y voir autre chose qu'un gagne-pain. Ils rendent toute conversation ennuyeuse, à force de n'y parler que de choses utiles. La rêverie des femmes, un homme s'en est moqué sans pitié dans *Madame Bovary*, et elles en ont eu honte. Elles ont fait le succès de bien des livres misogynes, comme *Les Jeunes Filles* de Montherlant. C'était en partie pour se renseigner sur ce qu'on leur reprochait, mais aussi par complexe d'inférioisées. Il a fallu leur indulgence universelle pour qu'elles ne se révoltent pas.

Le sport, c'est comme la vie. La plupart du temps, il ne s'y passe rien. C'est sans doute pour cela que c'est l'activité symbolique la plus populaire.

LISTE DE SÉBASTIEN CASTELLA

et autres anges qui s'ignorent

La corrida, c'est toujours comme ça. Un jour on a cinq mauvaises faenas sur six, le lendemain six bonnes, dont un chef-d'œuvre de passion et un autre de classicisme (c'est-à-dire légèrement inférieur). Le 2 septembre 2006 à Bayonne, premier cas, avec Juan Bautista, le fils Manzanares et Miguel Angel Perera, le 3 dans les mêmes arènes second cas avec Morante de la Puebla, El Juli et Sébastien Castella. Ils affrontaient de très bons taureaux de Garcigrande, un élevage de Salamanque. L'un était un costaud de plus de six cents kilos couleur caramel qui se fondait presque avec le sable de l'arène ; les taureaux noirs avaient une langue caramel au milieu du dos. Morante, petit homme à abdomen d'abeille, preste et régulier ; El Juli fait faire à son premier taureau des passes longues et suivies et aurait obtenu deux oreilles et la queue s'il n'avait manqué sa mise à mort (il a dû descabiller après trois coups d'épée) ; c'est Castella qui les a obtenues. Il a eu de l'audace et de la grâce. Une jeune femme éperdue d'amour pour ce beau jeune homme fuselé dans un costume à broderies lui a jeté son blouson en jean au moment de son tour d'honneur. Oh ! l'espoir qu'il le lui renvoyât et la regardât. C'est une fille de famille. Pendant ses études de communication, elle s'offre l'entraînement. Le suit en secret. Le jour de sa première corrida, elle est encornée et meurt.

Aux mêmes arènes de Bayonne, le 15 août 2007, Castella a été facile, gracieux, génial. Premier taureau (Valdefresno), deux oreilles ; le second, rétif, il finit par lui faire faire à peu près ce qu'il veut. La différence éclatait avec le fils Manzanares, bon, classique et ennuyeux. Le notaire et le danseur. On s'est amusé plus à la balourdise de Javier Condé, qui toréait à deux mètres et s'est fait bouffonnement siffler. Un de ses péons venu distraire le taureau d'un coup de cape a été applaudi à tout rompre. « Montre-lui, Sébastien ! » a crié quelqu'un avec l'accent du Sud-Ouest, et une Espagnole à mon côté, jeune et belle, s'est emportée et l'a invectivé à voix haute. *« Es ahí, el toro ! »*

Castella montre parfois que la corrida, c'est aussi du sexe. Il torée sans bouger, planté comme une bougie. Se cambrant, il tend l'abdomen par à-coups face au taureau : moi contre toi.

À la ville, il est empêtré, marche un pied en dedans. Eh oui, c'est un génie : il ne sait pas marcher, il ne sait que danser. Il boite comme les anges. *Idem*, sa voix. Il ne peut pas parler normalement, ne le saurait même pas : il est ailleurs, dans son art. Un prodige déjà qu'il parle le français. Il pourrait être atteint de glossomanie, comme on dit de ceux qui inventent leur langue (les poètes font ça tout le temps, et voilà pourquoi ils vendent cent exemplaires de leurs livres). L'ange Heurtebise, vous dis-je.

Surya Bonaly, l'ancienne championne, demande l'interdiction de la corrida aux moins de quinze ans (*Le Monde*, août 2007). On devrait surtout interdire le spectacle du patinage artistique : tant de laideur et de mauvais goût ! Il est vrai que ce ne sont pas les succès de cette sportive qui nous ont assommés d'images. Brigitte Bardot a elle aussi pesté contre le ministre de la Santé devant se rendre à Bayonne. C'est curieux, cette femme qui a subi la censure et qui veut censurer. Elle est peut-être désœuvrée. La dernière façon qu'ont les vieux cabots de faire parler d'eux est d'empêcher les plaisirs des autres. Et pour le chanteur Renaud, qui s'en est lui aussi mêlé, a-t-on réclamé l'interdiction des pétards quand cet homme qui se croit « bobo » et n'est que beaubeauf les vantait, et du pinard, et de la coke ?

Je note les noms pour la poésie, la plupart du temps je les oublie. Des toreros anciens, qui me rappelé-je ? Cesar Rincón, petit Colombien rageur et génial. Je l'ai vu, cet intrépide, se faire blesser, se relever, ramasser sa cape avec un geste rageur envers ses aides qui accouraient à son secours, et finir une faena sublime. Il vient aux arènes de

Las Ventas de Madrid, le 8 juin 2007, pour sa dernière corrida. À son deuxième taureau arrive cette chose extraordinaire : il a peur. Alors que le taureau est bon, il recule. Les péons arrivent même pour éloigner cette grosse mouche de lui qui, comme un lâche, n'ose plus l'affronter. Il est sifflé, rate sa mise à mort tellement il s'écarte et sort sous les huées. Eh bien, c'était très beau. On comprenait tout d'un coup que cet homme n'avait été aussi intrépide que parce qu'il avait eu autant peur, et que donc, loin d'être une brute qui fonce, il avait eu le vrai courage, qui consiste à vaincre le petit moi qui vous souffle de prendre garde. Il était humain. Plus que la foule, certes, mais la foule est ignoble. Le public devient un seul homme élevé par deux secondes de grâce face à un succès, une foule basse et baveuse face à un échec. La peur fut la raison de son courage.

Oui, oui, c'est la troupe des anges qui marche incognito parmi les fantassins, l'humanité, nous. Avec leurs costumes de danseurs de cirque, ils vont jouer *Tragédie au Lido*. Transcendant le ridicule, ils affronteront les huées, sortiront parfois sur les épaules de leurs péons en un triomphe familier, car il est hors de question, en le leur faisant silencieux et divin, de reconnaître que les anges existent. Et sous la musique la plus clinquante, les pieds posés sur le sable comme des fers à repasser, tenant furieusement une cape brodée devant la poitrine, ils entrent, s'apprêtant à valser avec la mort.

Les aficionados, de corrida, d'opéra ou de toute autre chose, sont souvent des pédants, si on veut bien accepter que la pédanterie est une manifestation naïve de la passion, tandis que la cuistrerie serait la manifestation pompeuse d'une connaissance. Dans leur enclos, ils n'aiment généralement pas ce qui sort de la ressemblance, de la rhétorique, si forte en corrida, comme le marque son vocabulaire spécialisé. Les fans ne sont pas pour la liberté.

Le plus sympathique, à la corrida, ce sont les Espagnoles. (L'Espagne n'est pas plus la corrida que la France n'est le cassoulet. La Catalogne fait profession de la haïr. Il n'y a pas beaucoup de corridas en Galice, à cause du climat froid.) Au Mexique, on ne met pas les taureaux à mort. On pourrait s'y résoudre en Europe. La corrida comprend une part de barbarie assumée qui la relie aux plus anciens cultes antiques, et on peut la justifier par le symbole, mais la justification par le symbole n'est sans doute qu'une forme raffinée de la fourberie. Ne mettons pas non plus en balance le football et ses clubs de supporters néonazis ou connards divers, sans même parler des assassinats commis à la sortie des matches, ce serait trop facile. Ce qu'on peut dire est qu'il n'est peut-être pas bien de tuer un animal, mais la corrida le fait sans cruauté. Celle-ci, on ne la punit pas, car elle est discrète. Je connais bien des anticorridas qui sont, dans leur métier, des tueurs, ou qui, dans leur famille, achèvent leur vieille mère à coups de mauvais traitements psychologiques. Nous avons appris à nous méfier des fastes de vertu, comme disait Voltaire.

LISTE DES RAISONS D'ÉRIGER UNE STATUE
À L'INVENTEUR DES PISCINES

Le bien est parfois si banal qu'on oublie qu'il est un bien. Et l'humanité ingrate utilise les piscines sans s'émerveiller. C'est si agréable, les piscines. Leur eau n'est pas salée, elles n'ont pas de lames de fond, de marées ni de baïnes, pas de méduses, de vives ni d'oursins. Leurs bords ne sont pas faits d'un sable brûlant, pollué de goudron, d'une tong et de trop d'humains.

Elles ont des qualités positives. Leur beauté, pour commencer. Lorsqu'on arrive en avion au-dessus d'Ajaccio, elles sont jetées comme des cartes sur la roche blanche. Elles peuvent être la tendresse des pays austères, comme celle que j'ai vue, l'autre jour, dans un robuste village du Luberon : on passait une grille, la gentilhommière fortifiée rappelait des guérillas Renaissance, et, au détour d'un bosquet, une piscine à rebords de pierre calcaire regardait en contrebas une campagne épuisée de chaleur. C'est cela que les Anciens appelaient une thébaïde ?

Les piscines sont des tableaux d'Yves Klein horizontaux. Si un Klein est le ciel en forme de fenêtre, les piscines sont notre Océan de poche.

Leur seul défaut, ce sont les enfants quand il y a des parents : jaloux que leurs parents se reposent, bronzent, discutent, lisent, en un mot existent sans eux, les enfants cherchent à attirer leur attention, crient comme des pies, plongent comme des bombes, éclaboussent comme une calomnie. Il suffit de les y voir, le soir, seuls : graves et silencieux, ils ramassent les serviettes que les adultes ont oubliées, rangent les jouets dans la maison de piscine, filtrent les brindilles avec une épuisette. J'en appelle à la séparation entre parents et enfants : les uns, les autres et les piscines s'en porteront mieux.

Le monde entier devrait dresser des statues à l'inventeur des piscines. On ne sait pas qui il est. Cela n'a jamais empêché l'érection de statues de Clémence Isaure, saint Georges et quantité d'autres saints et dragons qui n'ont jamais existé. Je propose la légende suivante : Sammy Goldberg, arrivé en Californie en 1905, fait faillite dans le cinéma. Il rêve de fusiller les concurrents qui l'ont ruiné. Comme les meilleures choses peuvent venir des pires intentions, il en déduit la piscine, par une association d'idées déplorable (« *Pool!* », nom de la piscine et cri du tir au pigeon). Ceci sera fortement cru, comme toute explication qui donne l'impression à l'homme qu'il est à la fois rationnel et spirituel. On en discutera longtemps au bord des piscines. Rendons grâce à l'homme qui a apporté de la fraîcheur, du calme et de la sociabilité au monde.

LISTE DE QUESTIONS

Pourquoi appelle-t-on vérité ce qui blesse ?

Pourquoi n'existe-il pas de mur des exaltations ?

Dans un de ses sermons, John Donne dit : « Dieu a fait toute l'humanité d'un seul sang, tous les chrétiens d'un seul nom, et les péchés de chaque homme concernent tout homme »; pourquoi toujours la communauté des péchés et jamais des bontés, des souffrances et jamais des plaisirs ?

Le Lorrain, ce sont des crépuscules, ou des aurores ?

Me rappellerai-je, un jour, la crème à non-bronzer qui sent la pêche ?

Pourquoi n'existe-t-il pas plus de lettres d'amour de femmes ?

Quand vous voyez un papillon, le suivez-vous ?

Arts

LISTE DE SOIXANTE-DEUX ARTISTES ET DE LEUR ART

AVEDON (Richard) : Mon premier photographe. Le premier que j'ai connu en détail et aimé, je m'étais fait offrir un album de lui, à un Noël, j'avais quatorze ans. Ce qui me plaisait et continue à me plaire est son talent pour la photo de mode. On y est souvent obséquieux, il y est toujours spirituel : le chameau agenouillé devant un mannequin qui feint de le soumettre (1951) ; *Dovima et les éléphants* (1955), qui illustre en la raillant la posture grands chichis ; l'*Hommage à Munkácsi* (une femme sautant par-dessus une rigole en tenant un parapluie ouvert), cet équivalent-comédie musicale. Excellent portraitiste, Avedon a inventé ou perfectionné la méthode du cliché sur fond blanc. Selon sa propre expression, cela révèle « la géographie des visages ». Et en effet les rides du front deviennent le Mississippi, les poches sous les yeux les lacs du Tanganyika, etc.

BACON (Francis) : Si sa vieillesse a été triste, car il s'est imité, quelle importance ? il a eu un vrai génie. Tous ses débuts, les Innocent X criant contre leur enfermement (dans la religion ? dans un rôle ?), la série des *Hommes en bleu*, quelques-unes des crucifixions avec ces corps essorés, ces monstres avec des dents qui hurlent... Picasso a l'air d'un décorateur, par moments, à côté de lui, et *Le Cri* de Munch, d'une dissertation d'adolescente. Ce Bacon-là est une suite sordide à Edward Hopper, avec ce que le sordide peut avoir de flamboyant. Un flamboyant inversé, qui dégoûte, mais enfin ce n'est pas insignifiant. S'il peint un chien, il est enragé, s'il est avec son maître, de ce maître on ne voit que les mollets, et ils sont devant un caniveau. S'il peint de la nature (c'est rare), elle est ratée quand elle est fleurie et réussie quand elle est mousse et rochers, sous-bois, à la Courbet, pour d'autres raisons sans doute. Pour Courbet le sous-bois c'était la mousse du sexe de la femme, pour Bacon du *sous*, comme dans les backrooms qu'il fréquentait, de l'abaissement, de la condition inhumaine. L'homme est enfermé. Enfermé dans des cages, dans des cercles de cirque, dans des rites, dans la vie même. Les personnages de Bacon protestent contre l'enfermement dans la vie. Il est le peintre de la rage.

BOUCHER (François) : Petit peintre de tas. Tas de nuages, de fleurs, de satins, d'angelots, et ses femmes, ces andouilles, tendent un index. Boucher, c'est de la viande. Et ceci n'est pas un jeu de mots. Il peint des chairs charcutières sans la joie de Rubens, et d'ailleurs dans une tout autre intention : montrer des fesses.

BOUDIN (Eugène) : Le Lorrain des bourgeois. Quelle est cette femme à l'écart, là, vue de dos, en robe blanche, sur la plage, qui regarde la mer ? Mme Bovary. La tragédie l'attend à la maison. Tragédie bourgeoise, qui tuera un être. Boudin ne traite aucun sujet, là sa qualité.

BRONZINO (Agnolo di Cosimo Torri) : La bouffissure des chairs excitait ce peintre, et leur pâleur. Comme un certain de mes amis, il est calme ; comme à cet ami, je pourrais lui dire : « Je crois que tu es calme parce que tu es anxieux : tu te forces à être calme parce que tu es anxieux. » Comme Van Dyck, il fait partie des excellents peintres que leur élégance cache.

BYZANTIN (Style) : Ces empereurs plats comme des soles vêtus de breloques jusqu'aux pieds, pieds en nageoire et main sur le cœur, sont des peintures de jeu de cartes.

CALLE (Sophie) : Sophie Calle est une romancière qui prend de bonnes photos. Il arrive qu'un artiste transporte la rhétorique de son art dans un autre. Si elle fait du roman dans les arts plastiques, Édouard Levé (1965-2007) apportait les manières des arts plastiques dans la littérature. Ses récits semblaient monotones comme des vidéos d'installation, *et ça marchait*. Cela enrageait les amateurs d'art conceptuel (sur le mode « on a vu ça depuis longtemps ») : Levé avait eu la bonne idée et l'avait réussie, ils n'y avaient pas pensé.

CÉZANNE (Paul) : Grâce au *Paysan assis* du Metropolitan Museum de New York, il me semble comprendre que Cézanne, c'est de la peinture religieuse sans religion. Des icônes, hiératiques et marbrées.

CHAVANNES (Pierre Puvis de) : Bon peintre crayeux, mais ennuyeux comme la messe. Il ne faut pas non plus, de ce que ses fresques à la Sorbonne ont été brûlées en mai 68 par des étudiants, dont des neveux du général de Gaulle, exagérer ses qualités.

CHIRICO (Giorgio De) : La statue du grand homme fait une ombre à la civilisation industrielle. On pourrait peindre les mêmes tableaux aujourd'hui, mais sur une place à carrelage blanc et *sans ombre*. Comme nous avons fait un Code pénal du goût surréaliste, nous obéissons à l'article édicté par André Breton, que Chirico ne vaut rien après cette période-là. C'est très exagéré. Il avait déjà beaucoup de défauts. Il joue du mystère. C'est pour bluffer la critique. Il se moque aussi, car derrière Ariane (Metropolitan Museum, New York), qu'y a-t-il ? Un train, une frégate, des choses très simples. Il place très souvent des bannières sur le toit de ses tours. Il a créé une rengaine. Sept ans de génie pour soixante ans de tapisserie : reste le génie. C'est la délicieuse inéquité de l'art.

COROT (Jean-Baptiste) : Peintre de peu de couleurs. Un bleu, un crème, du nougat. C'est mat, Corot. Corot des portraits : mat avec une tache claire, plâtreux comme peut l'être la peinture à fresque. Corot des paysages : mat avec une pluie de coton. C'est lui qui, sortant peindre dans son jardin comme apparaissait le soleil, dit : « Tiens, voilà le grand charlatan ! »

CRANACH (Lucas) : Qu'est ce qu'un Cranach ? Une femme nue avec un chapeau. Elle se cache d'un voile. Transparent. Avec sa grosse tête et son exophtalmie de caille plumée, elle marche hiératique vers le dixième sacrifice de sa virginité.

DALÍ (Salvador) : Böcklin + Tanguy = Dalí. C'est un faiseur, mais un faiseur qui se moque. Sa roublardise n'est jamais montée au génie. Elle n'en a pris que la posture bouffonne pour épater les collectionneurs naïfs. On pensait qu'il plaisantait lorsqu'il clamait son admiration pour les peintres pompiers, mais non.

DEGAS (Edgar) : Il est agressif, malveillant, parfois génial, dans les cadrages. Dans le *Renard mort* (musée des Beaux-Arts, Rouen), il fait déborder du vert (l'herbe) sur la queue de l'animal. Dans *Chez la modiste* (Metropolitan Museum, New York), la moitié du visage de la modiste est cachée par le chapeau de la cliente, ne montrant qu'un œil, par une forme de provocation : « Je ne montre qu'un œil et je vous emmerde. » Au bord de plusieurs tableaux, apparaît un demi-corps entrant dans la toile : il a inventé l'arrêt sur image. Ses pastels sont des éponges. Il est un des rares peintres sans complaisance dans la description des femmes, y mettant tant d'application que ce doit être par misogynie.

FONTANA (Lucio) et KLEIN (Yves) : Ces deux peintres me plaisent tant que, dans un de mes romans, j'ai imaginé qu'un collectionneur avait accroché un grand tableau rose de Klein à côté d'un grand tableau fendu de Fontana, un de ses « concepts spatiaux » qui donnent si génialement l'impression de l'espace. J'ai vu depuis, au musée Reina Sofia de Madrid, un Fontana fendu près d'un Klein rose. Je ne dirais pas que c'est fortuit, car il n'est pas inepte de rapprocher les deux, comme ce conservateur et le collectionneur de mon roman l'ont fait. Peu de peintres sont aussi évocateurs avec aussi peu d'effets que Fontana, italien, du pays où l'on parle avec les mains. Nul grand artiste n'est représentatif de la société où il vit.

FRAGONARD (Jean-Honoré, 1732-1806) : = Lancret (1690-1743) + Pater (1695-1736). Lancret compose ses personnages à l'échelle, Pater fait du brouillé genre esquisse, Fragonard rend ses personnages minuscules et développe le brouillé. Malgré l'allure d'époque, il tient moins à eux qu'à Tintoret.

FRANCIS (Sam) : C'est joli.

FREUD (Lucian) : Il est curieux de voir comme il abîme visages, mains et pieds, les premiers étant piquetés, les deuxièmes rouges et les derniers marron, sans parler des sexes d'hommes, bouffis, apoplectiques et innocents comme des sexes de bébés. Il a peut-être eu une période de complaisance dans le morbide (les années 1980), mais, ce que l'on ne nous dit jamais, c'est qu'il a de l'humour. Voyez *Le Peintre surpris par une admiratrice nue*, laquelle se cramponne autour de ses mollets, ou sa *Reine Élisabeth II*. La reine devait lui accorder plusieurs longues séances de pose, elle n'est restée qu'une demi-heure : il a peint un tout petit tableau. Ses cadrages ont ceci de particulier qu'ils sont généralement en plongée et très serrés. Cela donne une impression de personnages en danger. Ainsi le beau *Portrait nu* (2004-2005) d'un homme plaqué sur son lit, ou le non moins beau *Freddie debout*, d'un grand jeune homme nu qui, s'il a une tête de mousquetaire, est, par sa maigreur et le dessin de ses côtes, gothique. Seulement, rien de christique : la peinture ne s'élève pas mais descend vers le corps coincé dans un coin de la pièce. Lucian Freud montre un monde sans joie, où les hommes sont prisonniers de leur matière. Leur air douloureux montre que l'esprit n'a pas disparu. On ne sait simplement plus où il est. De là que ses personnages ne sourient jamais. Le sourire est l'esprit qui passe.

GÂTISME : Chaque âge a son gâtisme. Le gâtisme de notre époque consiste en une méticulosité énorme, pas si différente de la peinture allégorique 1860. Et, sur des *toiles* de 12 m^2 qui y gagnent leur nom de toile, on voit multipliés des détails sans vue d'ensemble. Il y a une forme de paresse dans le travail.

GRECO (Domenikos Theotokopoulos, le) : Grec peignant en Espagne : couleur, forme, chez lui, tout est olive. Son *Saint Martin et le mendiant* (National Gallery of Art, Washington) se décompose entièrement en olives : les jambes du cheval, celles du mendiant, ses bras... Sa tête ? Greco lui a donné un crâne rond fort peu Greco. Aussi, peignant le même tableau plus tard (même musée, même salle, en face du précédent), il fait au mendiant un crâne-olive. Ah, ces saintes blafardes, ces moines à occiput plat, s'étirant en fumée vers les cieux, vermisseaux sublimes !

INGRES (Jean Dominique) : Ce Raphaël dur.

INVENTION : Les artistes inventent tout avant tout le monde. Watteau, ses personnages assis raides sur un banc, les yeux écarquillés : daguerréotype avant le daguerréotype.

JUDD (Donald) : Concentré, grave, austère, japonais. D'autant plus splendide que, depuis le retour sournois au figuratif vers 2000, ce qu'il paraissait avoir de dogmatique a disparu. Le minimalisme est devenu rafraîchissant dans un art hébété de naturel.

LA TOUR (Maurice Quentin de) : Ah, ses délicieux pastels, allègres, cambrés, ce qu'il y a de plus plaisant dans le style Louis XV ! Et regardez son autoportrait du Norton Simon Museum de Pasadena. Ces gros yeux. Cette gaieté. C'était un hypocondriaque.

MANET (Édouard) : J'en suis amoureux. C'est arrivé par ses peintures. Elles m'ont enthousiasmé, vous aussi, la *Femme au perroquet* du Metropolitan de New York, le *Torero mort* de la National Gallery de Washington, l'*Asperge* du musée d'Orsay, toute cette Espagne transformée par Paris sans rien de la joliesse impressionniste. Je l'aime tellement que j'aime jusqu'aux bons mots qui ont été faits contre lui. *Le Chemin de fer* (National Gallery of Art, Washington) représente une femme assise devant une grille par où regarde une enfant grande et pâle et au cou fort : « la dame au phoque », dit un critique. N'aurait-il fait que ses tableaux, ils auraient suffi à mon amour ; j'ai lu sa vie, notamment les affectueux souvenirs de son ami Antonin Proust, et j'ai appris l'homme léger, gai, fin, le meilleur de la bourgeoisie XIXᵉ, pour ne plus le quitter. Ainsi vivons-nous des liaisons que la société ignore.

MEISSONNIER (Ernest) : Il a inventé la photo. C'est pour cela qu'il n'est pas très bon. C'est un peintre de l'instant, pas de l'expression. Dans un tableau au musée de Chantilly, un cheval tape du pied, et la terre se soulève.

MILLET (Jean-François) : Il veut inventer l'héroïsme paysan. L'appel des Vaches comme si c'était Roland à Roncevaux ! Le paysan, c'est du bucolique avec parfois du drame, mais ce drame est extérieur : une tempête, le saccage des récoltes. Millet est obligé d'inventer une opposition à l'humilité du travail par le décor : héroïsme du ciel. Cela me semble ridicule, quoique Millet ne soit pas un mauvais peintre.

MODIGLIANI (Amedeo) : C'est pour les jeunes filles.

« MUSÉE DES HORREURS » : Ce n'est pas qu'une expression, il existe. C'est le Victoria & Albert Museum de Londres.

PEINTURE BLANCHE : Le sait-on, que la peinture, c'est la *couleur* ! Dans le crayeux de deux tableaux du Metropolitan Museum of Art de New York, la *Version IV* de Robert Ryman (né en 1930) et la *Femme assise* de Picasso, dans la *Composition : blanc sur blanc* de Malevitch au MOMA, quelle manière discrète d'avoir du talent, quelle manière fière de devancer la poussière de la mort, aussi ! Ces œuvres semblent leur propre postérité.

PENONE (Giuseppe) : Son installation *Respirer l'ombre*, au Centre Pompidou, est une salle aux murs tout entiers recouverts de feuilles de lauriers contenue par des grillages. Les feuilles sont rangées selon un mouvement qui crée une impression de vent, multiplie les nuances de vert, le laurier propage une légère odeur, au centre se trouvent *Peaux de feuilles*, deux sculptures d'arbres en bronze doré. J'irais plus souvent dans la nature, si elle était comme ça.

PICASSO (Pablo) : Invention, gaieté. Joie, même : oui, quelque chose de joyeux qui a l'air de tout renverser, c'est pour mieux construire, à la Rabelais. Culot. Envol. Élégance grecque. Les plus grands Picasso ne sont pas les plus beaux : *Les Demoiselles d'Avignon*, *Guernica*. André Masson invente les tableaux en sable, c'est-à-dire les réinvente (ils avaient été inventés par les Africains depuis longtemps) en 1926 lors d'un séjour à Sanary (*Tableau*, MOMA). Picasso s'en empare *et fait mieux* : voyez la *Composition au gant*, où il colle son sable à l'envers de la toile et y ajoute des objets trouvés (1930, musée Picasso, Paris). Picasso est un voleur qui améliore. Et c'est lui qui a l'air de l'inventeur. Il y a au musée Reina Sofía de Madrid un Dalí où Dalí s'amuse visiblement à le singer : je vole le voleur. C'est amusant et ne diminue en rien le génie de Picasso.

PORTRAITS ANGLAIS : Un portrait anglais, c'est : « Moi, mon cheval et ma femme », laquelle ressemble d'ailleurs au cheval. Par rapport aux portraits français de même époque (Louis XV et Louis XVI), où les femmes même dans les parcs portent des souliers en satin rose, celles des tableaux anglais ont des souliers solides. Aristocrates ou pas, les unes sont des femmes de cour, les autres, de campagne. La France est un pays de villes, l'Angleterre, de prés. Les portraitistes anglais, Raeburn, Lawrence, sont crémeux.

POURQUOI PAS LES HOMMES ? : C'est le titre qu'on pourrait donner à un manuel d'histoire de l'art. L'histoire de l'art, ce sont des millions de femmes nues et quelques hommes. La représentation de la nudité a été interdite en Occident une fois que les chrétiens ont pris le pouvoir (cela n'a pas été leur privilège : on n'a pas une nudité dans l'art égyptien ni dans bien des arts premiers). La conquête de la mythologie a été une ruse de la Renaissance pour montrer des femmes nues. Léda et le cygne, c'était moins la représentation d'une légende antique que le moyen vertueux de peindre des seins. Enfin, une naissance de sein. La conquête de la nudité féminine a été achevée à la fin du XIXᵉ siècle, non d'ailleurs par les modernes, mais par les artistes les plus académiques, comme le sculpteur Clésinger, qui montrait des Vénus nues se tordant sur des rochers : le mélodramatique rendait le nu admissible. L'hypocrite public pouvait faire semblant de croire que ce n'était pas vrai. (Il raisonnait juste : le mélodrame est une façon intentionnellement truquée de représenter les choses, une robe du soir pour laver la vaisselle, un petit doigt en l'air pendant qu'on se mouche.) En matière de nudité masculine, où l'on est à peine sorti de l'hypocrisie des saints Sébastien, la voie sera-t-elle également ouverte par l'institution, qui rend la nouveauté admissible ? Tout cela sera probablement réglé quand un musée exposera sans protestations des dessins d'un grand artiste montrant des hommes en train de se masturber, comme on le fait pour les femmes. Non que cela me paraisse le plus passionnant des sujets, mais le calme est le signe de la morale renvoyée dans ses terres amères. Et l'art ayant conquis un nouveau territoire pourra s'occuper d'arranger ses fleurs.

POUSSIN (Nicolas) : Auteur de masques grecs. Tous ses personnages ont des yeux d'une seule couleur foncée, presque noire, sans iris, comme les yeux creux des statues, et le même visage sans expression, sans autre expression que la peur ou la joie, comme les masques de comédie et de tragédie. Exemple de masque de tragédie, le visage de la mère dans *Saint François Xavier rappelant à la vie la fille d'un habitant de Cangoxima au Japon* (Louvre). Les personnages de Poussin sont des robots marchant. On peut dire mythes.

REDON (Odilon) : Spécialité de fruits confits. Ses pastels ont l'air doux comme du mimosa.

REDOUTÉ (Pierre Joseph) : Redouté, qui peignait si bien les roses, a été le peintre du cabinet de Marie-Antoinette, puis peintre officiel de Joséphine, puis a appris à peindre à Marie-Louise. Il aurait été inté-ressant d'avoir ses souvenirs sur ces trois souveraines. Son maintien dit aussi le peu d'importance qu'on accordait à sa peinture. Il faut vraiment qu'un peintre vote la mort du roi pour qu'on l'exile, comme David, ou déplace la colonne Vendôme pour qu'on l'emprisonne, comme Courbet. « Redouté, peintre de roses. » C'est un titre. Pour éviter la mièvrerie, il y faudrait un assassinat. Il y a quelque chose de pourri dans une rose.

REGARD : La peinture n'a jamais su exprimer le regard.

REMBRANDT (Rembrandt Van Rijn) : Il y a de l'or dans la cave. Quand il est dehors, il est encore dedans. *Le Moulin* ? Il a l'air à l'intérieur. Rembrandt peint un songe. Il a de l'humour dans son narcissisme quand, dans ses autoportraits, il se représente en sergent à calotte, en kalmouk, en faiseur d'œillades. La personne devient personnage ; et cela transforme sa peinture en roman. Quand la peinture cherche à raconter une histoire, comme dans la galerie des Victoires de Versailles, elle est théâtrale.

RODIN (Auguste) : Rodin est une brute triste. Peu de sculptures arrivent à la vulgarité de son Balzac en concierge du boulevard Raspail, furieusement serré dans un peignoir comme si on avait sonné à sa loge après l'heure. Michel-Ange mal repassé, sculpteur de bandes dessinées ! Quand je piétine une chose, c'est que j'en adore une autre. Cherchez quelle forme d'art je trouve que Rodin insulte.

ROIS ET PEINTRES : Il me semble qu'on s'illusionne sur les bonnes manières des rois envers les artistes, et qu'on fait un bien grand chevaleresque de Charles Quint se baissant pour ramasser le pinceau tombé de Titien. Il était simplement poli. Notre habitude de courtisanerie est telle que la muflerie des rois nous paraît désirable. En 1682, Louis XIV fait placer un autoportrait de Van Dyck en dessus-de-porte dans le « salon où le roi s'habille » à Versailles (l'actuelle chambre du roi). Ce grand égocentrique n'était pas absolument jaloux, mais enfin il ne l'a placé qu'en dessus-de-porte.

RUBENS (Pierre Paul) : Quel allant, quel bondissant, quel jeté ! Rubens, c'est un élan. (Van Dyck, son élève, le fige avec génie.) Dans la seule salle du musée Bonnat de Bayonne : Bellérophon monté sur Pégase *transperce* Chimère, Apollon *court* après Daphné, Pan *poursuit* Syrinx, Psyché *approche* une lampe de l'Amour endormi ; Diane *se penche* sur Endymion ; l'homme *caresse* la tête du chien qui lui *rapporte* la pourpre ; Scylla *échappe* aux chiens tandis que Glaucus nage ; on *enlève* Proserpine ; Henri IV *sabre* à la bataille d'Évry. Tout chez lui est mouvement. Même dans ses portraits le tissu danse, ou les yeux, ses yeux effilés.

SUJET APPARENT, SUJET RÉEL : Dans toute bonne œuvre d'art, tableau comme film ou roman, il y a un sujet apparent et un sujet réel. Le sujet apparent, c'est l'histoire, le sujet réel, la façon de la raconter. L'*Ignace de Loyola* de Rubens (Norton Simon Museum) est tout dans la chasuble, rouge à broderies d'or, immense, les deux tiers de la surface. Le sujet apparent du tableau est le saint, le sujet réel, le rouge et or.

TÀPIES (Antoni) : Moins on a à dire, plus on étale.

TURNER (J.M. William) : Enlevez-moi cette gaze !

VAN DYCK (Anton) : Peintre de noirs. Les siens sont sublimes. Il en fait une couleur (puisque supposément ni le noir ni le blanc ne sont des couleurs). Ces couleurs, il les aime tant qu'elles sont souvent le vrai sujet de son tableau. (Plissez les yeux, vous avez un Nicolas de Staël.) Et quelle virtuosité sans tapage, quel génie élégant ! Si les princes savaient peindre, ils s'appelleraient Van Dyck.

VAN GOGH (Vincent) : C'est de la peinture d'incapable. Il la transfigure. On passe de la *Paysanne* au *Paysan* (les deux au Norton Simon Museum). La première est boueuse et maladroite, de la peinture de retraité de la SNCF ; le second n'est pas beau, mais c'est du Van Gogh. L'apport de la couleur y est pour beaucoup. La paysanne était dans les marron, le paysan est bariolé comme une aborigène de Bolivie. Le meilleur sujet de Van Gogh, ce sont les arbres et les champs. Il en fait un tourbillon. Comme Matisse, Van Gogh est un peintre qui a progressé, ce qui est toujours un peu dommage. Rembrandt, Picasso ont eu du génie tout de suite.

VINCI (Léonard de) : L'air en cire de ses femmes. La Léda du Barberini, la Joconde du Louvre. C'est souvent le musée Grévin avant ouverture, Vinci.

VLAMINCK (Maurice) : Cézanne aqueux. C'est un compliment.

LISTE DE COMME LES PAYS AIMENT LEURS ARTISTES

Canaletto, Vénitien, réussit à *Londres*.
Rosalba, Vénitienne, réussit à *Paris*.
Scarlatti, Vénitien, réussit en *Espagne*.
Tiepolo, Vénitien, réussit à *Würzburg* et *Madrid*.
Sarti, Vénitien, réussit à *Copenhague*.
Paisiello et Cimarosa, Vénitiens, réussissent à *Saint-Pétersbourg*.
Salieri, Vénitien, réussit à *Vienne*.
Piccini, Vénitien, réussit à *Paris*.
Antonello de Messine, sujet des Aragon de Naples, réussit à *Venise*.

... je m'arrête, et c'est l'Italie. Vous imaginez ailleurs.

LISTE DE PEINTRES DÉGOÛTANTS

Aslan (né en 1930), qui dessinait les pin-up de *Lui* avec une précision de poil pubien.

Jules Bastien-Lepage (1848-1884) et ses paysannes qui ont l'air de saintes fourbes.

Jean-Gabriel Domergue (1889-1962), aux femmes sautant comme des bouchons de champagne, qui a servi d'idéal à toutes les publicités de cosmétiques français dans les années 1950. Le rose et le blond dans toute son horreur.

Georgia O'Keeffe (1887-1986) et ses fleurs jolies, jolies, jolies, vulvaires, vulvaires, vulvaires.

LISTE DE SLOGANS IMPRIMÉS SUR DES FANIONS DANS UNE INSTALLATION AU NEW MUSEUM DE NEW YORK LORS DE SON OUVERTURE AU PRINTEMPS 2008

(Lara Schnitzer, « Rabble Rouser »)

I still have the body of an 18 years old but it's in my trunk and it's starting to smell. (Je garde un corps de 18 ans, mais il est dans le coffre de ma voiture et commence à sentir mauvais.)

If you want to wear fur stop shaving. (Si vous voulez porter de la fourrure arrêtez de vous raser.)

Good planets are hard to find! (Les bonnes planètes sont dures à trouver !)

God is coming and is she pissed! (Dieu arrive, et est-elle en colère !)

No one's ugly after 2 A.M. (Personne n'est laid après 2 heures du matin.)

I haven't been the same since that house fell on my sister! (Je ne suis plus la même depuis que cette maison est tombée sur ma sœur !)

LISTE DE TABLEAUX À PEINDRE

Trace de gomme d'un avion dans un ciel bleu.

« Iris bordeaux dans un verre jaune, The Nancy Book, *montre en or à bracelet noir, téléphone portable à écran tactile, billet de l'Opéra-Bastille pour* Les Capulets et les Montaigu, *clef USB en plastique jaune au bout d'une cordelette, disque gravé de Patti LuPone, bloc-notes noir à crayon à papier blanc sur une table noire » (Nature morte du 20 mai 2008).*

Abrutis discutant de football à la télévision.

Obséquieux frémissant comme un chihuahua auprès de son patron.

Nul, VIII.

LISTE DE PHOTOS

Baudelaire par Nadar a l'air traqué.

Delacroix par Carjat a l'air buté.

Man Ray par Stieglitz a l'air d'un plâtrier.

Rodin par Steichen a l'air pensif. Poseur !

Samuel Beckett par Avedon prouve que les oiseaux descendent des reptiles : front d'oiseau, crête d'oiseau, rides de lézard.

Georgia O'Keeffe par Stieglitz, serrée dans un manteau noir, n'a pas la vulgarité de ses peintures.

Georgia O'Keeffe par Stieglitz, pressant le bout de ses seins comme des poires à chantilly, a la vulgarité de ses peintures.

Richard Avedon photographie particulièrement bien les vieux. Souvent, les vieux sont des monstres, et il y a une beauté de la monstruosité. Voyez sa Dorothy Parker soufflée et avachie comme un vieux chapeau, John Ford avec son bandeau sur l'œil et son menton se décrochant à la façon d'un rocher, Karen Blixen pareille à un vautour juché sur son piton, Gabrielle Chanel et son visage coulant comme un camembert sur l'épaule d'un mannequin, et *Les Incroyables Windsor !* (comme on dirait au cirque) : l'alcool triste (lui) collé à Pierrot (elle). En vieillissant, les corps fondent. Les poitrines deviennent des sorbets au soleil, les nombrils des toiles de tente ne tenant plus qu'à un mât, les yeux des effondrements de terrain. Ah ! je n'oublie pas le triple portrait de Stravinsky : l'œil liquide des vieillards. Ils sont déjà dans le Léthé. La photogénie est parfois bien pénible.

Les plus belles photos de monstres se trouvent dans *Point de Vue*. *Voici* et *Closer* montrent les vergetures, mais on sent qu'elles appartiennent à de braves filles devenues actrices, des personnes

423

normales ; dans *Point de Vue*, la fine pourriture de l'aristocratie s'exhibe, aberrante, hideuse, goyesque et folle. La semaine du 4 octobre 2007, p. 34, une des filles de la duchesse d'York en tenue de danseuse, huit cents dents dehors et les yeux en melon lui sortant du crâne comme dans un poème de Georges Fourest, effaçait toutes les têtes de poisson-marteau de la famille d'Orléans qu'on y voit d'habitude.

Le Monde a publié les meilleures photographies de presse du mois de juin 2006. Le 12, celle, en plongée, d'une jeune fille hurlant debout sur une plage de Gaza que venait de bombarder l'armée israélienne, était belle comme de l'Eisenstein. Le 20, celle du chef des rebelles tchétchènes abattu par ses adversaires, gisant par terre, sur le dos, torse nu, un fil de sang coulant de son poignet, observé par des miliciens debout, avait l'air d'un tableau emphatique de 1860. Y manquait l' « art ». De la première photo, il aurait ôté le léger flou et le désordre de la vie que l'on aperçoit au sol : une boîte, un sac mou. Dans la seconde, il aurait demandé au milicien au premier plan de glisser les pouces dans son ceinturon pour accentuer l'impression de gloriole. La photographie fait avec ce qu'elle peut, voilà sa limite et, par conséquent, ce qui peut l'élever.

En novembre 2006, les républicains américains ont perdu le Sénat. Un de leurs candidats, célèbre et détesté, a reconnu sa défaite en présence de sa famille, ce qui a donné lieu à l'une des plus réjouissantes photos de l'année. À son pupitre, il essaie de faire bonne figure ; derrière lui, sa femme, une blonde à collier de perles, retient une grimace ; derrière elle et à côté, une adolescente de 13 ou 14 ans a l'air déçu, tandis que son jeune frère a un regard hébété ; le plus beau, c'est, au premier plan, en robe écossaise à col Claudine avec un passe assorti comme est assortie la robe de la poupée qu'elle tient dans ses bras en se tordant les mains, la fille cadette, dix ans, grosse, laide, le visage tordu de dépit. Les enfants hideux ne triomphent pas toujours.

Dans mon adolescence à principes irritée par la propagande gauchiste, je n'aimais pas les films contre la guerre du Vietnam où l'on montrait, exhibait, à mon sens, des soldats amputés. On est toujours en jambe pour ou contre la patrie quand il s'agit de celles des autres. *Le Monde* du 4 mars 2007 a publié une photo, et c'était à ma connaissance la première, tant le gouvernement américain avait mis tout ça sous la censure, du président Bush rendant visite à un amputé de la guerre d'Irak. Le malheureux est assis dans une chaise roulante. En veste de caporal, avec ses décorations, tenant un diplôme, il lève les yeux vers l'abruti faisant fonction de chef des armées. Sous le plaid bordé de drapeaux américains tombant de ses cuisses, on voit quatre roues. C'est une photo pathétique pour lui et indigne pour l'autre.

La presse en temps de guerre n'est vraiment pas jolie à voir. Le 10 novembre 2007, à la une du *Daily Telegraph*, une photo en couleurs montrait deux soldats anglais qui avaient perdu une jambe en Irak. Ils couraient sur leur jambe valide et leur prothèse, riant, riant, riant. « Un rappel du courage et de l'abnégation de nos troupes. » Le pouvoir crée son beau. Une prothèse, généralement considérée avec discrétion, est glorifiée à la première page d'un des principaux journaux d'Angleterre. L'Armée veut nous faire croire qu'il n'y a rien de grave dans l'altération de l'intégrité humaine : comme il y a des jeux paralympiques, on enverra bientôt au combat des bataillons en chaise roulante. Roulez ! Roulez ! Feu ! Dieu que la guerre est jolie !

Kadhafi, c'est à rire. On dirait le chauffeur du truand de Marseille au mariage de sa sœur. Costume blanc, cheveux frisés, mal rasé, et sur la poche de la veste un pin's grand comme elle en forme d'Afrique. J'oubliais un châle de femme de député de province en travers du torse. À côté de lui, fronçant les sourcils comme Joe Dalton, Sarkozy. C'est du Lautner, des Monty Python, du Borat. (Photo dans *Libération*, 27 juillet 2007.)

Pourrait-on me retrouver la photo si comique de Woody Allen en compagnie de sa productrice Jean Doumanian, avec qui il se brouilla quelque temps plus tard ? Il sourit d'un sourire rectangulaire montrant toutes ses dents, contredit par son regard glacial. Elle, à côté, ne pouvant voir ce rictus, sourit avec bonheur.

Venise, 20 heures. Un coucher de soleil pour les plus pompiers peintres et tous les photographes.

LISTE DE MUSÉES QU'ON PEUT VISITER SANS FAIRE LA QUEUE DANS LE BROUHAHA NI SENTIR LES ODEURS DE NOURRITURE D'UNE CAFETERIA

les Augustins de Toulouse...

Il n'y a pas que des chefs-d'œuvre, aux Augustins, et c'est son intérêt. Les chefs-d'œuvre, nous savons où les trouver, ils sont recensés, conservés, fléchés, on fait la queue devant la tour Estève, l'Empire State De Kooning. Mais les autres, les brocantes inté-ressantes où l'on peut dénicher de belles choses ? On trouve aux Augustins :

un Oudry nous montrant Louis XV chassant le cerf dans la forêt de Saint-Germain, et moi si j'avais été Louis XV j'aurais chassé Oudry ;

un vilain *Assassinat de Marat*, mais, si vilain soit le tableau, je suis toujours content de voir Marat assassiné ;

un Delacroix par lequel il semble avoir voulu faire sa *Ronde de nuit*, le meilleur étant le cheval du sultan (les chevaux de Delacroix sont toujours bien quand il les peint comme Géricault) ;

un Courbet dans ce que Courbet faisait de mieux, les rochers et les mousses ;

un carton de Lautrec, une première communion, qui aveugle les tableaux qui l'entourent tellement il est bon ;

426

un Ingres qui, comme presque tous les Ingres, montre la méchanceté d'Ingres, et quel grand peintre quand même, quelle couche de talent sur ce défaut mesquin ! ;

il se trouve à côté d'un portrait du baron Gros à vingt ans par Gérard : Gros porte un chapeau gai quoique tubulaire et noir (la gaieté tient à son revers courbé), une redingote verte, il a les cheveux roux, un léger duvet sur la joue et un tremblé inquiet des sourcils, lesquels ressemblent à ceux d'Audrey Hepburn ; joli visage féminin, d'ailleurs, un Julien Sorel en plus franc. Et Gros s'est suicidé, quarante ans plus tard, du plus triste des suicides. Il était raillé jour après jour par les journaux comme vieux con bonapartiste. Un matin de 1835, au bord de la Seine, près de Meudon, on trouva son chapeau et sa canne plantée sur la berge.

musée de Chenonceau...

Chenonceau conserve, dans sa chapelle, sous des panneaux de plastique, les graffitis des gardes écossais de Marie Stuart. On en voit aussi à Minerve, dans l'Aude (graffitis gothiques sur un autel du Moyen Âge) et aux murs du château Saint-Ange à Rome (graffitis des saccageurs allemands de 1527). Les auteurs de graffitis sont des vaniteux candides. Nous devrions admirer que Kurt, lansquenet de la Saxe, se soit inscrit à la pointe du canif dans la forteresse des papes ? Que Frédo ait visité le donjon de Montrichard en 2002 ? Que Byron ait gravé son nom sur un arbre ? Cela n'est sympathique que dans les chiottes des cafés, où les graffitis remplacent les livres d'aphorismes que l'on a chez soi. Serge Gainsbourg en a fait une de ses meilleures chansons, « *French Graffiti* » : « Dans les toilettes d'un café, / Où je ne fais que passer / Je lis quelques graffitis. » Le fascicule offert à l'entrée de Chenonceau recense un Jordaens, un Corrège, un Van Loo et un Rubens, un Andrea del Sarto, deux Nattier, un « attribué à Murillo » et un « école de Véronèse ». À l'intérieur, le Murillo devient certain, le Véronèse aussi (*Jeune femme louchant* devrait être son nom), et s'ajoutent un Zurbarán et un Mignard. Louis XIV par Rigaud a une tête de fouine contrariée, de premier des bureaucrates.

Dans cet ancien monastère de Mercédaires, ordre créé pour récupérer les otages des pirates, on trouve une dramatique statue de saint Jérôme par Pietro Torrigiamo, Florentin, né en 1472, confrère de Michel-Ange qui l'avait retenu dans l'équipe de la Sixtine avant de décider de tout faire tout seul, son coup de génie publicitaire et sincère à la fois. Il y avait du Pasolini dans Michel-Ange.

Zurbarán. Le *Christ crucifié*, tout seul tout vert sur un fond brun, tête baissée, Dalí a dû aimer ça. (Le mélodramatique artificiel.) Le *Saint Grégoire*, portant une étole rouge et tenant, d'une main gantée de rouge, un livre à la tranche rouge, est une « étude en rouge », et le *Saint Hugues au réfectoire*, une « étude en gris ». Whistler a dû aimer ça. (Une manière non frimeuse de frimer.) Le *Saint Ambroise* est peint pour la cape et son tissu, la *Visite de saint Bruno à Urbain II*, pour les motifs : du tapis, des murs sculptés, du cuir repoussé. Matisse a dû aimer ça. (Le décor avancé au premier plan.) Dès un tableau de jeunesse comme *La Naissance de la Vierge* (Norton Simon Museum, Pasadena), on voit bien que ce qui l'intéresse est la couleur : ici un rectangle bleu (une jupe de femme), là un triangle carmin (un rideau), là un losange orangé (la courtepointe). Braque a dû aimer ça. (Si on oublie que des personnages remplissent ces couleurs, c'est du cubisme.) Zurbarán n'a pas de « sujets », même pour cette peinture qui semble le prototype de la peinture à sujet, puisqu'elle est religieuse : il peint pour la peinture. Zurbarán est un peintre pour peintres.

L'Andalousie est le pays d'un grand sculpteur, Juan Martinez Montañes (1568-1649), et d'un très grand peintre, Alonso Cano (1601-1667). Si vous n'êtes pas bouleversés par son *Saint François Borgia*, ne me parlez plus. C'était un des premiers jésuites, membre de la célèbre famille, qui avait refusé le cardinalat : d'où le chapeau rouge, dans un coin, à ses pieds. Le reste du tableau est noir, et c'est un exploit de lui avoir donné de la vie. Cela tient aux deux mains, et bien sûr au visage, maigre et noble, surmonté d'un grand crâne chauve. La fermeté douce, l'intellectualité, une beauté triste. Ce crâne est le monde.

Une ravissante boîte en ivoire hispano-musulmane peinte comme en cheveux représente des chevaliers. Ces guerriers Renaissance étaient pareils à des homards : non seulement pour la carapace aux épaules, mais aussi pour la couleur, car les homards vivants sont gris acier.

Une très belle *Communion de sainte Thérèse* par Juan Martín Cabezalero, chasubles ornées et tapis dansant, admirable répartition de la lumière, enfin toute la virtuosité qu'on a jeune homme, fait déplorer que ce Cabezalero soit mort à quarante ans. Il aurait peut-être été un des génies du monde.

Góngora par Velázquez (copie, original à Boston). Changez l'habit, mettez-lui une blouse, c'est le directeur de la poste à Melun. Grand crâne chauve, bouche amère. Et c'est l'homme qui a écrit les plus délicats poèmes du Siècle d'Or.

Section d'art médiéval. Et tout de suite c'est sinistre. Plat, anguleux, méchant. Des aigles à bec, des croix tueuses comme des couteaux, des encensoirs pareils à des grenades, des crosses pour battre, des clefs car on ferme, des Christs ostentatoires de leur douleur.

On reprend sa respiration devant un collier hellénistique du IVe siècle av. J-C, croissant de fils d'or plats d'où partent des gouttes d'or, devant les boucles d'oreilles en forme de dauphins, devant cet autre collier où pend un soleil charmant. On est redevenu humain quand on a redécouvert l'Antiquité.

Enfant, j'aimais ces portraits de dames à brocart avec cols de dentelle. Et c'est pourquoi j'aime un plateau d'argent filé qui me vient de ma grand-mère.

Qui est ce grand prognathe à l'air étonné ? Mon bon roi égoïste, Henri IV.

Attribué au Maître des demi-figures, une Vierge à l'Enfant où les repeints, ou bien le temps, ont ajouté du génie : l'ombre d'un réseau de veines sur le crâne blanc de la Vierge. Je comprends les vampires.

Elle est remplie de gardiens, mais il n'y a ni boutique, ni catalogue, ni même une seule carte postale. Eh bien, ça n'est pas mal. On entre, gratuitement, par une petite porte, comme dans une ferme où l'on viendrait chercher de l'essence après être tombé en panne. Enfin, plus de culture ! d'instruction ! de pédagogie ! mais plein de bons tableaux d'Italiens dont on ne parle jamais !

De Guglielmo Ciardi (1842-1917), un très bon paysage de campagne, géométrique, avec des arbres maigres, pré-Buffet, car Bernard Buffet, dans les années 1950, fut un bon peintre, maigre et sec comme des branches d'arbre. Évidemment, il a poursuivi dans le cynisme mondain, mais, dans l'injustice des jugements artistiques, on en a passé autant à Balthus, qui a aussi viré au pasticheur de lui-même. Peu avant de mourir, il a publié un livre d'entretiens aux Belles Lettres : le premier envoi à faire, par coursier puis avion pour Tokyo, fut pour l'empereur du Japon. Balthus avait fait évincer d'une exposition au Centre Pompidou une conservatrice du Metropolitan Museum qui révélait, que dis-je, qui écrivait en passant que cet homme, qui se faisait passer pour comte Klossowski de Rola, était le fils d'un cantor de synagogue, quel est le mal ? Tout le mal, quand on est snob. C'est la blessure, la plaie, la crainte à vie. En 2007, Karl Lagerfeld aurait menacé de représailles (une suffit, la suppression des budgets publicitaires Chanel) tout magazine américain qui évoquerait l'existence du livre *Beautiful Fall* : on y raconte que, loin d'être le fils de junker prussien qu'il prétend être, il vient de la classe moyenne. Ô candeur ! Il croyait que nous ne voyions pas qu'il était un Erich von Stroheim, un Karajan, un vieux petit garçon qui avait réinventé sa vie et qui a eu bien raison, si ça lui a fait plaisir et l'a aidé à créer !

Un Anton Mauve (Mauve est triste comme l'Occupation allemande), une aquarelle de Van Gogh, une grande esquisse de Manet, deux Gauguin (un tableau breton et un dessin tahitien), des lithographies de Lautrec, Boccioni, Balla, Morandi, un bon Marquet de *La Seine à Paris* (avec deux voitures, deux : ici, on remarque le silence), le tout dans un beau palais Empire avec des bustes de Canova et une tête en bronze d'Eugène de Beauharnais, *vicere d'Italia*. L'Empire est plus aimable en Italie.

L'Accademia est si noiraude, si pourrie de peintures d'église, si médiocre au fond que j'en ai été gêné le jour de 2007 où j'y ai amené un ami. C'est un sentiment idiot, d'être gêné par la médiocrité des autres : je ne suis pas responsable de l'imperfection de la vie, tout de même !

Comme aucun musée n'est absolument nul, et je ne parle pas de la valeur documentaire, mais du bon tableau qu'on y trouve aussi nécessairement qu'un bon vers dans un mauvais recueil de poèmes, je passe devant le Tintoret presque aussi beau qu'un certain Titien, la *Vierge à l'Enfant avec saint Sébastien, saint Marc, saint Théodore, vénérée par trois camerlingues et leurs secrétaires*, barbus à tête ronde en beau velours grenat, et vais retrouver le Sebastiano Ricci que j'aime et oublie toujours, l'homme à cape près d'une colonnade. Des enfants jouent, un chien jappe, une femme porte un panier. Ce n'est pas un tableau, c'est un extrait de Beaumarchais.

entrée de la National Gallery de Londres...

Si vous voulez savoir à quel Titien le Tintoret de Venise me fait penser, entrez à la National Gallery de Londres et dirigez-vous dans la première salle en face. *La Famille Vendramin*, quel chef-d'œuvre ! On dirait les âges de la vie. (En spirale montante.) Tout ça soumis à Dieu, l'autel plus haut, etc., mais en même temps il est de côté, cet autel, et c'est un Vendramin qui occupe le centre du tableau. Noirs sublimes. L'art de la composition de Véronèse, le génie des couleurs de Van Dyck, la pureté des visages de Bronzino réunis pour mieux. Le voilà, son côté Picasso. Vous pouvez sortir.

musée Hammer de Los Angeles...

Devant un portrait de femme, vous vous ferez la remarque que Rubens ne peint que des blondes. Vous aurez à peine le temps de penser que son compatriote Rembrandt, lui, ne peignait que des roux, et vous vous trouverez face à son *Homme au chapeau noir*, qui est roux. Oui, oui, bien sûr, mais dans un pays comme la Hollande, il aurait été en peine de ne jamais peindre de blondes, et vous vous rappellerez toutes celles qu'il a peintes. Ce qu'il a de particulièrement génial, vous direz-vous, ce sont les épaisseurs de jaune qu'il étale sous les yeux, formant des rides, même aux adolescents : la corruption immédiate et émouvante de la vie.

Vous fuirez les impressionnistes, qui ont renversé des habitudes pourrissantes, mais pour les remplacer par quoi ? Ce Renoir dégoûtant de mièvrerie, ce Monet qui peint avec de la confiture, beuh ! beuh ! « Donnez-moi de la peinture Empire ! » crierez-vous à la stupéfaction de la gardienne noire en uniforme bleu. « Mon bicorne pour un baron Gros ! » Et vous pourriez le voir au LACMA, qui ne se trouve qu'à 4994 numéros sur le même boulevard, c'est proche dans cette ville. Le Los Angeles County Museum of Art a rejeté les prétentions et n'a donc pas obtenu la collection d'Armand Hammer, milliardaire tapageur célèbre dans mon adolescence, quand les milliardaires ont-ils commencé à devenir célèbres ? musardera votre esprit dans ce musée de trois fois rien, mais ça repose.

Vous n'en retiendrez que le portrait du Dr Pozzi par Sargent. Est-ce le père de l'emmerdeuse qui a couché avec Paul Valéry ? vous demanderez-vous un instant, avant de penser ça m'est égal, voici un idéal de beauté. La robe de chambre rouge, la barbe de renard, le cou blanc, les yeux gris, ah, on comprend qu'on ait surnommé ce séducteur « l'amour médecin ».

musée de la via Giulia à Rome...

Ce musée d'art étrusque complète celui de Volterra, en Toscane, où tout visiteur constate que, en art, on ne fait que réinventer : les sculptures de Giacometti ne sont pas plus allumettes brûlées que celles de l'Étrurie antique. Le musée de la via Giulia, à Rome, est installé dans une maison à jardin au bout de l'esplanade où se trouve aussi le musée d'art moderne, néoclassique, XIXe, vaste, majestueux, et qui a plus de colonnes à son portique que de chefs-d'œuvre à l'intérieur. Cette petite maison comprend deux étages de sculptures et de sarcophages du si gracieux art étrusque, le seul art bouddhique d'Occident : des humains en train de sourire ! Cela ne veut pas dire qu'ils n'aient pas eu de voleurs, d'assassins ni de pompeux, mais au moins la mode n'était pas à l'emphase. Pour cela seule l'Étrurie est chère à mon cœur. Je me déciderai un jour à finir les *Promenades étrusques* de D.H. Lawrence, car, comme il le fait au début de son livre, je pourrais dire : « Pour ma part, dès que j'aperçus des objets étrusques au musée de Pérouse, je fus instinctivement attiré par eux. » Oui, des Étrusques il ne reste qu'un sourire. Et ça suffit bien, c'est même mieux que beaucoup de choses, les Empires, les guerres, Rome, le bruit, le sang, la vie ! Un sourire flotte sur le monde, dites. Et cela fait oublier que, eux aussi, ont eu de la vie, de la rage de perfection et de la souffrance.

musée copte du Caire...

On y découvre les tapisseries coptes, anté-arabes : personnages féminins à cuisses de poule, noirs, déhanchés, une main en l'air, dansant. C'est un style allègre.

On y rêve devant un trône patriarcal en bronze, haut, maigre, étriqué, inconfortable, que surmonte, en haut de minces colonnes de métal torsadé, un petit dôme à croix angulaires. Se décolle du siège un nain gras portant chasuble et mitre. C'est l'évêque.

On y comprend encore une fois, en voyant le style byzantin infecter le vieux style grec moribond, que la stylisation est l'art des sans art.

musée de Seldjouk (Turquie)...

Tête monumentale de l'empereur Domitien. Son visage rectangulaire est soufflé, le crâne, déprimé, il n'a pas l'air aimable. Il a même été si odieux que, à sa mort, les Romains l'ont condamné à la *damnatio memoriae*, la damnation de sa mémoire. Damner la mémoire de quelqu'un, c'est encore le meilleur moyen de la conserver. Les

Égyptiens étaient plus habiles et plus malhonnêtes : les pharaons effaçaient les noms de leurs prédécesseurs des cartouches en pierre. Tout symbole est puéril. Rien ne se fait de haut si on a peur de passer pour puéril.

Méthode romaine ou égyptienne, même résultat : contrairement aux saintes volontés du Sénat et du peuple romain et des divins pharaons, les musées conservent les têtes maudites et signalent que sous le nom de tel Amménémès se trouvait celui de tel Sésostris. C'est pourquoi les archéologues meurent, maudits : ils n'ont pas respecté le Mensonge.

Devant la grande statue de Diane, on comprend le mépris que les chrétiens mettaient dans le mot « idole ». Femmes chapeautées de tours, se tenant raides derrière un couple de bêtes sauvages, faisant les mystérieuses avec leurs colliers d'horoscope, des couilles de taureau suspendues sur la poitrine, ou les poitrines, Diane a trois paires de seins, l'air d'un mât de cocagne pour salon du X porte de Champerret. Contre l'humiliation d'adorer le mauvais goût ? Non, non : pour en imposer un autre.

La première partie qui chute, dans une statue, c'est le nez. Les idoles se cassent le nez sur le futur et se réveillent vexées dans les musées.

musées archéologiques d'Istanbul...

musée des Antiquités...

Une statue d'éphèbe, en toge, appuyé contre une paroi, ses forts mollets croisés : c'est Dargelos, le personnage des *Enfants terribles* de Cocteau.

L'air d'un Chirico, deux très curieuses statues aux têtes évidées, le marbre rayé à l'intérieur semblant avoir été marqué par les circonvolutions de leurs cerveaux envolés. Le soir, ce clapet se referme : la statue dort.

On distingue bien les sculptures de Rome : elles sont plus viriles que les grecques, même celles qui représentent des femmes.

La momie du roi Tabnit de Sidon (Ve s. av. J.-C.) est cambrée comme un épileptique. Ses côtes brisées retiennent jalousement poumons et tripes recroquevillés, noirs et fleuris comme des iris. Un reste de peau est canaillement posé en casquette sur le coin du crâne. Les genoux sont piqués comme une armoire d'antiquaire des Puces. Niant toute notion d'art et de recherche scientifique, des peuples animistes réclament aux musées occidentaux les corps momifiés qu'ils conservent, croyant que leur âme s'y trouve encore. Nous assistons à de vifs progrès vers le Moyen Âge. Le XXIe siècle est déjà superstitieux, et je me demande quand aura lieu la révolte contre cette sottise.

Le sarcophage dit d'Alexandre, celui du roi de Sidon Abdalonymos, est une bien belle chose. Outre ce roi, on y voit Alexandre, Héphaïstion et Perdiccas. Le sarcophage des pleureuses (veuves du roi) a des figures très expressives : l'une est vraiment triste, l'autre mélancolique, etc. C'est la rêverie aux morts.

Un très maladroit sarcophage du Ve siècle. Le christianisme a été une révolution et, comme la Révolution française ainsi qu'on le constate au musée Carnavalet ou dans les musées du Massachusetts pour peintres 1790 qui s'étaient exilés là-bas, suivie d'un affaissement immédiat des arts. Tout d'un coup, on n'a plus rien su faire que de rustique, de grossier, de maladroit, comme si tout avait été désappris en cinq minutes.

musée de l'Ancien Orient...

Ces Assyriens étaient sans doute atroces. Inhumains. Pas de femmes, sinon des miniatures érotiques et des déesses. Des hommes, des hommes, des hommes, des hommes et du pouvoir.

Elle peut se visiter comme un musée, pourquoi non ? Ce sont deux grandes pièces sur Madison, séparées par une petite entrée où, derrière un bureau, une jeune femme vous accueille, pareille à une caissière du Whitney Museum tout proche. À gauche, les costumes, robes de chambre et cravates, à droite, le reste. Les chemises et les pulls sont montrés dans des armoires vitrées. J'ai vu de sublimes gants en chevreau (pour Lord Henry Wotton, du *Portrait de Dorian Gray*), de très belles cravates dans les tons caviar, des robes de chambre très « antiquaire reçoit », style vénitien, l'une en soie verte et marron, l'autre prune et noire, de jolies mules en velours rouge à talon et à 890 dollars, des souliers vernis à lacets en tissu large, 1320 dollars ; seuls les prix sont ridicules. Il a fallu que ce poseur de Tom Ford se fasse inventer un parfum, comme un joueur de foot. Les musées de France qui avaient cru gagner de l'argent en commercialisant des parapluies Watteau et des tasses Chardin s'y sont ruinés et ont dû arrêter. Le goût cupide ne gagne jamais. Bien de la morale pour des chaussettes !

Musique

LISTE POUR UN CD

... sentimental
(musique instrumentale)

La barcarolle des *Contes d'Hoffmann*.
La valse de la *Symphonie fantastique*.
La valse n° 14 en si bémol majeur de Chopin.
La valse sentimentale n° 17 de Schubert. Pendant des années, je me suis dit que j'allais écrire un poème sur l'une de ces valses, j'ai commencé à le faire, puis je me suis dit : pourquoi embêter Schubert avec ça ?

... narquois

Laurie Anderson, « *Babydoll* ».
The Divine Comedy, *Casanova* (« *Burn your briefs you leave for France tonight* », brûle tes slips, tu pars cette nuit pour la France).
Shivaree, « *Cannibal King* » (c'est la comptine d'un cannibale amoureux d'une jeune femme. Elle finit sur le bruit de deux baisers et de quelque chose qu'on avale).
Rufus Wainwright, « *California* » (« *California California, / You're such a wonder that I think / I'll stay in Bed* », Californie, Californie, tu es une telle merveille que je crois que je vais rester au lit).

« *If you could see her through my eyes* », de *Cabaret*, par Joel Grey (« si vous pouviez la voir avec mes yeux, vous ne vous étonneriez pas » ; se chante avec un figurant grimé en gorille ; et la chanson dure, dure, « pourquoi ne nous laisse-t-on pas en paix ? Est-ce un crime d'être amoureux ? Si vous pouviez la voir avec mes yeux... » Puis, dernière réplique, accélérée : « Si vous pouviez la voir avec mes yeux, elle n'aurait pas du tout l'air juif ! »).

Robbie Williams, « *There Are Bad Times Just Around the Corner* » (les mauvaises nouvelles sont au coin de la rue, écrite par Noel Coward au moment de l'élection des travaillistes après la guerre).

Kander & Ebb, « *Class* », de *Chicago* (deux femmes en prison déplorent la fin de la « classe » : « *Now no one even says "oops"/When they're passing their gas* », de nos jours, plus personne ne dit « oups » quand on a fait un rot).

... faisant bondir sur ses pieds

Alicia Bridges, « *I Love the Nightlife* ».
Chic, « *Le Freak* ».
Rihanna, « *Breaking Dishes* ».
Gloria Trevi, « *Todos me miran* ».
The Weather Girls, « *It's Raining Men* ».

... sublimement emphatique

Maria Callas, « *Divinités du Styx* » (d'*Alceste*).
Manic Street Preachers, « *The Everlasting* ».
Queen, « *Bohemian Rhapsody* ».
Roots Manuva, « *Too Cold* ».
Smitty feat. Robin Thicke, « *Died in Your Arms Tonight* ».

LISTE DES CHANSONS DE VARIÉTÉS TRAGIQUES

Le tragique qu'il peut y avoir dans certaines chansons de variétés ! Oui, oui, j'en sais la vulgarité, parfois, mais la vulgarité n'est pas toujours aussi grave que les étriqués le disent. Il y a parfois du sentiment, de la vie dans la vulgarité, plus d'humanité en tout cas que dans les sens usés de tous les mondains de toutes les capitales. Et puis d'abord elles ne sont pas vulgaires, ces chansons, je ne l'ai dit que par une sotte concession à la Morosité. Tout au plus mélodramatiques, si le mélodrame est le drame auquel on ne croit pas ; et en suis-je sûr, qu'ils n'y croient pas, leurs compositeurs, leurs chanteurs ? Ne seraient-ils pas plutôt de grands ignares sentimentaux ? Je pourrais citer « *Thank You for The Music* » d'Abba, « Pour ne pas vivre seul » de Dalida, la *cover* d'*A quién le importa* par Thalia. « Elles en font trop », me dit l'ami qui me les recommande, avec un sourire de plaisir.

Je ne suis pas non plus contre la house de style « *Every Single Day* », des Benassi Brothers, avec son sirupeux répétitif et envoûtant. C'est une chanson qui tourne, rose, comme une glace italienne. Elle appelle un malheur de princesse vu par une lectrice de magazine bon marché. De même, les *torch songs* américaines qu'on entend dans les bistrots de bord de route, comme « *Three Cigarettes in an Ashtray* », par Patsy Cline : « Deux cigarettes dans un cendrier,/Mon amant et moi dans un petit café./Une étrangère est entrée/Et tout a mal tourné :/Maintenant, il y a trois cigarettes dans un cendrier. » Je veux dire, avant qu'elles ne soient récupérées par le *camp*, telle cette même chanson par KD Lang, excellente, mais asséchée, comme par toute ironie. Dans un deuxième stade, après avoir ricané, le *camp* avoue son sentiment, et le chic redescend au *cheap*.

Nous appelons mauvais goût ce qui nous fait plaisir et honte à la fois. Et c'est l'expression que j'emploie pour m'excuser d'écouter « *Todos me miran* », de Gloria Trevi. Écoutez la terrible histoire de Gloria Trevi ! Cette chanteuse mexicaine est allée en prison pour avoir refusé de dénoncer son producteur de mari qu'on accusait d'avoir violé des choristes mineures qui avaient porté plainte, accusant aussi Trevi d'être au courant et d'avoir participé à des partouzes lors de tournées. Elle en est sortie trois ans après, avec cet hymne insolent, triomphant. « Tout le monde me regarde » (et je vous emmerde). Si Ava Gardner était vivante, on lui aurait tiré un film de cette histoire.

Variation sur le « *I Am What I Am* » de Gloria Gaynor, « *Todos me miran* » a pour clip une transposition exacte des paroles, mais incarnées par des hommes. Au début, quand la voix de Gloria Trevi dit « je pleure à tes pieds », on voit un jeune homme verser des larmes sur les chaussures d'un autre homme. Il se maquille, s'habille en femme, sort dans la rue, « *todos me miran* ». Et l'ami qui m'a fait découvrir cette extravagante chanson, un jeune homme très calmement intelligent, dit : « Elle est maligne, elle sait que les gays forment un marché, elle a chanté pour nous. » Ce mélange d'adoration et de blasphème des gays pour leurs idoles fait d'eux les plus espagnols des fans. Ces chansons leur vont bien, car elles sont mêlées, mélodramatiques et moqueuses. Et si elles se moquent, c'est du mélodrame qui cherche à nous engloutir. Personne n'est plus attentif au malheur humain que les chansons de variétés tragiques. À cet ami, je suis reconnaissant. On reste redevable à qui vous fait découvrir une chose artistique. Elles ne sont pas si nombreuses, ni si accessibles.

Il est dommage que Ricky Martin chante des chansons si moyennes, avec sa voix. Quand, du temps d'avant la testostérone et de sa minceur, il dansait, il laissait tomber la tête de côté d'un petit mouvement bref à la façon du méchant de *Terminator 2* lorsque, ayant reçu quinze balles dum-dum dans la poitrine, il fait craquer agacé les articulations de son cou avant de repartir à l'attaque. Et la tristesse de ce chanteur ! Regardez ses photos. Il sourit sans sourire. La matité de sa prunelle dissimule quelque chose. Il a le lumineux sourire des hommes malheureux. Et on finit par trouver « *Asignatura pendiente* » tragique.

Ah, voilà. Si banale que soit la chanson, il y a l'interprète. Sinatra disait de Judy Garland : « Chaque fois qu'elle chante, elle meurt un peu. » Et le public, ce vampire, s'en émeut. Elle meurt ! Elle meurt ! Sublime ! Crève !

Dans la variété française, le tragique va de « Le temps est assassin », de Véronique Sanson, à « Pilote sur les ondes », de Sheila, « Non, je ne suis plus la même », de Sylvie Vartan, en étant une apothéose ménagère ; mais toute chanson de variétés sur les malheurs d'amour n'est-elle pas du Racine pour les ménagères ? Tragédie avec la serpillière au bout du balai, meilleure à écouter quand il est huit heures du soir et qu'on boit, seul, dans son appartement vide, son deuxième whisky-glace. Non, le tragique ne se trouve pas dans les chansons supposées « écrites » et qui le sont bien mal à la « Ne me quitte pas ». Il y a des moments où Brel, ce n'est pas de la chanson, c'est du chantage.

Denise Glaser, présentatrice d'émissions de variétés qui se faisait filmer penchée, regardant longuement de côté d'un air pensif, se croyait originale et était une niaise. Par exemple, elle adorait Barbara qu'elle prenait pour une intellectuelle et, recevant Dalida, lui faisait de petits compliments dépréciatifs, alors que c'étaient les mêmes chanteuses. Dalida aurait pu chanter « La salle des ventes » et Barbara « Gigi l'Amoroso », on ne se serait pas rendu compte de la substitution. Il est frappant comme on peut intervertir leur répertoire. Imaginez encore Barbara chantant « Pour ne pas vivre seule », et Dalida « Dis, quand reviendras-tu ? ». Barbara n'était pas aussi littéraire, ni Dalida aussi populacière que cette andouille le croyait. Dans une émission, elle fait le sincère et immense compliment à Dalida : « Vous êtes *simple*. » C'était la fille de Sidonie Verdurin.

J'écris cela pendant que The Streets chante dans mon ordinateur. L'audace de la pompe, dans le sens le plus XVIIᵉ siècle du mot, que peuvent avoir les rappeurs, est admirable. Ils semblent avoir écrit sous la dictée de Bossuet. *« Gangsta Paradise »*, je ne l'oublie pas, commence par un vers du *Cantique de David*, *« As I walked through the valley of the shadow of death »*, comme je marchais dans la vallée de l'ombre de la mort... Le gangsta rap est mal vu parce qu'on le croit une vantardise de voyou : c'est un ululement d'homme fier. Son cheval est un 4 × 4 à vitres fumées, son épée un revolver noir comme une tombe, ses alexandrins les hoquets du *sampling*.

LISTE DE MADONNA ET DU MARKETING

Madonna a toujours récupéré avec un flair de tueuse les mouvements ayant survécu à l'avant-garde pour les transformer en quelque chose d'accessible au plus gros public, c'est-à-dire d'admissible par sa paresse ; sans, et c'est là sa suprême ruse, les vulgariser tout à fait ; elle lui donne l'impression d'être à la mode.

On voit sa détermination exploser dans le documentaire *In Bed With Madonna*, et j'imagine qu'elle est plus que cela lorsque je me rappelle cette femme de ses amies que j'ai connue à New York et que j'avais surnommée *Goatfeet*, Pieds-de-chèvre : une Française giclant de méchanceté. Madonna a une forme de génie. Et même deux : un génie publicitaire, car elle trouve le moyen de faire parler d'elle tout au long de l'année, et le génie de prendre chez les autres une inventivité qu'elle n'a pas. (Je n'aurais pas parlé de son génie de chanteuse. En direct, elle chante comme une candidate de quart de finale de la Star Academy.) Si on y réfléchit, Madonna est toujours venue *après*. Elle a fait du disco en 1983, alors que le disco était inventé depuis sept ans. Et précisément : c'est son truc : elle happe le coquelet levant la crête, tout en lorgnant du coin de l'œil le frémissant poussin, là-bas, dans le noir, qui pourrait un jour prendre de la force. Dans le documentaire *Paris Is Burning*, on voit comment des travestis noirs de New York ont inventé une danse dans les années 1980. Quand ils avaient une querelle, au lieu de se battre dans une impasse à coups de couteau, ils faisaient un concours de danse à deux sur une piste, en imitant les postures des photos de mode du magazine *Vogue*, volontairement affectées, très ironiques, et un jury désignait le vainqueur. Le *Voguing*. Que fait Madonna ? Elle s'empare de cette distraction du samedi soir, en fait une chanson, une bonne chanson, « *Vogue* », avec un clip vidéo imitant les chorégraphies des travestis. La chanson a eu un grand succès, et tué le frêle *Voguing* qui n'a pu supporter tant de tapage. Les Noirs sont restés avec leur malheur et Madonna avec ses milliards.

Comme les plagiaires ne sont pas caractérisés par l'absence d'impudence, elle ose chanter dans « *She's Not Me* » (*Hard Candy*) : « *If someone wants to pimp your style [...], / You're gonna have to watch out* », si quelqu'un cherche à maquereauter ton style, tu devras rester sur tes gardes.

Pour son clip *Erotica* et livre de photos *Sex*, elle avait embauché des mannequins de chez Gaiety, un cabaret de la 46ᵉ Rue. Il a fermé, elle reste ouverte. Et elle encaisse, école de marketing à elle seule, flaireuse faisant la carrière la plus flamboyante. Ce n'est pas elle qui, comme Michael Jackson, deviendrait folle.

Elle a cette repartie des méchants qu'on appelle abusivement esprit mais qui n'empêche pas d'être drôle. Par exemple : « Écoutez, tout le monde a le droit d'avoir mon opinion. »

Dans son clip *4 Minutes to Save the World*, elle, née le 16 août 1958, saute sur les voitures en compagnie de Justin Timberlake, né le 31 janvier 1981, qui l'y hisse, et se contorsionne comme elle ne le ferait pas si elle ne voulait pas prouver qu'elle peut être la petite sœur de ce jeune homme. En 2048, dans un cimetière de Californie, un squelette portant une perruque blonde claquera des dents en faisant des passes de danse en compagnie d'un nourrisson sur l'air de la dernière musique à la mode ; s'entrouvrant comme des tirelires, les caveaux encaisseront les dollars.

Enfants, ne croyez pas les chansons.

Spectacles

LISTE DE L'OPÉRA ET DE LA TRANSFIGURATION

C'est lors du mariage (par procuration) de Marie de Médicis avec Henri IV, à Florence, en 1600, qu'a été représenté le premier opéra, *Eurydice*, de Jacopo Peri et Giulio Caccini, livret d'Ottavio Rinuccini. L'*Orfeo* de Monteverdi ne date que de 1607 (à Mantoue, dont la duchesse était ou avait été Éléonore de Médicis, une sœur de Marie). Marie de Médicis a contribué à introduire l'opéra en France, parmi tant d'autres bonnes choses, c'est pourquoi on l'a calomniée. Elle a financé les études de Simon Vouet à Rome. Y a-t-il une vie de ce peintre que j'ai aimé dès que je l'ai vu?

L'opéra est un art de transfiguration comme il y en a peu. Les livrets sont souvent mauvais, les chanteurs de piètres comédiens, on y voit des petits fanfarons blêmes campés devant une pagode chantante à verrue au coin du nez, leur disant : « Tu es la pus belle du monde », et ça n'est pas ridicule. La musique est bien ; les voix claires ; l'intention noble. C'est toute la différence avec l'opérette dont la musique cherche à distraire plus qu'à toucher, et dont les livrets comportent toujours un clin d'œil graveleux. L'une regarde les dieux, l'autre fait du genou au public.

La ressemblance entre l'opéra et la corrida tient au public et à son désir de meurtre. De même que les aficionados rêvent de voir le torero se faire encorner, de même, les mélomanes voudraient que, au moment du contre-ut, la soprano tombe morte par terre. Ce n'est pas par cruauté, mais pour avoir quelque chose d'extraordinaire à raconter, eux qui en ont tant vu, de corridas, d'opéras, que leurs sens sont éteints. Une autre ressemblance est le clinquant des costumes et le risque que prennent ceux qui les vêtent. Si la corrida, c'est *Tragédie au Lido*, l'opéra, c'est *Drame chez le Brocanteur*.

Comment peut-on composer des choses aussi ravissantes que les opéras de Mozart ? Elles le sont parce qu'il n'y a aucune distance entre la technique et le cœur. Une différence entre Rossini et lui est que Rossini n'a pas de cœur. D'où un degré légèrement inférieur de musique. Cela ne l'empêche pas d'être enthousiasmant, et que, y compris ceux de Mozart, tous les opéras sont trop longs à part *Le Barbier de Séville*. À mon premier roman, je me suis demandé : comment faire un équivalent-Rossini en littérature, un roman qui soit à la fois insupportable et adorable ?

Le livret de *La Fille du régiment*, de Bayard et Saint-Georges (musique de Donizetti), voici une des raisons pour lesquelles Stendhal l'a adoré, est républicain. La duchesse dit à la marquise : « Seulement un sergent dans votre château, madame la marquise ! » Les livrets de Scribe, comme celui de *La Juive*, sont souvent d'une paresse honteuse ; je me demande comment les chanteurs ont accepté d'avoir des hiatus aussi grossiers à prononcer. Autre auteur que Stendhal déclarait adorer, dans ses articles pour les revues anglaises du moins, où il pouvait faire plaisir à Scribe sans se compromettre à Paris : Scribe était médiocre, mais de gauche. Beaucoup d'écrivains sont ainsi, qui poussent leur cause malgré le talent.

Un peintre, un galeriste et la femme de celui-ci partent en week-end, ayant décidé de faire un enfant à trois. De cette idée charmante naît un fils. À 13 ans, sa mère lui dit : « Tu n'es pas l'enfant du galeriste, que tu croyais ton père, mais du peintre. » L'enfant devenu adolescent puis adulte n'a de cesse que d'acquérir l'état civil approprié. À 35 ans, les deux hommes étant morts, il engage une procédure judiciaire, laquelle lui donne le droit de prouver sa filiation : un test génétique montre qu'il n'est pas le fils du peintre. Autre test d'après un prélèvement sur un fils authentique du galeriste : il n'est pas son fils non plus. « Avec qui as-tu donc couché ? Avec qui ? » demande-t-il à sa mère. La phrase pourrait être le sujet d'un livret d'opéra. *Avec qui as-tu donc couché ? demanda-t-il à sa mère.* Les hommes sont fous de chercher à savoir ce qui les regarde et que le destin prend soin de leur cacher. C'est un des sujets de l'opéra.

Plus une œuvre vieillit, plus il faut en accélérer le tempo. Beckett comme Verdi. Quand elle est neuve et l'auteur vivant, il faut ralentir. Cela tient au degré de familiarité que nous avons avec elle, enfin je crois.

Toute personne qui s'est trop approchée de Wagner est morte folle et dans la douleur. Baudelaire. Nietzsche. Hitler.

Caruso est d'autant plus déchirant que, à cause de ses enregistrements, il est loin, comme dans une cave de la Rome antique. Un loup chante.

Pavarotti était ridicule et génial d'une façon XIXe siècle. Comme tous les grands ténors, c'était une trompette. Il avait de plus une voix immédiatement reconnaissable. Et une tête de masque mycénien. Sa barbe noire effilochée, qu'il teignit jusqu'à la fin d'un noir de cirage, contribuait à lui donner, avec ses sourcils épilés qui semblaient dessinés au feutre, un air de clown. Si j'avais tourné un film à partir d'*À la recherche du temps perdu*, je lui aurais donné le rôle de Charlus. Il entrait sur la scène son mouchoir à la main, pareil à un chef de cuisine arrivant près de la table pour dire un mot au client, avec une absence totale de talent pour la comédie qui en faisait une quintessence de chanteur de bel canto écrasant tous ses défauts sous l'éclat de sa voix.

Ils réussissent tous après un remplacement « au pied levé ». À Covent Garden en 1963, c'est Pavarotti qui remplaçait Giuseppe Di Stefano dans *La Bohème*. À l'Opéra Bastille en 2000, c'est Rolando Villazón qui a remplacé Ramón Vargas dans *La Traviata*. Dans ce métier, on grimpe sur la chute de l'autre.

Ne les croyez pas cultivés parce qu'ils chantent des mélodies anciennes, raffinés parce qu'ils le font dans des théâtres rouge et or. Un des meilleurs ténors du monde, un jour, ouvre son téléphone portable et me dit : « Charles ! Regardez ce que des copains m'ont envoyé ! » C'était un gros plan de sexe de femme aux cuisses ouvertes.

Les chanteuses, dans l'ensemble, sont moins ridicules que les chanteurs. Montserrat Caballé, avec son allure de théière, avait une gaieté, un œil amusé montrant qu'elle prenait son art très au sérieux, mais pas elle.

Lucia Popp avait la tête de son nom.

Le duo de l'*Andronico* de Mercadante, qui dure huit minutes, est le dernier air chanté par la Malibran. Elle l'a même chanté deux fois, puisqu'on l'a rappelée. Elle passe pour avoir dit au chef, après lui avoir fait signe : « Je vais l'anéantir » (sa partenaire). C'est elle qui est morte, tuée par la fée distraite qui s'était trompée de cible.

L'émail des yeux de Maria Callas était rendu plus brillant par son maquillage de panda. « Entre la note juste et l'expressivité, elle choisissait l'expressivité », entends-je sur France Musique. Et on cherchera des raisons à l'amour qu'on lui a porté. Une de ses amies, l'inventant peut-être, m'a raconté la dispersion de ses cendres. « Maria avait demandé à ce qu'elles soient jetées dans la mer Égée. Nous montons sur un bateau, éplorés, et, éplorés, nous dirigeons vers le large. Le capitaine ouvre l'urne. Adieu, Maria ! Et les cendres de revenir sur nous : il s'était placé sous le vent. Nous voilà, c'était en hiver, époussetant nos manteaux de fourrure, éternuant et pleurant. » Et les manteaux chantèrent, comme dans un dessin animé, les cendres bondissant hors de poils lustrés sous forme de notes de musique.

Ne devient-on diva qu'à condition d'avoir été groupie ?

LISTE DES FILMS POUR LESQUELS JE PRÉSERVERAIS
LA DERNIÈRE SALLE DE CINÉMA DU MONDE

Ce sont des films sur le cinéma.

Sunset Boulevard, de Billy Wilder, 1950. Une vieille actrice du cinéma muet, dans une grande maison où elle vit seule, se persuade qu'on va réaliser pour elle un film qui marquera son retour. Son chauffeur, joué par Erich von Stroheim, est un ancien réalisateur qui repasse ses dessous. Elle est jouée par Gloria Swanson, l'œil tiré en l'air comme par le crochet du diable.

Bellissima, de Luchino Visconti, 1951. Une mère avide de la gloire qu'elle n'a pas eue pousse sa très jeune fille dans le cinéma. Plus d'une mère est la maquerelle de sa fille. Anna Magnani la joue roublarde, insolente, odieuse.

Chantons sous la pluie (*Singin' in the Rain*), de Stanley Donen et Gene Kelly, 1952. Le passage du muet au parlant dans le cinéma. C'est en réalité un film sur la sottise, celle de l'actrice du muet. « *You think I'm dumb, or something?* », vous me prenez pour une idiote, ou quoi ? C'est Jean Hagen qui interprète le rôle de cette Lina Lamont. Avant ce film, elle avait joué dans *Madame porte la culotte* (*Adam's Rib*) de Cukor et *Quand la ville dort* (*The Asphalt Jungle*) de John Huston ; partie sur cette lancée, elle s'effondra dans le rien de marquant.

La Dame sans camélias (*La signora senza camelie*), de Michelangelo Antonioni, 1953, avec Lucia Bosé, la magnifique Lucia Bosé, qui avait les pommettes d'Audrey Hepburn et le nez de Sophia Loren ; en ces temps où les actrices savaient faire du cinéma dans la vie, elle épousa le torero Luis Miguel Dominguín, d'où est né le chanteur et acteur

Miguel Bosé, et carrière à peu près finie pour Lucia. Suso Cecchi D'Amico est la scénariste de *La Dame sans camélias* et de *Bellissima*.

8 ½, de Federico Fellini, 1963. Ah quelle finesse, quelle férocité, quelle affection, quelle moquerie, quelle Claudia Cardinale belle comme une vierge de la Rome antique ! Après la scène des vieillards en cure brinquebalant sur l'air de « La chevauchée des Walkyries », la musique passe au *Barbier de Séville*, et on entend le critique dire : « *Sono qua !* », comme Figaro dans l'opéra. Ah, ce n'est pas Francis Ford Coppola, doué d'autres qualités, qui mettrait du Rossini sur les hélicoptères d'*Apocalypse Now*. Il faut parler ado pour faire un million d'entrées. Si on parie sur la finesse, il ne reste que le malentendu. Fellini l'a rencontré. Il y a dans ce film enchanteur un mélange de bienveillance et de grand art qui fait qu'il durera longtemps.

La Nuit américaine, de François Truffaut, 1973. « Nuit américaine » est une expression de cinéma signifiant que l'on reproduit la nuit en plein jour. « Les films sont plus harmonieux que la vie, Alphonse. Il n'y a pas d'embouteillages dans les films, il n'y a pas de temps mort. Les films avancent comme les trains, tu comprends ? comme des trains dans la nuit. Les gens comme toi, comme moi, tu le sais bien, on est faits pour être heureux dans notre travail, notre travail de cinéma. »

Bons baisers de Hollywood (*Postcards from The Edge*), de Mike Nichols, 1990, qui, sur le sujet d'une mère artiste à succès et de sa fille, fait la paire avec *Sonate d'automne* (*Höstsonaten*), d'Ingmar Bergman, 1978. Je préfère le Nichols. Dans le Bergman, la gentille fille, Liv Ullmann, est si geignarde que je ne vois pas comment on ne peut pas prendre parti de sa « méchante » mère, Ingrid Bergman.

Et, pour une programmation plus générale, je garderais les bobines de :

Gold Diggers of 1933, de Mervyn LeRoy, 1933, pour la chorégraphie de Busby Berkeley (marguerites sur fond de krach boursier).

Citizen Kane, d'Orson Welles, 1941. Ah, le *rosebud* ! Le nœud de tout, l'élément enfoui du passé qui expliquerait tous nos actes. Vous vous rappelez, c'est le dernier mot que prononce le héros du film, dont l'avant-dernière image montre que c'était le nom de son traîneau d'enfant. Orson Welles dément tant soit peu l'importance du *rosebud* en donnant l'ultime image au panneau qui se trouve à l'entrée du domaine de Charles Foster Kane : « *No trespassing.* » Défense d'entrer dans la vie de cet homme, bien sûr, mais peut-être aussi : ne cherchez pas trop à interpréter les symboles. *Rosebud*, c'est un autre mot pour « secret ». Les secrets existent, tout le monde en a ; souvent les mêmes. Comment se fait-il que, avec les mêmes origines familiales que bien d'autres, chaque homme soit devenu ce qu'il est ? C'est le mystère. Ah, voilà. Le mystère me paraît plus significatif que le secret. On peut dévoiler les secrets, on n'explique jamais les mystères. Tout au plus peut-on essayer de montrer comment ça s'est passé, par quelle étrange combinaison la part inexplicable d'un être, cette part spirituelle, folle, lui crée un destin.

Les Passagers de la nuit (*Dark Passage*), de Delmer Daves, 1947. En exagérant à peine, un des meilleurs films noirs (mais je le dis sans avoir revu *La Dame du lac*, avec la voix off jusqu'au moment où le narrateur passe devant un miroir, et voici le film en narration extérieure). Bogart avec sa tête en ananas de bandages, Lauren Bacall, toujours chic canaille quoique affreusement habillée, et Agnes Moorehead, qui avait eu son premier rôle, celui de la mère de Charles Foster Kane, dans *Citizen Kane*, la revoici, parfaite de rage. Enfin les rues de San Francisco, roses et lumineuses, rendues méconnaissablement inquiétantes par la nuit. Le film noir, ça transformait tout en New York.

Ève (*All About Eve*), de Joseph Mankiewicz, 1950. « *Fasten your seat belts, it's gonna be a bumpy night.* » Attachez vos ceintures, la soirée va être agitée, annonce Bette Davis irritée par le zèle obséquieux de son assistante. La méchante était la gentille, comme dans les meilleures satires. Il y a des années où tout est réussi. En 1950, *Ève* reçoit l'oscar du meilleur film contre qui ? *Sunset Boulevard.*

Les Monstres (*I mostri*), de Dino Risi, et *Les Nouveaux Monstres* (*I nuovi mostri*), du même, Mario Monicelli et Ettore Scola, 1963 et 1977. Dans le premier, le sketch très bref où deux flics abrutis se font photographier avec l'assassin un peu moins abruti qu'eux ; dans le second, celui où un aristocrate imbécile et rusé (Alberto Sordi) qui transporte un homme blessé dans tout Rome après l'avoir achevé de bavardage, ou encore celui où Vittorio Gassman en cardinal tout rouge dont la voiture tombe en panne dans une banlieue communiste retourne les prolos par un discours d'une éloquence pleine de mauvaise foi. La spécificité et le talent du cinéma italien, c'est de ne pas avoir eu peur de se moquer du public. Maintenant, le public regarde la télé.

Nous nous sommes tant aimés (*C'eravamo tanto amati*), d'Ettore Scola, 1974. Si bon film qu'il a inventé le genre, depuis régulièrement imité, de la réunion d'une bande d'amis ayant perdu leurs illusions de jeunesse : *Les Copains d'abord* (*The Big Chill*), de Lawrence Kasdan, 1983 ; *Peter's Friends*, de Kenneth Branagh, 1992 ; *Nos meilleures années* (*La meglio gioventù*), de Marco Tullio Giordana, 2003 ; *Mon frère est fils unique* (*Mio fratello è figlio unico*), de Daniele Luchetti, 2007.

Georgia (*Four Friends*), d'Arthur Penn, 1981. Ah, Georgia, dans la fête où tout le monde se came, s'écriant : « J'en ai assez d'être jeune ! » Ce film-là ne pouvait pas marcher cette année-là, en France en tout cas, où 68 était à la mode et où la gauche gagnait les élections.

Annie Hall et *Zelig*, de Woody Allen, 1977 et 1983. Zelig restera à la façon de Hamlet ou de Don Quichotte. Un personnage qui, malgré la singularité de ses actes, révèle l'universalité d'une intention. Il cherche à se faire aimer en imitant ceux qu'il rencontre, en se transformant en eux, même s'ils sont ses pires ennemis. Quant à *Annie Hall*, il montre que de dater fortement une œuvre d'art (là, le style 70) peut être un moyen de la rendre éternelle, de même que de décrire un village est un bon moyen d'atteindre l'universel. D'ailleurs *Annie Hall* se passe aussi dans un village : Manhattan.

Voyage au bout de l'enfer (*The Deer Hunter*), de Michael Cimino, 1978. Grand film russe fait par un Américain. Sur ce sujet ou ce prétexte de la guerre du Vietnam, le film américain qui voudrait être russe mais reste typiquement américain est *Apocalypse Now* (Francis Ford Coppola, 1979). J'aime bien la version *redux* tellement honnie, avec la scène du dîner des colons français se racontant que tout est perdu.

Torch Song Trilogy, de Paul Bogart, 1988. L'histoire sarcastique et sentimentale d'un transformiste new-yorkais, écrite et jouée par Harvey Fierstein, qu'on a vu depuis en trépignant hystérique dans le chef-d'œuvre d'humour juif *Independance Day*, de Roland Emmerich, 1996. Dans le commentaire DVD de *Torch Song Trilogy*, Harvey Fierstein parle d'un travesti du film : « Il s'épilait tout, même la barbe. Poil après poil. Il est mort depuis. D'épuisement, je pense. »

LISTE SUR LES ACTEURS

ACTEURS : Les acteurs sont petits. Les acteurs sont des groupies. Les acteurs ont peur. Les acteurs de séries télévisées sont des insectes qu'on regarde au microscope. Les acteurs de cinéma, des planètes qu'on regarde au télescope. Les acteurs de théâtre, des êtres humains transfigurés en masques. Si les acteurs ont souvent l'air bête, c'est qu'ils sont interviewés par des journalistes. Ils n'ont pas non plus infiniment de pensée à exprimer ; souvent, les acteurs sont des pots de fleurs où les roses sont mises par les écrivains qui parlent d'eux. Lisez *Je hais les acteurs*, le roman de Ben Hecht, le grand scénariste de Hollywood. Un acteur, c'est déjà bien beau que ce soit un corps. La plupart des acteurs, dans leur enfance, ont rêvé d'être des actrices.

ACTRICES : Pitié pour les actrices. Au théâtre et à l'opéra, elles passent la moitié de leur carrière à se rouler sur la scène. Pour ces misogynes de metteurs en scène, les femmes sont par terre et les hommes debout. J'espère qu'elles marmonnent des « pauvre type ! » entre deux répliques. Au cinéma, quand on est une jolie fille, on n'est souvent qu'une jolie fille. Au fond, on vous méprise. On montre vos formes, et on donne les beaux rôles émouvants, les rôles à oscar, aux moches. Il a fallu que Charlize Theron se défigure pour l'obtenir dans *Monster*. Les actrices sont, dans l'ensemble, meilleures que les acteurs.

ADJANI (Isabelle) : Jean-Pierre Marielle à la télévision : « Le meilleur rôle d'Adjani, c'est Woolite » (janvier 2004).

BONS FILMS FAMILIAUX : *La Chatte sur un toit brûlant* (*Cat on a Hot Tin Roof*, Richard Brooks, 1958, avec Elizabeth Taylor et Paul

Newman dans un des plus beaux couples de l'histoire du cinéma), où la famille se déchiquette pour des raisons d'argent et de honte; *Géant* (*Giant*, George Stevens, 1956), où la famille se délite après le succès d'un jeune ambitieux qui ne fait pas partie de *son milieu*; *C.R.A.Z.Y* (Jean-Marc Vallée, 2005), où la famille se rend malheureuse à cause des mœurs d'un de ses fils. Ce sont des films américains (le dernier, américain du Québec; on y voit bien que le Québec est de l'Amérique parlant français, et ayant moins à voir avec la France que, disons, le Maroc), ils sont sensibles. En France, les films familiaux sont sociaux (*Les Grandes Familles*), et en Italie, politiques (*1900*).

COMÉDIES ARTIFICIELLES : En Italie, on en trouve dans le *cinema dei telefoni bianchi*, des années 30 à la chute du fascisme, où le régime faisait représenter une société hollywoodisée dont l'insouciance luxueuse et légère était symbolisée par la présence de téléphones blancs; le *Dora Nelson* de Mario Soldati (1939) aurait presque pu être signé Lubitsch. Un bon romancier, aussi, Soldati. Toujours le même livre, confortable, calme, cherchant à résoudre un mystère du passé. C'est aux États-Unis qu'ont été produites les meilleures comédies artificielles, de *Certains l'aiment chaud* (*Some Like it Hot*), de Billy Wilder (1959), à *Madame Croque-Maris* (*What a Way to Go!*), de J. Lee Thompson (1964), où Shirley McLaine joue une écervelée rusée. Ces films ne peuvent se passer que dans les plus basses classes ou dans les plus hautes, qui seules permettent une stylisation; les comédies *Pillow talk* avec Doris Day et Rock Hudson étaient trop *middle class* pour s'élever à la pure fantaisie des œuvres que je mentionne. J'ajouterais l'*Ocean's Eleven* (2001) de ce Soderbergh qui n'est jamais aussi bon que dans les films de commande, et le *Drôle de frimousse* (*Funny Face*) de Stanley Donen (1957). Ah que j'ai aimé le personnage de Maggie Prescott, joué par Kay Thompson! J'avais quatorze ans, et j'en ai pour longtemps déduit que les directrices de magazines féminins étaient de grandes femmes trépidantes et bonnes qui agitaient de longs bras d'araignée en criant : « *Think pink!* » (Pensez rose!) Il y aurait une nouvelle à écrire sur un *think tank* américain peuplé d'experts aux sourcils froncés qui, après des mois de colloques, remettraient au président des États-Unis un rapport contenant ces simples mots : « *Think pink!* »

CRAIG (Daniel) : C'est le plus récent James Bond. Sean Connery était un singe, Roger Moore devenait kitsch tant il jouait ironique (pour dire poliment qu'il ne savait faire qu'une chose, lever le sourcil), Pierce Brosnan, incarnation du cuistre (il ne savait lui aussi que lever le sourcil, mais le faisait avec gravité), se croyait beau alors qu'il l'était comme un vendeur de voitures de luxe. Daniel Craig a été caricaturé par Hermann dans *Le Monde* du 25 novembre 2006. Écran de cinéma. Daniel Craig sort de l'eau, musclé, viril. Un spectateur : « De tous les James Bond, c'est celui qui joue le mieux Sean Connery ! » C'est aussi celui qui joue le mieux Ursula Andress. Elle sortait, sexy, de la mer, dans *Dr No*.

DÉCADENCE (HOLLYWOOD) : J'ai rencontré un Anglais qui a joué enfant dans *Les Contrebandiers du Moonfleet*. Pendant quatre mois, en compagnie de ses parents, il a vécu à Hollywood, où une voiture venait le chercher tous les matins au Garden of Allah, hôtel alors célèbre, pour l'amener aux studios de la MGM. Le Garden of Allah, où plusieurs écrivains de Hollywood, comme Scott Fitzgerald et Dorothy Parker, ont séjourné, a dégénéré en hôtel de passage et de prostituées. On l'a fermé en août 1959 après une fête où les invités sont venus déguisés en stars clients de l'hôtel à la grande époque, Rudolf Valentino, Charlie Chaplin, Clara Bow. La décadence a commencé tout de suite à Hollywood. Elle est un des éléments mêmes de la ville. Dès 1920 il y avait des scandales, enfin, de ces clowneries à peine sexuelles que les hypocrites appellent scandale, comme on le voit dans *Hollywood Babylon*, de Kenneth Anger, livre publié en France l'année de cette fête. On n'a jamais vu décadence aussi vivace. La décadence est à Hollywood ce que la pourriture est au grain de raisin. Le Garden of Allah a été remplacé par quoi ? Un MacDonald. La normalité est bien plus décadente que la « décadence ».

DENEUVE (Catherine) : Le bien avec Catherine Deneuve est qu'on la voit dans Paris. Elle ne se cache pas, va dans les salles de sport, fréquente les restaurants, ne fait pas la star. Elle en est une. Elle contribue à empêcher que Paris ne devienne définitivement une petite ville de province.

ENNUI : Clint Eastwood est devenu mauvais comme on disait qu'il l'était quand il ne l'était pas. Au fait non : il n'était pas mauvais, mais sommaire, il n'est pas mauvais, mais banal. Et ce n'est pas parce qu'il m'ennuie souvent que je dis cela. L'ennui est une notion toute personnelle. *Les Visiteurs* m'ont ennuyé aussi, qui ont fait rire 11 millions de spectateurs en France.

ÈVE : Dans *Ève*, le film de Mankiewicz, tout le monde déteste le personnage d'Ève Harrington, la petite arriviste qui abuse la grande actrice Margo Channing et lui vole son rôle. Il y a tout de même ceci en sa faveur, c'est que, toutes ses fourberies accomplies, il lui reste une authentique passion du théâtre.

FARRELL (Colin) : Il a des yeux d'ours en peluche. Rendant compte de son film *Alexandre* (Alexandre le Grand) par Oliver Stone, la critique du *New York Times* a écrit : *« Mr Farrell, upstaged by an epically bad dye job... »*, M. Farrell, à qui une teinture de cheveux épique vole la vedette... (24 décembre 2004).

FILMS SUR LES ÉCRIVAINS : L'inconvénient des films sur les écrivains est qu'on n'y voit jamais l'essentiel : leurs livres. On a tiré de Wilde des films qui ne valent pas un oscar. *Wilde* (Brian Gilbert, 1997) a le curieux éclairage « lumière tamisée dans un salon verdâtre à sept heures du soir » qu'utilisent les cinéastes anglais dès qu'ils ont quelque chose de plus ou moins scabreux à montrer (*Les Vestiges du jour*, 1993, *Carrington*, 1995) et qui doit être le confessionnal de ces anglicans. De sa pièce *L'Importance d'être Constant*, la meilleure version est celle d'Anthony Asquith (*The Importance of Being Earnest*, 1952). Asquith était le fils du Premier ministre du même nom, qui disait : « La jeunesse serait un état idéal si elle arrivait plus tard dans la vie. » C'est bien pourquoi Lord Goring remarque, dans une autre œuvre de Wilde, *Un mari idéal* : « La jeunesse est un art. » Aussi maladroits que soient ces films, ils portent moins tort à Wilde que la pièce biographique *C.3.3.*, de l'avocat Robert Badinter. Pauvre Wilde, il aura toujours été maltraité par les gens de justice.

FUNÈS (Louis de) : Il n'avait qu'un talent, celui de la grimace. Je dis bien *la* grimace, il n'en faisait qu'une. Il a été haï par la gauche jusqu'à ce qu'un auteur par elle vénéré, Valère Novarina, écrive un *Pour Louis de Funès* ; et, dans la seconde, la gauche, plus disciplinée que la droite, a changé d'avis et fait comme si elle avait toujours trouvé Funès génial. Elle a eu bien tort. Enfin, la gauche : les beaux cœurs qu'une origine familiale modeste rend honteux et qui haïssent ces origines en dénigrant les admirations qu'on y avait.

GENRE : Quand un acteur a eu un succès, on cherche à l'y enfermer, j'ignore si c'est par commodité de pensée ou pour éviter de reconnaître que quelqu'un puisse avoir plusieurs talents. C'est ainsi que tant d'entre eux sont devenus des prisonniers d'un genre qui n'était pas nécessairement le leur : Buster Keaton, du rôle du sachem en bois sur qui on pose des coiffures ridicules ; Anna Magnani, dans le personnage de la battante abattue, cireuse, pochée, alcoolique ; Marilyn Monroe, en personnage de BD, comme souvent les petites blondes charnues, Lana Turner et Clara Bow avant elle.

GILLIAM (Terry) : Ce raisonnable qui se croit fou a réalisé des films où il rend les gags lugubres pour faire pensé, comme *Brazil*.

GRANT (Cary) : Il était si avare qu'on le surnommait « *Cash and Cary* ».

HISTRIONISME : Vous savez tous, mes chers enfants, que ce terme dépréciatif servant à désigner les plus mauvaises qualités des acteurs ne s'applique pas qu'à eux. Les politiciens en sont souvent affectés, et de là leur complicité avec les comédiens : ils se reconnaissent. Une apothéose de leur complicité est Napoléon expliquant à Talma, le grand acteur de la Comédie-Française, qu'il agite trop les bras dans *La Mort de Pompée*, de Corneille : « Les chefs d'empire sont moins prodigues de mouvements. » Et Talma d'appliquer son conseil. Je trouve cela merveilleux. Un cri de vérité. Il n'est pas entendu par ceux qui ont la passion d'admirer dans les veines.

JOLIES NARQUOISES : Où sont-elles passées, ces descendantes de Carole Lombard et de Shirley MacLaine ? En France, elles ont triomphé dans les années 60 et 70, où Dany Saval faisait une écervelée charmante dans un sketch des *Parisiennes* (1962), où Jane Birkin faisait une sotte délicieuse dans *La moutarde me monte au nez* (1974), où Mireille Darc régnait sur la tribu en faisant l'idiote qui joue à l'idiote et obtient ce qu'elle veut, selon un genre qu'elle s'était fixé dans *Les Barbouzes* (1964) ; elle était enthousiasmante jusque dans ses apparitions, comme dans *Borsalino* (1970), en pute de Marseille qui interpelle le client : « Bonjour, mon chou. Tu viens chez moi, on voit la mer ? » Avec les années gluantes de la conscience politique, elles ont été remplacées par des laides à cheveu terne qui vitupéraient en faisant une friture dans la cuisine de la ferme communautaire. Il y a eu un retour de la jolie fille dans les années 2000, mais avec le cheveu en saule pleureur et le ton élégiaque ; années familialistes où, de plus, elles exhibent un *bébé*. Nous sommes loin des lendemains qui plaisantent, on dirait.

LAMBERT (Christophe) : Cet acteur a un physique si mou qu'on croit que la caméra n'est pas au point.

LORRE (Peter) : Un acteur m'a toujours touché, et même ému par son air de profonde tristesse que l'élégance tentait de lui faire cacher par un sourire qu'il n'arrivait pas à achever. Cet acteur, c'est Peter Lorre.

MASINA (Giulietta) : Cette actrice de génie était un clown camouflé en dame à brushing. Elle a cessé de jouer la comédie dans les années 1970, où son rôle a été repris par Margaret Thatcher, en apparence tout au moins : Masina avait le génie fragile de la comédie, Thatcher, créature ou créatrice des temps, le génie féroce de la mesquinerie. Une autre actrice, Joanne Woodward, a été, sous des airs de dame qui va à la messe, un grand clown sans maquillage.

MASTURBATION : Qu'est-ce que ça fait à une actrice ou à un acteur que des millions de gens jouissent sur leur image ?

MONROE (Marilyn) : Elle avait l'air de la brave petite allumeuse qui vous sert un Coca dans un *diner* de Salt Lake City, mais avec une forme de génie qu'elles n'ont pas toutes : elle était transfigurée par la photo et la caméra. Dès son premier rôle (dans *Ève*, 1950), elle a été cantonnée à un rôle de corps. Moulé dans une robe longue de couleur crème, le sien semblait une bouteille de lait prête à laisser lentement déborder son contenu. Minaudière, Marilyn Monroe a si bien porté à la perfection un style inventé avant elle que personne n'a pu le reprendre. Jane Mansfield a essayé, elle a paru ridicule. On connaît les retards infernaux de Monroe, qu'elle croyait excuser par des minauderies. Billy Wilder : « Hollywood n'a pas tué Marilyn Monroe. Ce sont les Marilyn Monroe qui tuent Hollywood. » Et de fait, ces bébés pervers, ces narcissiques destructrices, ces capricieuses sincères, ces hystériques appliquées, ces maîtres chanteurs du public, genre Lady Diana, ça tue l'art si fragile que c'est supposé servir quand d'autres souffrent tout autant et travaillent sans chichis.

MORLAY (Gaby) : Moi, j'aimais bien Gaby Morlay dans les films avec des lits blancs.

NOIRET (Philippe) : Ceux qui ont connu Philippe Noiret peuvent attester son goût pour la littérature. J'allais dire sa curiosité, mais c'était bien plus que cela : une passion, qu'il savait rendre acceptable au public en la faisant passer pour de la gourmandise. Noiret était un romantique avec un physique de pâtissier.

PÉPLUMS : Les péplums étaient énergiques, optimistes, fascistes et cons. De là l'Italie pleine d'amertume et de désillusion qui a commencé après le délai de purge de vingt ans, comme dans *Les Femmes des autres* de Damiano Damiani (1963), où, au passage de la quarantaine, une bande d'amis qui se retrouve pour évoquer le passé glisse dans l'amertume. Il y a dans les péplums un catholicisme rétrospectif compréhensible et stupide à la fois. On y trouve toujours un passage où un obscur petit chrétien affole les ministres et irrite l'Empereur. Empereur ni ministres n'ont pas même dû *parler* des chrétiens : une secte de trois cents agités dans une province lointaine dont le meneur avait été crucifié, cela arrivait en permanence. Nous vivons dans un monde devenu chrétien, et il tente de faire croire que sa naissance a stupéfié le monde, comme Rome l'avait tenté avant lui. Les débuts du catholicisme ont laissé le monde indifférent, il lui a fallu trois siècles pour s'imposer. Les débuts de Rome, village dont les chefs voulaient faire croire que ses fondateurs avaient tété une louve, laissaient Athènes pareillement indifférente. Toute naissance est une banalité.

PLUS JOLIES SCÈNES DE DANSE DU CINÉMA : Sophia Loren dansant un cha-cha en liquette dans *C'est arrivé à Naples* (Melville Shavelson, 1960), encore plus charmante que dans son mambo de *Pain, amour et fantaisie* (Vittorio De Sica, 1955). Brigitte Bardot dans le cha-cha de *Voulez-vous danser avec moi?* (Michel Boisrond, 1959), meilleure que dans la danse lionne de *Et Dieu créa la femme* (Roger Vadim, 1956). Anita Ekberg dans le mambo de *La Dolce Vita* (Federico Fellini, 1960), éclairée par-dessous comme dans un tableau de Degas. Dans *Swimming Pool* (François Ozon, 2003), Charlotte Rampling a une scène de génie où elle fait une coincée qui danse, les bras contre le corps, les avant-bras soulevés comme des moignons.

PREMIÈRE APPARITION D'UNE STAR : Dans *Les Tueurs* de Robert Siodmak (1946), première apparition de Burt Lancaster au cinéma. Il est allongé dans la pénombre, en t-shirt, transpirant. Il est sensuel si on aime les bêtes, d'un genre que Marlon Brando portera à l'apothéose dans *Un tramway nommé désir* (1951). Jugeons-nous Lancaster attirant parce qu'il l'est ou parce qu'il est devenu une star et que nous voulons à tout prix trouver en lui une étincelle qui a ensuite éclaté en feu d'artifice ?

RASAGE : Dans *There Will Be Blood*, de Paul Thomas Anderson (2007), Daniel Day Lewis (fils du poète Cecil Day Lewis, à Oxford en même temps que W.H. Auden et Christopher Isherwood, je me demande si le fils n'aide pas à se souvenir du père, mis à distance par de si bons écrivains) fait ce qu'il fait souvent, des grimaces. Comme elles sont sévères, filmées en gros plan et durent deux cent dix minutes, il a reçu un oscar. Il y a peut-être aussi le fait qu'il ne soit pas rasé et ait les ongles sales même quand son personnage est devenu riche et établi. Le jour où un metteur en scène a expliqué à un acteur qu'il serait plus *authentique* s'il ne se rasait pas et ne demandait pas la manucure, il a lancé une mode : ces braves acteurs n'ont plus eu à réfléchir pendant vingt ans. Je me demande si la mode ne vient pas de France, d'Ariane Mnouchkine faisant un Molière cracra dans son film sur ce dramaturge (1978).

SEVIGNY (Chloë) : Chloë Sevigny ressemble à Shrek, et elle est moins drôle.

SOPHIA ET MOI : Enfant, j'ai pris l'avion avec ma mère et mon frère ; comme il était handicapé, nous avons attendu notre pré-embarquement dans une salle d'attente. Arrivent deux chariots transportant une colline de bagages Vuitton. Ma mère, qui a horreur du tape-à-l'œil, les soupçonne d'être faux. Elle est contredite par l'arrivée de Sophia Loren. Et moi transporté, élevé, ravi. C'est un des heureux effets de la beauté. Je me souviens de ma gêne lorsque, à bord, le steward français a fait le malin en clamant à dix pas d'elle : « *Che bella ragazza !* » Elle est restée impassible comme une lionne. Durant tout le vol, je l'ai lorgnée par l'interstice entre nos fauteuils. Ô feuilles rousses de ses cheveux ! Elle a débarqué dans les derniers, juste avant nous, et je la vois encore, par le hublot, s'éloigner sur le tarmac, calme et impériale, Junon en personne. À Orly, ma mère m'avait autorisé à aller acheter, au Relais H, ses mémoires qui venaient d'être traduits au Seuil, *La Bonne Étoile*. C'était l'été ; il faisait chaud ; devant l'aéroport de Hyères, Sophia Loren attendait dans une voiture à la portière ouverte. (Sa jambe en équerre.) Après bien des hésitations, je m'avançai et, la bouche sèche, bafouillant, lui demandai une dédicace. Elle eut un sourire lent, à peine un sourire, et prit mon stylo. Un de mes succès, dans l'histoire que je racontai cent fois durant l'été, est qu'il ne marchait pas et qu'elle dut s'y reprendre à deux fois, ce qui me permit de rester plus longtemps près d'elle. Elle a dû détester ce petit garçon : lorsque je me retournai, je vis derrière moi trente admirateurs brandissant de vilains bouts de papier.

STAR : À l'épicerie du Bon Marché, le vendredi 8 février 2008 à 16 h 30, on pouvait voir Anouk Aimée. Grande, vêtue de noir et myope, elle poussait un chariot. Comment être une *star* dans ces conditions ? Une star ne sort de chez elle qu'en grand équipage et ne se rend pas dans des lieux qui évoquent des fonctions organiques. Une star est en film. C'est une matière spéciale composée de celluloïd et de rêve. Le ministère de la Culture devrait payer des gens pour l'organisation de leur vie pratique.

SUCCESSION DES ACTEURS : Dans le concours canin qu'est, aussi, le cinéma, chaque acteur est le calque d'un acteur d'une génération précédente. Il existe de Gina Lollobrigida une photo où, pulpeuse et l'air farouche, elle se cramponne à une colonne derrière elle. Après elle Dalida dans sa période actrice égyptienne a fait des photos comme ça, croyant imiter Rita Hayworth. Avant elle il y avait eu Jane Russell et avant Russell, d'autres. Rien n'est plus imitateur que le cinéma, et tout acteur est un double. La création originale, c'est le désir des hommes. Les éleveurs, ou producteurs, ont la terreur de la nouveauté, et il faut du génie pour imposer une beauté réellement nouvelle, c'est-à-dire à persuader qu'un type physique qui passait jusque-là pour banal, voire laid, est remarquable. Dès qu'il s'agit de commerce, ce n'est pas l'originalité qu'on cherche, mais la ressemblance, car ce que veut le plus grand public, c'est reconnaître. Prodige, que des films originaux soient sortis de cette industrie du lieu commun. Elle a réussi, par moments, à devenir industrie de contes de fées (fées de saloon, par exemple). Cate Blanchett est la reproduction du type Veronica Lake (la blonde étrange à pommettes obliques). Russell Crowe, du type Richard Burton (le macho pardonnable). Richard Burton était un grand acteur, et, apparemment, un bon mémorialiste : j'ai lu des passages de son journal intime inédit qui sont un délice de mordant. Audrey Hepburn descend du type Alida Valli – Lucia Bosé (autre branche : Sylvana Mangano – Sophia Loren). Harrison Ford est un calque de Gary Cooper. Kathleen Turner est un calque de Carole Lombard (la blonde piquante et infernale). Marilyn Monroe était un calque (meilleur que l'original) de Lana Turner. Lana Turner, un calque de Dorothy Lamour, en blonde, Dorothy Lamour d'une comédienne antérieure que je ne connais pas, et on pourrait ainsi remonter à l'Olympe, cet Hollywood des dieux.

THÉÂTRE, CINÉMA, TÉLÉVISION : Le théâtre, c'est du mythe, le cinéma, du sexe, la télévision, des gens.

YORK (Michael) : Michael York dans *Cabaret* : le plus beau pull de l'histoire du cinéma.

LISTE DE SARAH BERNHARDT
ET DU DÉPASSEMENT DU RIDICULE

Lytton Strachey raconte que, quand elle prononçait le vers de *Phèdre* : « Chaque mot sur mon front fait dresser mes cheveux », « c'était avec une hystérique ironie, un rire terrible et moqueur » (*Characters and Commentaries*, 1933). C'est sur le passage emphatique du monstre marin, à la fin : il n'est pas impossible que ce soit ironique, en effet, que Racine se soit dit : je vais me payer la tête du style de Corneille, fat pompeux, vieillard jaloux, arrivé arriviste, ambitieux inarrêtable, grand homme à clique qui était venu avec ses courtisans ricaner à la première d'une de mes pièces.

Dans *La Foire aux garçons* (1956), de Philippe Hériat, un personnage raconte : « Mme Sarah jouait Hermione en souriant. [...] Là où les autres vocifèrent, [elle] murmurait en souriant. Par exemple : *Je ne t'ai pas aimé, cruel...* elle le disait à vous tirer les larmes des yeux, on la sentait déchirée, éperdue, et elle souriait. » Cette comédienne devrait dire « Mademoiselle Sarah », selon l'usage du théâtre, cela doit être une inadvertance du romancier, lequel n'a d'autre part pas assez d'imagination pour inventer cette nuance : Sarah devait effectivement jouer Hermione de cette façon-là. La pièce est *Andromaque*.

Jules Renard était amoureux d'elle. Et il n'était pas amoureux de grand monde, à part Victor Hugo et Edmond Rostand. Touchante dilatation de la puce en direction des lions.

Après la défaite de la France en 1870, l'empereur d'Allemagne invite Sarah à venir jouer à Berlin. « Votre cachet sera le mien. » Elle demande trois milliards, le montant des réparations imposé par l'Allemagne à la France.

Pendant quelques années, elle a été l'impératrice de Paris, contribuant à l'éclat, au tapage, à l'insupportable énergie de la ville. En cela, son règne prolongeait celui de Napoléon III, lui-même successeur de la famille d'Orléans, qui avait habité au Palais-Royal et préféré Paris au Versailles des rois Bourbon. Sous-liste des monarques parisianophiles à travers les siècles : Henri III – le Régent – Napoléon III – Sarah Bernhardt – Georges Pompidou – Fabrice Emaer.

Elle fait installer un cercueil chez elle : « Encore la folie des planches », dit le dessinateur Forain.

Un de ses génies est d'avoir surmonté le ridicule. Elle est devenue une planète, comme la lune. Elles ne sont pas si nombreuses, celles qui ont connu le triple stade de la diva : admiration, ridicule, vénération. Celle-ci est légèrement amusée, comme si c'était un moyen de se protéger du fanatisme. De même, le ridicule avait été une réaction de l'admirateur contre lui-même : s'en voulant de ressembler à tant d'autres et d'avoir naïvement donné son amour, il crachait sur l'idole. Les malins n'ont pas pensé que la comparaison était réversible lorsqu'ils ont surnommé « crachats » les décorations.

LISTE D'ORSON WELLES QUI NE SERT À RIEN

La Highway One passe à Big Sur devant la maison de Henry Miller. On en parle moins, de Miller, ces temps-ci, il me semble. Sa joie ne doit pas aller avec la geignardise du temps. Plus loin (fuyons ce sous-bois), à Nepenthe, une maisonnette surplombe la côte du Pacifique. Elle a été construite en 1944 pour Orson Welles et Rita Hayworth, c'est aujourd'hui un restaurant. Cette route, cette route! On commence par la trouver moche, elle l'est; ce n'est qu'à partir de Monterey qu'elle devient côtière et étonnante. La première fois que je l'ai prise, virage après virage, je m'exclamais. Elle m'a fait comprendre que « spectaculaire » se dise *« dramatic »* en anglais. Levers de rideau de montagnes ici, applaudissements de vagues là. Miller, c'était avant le triomphe de la pudibonderie, Welles a été vaincu par la Force. Les Américains se souviennent généralement de lui comme d'un gros monsieur qui faisait des publicités à la télévision quand ils étaient enfants.

Autre qualité de la Highway One, c'est une route où l'on capte très mal la FM et sa *chewing-gum music* à guillotine publicitaire. Les cyprès giflés par les vents se cambrent d'un air scandalisé. À Carmel j'achète un chien, un adorable petit chien gris, avec un serpent noir sous l'œil droit et une langue pendant en crochet pour que j'y suspende mon amour. Le fer ne nécessitera aucun entretien.

Splendide : une route coincée au bord d'une montagne qui plonge sa patte de dinosaure dans la mer. Si j'étais dans le ciel, j'y regarderais avec tendresse filer ma Ford Mustang. Le plus beau, c'est un plat herbeux qui tombe d'un coup dans l'eau. Rocky Creeks Bridge, costaud petit pont de fer au-dessus d'un gouffre. Puis c'est plat, puis on pénètre dans une route de forêt, puis on en sort, et c'est encore plus étonnant. Ça sent très bon aussi. L'Océan doit être glacé. C'est plus plat, plus vaste, apaisé. La terre a des froncements verts. J'étais dans cet état charmant quand j'arrivai à San Simeon. C'est un village déprimant.

Quelques maisons basses de style plus ou moins mexicain et un *lodge* de part et d'autre de la route ; à la sortie, une longue jetée blanche posée sur de hauts pilotis processionne dans l'Océan. Elle appartient à la *William R. Hearst Memorial Beach*. J'étais arrivé chez Citizen Kane. Un de ses modèles, tout au moins, ce Hearst, qui a trouvé le personnage de fiction imaginé par Welles suffisamment ressemblant pour tenter de faire interdire son film et que, quelques mois plus tard, comme Welles se trouvait en Amérique du Sud, un ami lui conseille au téléphone de ne pas retourner à son hôtel : il aurait trouvé dans sa chambre une jeune fille mineure et un inspecteur de police. Les gens qui ont tout ne supportent rien. Ce qui appartient à Hearst dans le film, ce sont sans doute quelques anecdotes, du glacis ; le véritable secret, c'est que Kane, avec sa gloutonnerie et son génie, c'est Welles. Le voilà, le *rosebud*.

DEDICATED BY THE COUNTY OF SAN LUIS OBISPO TO THE MEMORY OF WILLIAM RANDOLPH HEARST DISTINGUISHED PUBLISHER OUTSTANDING AMERICAN PATRIOT AND PUBLIC BENEFACTOR 1863-1951 [1],

dit la plaque au portail. Quelques kilomètres plus loin, en haut de la montagne, la maison de l'homme qui par ses actes avait montré l'imposture de ces paroles. L'éditeur distingué était un patron de presse qui, dans son *Morning Journal*, avait presque créé la guerre hispano-américaine de 1898. « *You provide the pictures, and I'll provide the war* », disait-il à ses correspondants à Cuba. Fournissez les images, je fournirai la guerre. Le bienfaiteur public était le glouton qui s'était fait construire ce château que je peux voir, en haut de la haute colline, de l'autre côté de la route, devenu le *Hearst San Simeon State Historic Monument*, un monument historique, et, château, c'en est

---

1. Voué par le comté de San Obispo à la mémoire de William Randolph Hearst, éditeur distingué, Américain émérite, patriote et bienfaiteur public.

même plusieurs, lis-je, je ne sais combien de bâtiments entourant une *Casa Grande* de cent pièces dont la façade imite une cathédrale mudéjar, s'il avait pu il aurait importé la cathédrale avec les autres œuvres achetées en Europe. Orson Welles n'a servi à rien.

Ce patriote était le même qui, quarante ans après la commande de sa première guerre, avait fait pencher ses journaux vers l'Allemagne nazie par sa propagande isolationniste, le correspondant pour l'Europe du *New York Journal-American* étant même le seul journaliste auquel le chancelier d'Allemagne a accordé une interview de toute la guerre, en juin 1940, pour tenter de séparer les États-Unis de l'Angleterre. Le film d'Orson Welles (coscénariste : Herman Mankiewicz, frère du réalisateur) n'est décidément pas un démarquage complet de la vie de Hearst. Si Kane et Hearst sont des patrons de presse bellicistes qui se font construire un palais, prennent une maîtresse artiste et espèrent devenir président des États-Unis, Hearst possédait plusieurs journaux et Kane un seul, sa maîtresse était actrice et non chanteuse, il a réussi à se faire élire gouverneur de l'État de New York tandis que Kane est battu, et plusieurs autres différences : Hearst n'a pas épousé la fille du président des États-Unis, ni rompu avec sa maîtresse, et, ce qui change beaucoup, n'est pas d'origine modeste ; toute la vie de Kane est fondée sur la revanche de sa naissance. Enfin, il y a plus d'un milliardaire qui possède un journal et entretienne une artiste, ou le contraire. *Citizen Kane* n'est pas *contre Hearst*, il montre ce qu'est un goinfre de pouvoir. Et c'est cela qui n'a servi à rien. Silvio Berlusconi est devenu chef de gouvernement en même temps que propriétaire des plus puissantes chaînes de télévision d'Italie. Et je remontai vers San Francisco, le cœur bondissant de joie pour des raisons qui ne regardent que moi.

Quelques années plus tard, je visite le *Hearst Castle*. C'est pour Welles que j'y vais, de même que je vais à Versailles pour Racine plus que pour Louis XIV. On visite sous la conduite obligatoire d'un guide. Pour 24 dollars, trois fois plus cher qu'à Versailles, on suit vingt dandys en jogging dans un autobus qui grimpe vers le château. La piscine extérieure est le collage d'un fronton romain sur des piliers en béton, et son bassin supposé antique est rempli de Lédas 1920 se tordant sur des cygnes d'un marbre blanc qui a l'air en plâtre. La piscine intérieure est un épaississement des bains publics de Budapest. Le bâtiment principal a pour façade un tourbillon d'Hôtel de Ville de Paris, de chalet savoyard et d'église portugaise. À l'intérieur, gros bois ; dans le salon de cent mètres carrés où les invités prenaient un cocktail avant le dîner (quel ennui terrorisant ça devait être !), le ciment des murs a été quadrillé de peinture pour donner l'illusion de la pierre de taille. Une des grandes tapisseries, j'espère qu'elle est fausse, était dépendue pour restauration au moment de ma visite : les lignes de peinture s'arrêtent aux bords de son emplacement. Quelle délicatesse dans le cœur de cet homme, « Mr Hearst », comme dit obséquieusement le guide (le domaine a été légué à l'État). Jamais bien sûr n'est prononcé le nom de Satan, d'Orson Welles. Et voilà comment des salauds sont respectés.

Littérature

LISTE DES RÈGLES QUE JE ME SUIS FAITES

jusqu'à ce que je trouve une raison d'en changer

Pas plus d'un mot abstrait par titre.

N'utiliser qu'en cas d'absolue nécessité les adjectifs exagérés, « gigantesque », « minuscule ». Cette nécessité ne se produit pour ainsi dire jamais : je ne vois guère que les contes de fées ou les récits ironiques.

Idem, les adverbes minorants, « un peu », « assez », sauf dans les cas d'ironie, et encore. Il y a un moment où il faut que l'écrivain décide. Et si c'est pour montrer l'indécision ? Ah, je ne crois pas que le « style » doive être approprié au sujet, à moins qu'il ne s'agisse d'une fiction à la première personne − et ce n'est pas un absolu : *Adolphe*, le roman de Benjamin Constant, montre un timide d'une façon qui n'est pas timide.

Ne pas utiliser de néologisme des Goncourt. Ils sont laids en plus de superflus, comme « suffisant ». D'ailleurs, les néologismes, on se crée les siens, sinon ils n'en sont plus.

En prose autant qu'en poésie, autant que possible, du rythme. Le rythme de la prose s'acquiert autrement qu'en poésie : allitérations, fins de phrases rimées, phrases en octosyllabes ou en alexandrins, l'anesthésient. La prose poétique, dit Zamiatine, est généralement le fait des incultes. Ils ne sauraient donc pas écrire de la poésie.

Ne jamais répéter une citation faite par un autre. Premièrement, on n'est pas sûr qu'elle soit exacte, deuxièmement, chacun choisit ce qui le touche selon son tempérament. Plus généralement, ne jamais rien écrire de non vérifié à la source. Je crois que j'ai appris ça en droit. Est-ce le droit ou un professeur qui nous le répétait jour après jour ? Ne me rappelant pas lequel c'était, je ne peux lui en être reconnaissant. C'est ainsi que, vingt ans après, l'auteur se rendit compte de la gloutonne et naïve ingratitude des gens qui apprennent.

Ne pas écrire : « Au contraire de ce qu'on pense... » Cela me semble un bien pauvre moyen de se rassurer ou de s'imposer. Ce n'est pas parce qu'on pense au contraire de quelqu'un ou de quelque chose, serait-ce une erreur, qu'on est original et encore moins exact.

Quand quelque chose paraît en trop, c'est parfois parce qu'il en manque. On a, par inadvertance ou par paresse, soulevé une idée annexe : un petit bout rouge brille, agaçant. Il faut le renfoncer dans l'eau ou tirer la ligne. C'est ainsi que les bonnes digressions, longues et complètes, cessent d'être ennuyeuses, cessent même d'être des digressions. En sens contraire, certaines ellipses peuvent être assommantes.

Ne jamais justifier. Un livre est ce qu'il est. Prenez-le, jetez-le, mais n'écoutez pas la sournoise modestie de l'auteur ; il n'y a pas d'étiquette sculptée sur le côté du *David* de Michel-Ange.

Ne pas raccourcir les titres des œuvres. *La Recherche*, *Così*. Leurs auteurs n'ont pas gardé les cochons avec nous. Et puis, ce genre connaisseur, ça dénote souvent celui qui ne sait qu'à moitié.

Supprimer la fin. La dernière ligne, et parfois le dernier paragraphe, sont souvent en trop. Supprimer le début. Même observation. Et le milieu, parfois, dites !

Dans une fiction, pas de proposition temporelle précise, à moins qu'elle ne soit justifiée. Pourquoi « deux jours après » plutôt que trois, ou un ? D'ailleurs, même quand elle est justifiée dans l'histoire, elle n'a en réalité pas d'autre raison que de justifier le roman lui-même, croyant le solidifier en lui donnant une durée.

Ne pas signer de pétition. Elles sont trop mal écrites.

Je n'ai jamais laissé mon goût se mêler de ce que j'écrivais.

Il n'y a pas de métier. Il n'y a que du cœur.

LISTE DE LA DISPARITION DU MOI

Le Premier ministre anglais Disraeli disait : « Parlez de lui à un homme, il vous écoutera pendant des heures. » On voit bien qu'il ne m'a pas connu.

Un livre de moi n'est pas de moi. À la rigueur, un bon écrivain fait semblant d'être égocentrique, parce qu'il sait que les gens ne croient qu'à ça, mais en réalité c'est un autre en lui qui parle lorsqu'il écrit : son moi idéal. Ventriloques d'un nous-mêmes en mieux, nous sommes la quintessence de l'imitateur.

Et d'ailleurs, des moi, il y en a tant. S'il ne s'agissait que de dédoublement ! Il y a le petit moi diabolique qui souffle : fais ceci, fais cela, ce sera malin, brillant, génial (c'est le pire) ; le moi angélique, plus dangereux encore ; le moi de bon conseil, que l'on peine à croire parce qu'il n'est pas immédiatement savoureux ; et tout cela fusionne, je présume, pour faire un écrivain oublieux de sa personne.

Le moi a cette séduction immédiate sur le lecteur : moi c'est nous. Il croit qu'on donne la parole à des sentiments, des émotions, des pensées qu'il ne peut exprimer. Il a raison, mais ce n'est pas pour lui.

À sa grande vexation, le moi se rend compte que sa « petite musique » rend le même son que le moi du voisin. Il n'y a pas tant de combinaisons possibles dans la création des « personnalités », heureusement. Tous les moi se ressemblent par un point ou par un autre. C'est par ces points de contact que nous formons une espèce d'humanité.

LISTE DES PHRASES OU DES MORCEAUX DE PHRASES
DONT J'AI PENSÉ FAIRE OU FAIT (*) DES TITRES

Confitures de crimes *

    Henry Jean-Marie Levet, *Cartes postales* (« Le soleil se couche en des confitures de crimes / Sur cette mer plate comme avec la main. »)

Des coups de tonnerre de bonheur *

    Mme de Sévigné, *Lettres* (« Quand je vois des gens heureux, je suis au désespoir : cela n'est pas d'une belle âme ; mais le moyen aussi de souffrir des coups de tonnerre de bonheur comme il y en a, dit-on, pour les inclinations ? »)

Nos cœurs enchantés de l'amour

    Bossuet, *Oraison funèbre d'Henriette-Anne d'Angleterre* (« Nous devrions être assez convaincus de notre néant : mais s'il faut des coups de surprise à nos cœurs enchantés de l'amour du monde, celui-ci est assez grand et assez terrible. »)

Un soupçon de crevé Henri II

    Marcel Proust, *À la recherche du temps perdu* (« Et parfois, dans le velours bleu du corsage un soupçon de crevé Henri II, dans la robe de satin noir un léger renflement [...] donnaient à la robe un air imperceptible d'être un costume [...] »)

Les bords des précipices

> Racine, *Athalie* (Mathan : « J'étudiai leur cœur, je flattai leurs caprices, / Je leur semai de fleurs les bords des précipices. »)

Présentation de Paris à cinq heures du soir

> Jules Romains, *Le 6 octobre* (titre d'un chapitre).

Un meurtre de mon cœur

> Christofle de Beaujeu, *Les Amours* (« Celle que j'aime tant et que j'ai tant servie / A fait en récompense un meurtre de mon cœur. »)

Mon vieil amour de l'an passé

> Théophile Gautier, *Émaux et Camées* (« Au loin, dans la brume sonore, / Comme un rêve presque effacé, / J'ai revu, pâle et triste encore, / Mon vieil amour de l'an passé. »)

Ces rois de ma vie

> Malherbe, *Poésies* (« Ils s'en vont, ces rois de ma vie, / Ces yeux, ces beaux yeux / Dont l'éclat fait pâlier d'envie / Ceux mêmes des cieux. »)

Un peu avant minuit près du débarcadère

> André Breton, *Clair de terre* (« L'éternité cherche une montre-bracelet / Un peu avant minuit près du débarcadère. »)

Cicatrices d'évasion

> *id.* (« Plutôt la vie avec ses draps conjuratoires / Ses cicatrices d'évasion. »)

Le chaos de ses papiers

> Voltaire, *Commentaire historique sur les œuvres de l'auteur de « La Henriade »* (« [...] si nous ne les avions retrouvés avec peine dans le chaos de ses papiers. »)

Quelques dames de la nuit

> Dashiell Hammett, *Moisson rouge* (« *There were men from mines and smelters still in their working clothes, gaudy boys from poll rooms and dance halls, sleek men with slick pale faces, men with the dull look of respectable husbands, a few just as respectable and dull women, and some ladies of the night* »), il y avait des mineurs et des fondeurs portant encore leurs vêtements de travail, des frimeurs de boîtes à paris et de salles de bal, des élégants au visage lisse et pâle, des hommes à l'ennuyeuse allure de maris respectables, quelques femmes tout aussi respectables et ennuyeuses, et quelques dames de la nuit.)

La prostituée du monde

> Michael Winner, *Winner Takes All* (Sur Marianne Faithfull qu'il avait engagée comme actrice dans sa jeunesse : « *Marianne at the time was considered the harlot of the world* », Marianne était alors considérée comme la prostituée du monde. Ce n'est pas un cliché, il a inventé l'expression. Je la trouve extraordinaire. La prostituée du monde.)

Lady Y n'est pas en ville

> Virginia Woolf, *Une chambre à soi* (« Lady... n'est pas en ville. »)

Un air de vice léger

> Léon-Paul Fargue, *Paris contrastes* (« [...] un air de vice léger d'où le drame était absent. »)

Ton insolent amour

> Racine, *Iphigénie* (Agamemnon : « Ton insolent amour, qui croit m'épouvanter/Vient de hâter le coup que tu veux arrêter. »)

En regardant vers l'est sous un gentil vent d'est

> Constable, inscription au dos d'une *Étude de nuages*, 1822, Ashmolean Museum (« *31st Sepr. 10-11 o'clock morning looking Eastward a gentle wind to*

East », 31 septembre, 10-11 heures du matin, regardant vers l'est un gentil vent d'est.)

La douleur et sa sœur l'amour
  Paul-Jean Toulet, *Contrerimes* (le vers exact comprend une virgule : « La douleur, et sa sœur l'amour, / La luxure aux chemises noires / Y préparent pour vous, loin du jour, / Leurs poisons les plus doux à boire. »)

Quelque doux antidote d'oubli
  William Shakespeare, *Macbeth*, V, 3 (Macbeth : *« Canst thou not minister to a mind diseased, / Pluck from the memory a rooted sorrow, / Raze out the written troubles of the brain, / And with some sweet oblivious antidote / Cleanse the stuff'd bosom of that perilous stuff / Which weighs upon the heart? »*, ne peux-tu soigner un esprit malade, ôter de sa mémoire un souvenir enraciné, effacer les troubles inscrits dans son cerveau et, au moyen de quelque doux antidote d'oubli, nettoyer son sein rempli de cette pernicieuse matière qui pèse sur son cœur ?)

LISTE DE TITRES DE LIVRES QUE J'AI VOULU ÉCRIRE

(et pas tellement, puisque je ne l'ai pas fait.)

Les plages à sept heures
Je n'ai rien vu de Venise (pour un roman d'amour)
Le doux temps de Chris Evert
Un taxi m'attend (mémoires)
Tout sur tout le monde (mémoires)
(Non, non, je ne les écrirai pas. Des mémoires !)
Les pipelettes ne sauront rien (pour un livre de philosophie)
Un petit bruit fatal (pour une nouvelle)
Le soleil après la pluie (idem)
Fenêtre sur folle (idem)
Du moment qu'il y a un vocatif (pour une nouvelle d'amour)
Qui tient le fil de la lune? (pour un livre de poèmes fantaisistes publié par un personnage de roman en 1907)
Étude d'une paire de chaussures (pour une biographie)
Al niño que fui (pour une épigraphe)
Les Habitants des capitales
Bourgeoisie Park
Hi hi ha ha
Mon vieux chez moi
Histoire de l'homme à qui l'ambition avait tout fait rater (le titre suffit)
De Parabère ou de Sabran
Le prince ne viendra pas
Les Wayfahrer sont de retour
De parfaits hypocrites
Les Vieux Salauds (pour un conte sur les « éléphants » du parti

socialiste, certains membres de grands jurys littéraires, toute la méchanceté qui a le pouvoir de nuire. J'y établirais la liste des médiocres qui tentent de gouverner les capitales contre les gens de talent, une des guerres secrètes de l'humanité. Tel directeur de magazine, tel président de musée...)

Cadavres en Kenzo (pour ce roman de vampires que je finirai par ne pas écrire)

Les Petits Bruns

6. I. 48'23 D

Vieille école (pour un roman punk)

Un artiste de la vie

Les chefs-d'œuvre peuvent attendre

LISTE DE TITRES DE LIVRES AUXQUELS AVAIT PENSÉ RAYMOND CHANDLER [1]

L'homme qui aimait la pluie (The Man Who Loved the Rain ; pourrait convenir à une romancière sentimentale ou à un romancier d'espionnage, en tout cas à un Anglais).

Le cadavre vint en personne (The Corpse Came in Person ; plutôt un titre pour James Hadley Chase).

Journal d'un costume à carreaux criards (Diary of a Loud Check Suit ; titre qui aurait sans doute plu à Diderot).

Arrête de hurler, c'est moi (Stop Screaming – It's Me ; titre qui aurait convenu à une biographie de Lucien Guitry, lequel, un jour qu'il avait donné une gifle à sa femme et qu'elle hurlait, lui dit calmement : « Eh bien quoi, je suis là ! »).

Entre deux menteurs (Between Two Liars ; aurait pu être le titre d'un acte de Guitry fils, Sacha, où un accusé menteur rapporterait les plus grands mensonges que font son avocat et le procureur).

La dame au camion (The Lady with the Truck ; pour un roman sur une antiquaire très snob qui se lève à cinq heures du matin pour « faire les foires »).

Asseyez-vous près de moi pendant que je rêve (Sit with Me While I Dream ; Chandler a noté près du titre : « Autobiographie ? »).

---

1. *The Notebooks of Raymond Chandler*, posth., 1976.

LISTE DE BEAUX TITRES DE LIVRES

Bonjour tristesse, Françoise Sagan (1954).
Capri, petite île, Félicien Marceau (1951).
Détails d'un coucher de soleil, Vladimir Nabokov (1976).
L'Insuccès de la fête, Florence Delay (1980).
Les invités se réunissaient à la villa, Alexandre Pouchkine (posth., 1884).
La Morte amoureuse, Théophile Gautier (1839).
Le Marin rejeté par la mer, Yukio Mishima (1963).
La Petite Infante de Castille, Henry de Montherlant (1929).
Les Secrets de la princesse de Cadignan, Honoré de Balzac (1840).
Tamerlan des cœurs, René de Obaldia (1955).

suivie de

LISTE DE BEAUX TITRES DE LIVRES QUASI OUBLIÉS

Atomes à l'heure du thé, traduction française d'un roman anglais ou américain vers 1970. Il me charmait enfant (l'allitération, sans doute), et j'ai pensé à lui en donnant à des chroniques d'Oscar Wilde que j'ai traduites le titre d'*Aristote à l'heure du thé*, d'ailleurs approprié (l'une des chroniques s'intitule « *Aristotle at an Evening Tea* »). J'en ai oublié l'auteur, c'était un livre genre Plon, relié sous une jaquette en couleurs.

Baisers tristes, C.V. Meunier (1883).

A Diary from Dixie, Mary Chestnut (1905).

Une femme tuée par la douceur (A Woman Killed with Kindness), Thomas Heywood (1603).

La joie fait peur, Delphine de Girardin (1854). C'est une belle expression, mais qui était peut-être un cliché.

Des soirs, des gens, des choses, Ernest La Jeunesse (1911). Nous avons peut-être trop pris le parti de juger La Jeunesse ridicule, de confiance, à la suite des injures de Léon Daudet et de sa bande. Ils adoraient Jean de Tinan, que nous avons peut-être trop pris le parti de juger exquis, de confiance, à la suite des compliments des mêmes. C'est pourtant peu de chose, Tinan. Il était juste du côté le plus bruyant (il n'aurait pas couché avec Anna de Noailles?).

Oxford et Margaret, Jean Fayard (1928).

A Pocketful of Roses, Miss Parish (E.U., vers 1920).

LISTE DE BONS TITRES AVEC DIMANCHE

(Ils le sont généralement tous ; un titre avec « lundi »
déprimerait les lecteurs, car c'est le jour où ils reprennent le travail ;
ils préfèrent le dimanche où ils ne lisent pas, je crois.)

Samedi soir, dimanche matin, Alan Sillitoe
Samedi, dimanche et lundi, Eduardo De Filippo
La Femme du dimanche, Fruttero et Lucentini
Les enfants s'ennuient le dimanche, Charles Trenet
Dieu ne reçoit que le dimanche, Virgil Gheorghiu
Sunday Bloody Sunday (Un dimanche comme les autres), John Schlesinger
Dimanche après la guerre (Sunday after the War), Henry Miller
Je hais les dimanches, Juliette Greco (Aznavour/Véran)
Vivement dimanche !, François Truffaut [1]
Sunday, Monday, and always, Dawn Powell

---

1. D'après le roman *The Long Saturday Night* (une longue nuit de samedi), de Charles Williams.

LISTE DES HISTOIRES QUE J'AI RACONTÉES
À MON FILLEUL ADRIEN ENTRE 1997 ET 2000

Histoire du monstre de la mer.

Histoire du monstre de la mer qui, en vacances, rendit visite à la reine d'Angleterre.

Histoire du monstre de la mer ratant sa carrière au festival de Cannes.

Histoire du monstre de la mer qui partit pour la planète Häagen-Dazs après avoir ouvert un restaurant à Hollywood grâce à son amie Sharon Stone.

Histoire de l'homme qui se mouchait tout le temps.

Histoire de l'homme qui ne savait plus raconter d'histoires.

LISTE DE POÈMES FINISSANT PAR DU NOIR

(On prête attention aux incipit, mais les derniers vers? C'est pourtant une décision, le dernier mot d'un poème. Voici quelques-uns des rares auteurs français qui ont eu l'étrange personnalité de finir par ce mot.)

Étienne Jodelle
(1532-1573)

Comme un qui s'est perdu dans la forêt profonde
Loin de chemin, d'orée, et d'adresse, et de gens ;
Comme un qui en la mer, grosse d'horribles vents
Se voit presque engloutir des grands vagues de l'onde ;

Comme un qui erre aux champs, lorsque la nuit au monde
Ravit toute clarté, j'avais perdu longtemps
Voie, route et lumière, et presque avec le sens
Perdu longtemps l'objet, où plus mon heur se fonde.

Mais quand on voit (ayant ces maux fini leur tour)
Aux bois, en mer, aux champs, le bout, le port, le jour,
Ce bien présent plus grand que son mal on vient croire :

Moi donc qui ai tout tel en votre absence été,
J'oublie en revoyant votre heureuse clarté,
Forêt, tourmente et nuit, longue, orageuse et noire.

490

Jacques de Constans
(v. 1547-v. 1610)

Amoureux forcené plein d'horreur et de rage,
Quand pourrai-je jouir d'une éternelle nuit ?
Quand avecque la mort finirai-je mon âge
Échappé de l'enfer où l'amour me conduit ?

Cependant pour fuir du soleil la lumière,
Aux antres les plus noirs je ferai mon séjour,
Quand la lune viendra pour franchir sa carrière,
Je me tiendrai caché la nuit comme le jour.

Là, jamais le printemps près de moi ne revienne
Verdissant pour jaunir les fruits durant l'été,
Mais au lieu de zéphyrs, que la bise s'y tienne,
Y faisant un hiver qui ne soit limité.

Car je ne veux plus voir tant de couleurs diverses,
Annonces du plaisir de quelque vain espoir,
Mais pour les seuls témoins de mes dures traverses,
Je veux choisir la mort, la nuit, l'hiver, le noir.

Paul-Jean Toulet
(1867-1920)

Quel pas sur le pavé boueux
   Sonne à travers la brune ?
Deux boutiquiers, crachant le rhume,
   S'en retournent chez eux.

— « C'est le cocu de Lagnabère.
   — Oui, Faustine.
               — Ah, mon Dieu,
En çà de Cogomble, quel feu !
   — Oui, c'est le réverbère.

— Comme c'est gai, le mauvais temps…
   Et recevoir des gifles.

— Oui, Faustine. »

                       À présent tu siffles
L'air d'*Amour et Printemps*.

Querelles, pleurs tendres à boire —
      En toi qu'en des détours
  J'écoute, ô vent, contre les tours
      Meurtrir ta plume noire.

X...

Envol de pigeons

Et, dans un froissement de robe du soir
Léchant les marches d'un palais solitaire,
Une friction de cardinaux
S'égaillant comme on annonce le Saint Père,
Un claquement de fouet du dompteur
Répétant avec le lion, raidi de peur,
À l'approche de l'homme nous partons en flambeau,
Laissant le pain, l'aile lourde, veufs, tristes, noirs.

LISTE DES CHOSES QU'ON DIT
ET QUI NE SONT PAS VRAIES

À la première d'*Hernani*, Théophile Gautier ne portait pas de gilet rouge, mais, il l'a dit lui-même, rose. Qu'il ait éprouvé le besoin de le dire n'a aucune importance. On ne veut pas des faits, mais du pittoresque, ce délicieux pittoresque qui sert à diminuer l'art.

Alphonse Allais a écrit la « fable-express » qui se termine par : « Tu négliges ton ton, ton Taine et ton thon », mais il l'a pris à Xavier Aubriet (*Carnets* de Ludovic Halévy).

Paul Claudel n'a pas remplacé le nom de Pétain par celui de de Gaulle dans son ode flatteuse : il en a écrit une nouvelle. Jugez si c'est mieux.

La *Phèdre* de Pradon n'a pas du tout « écrasé » la *Phèdre* de Racine, comme le veut une idéalisation rétrospective (il faut que le talent ait été systématiquement humilié pour mieux triompher). De plus, la pièce de Pradon n'est pas aussi nulle qu'on le dit : elle est plate. Ça a été une affaire compliquée, des femmes de salon s'en mêlant, du venin mondain de Paris, Racine n'étant pas le pur de la querelle : il avait lancé sa meute, Boileau en particulier, et a été mordu en retour. La pièce de Pradon a d'abord bien marché puis s'est arrêtée ; celle de Racine n'a eu que moins de succès que d'habitude.

Wilde mourant ruiné, Mozart ignoré, Proust méconnu. Les générations suivantes veulent se rassurer sur leur bon goût en disant qu'elles connaissent les talents que les précédents avaient ignorés.

Personne n'est ignoré. Dans un milieu aussi resserré que l'art, et ayant besoin de talent comme de soleil, lorsqu'un écrivain, un musicien ou un peintre en a, cela se sait précisément vite dans le milieu. Qu'on le fasse attendre pour accéder au public est autre chose.

Proust n'a jamais crevé les yeux de rats dans un bordel, ou du moins on n'en a pas la preuve. Cette « information » ne se trouve que dans le livre de Céleste Albaret, sa bonne, qui d'ailleurs s'en indigne. La contestant, elle l'a portée à la connaissance de tout le monde qui rapporte. Tout ça sent l'atroce calomnie se croyant spirituelle de Paris. À mon avis, c'est une invention de Montesquiou pour se venger de ce bourgeois mondain parvenu au génie tandis que lui, parvenu depuis 1420, était pris pour un bouffon littéraire.

J'ai entendu cent fois : « Comme disait Burroughs, un paranoïaque est un homme en possession de tous les faits ! » Et j'ai lu une fois :
« — Vous avez dit qu'un paranoïaque est un homme en possession de tous les faits. — Je n'ai jamais fait cette remarque sur la paranoïa » (William Burroughs, *Burroughs Live*).

LISTE DE PHRASES QU'ENTENDENT LES ÉCRIVAINS

« Écrivez-vous à la main ou à l'ordinateur ? »

« En combien de temps avez-vous écrit votre livre ? »

« Qu'écrivez-vous comme genre de livres ? »

« Vous connaissez Marc Levy ? »

« Qui a dit ça ? » (Quand vous venez de dire quelque chose d'inattendu. Il est impossible que vous ayez de l'esprit tout seul.)

« D'où cela vous vient-il ? » (À propos d'une fiction que vous dites avoir entièrement imaginée.)

« Où allez-vous chercher tout ça ? » (*Par une psychanalyste* ; authentique.)

« Vous êtes tordu, quand même ! » (Commentaire d'un roman.)

« Venez donc nous faire une conférence, qui ne vous prendra qu'une semaine à préparer et deux heures à dire, pour quelques amis que je réunirai. Évidemment vous ne serez pas payé, puisque ce sera pour l'amusement de gens chic. » (La dernière phrase a été dite autrement, mais de manière à peine plus polie.)

« Dans trente ans ça vaudra de l'argent. » (Quand vous laissez le moindre papier signé.)

... ce qui me rappelle, entendu par Picasso

« Ça signifie que vous avez pris cette belle chèvre et que vous l'avez transformée en cette monstruosité, et vous osez me dire qu'elles se ressemblent ? » Dit par le président des États-Unis Truman comparant un tableau de chèvre et l'animal qui broutait dans son jardin (Arthur Schlesinger Jr, *Journal*).

LISTE DE RÉPONSES FAITES PAR LES ÉCRIVAINS

— Où allez-vous chercher vos idées ?
— En général, je me fournis chez Harrod's.

Agatha Christie, *Passager pour Francfort*

— Et le contenu social de votre roman, quel est-il ?
— J'ai une femme et trois enfants à nourrir.

Leo Longanesi, *Parliamo dell'elefante*

D'être psychiatre de formation « m'a beaucoup aidé dans mon métier d'écrivain parce que, si j'étais allé à la faculté de Lettres, j'écrirais certainement comme Sartre ou Camus, ou alors je serais peut-être critique littéraire ».

António Lobo Antunes, *Conversations avec António Lobo Antunes*

LISTE D'ÉCRIVAINS QUE D'AUTRES ÉCRIVAINS N'AIMAIENT PAS

Céline n'aimait pas Proust. « *À la recherche du temps perdu*, c'est Toto encule Dédé », a-t-il dit (je cite de mémoire). Outre sa finesse, cette phrase montre qu'il ne l'a pas lu.

Claudel n'aimait pas Proust. « Cette vieille juive fardée. » (*Les Mémorables*, Maurice Martin du Gard.) Il n'aimait pas non plus Racine. Ni Stendhal. Ni... Il n'aimait personne. Son *Journal* est un monument de débinage contre tout le monde, ce qui fait qu'on finit par l'y inclure. Ah, rien ne vaut rien ? Toi non plus !

Albert Cohen n'aimait pas Proust. Avec toute la méchanceté fouetteuse dont pouvait être capable ce gentil très ostensible, il insinue son mépris dans *Belle du seigneur*, qui contient néanmoins des proustismes. Mme Deume est très Verdurin.

Fénelon n'aimait pas : Aristophane, Plaute, Sénèque, Lucain, « et Ovide même » (*Lettre à l'Académie*).

Flaubert n'aimait pas Musset. Avec son goût épais, il adorait *Ahasvérus*, roman d'Edgar Quinet que j'ai lu à cause de lui et qui est ridicule, de ce ridicule lyrique qui l'exaltait et lui a fait écrire ses plus mauvaises pages, par exemple dans *La Tentation de saint Antoine* ; et les meilleures, quand, se réfrénant *à cause de son sujet*, non par raison, il écrit des passages d'un racinisme soyeux, comme dans *Madame Bovary*.

497

Hugo n'aimait pas Mérimée. C'était pour des raisons politiques.

Montherlant n'aimait pas Racine, avant de changer d'avis à la fin de sa vie. Ce qu'il n'avait pas aimé (comme Stendhal, qui a écrit un *Racine et Shakespeare* où il pensait fonder l'école *romanticiste*), ce n'était pas Racine, mais les raciniens. C'est ainsi que Malraux disait : « Les Français aiment Racine, parce qu'ils ont posé une fois pour toutes qu'il incarnait la France. Or, la France ne peut pas s'incarner en quelque chose de médiocre. Ça les amène à dire que Racine est admirable » (Roger Stéphane, *Fin d'une jeunesse*). C'est exact et n'enlève rien à Racine. Il y a des gens qui aiment Malraux pour se donner l'air social.

Proust n'aimait pas Péguy. « C'est le reproche qu'on pouvait faire à Péguy, pendant qu'il vivait, d'essayer dix manières de dire une chose, alors qu'il n'y en a qu'une. » Et il ajoute : « La gloire de sa mort admirable a tout effacé. » (Préface aux *Tendres Stocks* de Paul Morand.) La gloire de sa mort admirable n'a rien effacé du tout, n'ayant rien à voir avec la littérature, mais si vous croyez que c'était une chose facile à dire, en 1921, trois ans après la fin de la « Grande Guerre » !

Stendhal n'aimait pas Chateaubriand. Il le trouvait faiseur et menteur et prophétisait qu'il ne serait plus lu en 1913. Les prophéties de Stendhal sont toujours fausses, sauf celle sur lui-même selon laquelle il serait lu cinquante ans après sa mort. Quant aux mensonges, Stendhal n'a pas manqué d'en faire ; si Chateaubriand a menti dans sa relation de sa rencontre avec George Washington, Stendhal a décrit *de visu* une Sicile où il n'était jamais allé. Il a de plus plagié plusieurs auteurs dans ses récits de voyages, en particulier son ami Mérimée. Tout ceci n'a d'ailleurs aucune importance.

LISTE D'ÉCRIVAINS ARROSÉS PAR LEUR AMERTUME

Émile Cioran
(1911-1995)

Il y a la philosophie à coups de marteau, et la philosophie à coups de marteau-piqueur. Cioran procède par coups successifs qui ont généralement peu de rapports entre eux. Cela donne une impression de connaissance des mystères. Qu'il ait employé le mot « précis » dans un titre (*Précis de décomposition*) me paraît une antiphrase. Utilisant un autre mot de rhétorique dont lui-même s'est paré, je dirais que Cioran, ce sont des syllogismes fondés sur des solécismes. (Il a écrit des *Syllogismes de l'amertume*.) Non seulement il parle un français sans tact, mais encore il l'emploie en moraliste distendu. Un moraliste, c'est déjà pompeux, mais au moins ça tue d'un coup net : Cioran conclut souvent ses sentences par des points de suspension. Cette manière de sous-entendre qu'on en sait davantage, gardant un poignard dans la manche *en cas*, outre de manquer de décision, ne me paraît pas honnête.

Moraliste ? Peut-être est-il surtout un sociologue, si je me réfère aux expressions « échelle sociale », « la cité », sans parler des logiques comme : « Le christianisme eût abouti que la terre serait un désert ou un paradis. » Vous ne trouvez pas ça un peu banal, Cioran ?

Il a la forfanterie du ratage, l'esthétisme du chichi. « La fascinante souillure de l'accouplement. » (*Précis de décomposition.*) Et, ah, délices du chipotage ! Publier des *Exercices d'admiration* ! Comme s'il fallait accomplir un effort héroïque pour consentir à admirer ! Et il repousse, vaguement dégoûté, Scott Fitzgerald et d'aussi piteux livres (dont il donne les titres en anglais) que *Gatsby le Magnifique* et *Le Dernier Nabab*, lesquels, sans *La Fêlure*, récit d'une « faillite », ne garderaient qu'« un intérêt littéraire ». Ce qui me paraît remarquable, à moi, mais je me trompe sans doute, c'est qu'un écrivain prenne le mot « littéraire » dans un sens dépréciatif.

Et quand bien même il aurait réussi à admirer, qu'est-ce que c'est, admirer, cet acte de sans passion ? Je comprends maintenant pourquoi je n'ai jamais aimé Cioran : même à la période incendiaire de l'adolescence où je me disais que seul le feu sauverait le monde, il ne me convenait pas à cause de sa petitesse.

« Dans un monde sans mélancolie, les rossignols se mettraient à roter », écrit-il dans les *Syllogismes de l'amertume*, quoiqu'un syllogisme ait trois termes. L'amertume n'est pas un raisonnement. C'est ce qui a plu : le public conservateur, c'est-à-dire, passé un certain âge, 90 % de l'humanité n'aime pas que l'on raisonne. Cela pourrait conduire à des réflexions allègres qui incitent à faire quelque chose de sa vie.

Et puis, tous ces gens qui toute leur vie vous parlent de leur goût du suicide sans jamais l'accomplir, le caressant comme un prêtre honteux se masturberait, ne les qualifiez pas de maîtres chanteurs : s'arrogeant l'exclusivité et l'ostentation de la souffrance, ils vous traiteraient de sale vivant.

Guy Debord
(1931-1994)

Les gens l'appellent l'idole des niais. Jamais aigre, plein d'esprit, ne mettant aucune fabrication dans sa littérature, et un humour, une finesse ! Ses crachats d'homme qui semble confondre ses problèmes de digestion avec l'état du monde ravit les andouilles (sexe masculin) et les tartes (sexe féminin). Les uns et les autres croient y trouver l'explication du monde. Pour ces gens-là, le monde est un mystère qu'*on* fabrique afin de nous abuser. S'y adjoignent les rusés grand public qui veulent avoir l'air *sans concessions* et les complexés de la télévision qui, en le citant, se procurent des diplômes de vertu tout en encaissant leur 15 000 euros de salaire par mois.

La « société du spectacle » est une des notions les plus bêtes qui aient été inventées dans les années 1970. Toute société est un spectacle, parlez-en à Louis XIV. Par « spectacle », Guy Debord voulait dire « télévision » : ce Bossuet adolescent était un lecteur de courrier des lecteurs de *Télé 7 Jours* se plaignant de ce que le film commence trop longtemps après la fin du journal. Parmi un tas de petites explications perspicaces, il est irrité de ce que tout soit frime, image, communication ; comme il sait que c'est d'un niveau de pensée candide, il compense en faisant des mystères. Ainsi, il ne donne jamais la définition de son « spectacle » (ruse) et glisse sous-entendus et insinuations destinés à nous suggérer qu'il a été consulté par les puissances et menacé par des services secrets (frime). Faire des mystères, quand on est écrivain, c'est tricher. « Ce n'est pas par ce qu'il y a d'obscur dans Mahomet et qu'on peut faire passer pour mystérieux que je veux qu'on le juge, mais par ce qu'il a de clair, par son paradis et par le reste. » (Pascal, *Pensées.*)

Comme tous les faux persécutés, son rêve était de devenir persécuteur. Il a vomi tous ceux qui osaient ne pas être à genoux devant ses aboiements, mieux, les a menacés, moi par exemple. Debord en colère, ouh là là ! Je suis allé me cacher en province, à la façon de cet éditeur à la retraite (il était si paresseux qu'on croyait qu'il y avait toujours été), ancien maoïste, révolutionnaire, et nécessairement debordien, qui, le 11 septembre 2001, « prévenu par Matignon », comme il était content de pouvoir dire cela, et que ce Matignon fût de droite ne le gênait pas, a pris sa voiture et est allé se terrer pendant trois jours et trois nuits dans sa maison de campagne, car il possède une maison de campagne. Fidel Castro emprisonné, sitôt au pouvoir, a emprisonné toute son île. Il ne faut pas persécuter les opposants : cela leur donne de mauvaises idées. Au reste, comment peut-on se dire persécuté quand, comme Debord et les deux autres écrivains de cette liste, on est entouré d'une secte ? En France, chaque petit idéocrate, *à condition qu'il ait tout raté*, cela les console, a autour de lui cinquante adorateurs qui se prosternent en écoutant ses prônes et aboient après les indifférents qui passent. Et c'est au nom de tel ou tel de ces anges que, cinquante ans après, si une révolution passe et les utilise, on assassine.

501

Ce professeur bénéficie d'une confusion : il parle de savoir et on l'en fait juge de la littérature. Assurément peu mécontent de sa culture, il pose des questions du genre : « Qui lit encore Plotin ? » Or, j'en connais d'autres que lui : des spécialistes, et même moi, lorsque je passe devant les *Ennéades* de ma bibliothèque et que je me dis : cette fois-ci, il faut s'y mettre ! et après des années, vingt lignes après vingt lignes, j'ai bien dû en lire deux cents. Au fait, qui a jamais beaucoup lu Plotin ?

George Steiner déplore la fin de la transmission de la connaissance. De là à extrapoler sur la fin de la littérature vivante, il y a un monde d'insensibilité. Ainsi, quand, de son style pataud, il définit ces « classiques » comme « une forme signifiante qui nous lit » et précise que leur fonction est de nous « questionner » (*Errata*), il oublie que les mauvais livres ont aussi cette capacité, et le *Da Vinci Code* donne plus à penser à quantité de lecteurs que *L'École du christianisme* de Kierkegaard. Quant aux romantiques, il les attaque, comme tout le monde, les accusant de « solipsisme acharné » et d'un « vitalisme » qui a mené tout droit à mai 68 (*Passions impunies*). Dans deux cents ans, un penseur qui veut faire l'ange dira peut-être que George Steiner a été responsable du conservatisme en Biélorussie.

Différence entre un homme qui dit oui et un homme qui dit non, un homme qui accepte le monde et un homme qui le refuse. « L'appartement moderne, pour les jeunes notamment, manque tout simplement de place, de murs libres pour des rangées de livres. » (*Passions impunies.*) C'est tout au contraire ce qui a permis à Victor Hugo de dire : « le livre remplacera l'architecture » (*Notre-Dame de Paris*). Au bout d'un moment, il y a cette grande distinction entre les gens qui écrivent des livres : ceux qui admettent l'humanité et ceux qui la refusent.

Steiner, quelle curieuse conception de la littérature ! De « l'identification de la faune et de la flore, des principales constellations, des heures liturgiques et des saisons [...] dépend intimement la compréhension la plus intime de la poésie, du drame et du roman occidentaux » (*Passions impunies*) : la flore aide donc à comprendre Baudelaire et la Grande Ourse, Paul Valéry ? La littérature n'aurait vécu que grâce à « la capacité de citer les Écritures, de citer de mémoire de grands passages d'Homère, de Virgile, d'Horace et d'Ovide, de renchérir immédiatement sur une citation de Shakespeare, de Milton ou de Pope » (*Passions impunies*, où je vois décidément bien de l'impunité et peu de passion). Bref, la littérature, c'est *Questions pour un champion*. Un professeur reste souvent un élève et George Steiner croit que la littérature consiste à passer un examen toute sa vie. N'a-t-il pas intitulé un de ses livres *Maîtres et Disciples*? Il n'y a ni maîtres, ni disciples : la littérature n'est pas une filiale du savoir. Il n'y a que de l'amour. C'est ce que disait dans son premier livre, *Tolstoï ou Dostoïevski*, George Steiner : « La critique devrait naître d'une dette d'amour. » Hélas, la sienne a vogué sur un fleuve d'amertume. Tout au confort de son pessimisme, il nie la littérature vivante, et donc, me nie. C'est un homme qui a dit : « Il n'y aura plus de Dante, de Shakespeare, de Proust » (Entretien à la Télévision suisse romande). Bien sûr qu'il n'y en aura plus, puisqu'ils ont existé! Il n'y en aurait d'ailleurs pas besoin. Le drame de cette sentence est qu'elle sous-entend qu'il n'y aura plus de grands écrivains. C'est méconnaître notre présomption, et le talent de certains. Je vais vous faire une confidence, George Steiner : nous sommes là. La littérature est simplement un miracle. Vous ne voulez pas y croire parce que vous n'avez pu l'accomplir. Vous avez écrit un roman (en réalité un apologue, *Le Transport de A.H.*) qui n'a marqué personne et vous n'avez pu aller plus loin. Depuis, vous barbotez dans le commentaire méprisant de tout auteur qui ose vivre et publier en même temps que vous et admiratif de ce qui vous a précédé et qui peut vous donner l'illusion de faire partie des derniers géants, pékinois qui jappez au pied des statues des grands hommes! Cinq minutes avant Proust, aucun Steiner ne croyait à un Proust. En ce moment même, dans notre plus complète ignorance, est en train d'éclore un génie. Qui ne comprend pas cela aime peut-être la création, mais à condition qu'elle soit morte.

Telle est la science amère de ceux qui n'ont pas pu créer, et voilà les pages les plus dangereuses de ce livre. Le public de secte de ces trois auteurs, ai-je souvent eu l'occasion de remarquer, est le plus haineux qui soit. Chaque fois que j'ai émis un doute sur l'un d'eux, j'ai été injurié dans leurs blogs. Ces gens-là tueraient l'esprit s'ils le rencontraient dans la rue.

LISTE DE JOACHIM DU BELLAY,
INVENTEUR DU ROMANTISME
(1522-1560)

Du Bellay a écrit un livre de vieux à vingt-sept ans, la *Défense et illustration de la langue française*. Il y dit que le français est aussi méritoire que le latin; mais il y a autre chose : « Certes j'ai grand honte, quand je vois le peu d'estime que font les Italiens de notre poésie en comparaison de la leur [...] » (Préface à la deuxième édition de *L'Olive*). C'était du temps d'Henri II, marié à Catherine de Médicis, et des Italiens arrivés avec elle en France, raffinés, aimant le goût, qui avaient eu depuis longtemps un Pétrarque et nous faisaient nous rendre compte que, malgré les efforts de François Ier (père d'Henri), nous étions restés des demi-soudards puant l'oignon. *Et nous en étions vexés*. Il y aurait à écrire une histoire de l'art en fonction de la jalousie.

Du Bellay est un poète splendide, ample, viril. Une partie de son art tient à la répétition. Le « France, France, réponds à ma triste querelle » des *Regrets*, se trouve déjà dans son premier recueil, *L'Olive* : « Sacré rameau, de céleste présage,/Rameau... » (poème 49). Et les commencements litaniques tel que : « Bien qu'aux arts d'Apollon [...]/Bien que de tels trésors [...]/Bien que de tels harnais [.../» (*Regrets*, 11), nous les avions dans : « Si de mes pensers [...]/Si de parler [...]/Si ma constance [...] » (*L'Olive*, 50).

Quel finisseur, surtout! Dans toute la littérature française, je n'en connais pas de meilleur à part La Fontaine. Pour le simple recueil des *Antiquités de Rome* (le grand du Bellay des *Antiquités de Rome*) :

L'antique honneur du peuple à longue robe.
Ce grand oiseau ministre de la foudre.
Et osent les vainqueurs les vaincus dédaigner.
Font son idole errer parmi le monde.

Le dernier vers désigne les écrits des Romains : ils font l'idole de Rome se perpétuer malgré « le ronger des siècles envieux » qui ruine leurs bâtiments, comme il le découvre durant son séjour en Italie avec le cardinal du Bellay, cousin germain de son défunt père allé là-bas organiser l'élection à la papauté du cardinal de Noailles, en vain. Les Français sont mauvais pour la brigue. Leur naïveté, leur gloriole ou leur frivolité leur persuade qu'une manœuvre, et c'est fait. Il n'y a que les Italiens et les Anglais pour y réussir, les premiers par finesse, les autres par ténacité. Rappelez-vous les négociations des Jeux olympiques de 2012 remportés par Londres d'où le maire de Paris est revenu trépignant, calomniateur et ridicule, accusant le Premier ministre anglais de corruption dès sa sortie de l'avion alors qu'une bombe islamiste venait de tuer soixante personnes à Londres. Le cardinal du Bellay était de la branche cadette de la famille : elle avait réussi et pris le pas. Du Bellay, branche aînée, était devenu très jeune orphelin de père et de mère. Hélas, il a eu un frère aîné pour lui gâter sa liberté.

Du Bellay, déçu comme un petit garçon, a des *Regrets* : il rêvait d'une Rome monumentale et a trouvé des cailloux. D'un million d'habitants sous Auguste ou Trajan, elle en avait gardé trente mille. Il se venge de sa déception dans *Les Antiquités de Rome* : « J'apprête ici le plus souvent à rire. » Qu'il est amer, ce rire, satirique, orgueilleux ! « Il faut beau voir, Magny, ces couillons magnifiques », dit-il à propos des Vénitiens, à l'ouverture d'un poème qui contient aussi un beau vers sur la cérémonie du Bucentaure menant le Doge épouser l'Adriatique au nom de Venise : « C'est quand ces vieux cocus vont épouser la mer. » Le poème « Heureux qui comme Ulysse » est le plus célèbre et le moins représentatif de ce livre. Il laisse supposer un du Bellay aimablement nostalgique, c'est un nationaliste irrité.

Ah, sa jalousie française ! Rome écroulée lui sert à se venger des Italiens fringants. Sans qu'on puisse dire qu'il est de mauvaise foi, il est content de les juger ridicules. Et cette façon de montrer un empire caduc en se moquant du peuple qui lui a succédé, c'est aussi dire : arrive la puissance d'une littérature nouvelle. Les deux tiers des poèmes des *Regrets* commencent par des appels à d'autres écrivains, Magny, Ronsard, Baïf, Belleau, Jodelle, Dorat, Pontus de Tyard... : ce trépignement affectueux d'un auteur isolé convoquant à Rome les amis français que la distance rapproche de son cœur est une esthétisation de la bande et l'un des génies des *Regrets*. Il signale à la vieillerie romaine qu'ils sont plusieurs, jeunes, musclés, pleins de testostérone, prêts à l'assaut. Attention, monde moderne, les barbares frais vont refaire la maison !

Regrets aussi sur le temps qu'il passe à ne pas écrire. Or, il écrit. Et il sait bien que c'est une excellente idée, ce livre, et que « fertile est mon séjour » (*Regrets*, 40). Dans le *Regret* 130, il répond à la modestie potagère de l' « Heureux qui comme Ulysse... » (« Plus mon petit Liré que le mont Palatin ») : moi qui pensais comme Ulysse que rien n'est plus doux que de se retrouver chez soi, j'y suis maintenant, et « mille soucis mordants je trouve en ma maison, / Qui me rongent le cœur sans espoir d'allégeance ». Et cet état de se sentir déplacé partout, d'où vient-il ? De ce que « combien est peu prisé le métier de la lyre » (*Regrets*, 11). Du Bellay invente le sentiment romantique du poète mal aimé.

Dans la « Complainte du désespéré » (*Œuvres de l'invention de l'auteur*), il parle de lui comme on avait à peu près oublié de le faire depuis Villon. Il est vaniteux comme personne ne le sera jusqu'à Malherbe : « en vain travaillera, me voulant imiter » (*Regrets*). Dans les *Divers jeux rustiques*, il se flattait d'« avoir le premier de tous / Chanté l'amour d'un style doux ». Le sujet de du Bellay, c'est lui-même. Et cela aussi c'est du romantisme. D'ailleurs, les romantiques porteront la barbe comme on ne l'avait pas fait depuis 1550.

Du Bellay introduit dans la poésie française la fierté de l'état de poète. Il est presque exclusivement littéraire, comme on ne l'est pas encore à son époque, comme le deviendront les romantiques, ces absolutistes. Tout ce qui n'est pas la littérature le dégoûte. Dans le poème « À Bouju, sur les conditions du vrai poète » (*Recueil de poésie*), il dit de ce « vrai poète » que

Les superbes Colisées,
Les palais ambitieux,
Et les maisons tant prisées
Ne retiennent point ses yeux.

Et c'est pour cela qu'il méprise l'ambition. C'est pour les non-littéraires, l'ambition. « Comme d'ambition j'étais franc et délivre » ; « Jusqu'ici je ne sais ce que c'est d'ambition » ; « Fuyant l'ambition, l'envie et l'avarice » (*Regrets*, 37, 74, 157), etc. Il en a une plus haute.

LISTE DE CHRISTOFLE DE BEAUJEU,
OU CE QUI RESTE D'UN POÈTE

Choisissons un bon poète relativement oublié, on peut même dire sans attenter à sa mémoire que Christofle de Beaujeu n'a jamais été connu. Originaire du Beaujolais, ce baron de Beaujeu et seigneur de Jeaulge est de la deuxième moitié du XVIᵉ siècle, et... et... et voilà à peu près tout ce qu'on peut en dire. Il a publié en 1589 un recueil de poèmes intitulé *Les Amours*. J'imagine un vieux hobereau de province, fier et démodé, faisant des vers à la dure, comme avant cette génération de chochottes qui ronsardisent, peuh! taillons cette plume ébarbée et piochons l'encre. Je le déduis de sa façon d'écrire. Si on faisait réduire les livres d'écrivains à la casserole, il en resterait, tout au fond, une petite pierre dure : leur personnalité.

La sienne, c'est la fierté. Il cherche « non des vers friands et doux, mais rudes », se flatte de ce que les siens peuvent être « désagréables », et le justifie de manière brusque en disant que ses obscurités sont voulues par des jeux rhétoriques, « anagrammes, significations ou jargon » (« Avis au lecteur »). J'y crois peu. C'est le genre de chose qu'on dit après coup. D'abord, ses poèmes ne sont pas si obscurs.

Inégaux, certes. Mais laissant quantité de perles quand on les passe au tamis. Ni courtoises, ni geignardes, au contraire de la poésie amoureuse du temps. Hautaines, plutôt, comme quand il prévient l'Amour :

> Quand tu voudras du sang, j'en ai dedans mon flanc
> Assez pour émailler tout le monde et tes armes.

Quantité de beaux vers disséminés :

La cruauté, Madame, est un lieu de plaisir,
Mais quand l'on s'y est mis l'on n'en saurait sortir.

Essayons de les combiner en un seul poème, de rassembler les gouttes de talent en un collier baroque. Les signes de ponctuation sont de moi ; si les rimes cahotent, disons que c'est l'irrégularité du temps.

Je vous l'ai dit, mon cœur, n'est-ce pas trop le dire ?
Je vous le dis encore une dernière fois,
Que je ne suis ici que pour mourir cent fois.
Celle que j'aime et que j'ai tant servie
A fait en récompense un meurtre de mon cœur.
Oh tiens, voilà mon cœur, prends-le et le mets à mort,
Je mourrai tout content pour me venger du sort !
J'ai pitié seulement des cousines jolies.
La mort est toujours douce, et toujours gracieuse
Au milieu des combats où elle va riant.
Ô regards ensoufrés, yeux de lynx homicides,
Vous qui sans corps, démons, errez en France,
Ni le malin qui va toujours l'homme prêchant,
Nous qui sommes errants sur les bords des rivières,
Je ne suis plus celui qui sous l'ombre plaisante
D'un beau rang de sapins, tout seul se promenait :
Je suis du grand amour le prophète bizarre.

Ah, et puis c'est sous Henri III, dont le poète officiel était Philippe Desportes, un excellent écrivain et l'un des cas les plus méticuleux de démolition par un concurrent de dix ans plus jeune, Malherbe (dix ans, la différence d'âge fatale), comparable à celle de Gourmont par Gide trois siècles plus tard. 1589, année du recueil de Beaujeu, est la dernière année du règne de ce dernier des Valois dont il reste de si beaux portraits. Le voici duc d'Anjou, jeune et joli :

509

puis roi à perle et Marais (quartier de noctambules où il allait faire du tapage avec les mignons) :

enfin, revenu des plaisirs, avec les deux rides funèbres aux joues qu'on a depuis vues à certains malades :

Fin des Valois, fin du baroque.

LISTE DE BLAISE PASCAL, DÉSESPÉRÉ PRESSÉ
(1623-1662)

Tout écrivain célèbre depuis longtemps est pareil à un lièvre sans os qui dort dans un pâté, comme disait Saint-Amant. Une croûte d'appréciations le recouvre, que le lecteur doit casser. Voici quelques années, j'ai été pris d'un violent rejet de Pascal. Une relecture du *Cid* et du *Tartuffe* m'avaient exaspéré, et je l'avais jeté avec eux : assez de ces écrivains justifiant toujours un pouvoir ou un autre ! Le reprenant, j'ai constaté mon erreur, qui venait en réalité de la conjonction du *Cid* et de la biographie de Pascal par Mauriac, qui le traite, avec délectation, de Saint-Just, de terroriste. Ça a l'air si vrai que je l'ai cru, oubliant qui le disait. Les esprits serpentins comme Mauriac frissonnent du tranchant chez les autres et l'exagèrent. Donne le fouet à droite, Blaise, je tire au centre ! Pascal est un penseur nuancé, plus nuancé que lui-même n'en donne l'air dès qu'on s'éloigne de lui. J'ai eu la double joie de me défaire d'une erreur et de me repeupler d'un talent.

« Notre besoin de consolation est impossible à rassasier », a écrit Stig Dagerman, splendide titre d'un écrit pascalien (« je suis un homme dépourvu de foi et ne puis donc être heureux »). De fait, les trois quarts des vies des hommes sensibles, lesquels sont loin de constituer les trois quarts de l'humanité, sont constitués par la recherche de la consolation. Les voyages. Le rire. La gourmandise. Le sexe. L'amour. Tant de sottises excusables ! Il y a aussi la lecture. C'est la seule impardonnable. La lecture ne sert pas à consoler. Ne comptez d'ailleurs pas sur Pascal.

C'est le plus grand des désespérés. Les jansénistes lui ayant assuré que le désespoir, c'est mal, il cherche l'espoir. Le trouve. Y croit. C'est la foi. Les hommes cherchent des certitudes pour se rassurer. Ils ne savent pas que la certitude rend fou, et non pas le doute, ce chat qu'on caresse distraitement sur ses genoux. C'est arrivé à Pascal, c'est arrivé à Nietzsche. Pascal plonge dans la religion sans y croire absolument, de là qu'il veut absolument s'en convaincre ; moins d'elle que de sa recherche, du reste, car il est prodigieusement intelligent ; et il se convainc moins qu'il ne se sermonne. Il sait ce qu'il y a de piteux dans l'accumulation des preuves. Les preuves ne démontrent pas.

« Tous les hommes cherchent d'être heureux. » Ah qu'il devait être malheureux, pour écrire une chose pareille ! Derrière sa philosophie, on voit toujours un homme, et cet homme est bouleversant. Les *Pensées*, c'est mon noyau dur, avec *Une saison en enfer* et « La vie antérieure ». Pascal est fervent, furieux, fulgurant. Elliptique, nerveux, coupant. Opposé à « la nuance, ennemie de la finesse » (Balzac). C'est un aigle avec ce que cela comporte d'apparemment cruel. Ses jugements hautains font un bruit froissé d'ailes dans le ciel. À côté de lui, nous sommes des fantassins.

Tout exalté qu'il est, Pascal est un raisonneur, à ceci près qu'il ne raisonne pas en ratiocinant, comme tant, mais en serrant les termes du raisonnement dans ses griffes. Il en sort une petite balle dure, qui sert généralement à tirer sur la coutume :

> Qu'est-ce que nos principes naturels sinon nos principes accoutumés ?

ou :

> Notre propre intérêt est encore un merveilleux instrument pour nous crever les yeux agréablement.

Le résultat est donc désespéré : « Nous ne vivons jamais, mais nous espérons de vivre, et nous disposant toujours à être heureux il est inévitable que nous ne le soyons jamais. » (Sa ponctuation rare : il est pressé, il faut aller à la conclusion sans perdre de temps à reprendre son souffle.) C'est simple : « On mourra seul. » Et ce n'est pas triste. Le désespoir n'est pas triste. Il est un fait, comme la couleur bleue.

C'est plutôt l'espoir qui serait triste, avec les briques qu'il nous jette au visage pour nous démolir. En compagnie de Pascal, nous sommes de grands garçons qui ne se cachent pas les choses, connaissent leur destin, là, devant nous, cette porte noire. Pascal veut croire que, derrière, brille une grande lumière, je pense qu'on peut l'aimer en pensant qu'il n'y a rien que le noir et l'oubli.

Tout ce désespoir exprimé, Pascal n'est pas un inhumain : « Mais quand l'univers l'écraserait, l'homme serait encore plus noble que ce qui le tue puisqu'il sait qu'il meurt [le haletant, encore] et l'avantage que l'univers a sur lui, l'univers n'en sait rien. » Non, on n'aurait pas pu donner de meilleur nom à ses maximes que « pensées ». La lecture ne sert pas à consoler, elle ne sert pas davantage à comprendre : Pascal montre qu'elle sert à enchanter, en nous transportant un instant, fantassins et piteux, sur son dos d'aigle qui traverse le ciel. Vous trouverez que j'exagère. Il n'y a pas de critique, il n'y a que des lettres d'amour.

LISTE DE MARCEL PROUST, PLONGEUR SOUS-MARIN
(1871-1922)

Il n'y a pas de phrase plus Proust que : « C'était peut-être un genre
de langage de sa famille qui était devenu un élément de beauté »
(*Carnets*), réunissant l'explication par le langage et l'explication par le
clan. L'importance du langage pour Proust est particulièrement
apparente dans ces *Carnets*, où il note les préparatifs d'*À la recherche du
temps perdu*. On voit les personnages se dégager peu à peu de l'incréé
par le langage : non seulement par leurs idiosyncrasies (« mécrédi »),
mais aussi par leur nom. « Il faudra qu'un des amis de Mme de
Guermantes s'appelle Annibal », note Proust : et c'est à partir de cela
que le personnage se met à vivre. « Tiens le voilà bonjour Babal,
comment ça va Babal », écrit-il plus loin : la marionnette bouge. Elle
est nommée, et même, dans ce cas-là, surnommée, coutume si
importante dans le monde selon Proust. Elle deviendra Hannibal de
Bréauté. Ses principaux pourvoyeurs de noms de personnages sont les
villages français et le duc de Saint-Simon. Il prend des noms que
Saint-Simon mentionne et les fait sauter dans son tamis : ils en
ressortent, qui ayant perdu une voyelle, qui ayant eu une syllabe
déplacée.

Comme Confucius, Proust est un fervent de la dénomination
correcte, et rien n'est pour lui plus grave qu'une chose qui aurait
perdu la sienne : « Voyage à ces villes. Mais elles ne sont pas leur
nom » (*Carnets*). Quelle est cette curieuse idée qu'une chose
ressemble à son nom ? Du platonisme. (Dans le *Cratyle*, Socrate parle
de « la forme de nom requise par chaque objet ».) Je ne crois pas
qu'un nom soit l'image d'une chose : il est l'image d'une idée. Rien

n'est plus semblable à Mérignac-la-Conseillère que Montrastruc-sur-la-Soubz, et pourtant ce sont deux noms différents. Ce dont ils sont l'image, c'est de l'idée de village. Et ce sont les choses qui suintent sur les noms. L'idée préconçue, le platonisme, le proustisme, entraîne à imaginer une charmante place du Marché avec platanes et Café des Amis, ce sont des parkings presque vides regardés par une boutique de téléphonie mobile vide aussi. Tout le monde est au Centre commercial.

Il aime bien, quoique avec parcimonie, les mots très modernes, comme « connexité », qu'il emploie deux fois au début du *Côté de Guermantes*. La nouveauté est la pointe d'encanaillement des bourgeois fins.

Le néologisme vient d'un besoin de précision. Ainsi, quand il parle du « chimisme » du mal de Swann, produisant de la jalousie à partir de son amour (*Du côté de chez Swann*). « Chimie » ne lui a sans doute pas paru suffisant. Cela ne l'empêche pas de critiquer avec dégoût des néologismes comme « limoger », inventé par un journaliste à la suite de la mise en résidence à Limoges d'officiers *révoqués* par le général Joffre. Et il a raison : il en voyait l'origine sans tact, le côté plaisantin, la vulgarité essentielle.

Les grammairiens, on ne sait par quelle logique, interdisent le « que » explétif de « quand ». Et pourquoi ? Marcel, viens par ici ! Parle à la dame !
— Quand on se voit au bord de l'abîme et qu'il semble que Dieu vous ait abandonné, on n'hésite plus à attendre de lui un miracle (*Albertine disparue*).

Il aime les mots longs. À propos d'Albertine : « cette présence perpétuelle, insatiable de mouvement et de vie, qui [...] me faisait vivre dans un refroidissement perpétuel par les portes qu'elle laissait ouvertes, me forçait – pour trouver des prétextes qui ne justifiassent pas de l'accompagner [...] à déployer chaque jour plus d'ingéniosité que Shérérazade. » (*La Prisonnière*) Ce sont eux, liés, collés devrais-je dire, dans le lent barattage de ses phrases qui donne par moments à *La Recherche de temps perdu* la saveur de la truffade auvergnate, ce plat de pommes de terre concassées et mélangées à de la tome, le tout étiré comme des mèches de cheveux qu'on arracherait du sol, avec force, habileté et patience, pour en sortir une Ophélie enterrée.

Voilà pourquoi sa traduction italienne est si bonne. Les Italiens ont encore plus de mots longs que les Français, et ceux de cinq syllabes y sont très courants. « *Affannosamente.* » « *Rumorosamente.* » Proust se serait goinfré de ces spaghettis.

Pénélope, il ne l'est pas seulement parce qu'il a vingt fois sur le métier remis son ouvrage, pas loin de vingt fois, vraiment, des tentatives publiées des *Plaisirs et les Jours* à l'inachevé *Jean Santeuil*, mais aussi en ce qu'il tire le fil des mots jusqu'à ce qu'il ait tissé la licorne entière, avec la forêt verte et le chasseur à manches frangées. La soirée de gala à l'Opéra commence page 29 de mon édition du *Côté de Guermantes* par l'annonce que la princesse de Guermantes y dispose d'une baignoire : et « baignoire » conditionne toutes les métaphores de la scène. Cela, dès le cinquième mot : « cette baignoire où Mme de Guermantes *transvasait* sa vie [...] » Quelques pages plus loin, les invitées de la baignoire sont comparées à de « radieuses filles de la mer » ; la princesse est assise sur un canapé « rouge comme un rocher de corail » à côté d'une glace « qui faisait penser à quelque section qu'un rayon aurait pratiquée [...] dans le cristal ébloui des eaux ». La Berma même, qui joue un acte de *Phèdre*, est aquatique : ses « bras que les vers eux-mêmes [...] semblaient soulever sur sa poitrine, comme des feuillages que l'eau déplace en s'échappant ». Et cela dure jusqu'à la page 51 où le public de l'orchestre est comparé à des madrépores. Les critiques avisés n'aiment pas qu'on « tire la métaphore » : on dirait qu'ils ont tort. Et si les baignoires se fussent appelées carrioles, il aurait écrit une scène tout Fenimore Cooper, conquête de l'Ouest, et plumes de la coiffe de la princesse comparées à des coiffes de Sioux. Nous sommes des génies, mais conditionnés par les mots que, nous donnant l'air de rois absolus, nous mettons à notre service.

Selon l'état du lecteur, ses incessantes comparaisons ironiques peuvent amuser ou fatiguer. Ainsi quand, en sept lignes, il compare le retour de Françoise à ce que lui avait dit le valet de chambre, « comme on recommence un morceau à l'andante », ou son avis sur les Guermantes à Pascal fondant « la vérité de la religion sur la raison et sur l'autorité des Écritures » (*Le Côté de Guermantes*).

C'est avec leur finauderie habituelle que les psychanalystes déduiraient la passivité sexuelle de Proust de son fréquent emploi du verbe « féconder » et des comparaisons avec les abeilles. Loin de recevoir la semence, il la crée, n'est-ce pas.

Il écrit comme un insecte très précautionneux, posant ses frêles antennes sur telle et telle notion, en faisant le tour, les repoussant, les tapotant de nouveau, semblant hésiter, mais il est très sûr de ce qu'il pense. Seuls ses personnages sont soumis à des « oscillations », mot qui ne se trouve peut-être qu'une fois dans toute *La Recherche* (*Du côté de chez Swann*) et plus exact que celui d' « intermittences », selon le titre qu'il avait d'abord pensé donner à son livre, *Les Intermittences du cœur*. Quand il décide de faire des phrases longues (c'est-à-dire assez souvent), il place ses antennes à l'horizontale et avance sur un fil de fer, chargeant chaque antenne, successivement, d'incidentes, elles s'alourdissent, il titube, on se dit que sa phrase va chuter comme celle de Saint-Simon chez qui souvent le complément ne s'accorde pas avec le verbe, etc., d'ailleurs aucune importance, mais non : elle s'achève avec une parfaite exactitude en plus d'être charmeuse. Et, rougissant, feignant la modestie, l'insecte baisse la tête sous nos applaudissements délirants : « Ah ! ce retombé ! Bravo ! Bravo ! Il nous a eus ! » Et lui : mais non, ce n'est rien, je ne suis pas là ; à peine a-t-on le temps de reconnaître sa satisfaction au frottement du bout de ses pattes l'un contre l'autre qu'il est reparti pour une autre prouesse. Proust est une libellule qui soulève des poids de cent kilos.

Parfois il s'amuse, et c'est le « morceau d'anthologie », qui n'a presque rien à voir avec l'histoire. Il l'écrit pour son plaisir. Hier et ce matin, et encore maintenant avant d'écrire ces mots, je me lisais à voix haute le prodigieux passage sur le valet de pied à l'entrée de chez Mme de Sainte-Euverte dans *Du côté de chez Swann*. « À quelques pas de là, un grand gaillard en livrée rêvait, immobile, sculptural, inutile... » Ce qu'on écrit pour soi est le meilleur. Cela n'a précisément rien d'utile.

Très lui, une phrase comme : « la possibilité d'une sorte de rajeunissement » (*Du côté de chez Swann*). Avec Proust, le bonheur n'est qu'une illusion qui peut fortuitement arriver. À l'inverse, quand on n'espère plus rien, il advient par surprise. Le narrateur avait été déçu par la Berma, il va la revoir sans rien espérer, « et alors, ô miracle [...] » (*Le Côté de Guermantes*). Oui, un des principaux combats de Proust est mené contre l'espoir.

Très lui encore, quand Swann entend pour la première fois la sonate de Vinteuil chez Mme Verdurin : j'ai connu un Vinteuil, dit-il, le professeur de piano des sœurs de ma grand-mère ; c'est peut-être lui, répond Mme Verdurin ; « Oh non ! Si vous l'aviez vu deux minutes, vous ne poseriez pas la question » (*Du côté de chez Swann*) ; et on se rendra compte plus tard que c'était bel et bien le même. Une autre tâche d'*À la recherche du temps perdu* est la démolition des réputations au moyen du malentendu.

Le fond du fond de Proust est la contestation de la vie. Il met presque toujours le mot entre parenthèses et avec une majuscule pour se moquer de l'importance qu'on lui accorde (c'est l'Art qui importe), comme quand il dit que Swann (cet homme roux aux yeux verts qui porte une moustache et les cheveux en brosse) faisait partie des « hommes intelligents qui ont vécu dans l'oisiveté » et pour qui « "la Vie" contient des situations plus intéressantes, plus romanesques que tous les romans ». Plus loin, on apprend que, de l'histoire et la philosophie, Brichot « croyait qu'elles ne sont qu'une préparation à la vie » ; dans *Le Côté de Guermantes*, une parenthèse met en valeur ce qu'elle a l'air de chuchoter, comme tant : « (Ajoutons même à l'amour l'amour de la vie, l'amour de la gloire, puisqu'il y a, paraît-il, des gens qui connaissent ces deux derniers sentiments) ».

La brosse de Swann, on l'apprend à la toute fin de *Du côté de chez Swann*, de même que c'est à 90 pages de la fin qu'on apprend le nom de la rue où vit Odette, la rue La Pérouse. Pour Proust, dans la description comme dans la vie de ses personnages, il s'agit de retarder la jouissance.

Il existe deux Charlus dans *La Recherche* : Palamède, baron de Charlus, duc de Brabant, damoiseau de Montargis, prince d'Oléron, de Carency, de Viareggio et des Dunes, de la célèbre famille de Guermantes qui descend d'Aldonce de Guermantes et frère consanguin de Louis le Gros, ayant quatorze alliances avec la Maison de France et la même grand-mère que Louis XIV, par conséquent Marie de Médicis, classée dans la troisième partie du Gotha, dont le cri d'armes, après qu'elle a abandonné celui des Brabant, est : « Passavant », et le comte Lebois de Charlus, on ne sait même pas s'il « sort » ; on confond Charlus avec lui à La Raspelière (*Sodome et Gomorrhe*).

La part de snobisme qui entre dans la lecture de Proust tient à ce que, en le relisant, on *connaît tout le monde*. Croisant la princesse des Laumes à sa deuxième lecture de *Du côté de chez Swann*, on est fier de savoir, alors qu'il ne l'y dit pas, qui elle deviendra (la duchesse de Guermantes). La fois suivante, on pense simplement : « Tiens, Oriane. »

C'est le talent qui fait l'intérêt. Sans cela, personne n'aurait jamais lu les papotages de cinquante mondains racontés par Proust.

Il y a un côté Gervex chez lui, *Une soirée au Pré-Catelan* (musée Carnavalet), où les riches dînent dans la lumière. Ce clinquant est ce qui a exaspéré Gide.

La plupart des personnages du clan Guermantes sont présentés de manière mythique, ne serait-ce que par le physique. Ainsi le duc de Guermantes, pour qui est employé le mot « géant » (*Le Côté de Guermantes*). Tous des atlantes. Derrière le balcon, le palais est lézardé. Il s'effondrera après le passage de l'ethnographe. Il n'y est pour rien. C'est la République gagnant 14 qui a éloigné l'aristocratie du pouvoir, peut-être à jamais.

Lui dont l'humanité est si grande, on le surprend à employer le mot « bêtes », alors que personne n'était mieux fait que lui pour employer le mot « animaux » ; mais il se moque assez de la cruauté naïve de Françoise lorsqu'elle coupe la tête des poulets en les traitant de « sales bêtes » ; non, non, la part d'inhumanité qui est en lui, comme en chacun de nous qui l'ignore (sans cela il serait un salaud), c'est à propos des domestiques. Il ne se rend pas compte que, lorsqu'il fait de l'humour à leur sujet, il est comme une petite-bourgeoise qui parle de ses employés en se croyant grande dame (ce qui n'empêche que certaines grandes dames puissent avoir de ces réactions petites-bourgeoises, dirais-je en un bémol assez proustien je crois). « C'était habituellement peu de temps après que nos domestiques avaient fini de célébrer cette sorte de Pâque solennelle que nul ne doit interrompre, appelée leur déjeuner [...] » (*Le Côté de Guermantes.*) Eh ! ils n'ont pas le droit de prendre une heure pour déjeuner, ces *gens* ? Lui qui trépigne s'il n'a pas son infusion dans la seconde ! Plus loin : « C'est nous qui, avec nos vertus, notre fortune, notre train de vie [tiens ! lui si prompt à mettre des guillemets narquois aux expressions toutes faites des autres l'oublie pour lui-même] [...] devions nous charger d'élaborer les petites satisfactions d'amour-propre dont était formée [...] la part de contentement indispensable à sa vie. » Enfin ! Une incidente dans *Le Côté de Guermantes*, qui aurait mérité un long développement, mais ce développement aurait entraîné un raisonnement révolutionnaire à foutre en l'air son zoo de luxe, dit que l'existence des domestiques est « anormale » (ce qui doit entraîner des « tares » — mot qui n'entraîne chez lui qu'une faible désapprobation morale) et qu'elle « est sans doute d'une étrangeté [...] monstrueuse [...] que seule l'habitude nous voile ». Ça n'est pas Dickens, mais cela s'approche du sentiment d'égalité.

Sa délicatesse se manifeste quand il dit de Swann retenant un instant le visage d'Odette à distance qu'« il avait voulu laisser à sa pensée le temps d'accourir », et qu'il revenait parfois chez elle après l'avoir quittée « parce qu'il avait oublié d'emporter dans son souvenir quelque particularité de son odeur ou de ses traits ». La délicatesse tient beaucoup à l'expression « dans son souvenir » (*Du côté de chez Swann*).

Il charrie avec ses considérations sur la morbidité de l'amour. Il emploie le mot deux fois dans *Un amour de Swann*, le traitant de plus de « maladie » et le comparant à la mort (« c'est une ressemblance de l'amour et de la mort... »), et il est presque ridicule lorsqu'il compare les aveux d'Odette qui rendent Swann jaloux à des « cadavres ». Il n'est défendable que quand il particularise cette sensation (« pour faire concurrence aux sentiments maladifs que Swann avait pour Odette... »). Si je le mettais en scène, on entendrait, derrière, Bette Midler chanter « *The Rose* » : « *I say love, it is a flower.* »

On oublie le plus souvent, quand on cite la phrase finale d'*Un amour de Swann* sur le temps que celui-ci pense avoir perdu pour une femme qui ne lui plaisait pas, qui n'était pas son genre, non pas tellement les mots « qui ne lui plaisait pas », mais, juste avant, le jugement du narrateur qui qualifie cette pensée de muflerie. Le mot apparaît une autre fois au début du roman à propos du délicat que reste quand même Swann : « Il y avait en lui, rachetée par de rares délicatesses, une certaine muflerie. »

Analyser Proust d'après des critères russes : ses moments Tchekhov, amplifiés en Gogol, etc.

Proust, si sincère dans ses lettres, ne l'est pas quand il écrit : « Mon indifférence (relative) à moi-même se manifeste encore en ceci que je ne retiens rien des ridicules des autres [...] » (Lettre à Max Daireaux, 19 juin 1913). Lui qui frôle la vulgarité à force d'insister sur les défauts physiques de tel ou tel personnage, généralement des femmes !

Il a écrit en 1906 ou 7 une lettre de réprimande à Léo Larguier pour un article d'éloge sur les *Amours* de Léautaud : vulgaire, atroce, sans talent. Léautaud n'a jamais lu Proust, il s'en vante dans son journal où il se vante souvent de ses ignorances, et se montre donc neutre face à cet ennemi inconnu. Les correspondances sont pleines de coups de poignard dans le dos.

La grenouille a horreur d'être décrite par le naturaliste. « Proust ? La comtesse Greffulhe m'a dit un jour : "Il me faisait l'effet d'un mal blanc !" » m'a dit un jour un homme qui l'avait connue. Proust n'est pas universellement aimé, comme on pourrait le croire, et de vieilles ruines l'ont haï de les avoir sauvées de l'oubli, ce qu'elles croyaient devoir obtenir par la simple puissance de leur nom.

Il se plaignait, mais c'était une manie. La force consiste à surmonter une adversité ou un défaut pour créer. Lui, ça a été la mondanité, cette vieille sirène tapée qui distribue des petits-fours poussiéreux.

Souffrir, ce verbe proustien.

La mère de Proust lui a donné un amour et une admiration qui lui ont à son tour donné une force inouïe.

Proust était en acier, pour pouvoir traverser tous ces souvenirs.

Dans son *Journal* (1er novembre 1853), Tolstoï écrit : « Maintenant et à juste titre, dans la nouvelle tendance, l'intérêt des détails du sentiment remplace celui des événements. » Ce maintenant a disparu.

Proust l'a épuisé. L'absence de psychologie a été pratiquée d'abord, non par le Nouveau Roman, mais par d'autres romanciers de droite, à commencer par Paul Morand, non sans moments de vulgarité. (La croyance primordiale aux rapports de force.) Nous qui venons après sommes également indifférents à faire de la psychologie exprimée comme à la supprimer complètement. Nous faisons autre chose. Ce n'est pas à moi de vous dire quoi.

Les lecteurs de Proust sont souvent sentimentaux.

Les Français adorent cracher sur leurs artistes vieillissants. Proust a bien fait de mourir à cinquante et un ans, il aurait été raillé comme Dalida.

Son traducteur grec, Pavlos Zannas, avait commencé à le traduire en prison, où il avait été mis en 1967 pour opposition au régime des colonels. Les dictatures font lire, c'est ce qui les perd. Une de leurs principales caractéristiques est la méticulosité de leurs vengeances : lors de la première publication de Proust en grec, on a interdit la mention du nom de Zannas.

Proust n'aurait jamais obtenu le Nobel.

De simplement lire des citations de Proust, le son de sa voix, c'est comme quand on ouvre une boîte de photos de famille, on croit en avoir pour un quart d'heure, et on y passe la moitié de la nuit.

Proust, c'est aussi simple que de la plongée sous-marine. Il suffit de trouver la même respiration que lui.

Lire Proust, c'est comme traverser la mer.

LISTE DE FRANCIS SCOTT FITZGERALD,
QUI N'A PU DIVORCER DE LA VIE
(1896-1940)

Je vois bien ce qui pourrait déplaire dans Fitzgerald : son genre Ralph Lauren. Le jeune homme bien propre, consultant chez Arthur D. Little, qui va en vacances au Cap-Ferret, fait du Hobie Cat, a une jolie femme, leur appartement est photographié dans *Architectural Digest*. Trop de bonheur, pas assez de littérature. C'est faux, bien sûr : si on s'approche, le cerne apparaît, une sinistre teinte grise sur la pommette, la lueur de mélancolie dans l'œil, le froissé de la chemise, la tache de vomi sur la cuisse du pantalon, la bouteille d'Hépatoum mal cachée derrière le pied du bureau. Résultat d'une vie de fête, donc d'ennui. Les fêtes, quand on est écrivain, c'est du temps où l'on n'écrit pas. On s'en veut d'avoir laissé son petit hamster de livre tout seul à la maison.

Petit hamster est grand vampire : dès que nous le rejoignons, il nous saute à l'index et pompe le sang qui lui sert d'encre. Infecté, notre sang cherche à devenir encre. Dans ce conflit réside sans doute une des raisons pour lesquelles Fitzgerald s'est mis à boire, avant même que Zelda ne devienne malade.

Et puis les dépenses, la vie luxueuse. Le train de vie est un Orient Express qui mène au précipice. Un écrivain devrait éviter d'avoir de gros besoins et quoi que ce soit qui l'attache : une femme, des enfants, trop de biens, ce sont des liens, on les aime, ils nous tiennent. On doit les nourrir, les protéger, ne rien faire qui les mette en danger. La littérature est une maîtresse qui réussit à nous faire divorcer et à tout nous faire vendre. Sans pour cela nous récompenser de multiples bonheurs, croyez-le. Pendant qu'on bosse à notre table noiraude, elle se pavane sur la Croisette couverte de bijoux.

Il peut être mort tranquille, il a écrit un chef-d'œuvre, *Gatsby le Magnifique*. Et même, quel faste, plusieurs nouvelles qui mettront longtemps à mourir. « Bernice change de coiffure » (*Flappers And Philosophers*). « Un diamant gros comme le Ritz », « L'étrange histoire de Benjamin Button » (*Les Enfants du Jazz*). « Absolution », « Un goûter d'enfants », « Le garçon riche » (*All the Sad Young Men*). Lisez même ce qu'il a écrit de moins bien. Quand on connaît un écrivain et ses bons livres, les moins bons ne nous le gâchent pas ; ce sont comme des meubles cassés qu'on retrouve au grenier.

Le succès est souvent un malentendu. Celui qui bénéficie à Fitzgerald est du même ordre que celui qui a fait le triomphe de Fellini : ce sont des satiristes qu'on a pris pour des approbateurs. On a cru que Fellini était pour *La Dolce Vita*, on a cru que *Gatsby* était pour les fêtes. Nous laissons dire, visant sournoisement ce malentendu qui nous portera à cent mille. Quelle erreur. En 1998, une des plus grandes boîtes de nuit de Moscou s'appelait Le Fellini. Et voilà comment on est compris. (Les conceptions les plus sottes se répandent avant les conceptions exactes parce qu'elles sont sottes ; et parce que nous laissons dire. Il suffit de rien : un article dans la presse, et l'œil des malins s'éveille, sitôt suivi par leur langue. Je lis des critiques sur l'*Odyssée* si niaises qu'elles devaient se trouver dans un magazine le jour de sa publication.)

Il y a des romanciers réalistes, mais ce sont des fous. Ils croient qu'il existe un seul aspect de la réalité. En général, c'est un aspect morne, épais, décourageant. La réalité est pour ces gens-là un plat de daube froide. Les romanciers vraiment réalistes montrent selon ce que leur sensibilité, leurs élans et leurs craquelures leur indiquent. (Ces craquelures qui donnent leur humanité aux vieilles porcelaines. Vous avez compris que j'emploie ce mot pour éviter celui de « fêlure », par lequel on a traduit le déchirant récit de Fitzgerald, *The Crack-Up* : tant de poseurs se sont vantés de leur *fêlure* que ce n'est plus un mot utilisable en présence de beaucoup.) Nos romans sont des autoportraits de nos mouvements.

Dans un prospectus présentant *L'Envers du paradis* à des libraires, Fitzgerald écrit :

> L'écrire m'a pris trois mois, le concevoir, trois minutes ; récolter la documentation, toute ma vie.

> Ma théorie de l'écriture peut se résumer en une seule phrase : un auteur devrait écrire pour les jeunes de sa génération, les critiques de la suivante et les maîtres d'écoles de toutes les autres.
>
> On Authorship

Charmante vantardise. Vingt-quatre ans, un premier livre : on accède au Monde Fabuleux. C'est Homère, là-bas, qui discute avec Pouchkine ?

Quant à la deuxième phrase, quelques années plus tard, s'étant rendu compte que la sociologie est la chance immédiate des romanciers et leur malédiction subséquente, parce que, entendu de sa génération, on est dédaigné des autres, qui se demandent ce que sont ces chevrotants rabâchages, Fitzgerald aurait sans doute précisé qu'on n'écrit pour personne, et que c'est ce qui nous permet de nous faire entendre de quelques-uns.

LISTE DE BRÈVES DÉFINITIONS

Roland Barthes, ce plaisir des gourmés.

Charles Baudelaire, cet enfant de vieux de la littérature française.

Gustave Flaubert, ce docile à bougonnements.

Maurice Sachs, ce Dumas pimenté.

Stendhal, qui fait l'effet d'une ortie aux maîtres chanteurs.

Tolstoï, ce Rousseau sans fatuité.

Le côté Léonard de Vinci de Paul Valéry.

Le côté Flaubert de Léonard de Vinci.

Voltaire, ce lourd qui a l'air léger.

Zola, cette truffe frémissante de labrador.

Les vers de Mallarmé, ces hiéroglyphes détachés d'un mur égyptien.

Enfance de Nivasio Dolcemare, cet *Amarcord* cérébral. (Oui, c'est ça, le livre d'Alberto Savinio et le film de Fellini sur son enfance.)

Ferragus, ce marais à pics.

La Berma, qui meurt comme le père Goriot. Vieille, malade, elle se remet à son grand rôle de Phèdre pour pouvoir donner de l'argent à sa fille ; le père Goriot, qui a donné presque tous ses biens aux siennes et permis leur beau mariage, meurt en apprenant qu'elles sont aux abois ; elles n'assistent pas à l'enterrement.

Le roi Lear, ce père Goriot projeté dans *Le roi se meurt*.

Le narrateur d'*À la recherche du temps perdu*, cet Oblomov qui, à la fin, deviendrait Gontcharov. Oblomov, vous vous en souvenez, est le personnage de paresseux dont Gontcharov a écrit les aventures. Le narrateur d'*À la recherche du temps perdu* passe son temps à nous dire qu'il va écrire un roman ; à la fin, il est écrit.

LISTE DE TROIS ANNÉES
(1599, 1925, 1957)

1599

« Il écrit trop », entend-on souvent dire des écrivains. Quand ils sont bons, ne devrait-on pas dire : « Il écrit trop peu » ? Vous ne reprendriez pas du Shakespeare, du Proust, du Tolstoï ? Qui peut savoir ce que gardera la postérité, c'est-à-dire nous avec d'autres passions ? Elle s'approvisionne dans le supermarché que nous lui laissons ; un jour ou l'autre, lassés de toujours acheter la même conserve en tête de gondole, elle va fouiller à l'arrière des rayonnages ; Voltaire est aimé pour ses contes qui l'avait été pour ses tragédies. Il n'est donc pas mal avisé de laisser des inédits qui ne ressemblent pas à ce qu'on a publié. Vous verrez mes surprises, une fois mort ! À moi le coup du *Journal inutile* de Morand, ou Barthes retourné politiquement et devenu antimoderne après avoir été pro et reprenant pour quinze ans de notoriété ! C'est une tendance, depuis quelques années. En 2008 a paru un essai de Paul Veyne sur Michel Foucault qui tentait d'adapter ce philosophe à une mode intellectuelle inversée ; car réactionnaires sont les temps, et réactionnaires doivent avoir été les penseurs que l'on veut sauver, de même que les églises sauvées après la Révolution l'ont été parce qu'elles ont été transformées en casernes. Eh bien, ce révisionnisme ne me choque pas. Les grandes intelligences ne doivent pas être jetées en fonction des modes. Shakespeare, dans la seule année 1599, donne quatre pièces, et pas les plus mauvaises : *Jules César*, *Henry V*, *Comme il vous plaira* et la première version de *Hamlet*. « Il écrit trop », disaient les jaloux, évitant de prononcer le « bien » qui concluait réellement leur pensée. « Il écrit trop bien » est parfois la vraie phrase.

1925

Année de la publication du *Gatsby le Magnifique* de Scott Fitzgerald ; du *Manhattan Transfer* de John Dos Passos ; de *La casa ispirata* d'Alberto Savinio ; des *Pénitents en maillots roses* de Max Jacob ; de *L'Or* de Blaise Cendrars ; du *Mystère de Jean l'Oiseleur* de Jean Cocteau ; des *Faux-Monnayeurs* d'André Gide ; de l'*Albertine disparue* de Proust (posthume). Il y a des années comme ça où l'art semble narguer la mort. C'est sa fonction et parfois son momentané triomphe.

1957

Mort d'Umberto Saba, de Curzio Malaparte, de Giuseppe Tomasi di Lampedusa et de Leo Longanesi. L'Italie a dû se sentir accablée, en 1957. La France fut elle aussi attaquée, sur son aile droite : mort de Sacha Guitry et de Valery Larbaud. Il y a des années comme ça où la mort semble s'acharner sur son vieil et frêle et indestructible ennemi.

En Italie, le plus célèbre et d'ailleurs le moins artiste des quatre, Malaparte, a fait le plus de bruit. Longanesi est le fondateur de la maison d'édition du même nom, écrivain parfois amer, souvent étroit, presque toujours intéressant, qui, dans *Una vita*, son meilleur livre, roman formé d'une série de phrases illustrées par des dessins de lui, fait cette remarque avisée :

La tradition était un fruit de l'indolence.

Saba est mort dans un chuchotement qui ressemblait à son roman *Ernesto*, et Lampedusa dans l'ignorance totale du public, *Le Guépard* n'ayant pas encore été publié, et l'espèce de crainte du milieu littéraire qui connaissait l'existence du manuscrit de voir un fantôme se dresser de façon posthume contre lui.

LISTE DE LIVRES QUE JE SAUVERAIS DU FEU

Adieu à Berlin, Christopher Isherwood.
À la recherche du temps perdu, Marcel Proust.
Aurore, Friedrich Nietzsche.
Autobiographie de tout le monde, Gertrude Stein.
A Bunch of Keys, Mutsuo Takahashi.
Le Cabinet noir, Max Jacob.
La Chatte sur un toit brûlant, Tennessee Williams.
Discours du grand sommeil, Jean Cocteau.
Diverses amours, Philippe Desportes.
Ego scriptor, Paul Valéry.
The English Auden, W.H. Auden.
Entretiens, Confucius.
Fermina Márquez, Valery Larbaud.
Fin de partie, Samuel Beckett.
Gatsby le Magnifique, Francis Scott Fitzgerald.
Le Guépard, Giuseppe Tomasi di Lampedusa.
Henry IV, première et deuxième parties, William Shakespeare.
Howl, Allen Ginsberg.
L'Importance d'être Constant, Oscar Wilde.
Jésus-la-Caille, Francis Carco.
Lettres, Sénèque.
The Man with Night Sweats, Thom Gunn.
La Marche de Radetzky, Joseph Roth.
The Maximus Poems, Charles Olson.
Mon amie Nane, Paul-Jean Toulet.
Moralités légendaires, Jules Laforgue.
Notre-Dame des Fleurs, Jean Genet.

Œdipe à Colone, Sophocle.
On ne badine pas avec l'amour, Alfred de Musset.
Les Pâques à New York, Blaise Cendrars.
Pensées, Charles de Montesquieu.
Pensées, Blaise Pascal.
Petersbourg, Alexandre Biély.
Phèdre, Platon.
Phèdre, Jean Racine.
Poèmes, Catulle.
Poèmes d'Álvaro de Campos, Fernando Pessoa.
Poésies, Stéphane Mallarmé.
Romancero gitan, Federico Garcia Lorca.
Romances sans paroles, Paul Verlaine.
Le Sabbat, Maurice Sachs.
Satiricon, Pétrone.
Selected Poems, Frank O'Hara.
Le Siècle de Louis XIV, Voltaire.
Tableaux de voyages en Italie, Henri Heine.
Une saison en enfer, Arthur Rimbaud.
United States, Gore Vidal.
Vie de Henry Brulard, Stendhal.
Vies parallèles, Plutarque.
Ville, j'écoute ton cœur, Alberto Savinio.
La Vraie Vie de Sebastian Knight, Vladimir Nabokov.

J'aurais le temps d'être brûlé.

LISTE DU JOUR OÙ CERTAINS ÉCRIVAINS SONT MORTS

Le jour où Louis Aragon est mort, j'ai été indigné. Je l'aimais beaucoup, après l'avoir méprisé, et il disparaissait le même jour que Maurice Biraud, l'acteur comique, dont on parlait bien davantage, en particulier les gens chez qui je me trouvais en vacances. « Les cons ! » J'égarai le bout de papier où j'avais éprouvé le besoin de le démontrer. Ah ! ils durent savoir ce que je pensais d'eux. Je n'aime à nouveau plus Aragon, mais j'espère avoir gardé assez de jeunesse pour m'indigner intérieurement de ce qu'on célèbre plus les péto-manes que les transmetteurs de l'esprit.

Le jour où Prosper Mérimée est mort, avec un petit « ploc » de bois flotté, à Cannes, l'impératrice Eugénie, aux Tuileries, a eu un mouvement de contrariété. Quelle insolence ont les courtisans de déranger l'ordonnancement d'une vie de manège qui n'est supportable que par la répétition exacte de ses rites !

Le jour où Bernard Frank est mort, j'ai été surpris. Je le croyais immortel, puisque je l'aimais.

Le jour où Sebastian Knight est mort a commencé l'enquête de son frère qui m'a tellement enthousiasmé les deux fois où je l'ai lue.

Le jour où Jean de La Ville de Mirmont est mort, le 28 novembre 1914, l'armée allemande aurait dû être aussi conspuée que pour le bombardement de la cathédrale de Reims ou que... mais enfin, un jeune écrivain prometteur, ça ne dit rien à personne.

Le jour où Christopher Marlowe est mort, le voyou qui l'avait poignardé n'a pas été plus gêné que ça. Un grand écrivain qui n'est pas célèbre ou pompeux n'impressionne pas plus que ça.

Le jour où Françoise Sagan est morte, je me suis rappelé un autre jour où elle avait été hospitalisée. Je déjeunais chez Lipp avec une journaliste qui est arrivée en retard. « J'ai fini sa nécro. Tout est prêt. » Sagan, qui par bien des côtés avait ressemblé à Musset, est morte comme lui : droguée comme il avait été alcoolique, rêvant avec politesse d'un passé *charmant*. Le jour de leur mort, beaucoup ont dit : quel gâchis ! Si on veut. Ils avaient écrit de bons livres. *Les Caprices de Marianne*, dites. Ou *Château en Suède*. La mort de Sagan m'a fait remarquer qu'il faut souvent qu'un écrivain français soit mort pour obtenir les honneurs de *Libération*. C'est un journal qui, semble-t-il, s'imagine que la littérature de son pays lui fait concurrence.

Le jour où Jacques Derrida est mort, je ne sais plus quel journal anglo-saxon a intitulé sa notice nécrologique : « Jacques Derrida, penseur abstrus, meurt. » C'était exact, et con. Ce n'est pas à un journal de décider de choses pareilles.

Le jour où Ymbert Gallois est mort, il a germé dans la tête de Victor Hugo un de ses plus beaux écrits, qu'il a recueilli dans *Littérature et philosophie mêlées*. Il y montre le destin d'un jeune écrivain de valeur mais sans dureté, l'un des nombreux jeunes ambitieux tués par les capitales. Un jeune provincial qui a réussi à Paris est plus héroïque que les autres. Toutes les ignorances qu'il doit surmonter, les siennes !

Le jour où Pasolini est mort s'est tristement réalisée une remarque antérieure d'Ennio Flaiano : « Il veut mourir en odeur de publicité. »

Le jour où Jacques Laurent est mort, quelques personnes ont su qu'il s'était suicidé. Je ne crois pas que ce soit une atteinte à sa mémoire de le dire. Le vitalisme et la religion ont repris tant de force qu'on dirait que le suicide est un acte sale.

Le jour où Oscar Wilde, Francis Scott Fitzgerald et Truman Capote sont morts, ils étaient morts avant. Ils avaient survécu à leur génie.

Le jour où Max Jacob est mort est un jour de grande honte.

Tout habitué que j'y sois, la mort reste pour moi un scandale.

LISTE DE RICOCHETS DE TOMBES

Tombe de Mérimée à Cannes

À quoi servent les vacances, sinon à rendre visite aux vieux amis ? Le cimetière du Grand Jas (*Jass*) se trouve sur les hauteurs de Cannes, et c'est un autre festival : y repose, enfin, la gentille Martine Carol, et des peintres qui méritent l'oubli où ils se décomposent, comme Jean-Gabriel Domergue. Mérimée se trouve dans la partie latérale qu'on appelle « cimetière protestant » et qui porterait plus exactement le nom d'*acatolico*, comme le cimetière de la porte San Paolo à Rome : des protestants il y a, mais aussi des orthodoxes, et un parfait athée qui est lui.

La tombe se compose d'une dalle de marbre au niveau du sol et d'une stèle en chapeau vietnamien qu'orne un médaillon, ni beau ni laid, de ce Prosper « né à Paris le 25 septembre 1803, décédé à Cannes le 23 septembre 1870 ». Il a été tué par la défaite, par la chute, non de Napoléon III, mais d'Eugénie, la fille de sa plus vieille amie, la comtesse de Montijo. Frances Lagden s'est fait inscrire sur la dalle. Elle est *born 1796* et *ob. 1879*. Cette Frances ou Fanny était une vieille amie de la famille Mérimée devenue la gouvernante de Prosper qui a passé auprès d'elle sa fin de vie de chat. Elle lui succède dans sa correspondance générale par quelques lettres en anglais où elle prévient tel ou tel ami de sa mort : « Prosper a toujours souhaité être enterré à Cannes s'il y mourait, et comme protestant ; il sera fait selon son désir. » On y trouve aussi cette triste phrase : « Nous étions à Cannes sans un ami. »

Le voilà, ce bon écrivain, avec Miss Lagden, entre la veuve d'un major de l'armée de Bombay et une autre veuve anglaise, recouvert d'une Anglaise, côtoyé d'Anglaises, envahi d'Anglaises, dans une allée descendante d'où l'on voit une vallée de pins parasols et un immeuble 1975, ocre, à toiles de tente jaunes. Sur la dalle, deux plaques. L'une de « la ville de Cannes et la Société culturelle méditerranéenne » pour le centenaire de sa mort. L'autre, étrange. C'est une de ces vilaines plaques qui figurent un livre ouvert. Page de gauche : « Le pardon et l'amour » ; page de droite : « de Georges Sand ». Sand faisant déposer une plaque sur la tombe de Mérimée ? D'ailleurs, le marbre est beaucoup moins corrompu que la plaque de 1970, et la dorure fraîche. Et la faute d'orthographe à George. Qui a fait cela ?

Tombe de Gourmont au Père-Lachaise

Elle n'est pas loin de la tombe de Hanneman, le fondateur de l'homéopathie, qui s'est prescrit un monument énorme. Gourmont est enterré avec Berthe de Courrière, sa protectrice et peut-être maîtresse, et le sculpteur Clésinger avec qui elle avait vécu. Cela pourrait donner lieu à une autre liste, celle des tombes à trois, où l'on trouverait aussi Giuseppe Verdi enterré à Milan avec Margherita Barezzi et Giuseppina Strepponi.

Tombe de Yeats

Sligo, en Irlande, est la ville natale de Yeats. Une statue de lui se dresse devant la banque d'Ulster, de laquelle il a dit, lors de son discours de réception du prix Nobel de littérature, que le palais royal lui ressemblait (le roi de Suède mordit ses gants). Il ressemble à une coccinelle noire prête à ouvrir ses élytres, laissant pendre ses longues jambes dans un pantalon à pattes d'éléphant façon disco 1977. Il est enterré à quelques kilomètres de là, dans le cimetière du temple protestant de Drumcliff, sous une dalle portant les vers : *« Cast a cold eye / On life, on death. / Horseman, pass by ! »* (« Jette un œil froid / Sur la vie, sur la mort. / Cavalier, passe ton chemin ! »), avec la simplicité qu'ont souvent les célébrissimes, non, non, nous n'avons fait que passer, pardon, chut, rien. Tout de même, le point d'exclamation est bruyant. Il ne faut à mon sens aucune ponctuation sur les tombes. La mort est un autre rythme.

La meilleure pierre tombale est le livre de classe où l'écrivain est déclaré génie. Elle pèse sur l'écolier, qui de sa vie ne le lira plus.

Yeats est la meilleure reconversion de dandy que je connaisse. Sachant sans doute que ces gens-là finissent dans la misère, il s'est emparé de l'idée celte et s'est inventé barde, prophète de son pays, écrivain sérieux. Il est mort en France, au Cap-Martin, ce que je trouve bien anglais, pour un Irlandais ; vous vous rappelez tous ces vieux lémuriens à la Somerset Maugham réchauffant leurs increvables peaux blêmes de Nordiques aux bords de la Méditerranée ? Il est difficile d'être réellement « simple » lorsqu'on a été tant soit peu connu, car le public trouve qu'on ne l'est jamais assez. Il est déjà bien insupportable qu'il y ait ce talent. On doit l'expier. En se prosternant. Toujours l'humilité. L'humilité, c'est pour humilier. La femme de Yeats, morte après lui, a été mise à côté, comme pour ne pas le gêner, sous une dalle à même le sol, plus bas. La femme d'un génie.

*Tombe de William Allingham à Ballyshannon
et derniers moments du cardinal Lustiger*

William Allingham (1829-1889). À part ce que je vais en dire je n'ai rien lu de lui, je ne pense pas qu'en Irlande il en aille très différemment, et, au fin fond des Enfers (chambre à partager, animation permanente, éternité en pension complète), plus d'un vieux corps bruni comme une caille trop cuite doit hocher le crâne de stupéfaction, à voir son nom imprimé. Sa tombe, au cimetière de l'église Sainte-Anne, à Ballyshannon, en Irlande, porte en tout et pour tout le mot :

POET.

Modestie qui rappelle Mgr Lustiger. En juin 2007, la presse a rapporté avec admiration l'ultime visite qu'il venait de faire à

537

l'Académie française. Alors que, le génial Max Gallo venant d'être élu, les académiciens discutaient, arrive, poussé dans une chaise roulante, le cardinal-archevêque de Paris : « Je ne vous verrai plus, et je suis venu vous saluer. » Et l'un puis l'autre de s'approcher, de lui dire un mot, chuchotant, pénétré. Ça a été jugé stoïcien, romain, chrétien, sublime. Moi, je trouve que c'est du cabotinage. Les vaniteux trouvent qu'il y a de quoi se vanter de sa mort.

Tombe de Keats à Rome

J'y suis allé, très jeune, m'y recueillir. Wilde ayant parlé de cette tombe dans un article, je saluais l'un en me penchant sur l'autre. Je fais souvent les choses sur recommandation. Si des gens qui me touchent ont aimé une chose, il y a des chances qu'elle me touche aussi. Appelons cette méthode du débroussaillage sentimental. Fantômes, mes bénévolentes amours ! Le cimetière *acatolico* de Rome a beaucoup pour me plaire : la discrétion et la tenue anglaises, pelouse de golf et stèles de marbre blanc rappelant les églises désossées par Henry VIII dans la campagne anglaise, et la Rome antique représentée par la pyramide de Celsius qui le jouxte. Ruines, ruines, mes frères abandonnés, moi un jour. Easby Abbey, tiens. Alors qu'on ne voit rien de la route, dans le Yorkshire tout en collines, apparaît, par surprise, une carcasse de pierre. Haute, déchirée, avec, au fond, une rosace en plein ciel. C'est magnifique et douloureux. Quelle plaie ces carcasses d'animaux historiques laissent-elles dans l'histoire d'un pays? La Révolution française a été plus maligne en ne laissant pas une pierre debout des églises et des châteaux qu'elle détruisit : aucune trace de la brutalité. C'est ainsi que les écrivains ne disent jamais un mot de leurs vrais ennemis. Et puis Shelley et surtout Keats, adorable poète, blessé comme un oiseau qui palpiterait encore entre nos mains de rustres ! Et, comme tout ce que nous aimons est lié l'un à l'autre par un saute-mouton invisible, après Wilde je croise Scott Fitzgerald, qui a pris le titre de *Tendre est la nuit* à l'« Ode à un rossignol » de Keats :

> Away ! away ! for I will fly to thee,
>   Not charioted by Bacchus and his pards,
>   But on the viewless wings of Poesy,

538

Though the dull brain perplexes and retards :
Already with thee ! tender is the night,
And haply the Queen-Moon is on her throne [...] [1]

— ce poème contenant un vers sarcastique et tendre qui est le romantisme même :

I have been half in love with easeful Death,

soit, en alexandrin : je fus presque amoureux de la mort apaisante, ou, dans une cascade d'hiatus qui n'est peut-être pas si mal : j'ai été à demi amoureux de la mort apaisante.

Tombe de Pauline de Beaumont à Saint-Louis des Français

Chateaubriand a fait graver sur la tombe de Pauline de Beaumont à Rome : « Après avoir vu périr sa famille [...], Pauline de Montmorin [...] est venue mourir sur cette terre étrangère. F.A. de Chateaubriand a élevé ce monument à sa mémoire. » Il ajoute à un manque de tact pour l'Italie (« cette terre étrangère »), qui peut néanmoins se comprendre par l'époque, une simplicité de nouveau riche qui fait savoir qu'il a accompli une bonne action, comme les milliardaires américains qui donnent des tableaux à des musées à condition que cela se sache.

Tombe de Gilbert
et remarque de Toulet

Au banquet de la vie, infortuné convive,
J'apparus un jour, et je meurs :
Je meurs, et sur ma tombe où lentement j'arrive,
Nul ne viendra verser des pleurs.

---

1. « Loin ! loin ! car je volerai vers toi, / Non pas traîné par Bacchus et ses léopards, / Mais sur les ailes invisibles de la Poésie, / Malgré les obstacles et les retards de l'ennuyeuse pensée : / Je suis déjà avec toi ! tendre est la nuit, / Et peut-être la Reine Lune est-elle sur son trône [...] »

écrit Gilbert dans l'« Ode imitée de plusieurs psaumes ». C'est à son sujet que Paul-Jean Toulet a écrit :

> Si vivre est un devoir, quand je l'aurai bâclé,
> Que mon linceul au moins me serve de mystère.
> Il faut savoir mourir, Faustine et puis se taire :
> Mourir comme Gilbert en avalant sa clef.

Gilbert passe pour s'être étouffé après avoir avalé une clef dans un moment de folie consécutif à un accident de cheval. En réalité, après une chute, il a été trépané et est mort. Son meilleur vers, et même un beau vers, est : « Qui semble malheureux à nos yeux est coupable. » Son drame est qu'il avait moins de talent que ses ennemis. C'était un geignard opposé aux Lumières qui a craché des amertumes dans un poème pamphlétaire intitulé *Le Dix-Huitième Siècle* et s'est plaint ensuite qu'on ne l'aimait pas. Il y a à Paris quelques critiques de ce style, qui sanglotent d'être incompris après qu'il ont vomi sur vous.

Tombe de Truman Capote

Comme je vérifiais la date de la mort de l'acteur Jack Lemmon, apparut sur Internet le site du cimetière où il est enterré, le Pierce Brothers Memorial Park, à Los Angeles ; Elizabeth Montgomery, dont j'avais oublié qu'elle fût morte, y a été incinérée. C'est l'interprète de *Ma sorcière bien-aimée*, vous vous rappelez, anciens enfants ? Endora, la belle-mère piailleuse et peinte comme un perroquet, était ma préférée. Les peaux de vache (*bitches* ; elles ont la dent dure parce que la bête est féroce). Dans *Sex and The City*, Samantha Jones, celle qui se fait sauter par un homme après l'autre et dit des horreurs sur les enfants. Dans *Desperate Housewives*, Edie Britt, sur le même modèle, encore que sa pauvreté en vacheries me fasse pencher pour Bree Van de Kamp, la rousse psychorigide. Dans *Rome*, Attia, la nièce de César, mère d'Octave, maîtresse d'Antoine, cajoleuse, dure et résolue. Endora, cabrée, verte, avec un œil scandalisé de perroquet, était jouée par Agnes Moorehead. Au Pierce Brothers Memorial Park, dans le quartier de Westwood, se trouvent aussi les dépouilles de Marilyn Monroe, de son camarade Truman Capote (avide de show-business jusque dans la mort, Truman) et de Natalie Wood. *« She was not water-friendly »*, dit, dans un documentaire, le responsable de la capitainerie de Catalina où elle s'est noyée, ce qui est une curieuse expression pour une femme qui, également, buvait. J'y suis allé, dans ce « mémorial », à peine un cimetière, en effet, et tant mieux. Les cimetières sont si souvent le dernier refuge de la vanité ! Ici, de simples plaques couchées sur la pelouse d'un jardin arboré qu'entourent quelques murs. Elles sont petites et ne portent généralement que le nom du défunt et ses dates. Pas de mention de religion, pas de formule de regret. Truman Capote et Marilyn Monroe se trouvent dans les murs des incinérés. Qui avait mis des fleurs dans le vase de Capote ? Quelqu'un garderait du sentiment pour cette petite grenouille acide sur la mémoire de qui je me suis recueilli ? Monroe avait fleurs, piécettes, une plume de paon et, au pochoir sur le marbre, trois petites lèvres roses. Le mémorial n'est pas facile à trouver, rien n'est fait pour le tourisme à Los Angeles, qui en cela ressemble à Téhéran, et peut-être pour la même raison : on sait gagner de l'argent autrement. Il est dissimulé derrière les parkings de grandes tours glaciales telles que le film *Collateral* les a si bien montrées, entre Wilshire Avenue et une rue à cottages. Saugrenu, dirait-on si le saugrenu ne cessait de l'être à Los Angeles, où il est le naturel. J'y pense, Natalie Wood était née Natalia Zakharenko, Marilyn Monroe Norma Jeane Baker et Truman Capote, devenu, après adoption, Truman García Capote, était né Truman Streckfus Persons. Ils portent ici le nom de la personne qu'ils ont créée, tenté de créer, contre le passé.

Cimetière de Carrowmore

Il y a, à Carrowmore, près de Sligo, un cimetière mégalithique : des cailloux en rond.

Nous avons été cela.

Ce déchirant appel d'il y a quatre mille ans.

Les cimetières essaient de crier. On les couvre de plaques de marbre pour les faire taire.

Tant mieux, peut-être : ils nous tueraient.

Ma tombe

Je suis le dernier de ma race. Quand je serai mort, il n'y aura plus personne pour entretenir les tombes de ma famille, qui trente ans après seront fendues. Sur la mienne, voudrez-vous bien inscrire, comme épitaphe : « *Un taxi m'attend* » ?

Personnages

LISTE DE *GATSBY LE MAGNIFIQUE*

J'ai découvert ce livre assez jeune, vers seize ans, dirais-je. Quelque chose de romantique en lui m'a probablement touché. Je dis « probablement » parce que je ne suis pas sûr des sentiments que j'ai éprouvés à ce moment-là, et je ne voudrais pas calomnier l'adolescent que j'ai été. En tout cas, ce romantisme n'existe pas. Si je l'ai cru, c'est que *Gatsby*, comme toute l'œuvre de Fitzgerald, est enrobé d'une crème de légende : Fitzgerald et son charme, cette folle de Zelda, la gaieté des années 20, etc. Adolescent, on a du mal à distinguer les écrivains de la littérature. Et c'est naturel : les premiers constituent la porte d'entrée dans le monde merveilleux de la seconde. La grande majorité des lecteurs confond Fitzgerald et ses personnages, ce qui le dessert fortement, car on le croit, à leur image, futile et velléitaire. On ne pense pas à ce qu'il faut de sérieux et de courage pour écrire un livre.

Les détracteurs de Fitzgerald, encore objet d'attaques de la part de certains critiques français, lui reprochent son rapport à l'argent. Ils répètent sans l'avoir vérifié un jugement de Hemingway, lequel l'a traité avec mépris pour la phrase de *Gatsby* sur « les riches qui ne sont pas comme nous ». C'est une grande injustice : s'il (ou si le narrateur) les juge différents, cela ne veut pas dire supérieurs, loin de là. L'argent, dit-il, le grand argent, l'excès d'argent, rend les riches cruels. Ils jouent avec les autres et, une fois qu'ils ne les amusent plus, les abandonnent, se réfugiant dans le confort de leur fortune. C'est le cas des Buchanan dans *Gatsby*, Daisy en particulier, de la voix de qui le mystère est révélé à la fin : elle était « pleine d'argent. » Et Nick Carraway, le narrateur, ne l'entend pas comme un compliment.

Hemingway s'est très mal comporté envers Fitzgerald, qui avait toujours été bien avec lui, lui ayant par exemple trouvé son premier éditeur. Un des rares à s'être bien tenu est Dos Passos (lui aussi trahi par Hemingway), auteur d'un chevaleresque éloge de Fitzgerald à sa mort, alors qu'il était dédaigné et presque oublié.

Si j'ai adoré ce livre adolescent, ce n'est pas un roman pour adolescents. Il est subtil et émouvant. Je prononce le terme « émouvant » avec une certaine gêne, car l'émotion ne devrait sans doute pas compter dans l'amour que l'on porte à un livre. Fitzgerald est un auteur de la fatalité, un romancier naturaliste avec qui les choses se passent et finissent souvent mal, et il se trouve que cette irruption du drame m'émeut parce que, dans ma propre vie, des événements comparables se sont produits. La parenté des expériences est une mauvaise, du moins une incomplète raison d'aimer une œuvre d'art : si *Gatsby le Magnifique* émeut, c'est esthétiquement. L'esthétique est une grande cause d'émotion : un paragraphe savamment amené, une belle phrase, c'est émouvant ; de l'émotion pure, dirais-je si la pureté existait quand l'homme est en jeu.

Dans *Gatsby* (le titre français, soit dit en passant, rend l'idée de flamboyance du titre original, *The Great Gatsby*, mieux que ne l'aurait fait une traduction littérale), Fitzgerald ose affronter le ridicule des grands mots et des grandes notions, alors qu'il lui aurait été facile de rester dans un moralisme élégant. Il en triomphe grâce à un sens incomparable de l'ellipse, cette façon bouleversante de supprimer l'essentiel. Cela lui permet d'atteindre le lyrisme en évitant la niaiserie.

Comme tous les grands romans à l'exception peut-être unique de *Madame Bovary*, *Gatsby* est déséquilibré. Ce que nous appelons un chef-d'œuvre est rarement un modèle de perfection sur le plan architectural. Dans *À la recherche du temps perdu*, Proust raconte une soirée mondaine durant près de cent pages, puis évoque dans une simple incidente une croisière qui a duré un an. Le roman de Fitzgerald procède par révélations successives à propos de Gatsby. Ce n'est pas pour cela que ce personnage cesse d'être un mystère : on n'en sait pas beaucoup plus sur lui à la fin qu'au début. C'est un être que l'on croise, une espèce d'affairiste dont certains disent qu'il a des rapports avec la mafia, chacun a une opinion sur lui : on dit que... il paraît que... vous savez que ?... Gatsby est le fruit de la rumeur et des potins (ces deux mots qui apparaissent quatorze fois dans le roman, à partir du moment où j'ai pensé à les compter). Trop souvent, les romanciers pensent devoir dire « la vérité » sur leurs personnages. Fitzgerald a le grand art de ne pas tout révéler et d'aborder Gatsby par ses contours : on reste à l'extérieur (les situations où il apparaît n'expliquent d'ailleurs pas grand-chose). L'usage du ragot et du potin rappelle fortement Proust ; dans le couple Buchanan, il y a du Basin et de l'Oriane.

Fitzgerald le rejoint aussi dans la mélancolie : le dernier mot de *La Recherche* est « Temps », celui de *Gatsby*, « passé » ; Carraway parle de sa jeunesse (*« my youth »*) comme d'un moment regrettable et lointain, et il n'a que 32 ans. Fitzgerald a lu Proust lors de son séjour à Paris, *Le Temps retrouvé*, sauf erreur, et en dit grand bien, si c'est brièvement, dans sa correspondance. *Gastby le Magnifique* pourrait s'intituler *Du côté de chez Gatsby*, autrement dit : *Vu de loin*.

Ces deux auteurs ont encore en commun d'avoir des narrateurs qui, loin d'être des modèles de rectitude et de perfection morale, font par moments preuve d'indélicatesse. Celui de Proust espionne le baron de Charlus en train de se faire fouetter au bordel ; Carraway passe une après-midi entière avec le mari de sa cousine et la maîtresse dudit mari. Personnages représentatifs de la profonde humanité du roman, qui montre les faiblesses humaines sans les juger.

Je ne veux pas marier à tout prix deux écrivains que j'aime, je constate simplement qu'il y a chez Fitzgerald, libéré peut-être par la lecture de Proust, une attention à des choses auxquelles le roman américain ne s'intéressait pas jusque-là. C'est un perverti par l'Europe, Fitzgerald.

Je connais peu de passages aussi séduisants et aussi artistes à la fois que la liste des invités de Jay Gatsby dans sa maison au bord de la mer au cours de l'été 1922 dans *Gatsby le Magnifique*. Par le simple énoncé des noms, et de quelques anecdotes qui y sont attachées, c'est autant de microromans que Scott Fitzgerald insère dans son histoire, et toute une partie de la vie américaine qu'il évoque, sans peser, là où un romancier « réaliste » aurait pris cinquante pages. On y devine la société mélangée qui va chez ce nouveau riche, des gens du Sud, des juifs de cinéma, un homme en prison trois jours plus tard, et tout cela avec le touchant mauvais goût de Fitzgerald pour les calembours sur les noms de famille. Je l'ai agrandie, encadrée et suspendue chez moi, c'est un des plus beaux passages du livre :

> De East Egg, alors, vinrent les Chester Becker et les Leeche, et un nommé Bunsen que j'avais connu à Yale, et le Dr Webster Civet, qui s'est noyé l'an dernier dans le Maine. Et les Hornbeam et les Willie Voltaire, et tout un clan portant le nom de Blackbuck, qui se rassemblaient toujours dans un coin en levant le nez comme des chèvres vers toute personne qui s'approchait d'eux.
> [...] De plus loin sur l'île vinrent les Cheadles et les O.R.P. Schraeder, et les Stonewall Jackson Abrams de Georgie, et les Fishguard, et les Ripley Snell. Snell se trouvait là trois jours avant son incarcération, tellement saoul dans l'allée de gravier que la voiture de Mme Ulysses Swett lui roula sur la main droite. Les Dancy vinrent, eux aussi, et S.B. Whitebait, qui avait de beaucoup dépassé la soixantaine, et Maurice A. Flink, et les Hammerhead, et Beluga, l'importateur de tabac, avec les filles Beluga.
> De West Egg vinrent les Pole et les Mulready et Cecil Roebuck et Cecil Schioen et Gulick le sénateur et Newton Orchid qui dirigeait les Films Par Excellence, et Eckhaust et Clyde Cohen et Don S. Schwartz (le fils) et Arthur McCarty, ayant tous, d'une façon ou d'une autre, un rapport avec le cinéma. Et les Catlip et les Bemberg et G. Earl Muldoon, frère de ce Muldoon qui plus tard étrangla sa femme. [...]

« Le Dr Webster Civet, qui s'est noyé l'été dernier dans le Maine. » Gatsby meurt par noyade à la fin du livre. Fitzgerald a-t-il voulu en donner un signe, indiquer une fatalité ? Voilà ce qui fait les bons romans : loin de tout révéler d'eux-mêmes la première fois, ils sont remplis de sens qui ne se constatent qu'à la relecture.

Il y a une autre liste à la fin du livre, touchante : l'emploi du temps de Gatsby au début de son adolescence, le 12 septembre 1906 : après l'heure de son lever, de l'étude et du sport, suivent des « résolutions générales » : « Ne plus fumer – Prendre un bain tous les deux jours – Être plus gentil avec les parents... »

LISTE DE PERSONNAGES

(Mon carnet d'adresses)

Dans la vie, il y a les personnes, dans la littérature, il y a les personnages. Ceux-ci ne sont pas moins existants et aussi réels. Les grands lecteurs pensent souvent à eux, les aiment, les adorent et s'en agacent, les chassent et viennent les revoir, car, un jour ou l'autre, ils leur manquent. Ce sont les amis des livres.

ARTHEZ (Daniel d') : rue des Quatre-Vents, Paris. D'Arthez est le double idéal de Balzac, ce qui prouve la modestie du génie. Chaque d'Arthez devrait plutôt vouloir être Balzac. C'est un homme à la rectitude douteuse, qui a tout de même été l'amant de la princesse de Cadignan, au si beau nom. Cette femme à secrets est l'ange pervers né Diane de Maufrigneuse qui, au bout du compte, ne s'est pas si mal tenue envers Victurnien d'Esgrignon, lequel... Ah, Balzac. On part pour dire un mot, il nous oblige à en écrire cinquante. Les livres de d'Arthez devaient être incontestables et ennuyeux.

Présenté par Honoré de Balzac dans Illusions perdues *et* Les Secrets de la princesse de Cadignan.

BRACKNELL (Lady Augusta) : à Londres, W. C'est la tante d'Algernon, qui se fait passer pour Constant. En arrivant chez lui, elle lui parle d'une amie. « Je n'étais pas allée chez elle depuis la mort de son pauvre mari. Jamais je n'ai vu de femme aussi affectée : elle a rajeuni de vingt ans. » Plus tard, à la campagne, elle demande : « Est-ce que cette Mlle Prism est un être féminin à l'aspect répugnant, ayant de près ou de loin à faire avec l'instruction ? » Le Révérend Chasuble lui répond qu'« elle est la plus cultivée des dames, et la respectabilité incarnée ». Lady Bracknell : « C'est de toute évidence la même personne. »

Présentée par Oscar Wilde dans L'Importance d'être Constant.

DEL DONGO (*Angélina-Cornelia-Isota Valserra del Dongo, dite* Gina, *Milan ; a été comtesse Pietranera, Milan, Paris, a.b.s. du marquis del Dongo, château de Grianta, près Côme, Milan ; puis duchesse de Sanseverina-Taxis, Parme, Bologne ; puis comtesse Mosca della Rovere Sorezana, Naples, Vignano, près Casal-Maggiore*). Pendant sa scène au prince Ernest, celui-ci semble se rebiffer : « À la bonne heure, se dit la duchesse, voilà un homme. » Retournée chez elle après son succès, comme ses domestiques l'applaudissent : « La duchesse, qui était déjà dans la pièce voisine, reparut comme une actrice applaudie, fit une petite révérence pleine de grâce à ses gens et leur dit : "Mes amis, je vous remercie." » Elle était délicieuse, cette Gina.

Présentée par Stendhal dans La Chartreuse de Parme.

ÉLISE : à Paris. « Ah ! mon Dieu, obscénité. Je ne sais ce que ce mot veut dire ; mais je le trouve le plus joli du monde. »

Présentée par Molière dans La Critique de l'École des femmes.

EUMOLPE : aux bons soins d'Encolpe, Naples. S'emporte pendant la tempête, sur le bateau : « Laissez-moi terminer ma phrase ! La fin de mon poème est assez pénible ! » Dans son testament, il stipule : « Tous ceux à qui j'ai légué quelque chose ne pourront en prendre possession que s'ils découpent mon cadavre et en mangent un morceau. » Il est poète. Il a deviné les auteurs d'éditions critiques.

Présenté par Pétrone dans le Satiricon.

JACQUES (dit *le Fataliste*) : au service de son maître depuis dix ans ; sur les routes. « *Le maître* : – Est-ce que tu ne ferais pas tout aussi bien de te taire ? *Jacques* : – Peut-être que oui, peut-être que non. »

Présenté par Denis Diderot dans Jacques le Fataliste.

LIOUBOV ANDREEVNA RANEVSKAÏA : villa Lioubov, Menton ; domaine de la Cerisaie, près d'Orel, Russie ; rue de Courcelles, Paris ; route de Louveciennes, Bougival. « Mais pourquoi êtes-vous devenu si laid? Si vieux? » Et : « Que peut-on faire de moi? Je suis tellement sotte. »

Présentée par Anton Tchekhov dans La Cerisaie [1].

LYNDON (Barry) (Redmond Barry, *puis*) : « Barryville », Brady's Town, Irlande; nombreuses adresses d'un régiment anglais en Allemagne (électorat de Hanovre, Cassel); régiment de Bulow, Berlin; hôtel des Trois-Couronnes, Dresde; Capel Street, Dublin; Hill Street, Londres; (ép. Honoria, comtesse de Lyndon :) Berkeley Square, Londres; Hackton Castle, Devonshire; Lyndon Castle, Irlande; prison pour dettes de la Fleet, Londres. « Puisque je purge ma conscience et que je ne suis pas un hypocrite, je peux aussi bien confesser maintenant que je tâchai de déjouer les menées de mes ennemis par un artifice qui n'était peut-être pas strictement justifiable. »

Présenté par William M. Thackeray dans Barry Lyndon.

M : au MI6, 85, Albert Embankment, Vauxhall Cross, Londres. « Dans l'ancien temps, lorsqu'un agent avait fait quelque chose d'aussi gênant, il avait le bon goût de faire défection. Dieu, que la guerre froide me manque ! »

Présentée par Martin Campbell dans Casino Royale.

MARGUERITE (*S.M. la Reine*) : au palais royal. « Espérer, espérer ! Ils n'ont que ça à la bouche et la larme à l'œil. Quelles mœurs ! » Et, le jour où la couronne du roi tombe : « Je vais te la remettre, va. »

Présentée par Eugène Ionesco dans Le roi se meurt.

RICHARD II (*S.M. le Roi*) : palais royal, Londres. « Qu'on ne me parle plus d'espérance ! Causons de tombeaux, de vers et d'épitaphes. »

Présenté par William Shakespeare dans Richard II.

---

1. J'ai su que Lioubov, après la vente de la Cerisaie, s'est établie dans un petit appartement de la rue de Courcelles, pas très loin de la rue Daru et de son église russe; ayant dépensé son argent trop vite, elle a dû s'installer en banlieue, en compagnie de son « sauvage », impotent; des amis lui ont trouvé une chambre à louer dans un pavillon de Bougival. Elle passe plusieurs fois par semaine devant l'ancienne maison de Tourgueniev sans savoir qu'elle a été la sienne. Je ne sais pas si elle a jamais entendu parler de Tourgueniev.

SAINT-LOUP-EN-BRAY (Robert, *marquis de*) : hôtel de Marsantes, Paris ; MDL Saint-Loup, caserne de Doncières ; Tanger, mission au Maroc ; Tansonville. Pour sa façon de poser son chapeau par terre, au pied de sa chaise, quand il arrive quelque part. « À cause de son "chic", de son impertinence de jeune "lion", à cause de son extraordinaire beauté surtout, certains lui trouvaient même un air efféminé [...] » « Mais enfin chez Saint-Loup [...] régnait la plus charmante ouverture d'esprit et de cœur. [...] » « Je regardais Saint-Loup, et je me disais que c'est une jolie chose quand il n'y a pas de disgrâce physique pour servir de vestibule aux grâces intérieures [...] »

Présenté par Marcel Proust dans À la recherche du temps perdu.

SOPRANO (Anthony) : 633, Stag Trail Road, North Caldwell, New Jersey, États-Unis. À la femme de ménage qui rôde pendant qu'il parle à sa femme : « Allez chercher de la poussière ! »

Présenté par David Chase dans Les Soprano.

SOREL (Julien) : scierie Sorel, Verrières, Franche-Comté ; a.b.s. de M. de Rênal, rue de la Colline, Verrières ; *id.*, château de Vergy ; séminaire de Besançon ; hôtel de La Mole, faubourg Saint-Germain, Paris ; prison de Verrières ; prison de Besançon. « Quelle n'était pas ma présomption à Verrières ! je croyais vivre ; je me préparais seulement à la vie ; me voici enfin dans le monde, tel que je le trouverai jusqu'à la fin de mon rôle, entouré de vrais ennemis. »

Présenté par Stendhal dans Le Rouge et le Noir.

Noms

LISTE DE LA GUERRE DES NOMS

Il y a un drame de la chose sans nom et une joie de la chose nommée. La première fois que des noms de militaires du rang tués au front ont été conservés en Angleterre, pendant la guerre des Boers, un rayon de justice s'est posé sur l'humanité. Avant cela, le soldat, la plèbe, retournait à la terre, sans nom. Il n'avait pour ainsi dire pas existé. Il avait *servi*.

Un des avantages des musées d'objets est qu'on y réapprend le sens des mots. Ah oui, un sistre ! C'est cette espèce de balai de table sans fond avec des disques mouvant autour d'axes en fer ! Une mouchette, ces ciseaux à bec pour moucher les chandelles ! Et on y est parfois stupéfait par cette chose déroutante, scandaleuse, inhumaine, intolérable : un objet sans nom. « Cet objet [un cylindre en métal ajouré sur pieds] pourrait être un support d'encensoir, mais il s'agit plutôt d'un trône de calice », dit un cartel du musée copte du Caire. Et on comprend que, un objet sans nom, c'est le début de la fin de la pensée. Une *chose* nous échappe.

Lorsque j'ai entendu pour la première fois le mot « hypocoristique » et qu'on me l'a expliqué (c'était mon cousin Rolf, qui prenait malice à employer des mots compliqués devant l'enfant que j'étais pour exciter sa curiosité et le conduire à demander leur sens, un socratique, ce Rolf), un monde s'est éclairé devant moi. Ainsi donc, cette façon gnagna de parler, de dire « un petit café », « un petit dessert », a été désignée, et donc circonscrite ? J'ai mieux vu une chose qui n'était pour moi que vague, à peine existante, puisque ces multiples manifestations n'étaient pas rassemblées dans un nom ;

grâce à sa définition, elle cessait d'être dissimulée à mon esprit, celui-ci gagnait du temps, ne serait-ce que parce qu'il disposait d'un mot pour dire quelque chose que jusque-là il lui en fallait cinquante pour le désigner.

Dans le *Cratyle* (*Sur la justesse des noms*), Socrate, c'est Brichot! Comme le pédant d'*À la recherche du temps perdu*, il idolâtre les étymologies, et d'autant plus qu'elles sont ineptes. Il y en a à chaque page. Les dieux sont nommés *théoï* à cause de leur faculté naturelle de courir (*théô*) ; mais à cause de quoi courir est-il dit *θέω* ? Et les langues étrangères ? Et quel est ce législateur qui décide des meilleurs noms ? Le dialecticien, c'est-à-dire Socrate : mais il oublie les philologues, qui n'existaient pas mais dont il aurait pu imaginer la fonction, et les artistes. Et quel est « le moyen qu'ont naturellement les choses d'êtres nommées »? On est en pleine magie.

Il existe des noms mal appropriés. La portion du visage située entre la base du nez et la lèvre supérieure porte celui de philtrum, probablement parce que c'est un repli en forme de gouttière. Or, ce mot est généralement inconnu. Il faut qu'on nous l'apprenne pour que nous le sachions, puis nous l'oublions. Son utilité est combattue par son pédantisme. C'est du vocabulaire spécialisé, duquel l'emploi est gênant. On a l'air de vouloir se vanter. On a tort. Ce n'est qu'en portant un vêtement qu'il s'assouplit.

Lors de l'exposition Klimt à la Neue Galerie de New York, au printemps 2008, les dessins des femmes se masturbant, et il n'y avait aucune hypocrisie de l'auteur, on voyait les cuisses ouvertes, les doigts dans les vagins et les yeux révulsés, portaient des titres qui ne disaient pas cela, mais, entre autres : « Femme couchée aux cuisses écartées. » Exemple de ce que les mots servent souvent à *cacher* la chose.

Les Arabes ont une interjection qui n'existe dans aucune autre langue que je connais, évidemment pas le français et l'anglais, langues de peuples sur leur quant-à-soi, mais pas davantage l'italien, langue d'un peuple pourtant spontané : « *Yi yi yi.* » « "*Yi yi yi*" c'est quand on est content, ça ne veut rien dire au juste », m'explique une Libanaise. Délicieux : des mots qui ne veulent rien dire que le plaisir.

Dans un article rappelant les émeutes de 2005, *Time Magazine* emploie le mot « banlieue » sans traduire : « *... the Parisian banlieue of Choisy-le-Roy* » (novembre 2006). Le bruit impose le nom.

Quand, au début d'*Ernesto*, le roman d'Umberto Saba (posth., 1975), l'ouvrier aborde Ernesto et lui dit qu'il est beau, Ernesto ne se choque pas plus que ça. Chaque mot a sa charge émotionnelle selon les pays. Le mot beau en est un. Plus on va vers le Nord, plus il devient scandaleux. *« Bello »*, en Italie, se dit à propos de beaucoup de choses. Il bondit comme un ballon dans les conversations les plus courantes. *« Che bello ! »* ou même, tout seul, comme ça, *« bello ! »* Un homme peut le dire à un autre sans la moindre ambiguïté (quoiqu'elle se trouve dans le roman de Saba). Le mot beau est aussi banal en italien que la beauté en Italie. En France, on n'est pas très loin de cela, du moins dans la France du Midi, jusqu'à Lyon (exclu) d'un côté et Bordeaux (inclus) de l'autre. Pour l'Angleterre, je me souviendrai longtemps de ce professeur d'Oxford balbutiant de gêne après l'abord d'une de ses étudiantes françaises de première année lors d'une soirée de gala : *« You are beautiful tonight ! »* Il se voyait tout nu. Le fort usage use, et un mot a moins de force d'évocation s'il est plus employé.

Les symboles au dos des livres de poche en déterminent le prix. Chez Folio on dit « catégorie », au Livre de Poche « LP », dans l'ensemble on ne dit rien et cela fait des empêtrements de conversation : « C'est combien de... trucs, ce poche ? » demande le client. « Trois mchmm... Cinq euros », répond la caissière. La guerre du commerce empêche l'unification des noms.

On accorde aux mots quand on les emploie une valeur, une seule, positive ou négative. Ainsi, « amour ». Il est convenu que c'est positif, l'amour, mieux que cela même, bénéfique. Or, ses maléfices sont connus, qu'il s'agisse d'amour reçu ou d'amour donné : on peut aimer des êtres bas, on peut porter un amour néfaste. Ça ne fait rien. La coutume ordonne, cette ennemie de toute raison et donc de tout bonheur.

Souvent mot est trace d'un vieil amour. Nous-mêmes l'avons parfois oublié, mais telle expression banale que j'emploie banalement, je l'ai prise à une certaine personne que j'adorais, jadis.

Prendre le vocabulaire d'une personne est un moyen de la toucher. C'est comme si je portais un vieux pull à elle. De temps à autre, le souvenir m'en revient, et je suis heureux.

Ne prenez pas un amoureux étranger. S'il vous quitte, chaque fois que vous entendrez sa langue, par surprise, vous recevrez un coup au cœur. Un compatriote est moins malfaisant, à cause de la neutralité de la langue commune, qu'on ne remarque pas plus qu'une brise. Une langue maternelle, c'est du vent. Elle permet d'éviter d'éprouver en permanence : on en mourrait d'épuisement.

Les mots font mal sans le savoir. Je lève la tête dans le métro qui ralentit : « Bolivar. » Et aussitôt le souvenir qui remonte me poignarde d'un être que j'ai adoré, natif de la « République bolivarienne du Venezuela ». Les mots les plus simples, neutres comme des cubes que l'on tourne et que l'on retourne pour les commodités de notre communication, il suffit qu'un jour une personne ou un événement les ait effleurés pour qu'ils s'équipent d'une lame prête à nous déchirer.

Le drame du fils de Napoléon, cet enfant si pâle, si maladif, Traviata expiant les péchés d'un autre, est d'avoir été un enfant sans nom. Roi de Rome, duc de Parme, duc de Reichstadt, on a changé trois fois son titre, l'appelant même, dans plusieurs documents officiels, « le fils de Marie-Louise ». C'était réellement l'innommable. L'Aiglon, la pièce de Rostand, lui a donné un surnom, mais ce n'était qu'un pittoresque pour vieux adjudants larmoyants, et il a parachevé son destin de poupée. Cet être qui, restant dans l'indistinct des noms mouvants, n'a jamais réussi à devenir un homme, semble maudit.

Sébastien Castella, Biterrois, est si bon que même la presse espagnole le loue. La presse espagnole louant un torero étranger, c'est comme un Italien disant du bien d'un pape allemand. En Espagne, il se fait appeler Sebastian Castella, avec prononciation du « ll » mouillé. Progrès par rapport aux Français qui prenaient des noms entièrement hispanisés, comme Nimeño II, né Christian Mont-couquiol. Lorsqu'un être, un acte ou un fait controversés peuvent avoir leur nom, ils sont tolérés et peut-être même un peu plus.

Le danger des noms propres, c'est le sentiment qui y végète. Nous sommes peuplés de noms et à la fin ça sent le moisi. Pour moi, mettons, Biriatou, Nanette, ce nœud de souvenirs en vipères.

Un nom propre, et c'est aussitôt dans notre tête un contour, une possibilité d'incarnation. Quand, dans la *Vie d'Antoine*, Plutarque écrit : « des citharèdes comme Anaxénor, des flûtistes de chœur comme Xouthos, un danseur comme Métrodore », c'est moins vague que s'il avait dit : « des citharèdes, des flûtistes de chœur et un danseur »; et nous imaginons, à l'intérieur de ces noms propres, des personnes. Bientôt des vies. Ce sont des déclencheurs de fiction (cette forme immatérielle de réalité). « C'est vers dix heures que, sortant du théâtre, il dit à sa femme : "Ton frère est bête comme Métrodore." Je... »

Un nom peut être une prise de position. Hillary Clinton, la femme de Bill, quand celui-ci n'était que gouverneur de l'Arkansas, se faisait appeler par son nom de jeune fille, Hillary Rodham ; son mari devenu président des États-Unis, elle s'est transformée en Hillary Rodham Clinton ; candidate à l'investiture à la présidence de la République pour le Parti démocrate, la voilà Hillary Clinton. On imagine les calculs politiciens assez simples derrière ces arrangements. Cette femme qui n'a jamais reculé devant les mensonges d'imprésario de cirque a tenté de faire croire que ses parents l'avaient prénommée Hillary en hommage à l'alpiniste Edmund Hillary, jusqu'à ce qu'on se rende compte qu'il avait franchi l'Everest en 1953 et qu'elle est née en 1947 ; avec son impudence de prévenue en correctionnelle, elle a nié et est passée à d'autres mensonges, comme de prétendre qu'elle avait atterri en Bosnie sous des tirs de snipers alors qu'elle y a été accueillie par une enfant lui tendant un bouquet de fleurs, etc. Son adversaire dans la nomination à la candidature à la présidence des États-Unis, Barack Obama, que l'on surnommait Barry, a décidé en 1980 (il avait 19 ans) de reprendre son prénom légal, que ce soit un hommage à ses origines africaines ou un acte d'amour envers son père kenyan. Sa biographie pourrait s'intituler, si je puis dire, *Je m'appelle Barack*. C'est à partir de son changement de prénom qu'il a commencé à se conformer à la personnalité qu'il s'était choisie, et qu'il découvrait en la perfectionnant.

Un titre est une façon de dénommer qui crée un podium, une barrière, un éloignement. Il m'est arrivé de parler avec des membres du comité de campagne de ce Martin Luther King dans le corps de Fred Astaire. (Obama avait non seulement pour lui l'éloquence sans la grandiloquence, mais aussi l'inexpérience. Accessoirement, il lui manquait un accessoire. Il ne portait pas de pin's du drapeau américain au revers de son costume! On le lui reprocha. Ce vaudouisme, qui s'en étonnera, avait été inventé par ou pour le président Bush après les attentats du 11 septembre 2001.) Je demande : « Pouvez-vous me donner l'autorisation de publier une traduction du discours que Barack Obama a prononcé à Philadelphie en mars 2008? — Mais bien volontiers; nous voudrions relire la traduction du discours du sénateur. Un conseiller du sénateur s'en chargera. Le sénateur... » Pas Barack Obama, ni M. Obama, ni le sénateur Obama : le sénateur. On sentait une fierté, une élévation, une hauteur. Il reste à l'homme à y accéder.

Il y a une illusion de l'éclaircissement absolu par la définition. Si la dénomination éclaire, la définition est une forme de prison. Elle hache les côtés, supprime la nuance, dont le nom, lorsqu'il reste seul, comporte la possibilité. D'une certaine façon, toute définition est une illusion. Nous avons besoin d'illusions pour nous entendre. Si tout devait être absolument précisé, le monde serait un congrès de jésuites se disputant avec des mandarins. Il serait moins sanglant.

LISTES DE GROUPES DE NOMS DONT L'ÉNONCÉ
SUFFIT À RACONTER UNE HISTOIRE

Agamemnon, Achille, Ulysse, Nestor, Ajax, Ajax.

Xaintrailles, Dunois, La Hire, Rais, Boussac, Cauchon, d'Estivet.

Caylus, Maugiron, Saint-Sulpice, d'O, Saint-Mégrin, Joyeuse, Épernon.

Benedick et Beatrice.

Louis, Provence et Artois.

Marcel, Jacques, Ludovic, Lucien, Bertrand.

Oriane, Basin, Charles, Odette, Albertine, Saint-Loup.

Nancy, Pamela, Diana, Unity, Jessica, Deborah. (Pauvre Thomas, entre Pamela et Diana !)

Edna, Osbert, Sacheverell.

Virginia, Vanessa, Roger, Duncan, Maynard, Lytton, Leonard.

Wynstan, Christopher, Steven, Cecil.

LISTE DES INVITÉS À UNE SOIRÉE « 1926 »,
NEW YORK, 20 EAST 88th STREET,
le 26 janvier 1946 [1]

Max Ernst	Emily Hahn	Briggs Buchanan
Dorothea Tanning	Eric Ladd	Florence Buchanan
Rufino Tamayo	Evelyn Gendel	Marion Greenwood
Olga Tamayo	Milton Gendel	Elsa Neuberger
Lionel Trilling	Dawn Powell	James Neuberger
Diana Trilling	Rev. Otley	Frances Dewey
Dorothy Wheelock	Mrs. Otley	Eloise Hazard
Rue Wheelock	George Sakier	Imogene Coca
Saul Steinberg	Kay Silver Sakier	Bob Burton
Hedda Sterne	Ruth Ford	Hazel Slaughter
Grace Zaring Stone	Yvonne McHarg	Charmion von Wiegand
Ellis Stone	Luise Rainer	Peggy Guggenheim
Hansi Janis	Robert Knittel	Yul Brynner
Rudi Blesch	Charles Rolo	Claude Alphand
Helen Hoke	Eva Gauthier	Jon Stroup
Anaïs Nin	Julian Levy	Joan McCracken
Ian Hugo	Muriel Draper	Sono Osato
Harold Halma	Xenia Cage	Kitty Messner

---

1. Leo Lerman, *The Grand Surprise*, Knopf, 2007.

LISTE D'UN ROMAN ÉCRIT PAR LE JOURNAL *SUD-OUEST* EN PUBLIANT SON « AGENDA » DE NAISSANCES ET DE DÉCÈS LE SAMEDI 11 AOÛT 2007

(Il y a la vie, la mort, les noms locaux, français ou espagnols, les prénoms à la mode ou que l'on croyait tels, les immigrations, les croisements, les restes d'aristocratie, la fin des générations, le commencement d'autres, le si étrange nom sudiste de Savannah Rose qu'on se demande s'il est porté par une petite Noire dont les parents se sont établis au Pays basque ou par la fille d'une regardeuse de séries télévisées et d'un ignare à boucle d'oreille, etc., etc.)

Naissances

Mattin de Peyrecave, Florian Castro, Bruno Richard, Kepa Perez-Manterola, Peyo Dememes-Brettes, Haize Betelu, Mewen Pidoux-Mercier, Matthias Amigorena, Aymeric Cassagne-Joyeau, Damien Nioche, Éloi Gassiot, Thyméa Talenton, Mikel Claeys-Ithurria, Merlyne Fortuné, Mathis Ducasse, Célia Linquier, Anna Le Dornat, Nicolas Daudignon, Lou Tauzin, Pierre Gonzalez-Villenave, Sofia Orduna, Morgane Larqué, Elaia Saint-Esteben, Mathilde Charrot, Tomas Dibon, Florian Audu, Clara Arrêtche, Vickie Bonvarlet, Raphaël Domingues, Marie Veyret, Pauline Diribarne, Hortense Beau de Loménie, Niels Guillemaud, Mathéo Boudzy, Juliette Faut, Miléna Benimelli-Hadouelhadj, Faustine Lechat, Estebe Irubeta-goyena, Ruben Chappuy, Nathan Dor, Tristan Azoulay, Louna Zubeldia, Naia Micheléna, Yanis Prévost-Mendez, Maïlys Dont, Brayan Ameziane, Carla Gauthier, Maika Sabalette, Claire Etchemendy, Iban Ripert, Mélissa Sistiaga, Luka Lormand, Tom

Etchebarne, Savannah Rose, Maika Mounho, Enzo Dubreuil, Julien Hamann, Silouan Nadal, Betti Herriest.

Décès

Marie Garcia, ép. Alvado, 84 ans; Éliane Demarty, ép. Labourdette, 80 ans; Charles Gay, 86 ans; Changuito Ruiz, Patrice Caussade, 60 ans; Charles Bascle, 24 ans; Albert Cabin, 79 ans.

LISTE D'HABITANTS DE L'ALBANY,

résidence de Londres construite pour un seul homme (le vicomte Melbourne) puis transformée en appartements, fermée sur elle-même et semblable à un sous-marin, unique en son genre dans la ville, que l'on pourrait donc comparer au Palais-Royal de Paris.

Antony Armstrong-Jones, puis comte Snowdown, photographe, ancien mari de la princesse Margaret, sœur de la reine d'Angleterre.

Sybille Bedford, écrivain. Cette fille de famille, ainsi qu'on dit parfois des familles aristocratiques comme si elles étaient les seules, a vécu dans la chambre de bonne de l'appartement d'Aldous Huxley.

Thomas Beecham, chef d'orchestre, l'une des langues les plus vives d'Angleterre. Il disait par exemple, jouant sur le mot *often*, « souvent » : « *I prefer Offenbach to Bach often* », je préfère souvent Offenbach à Bach.

Lord Byron, poète. Pour être aussi sarcastique, il devait être sentimental.

George Canning, Premier ministre (en 1817, le plus court mandat de l'histoire d'Angleterre à cette date : 119 jours).

Bruce Chatwin, coursier, puis spécialiste de peinture impressionniste, puis directeur chez Sotheby, puis écrivain, bon écrivain, ainsi que beau et blond. Quels étaient ses défauts ?

Kenneth Clark, historien d'art, directeur de la National Gallery de Londres de 1934 à 1945. Âgé de trente ans à sa nomination, il est peut-être le dernier de l'ère d'avant les privilèges des vieux.

Fleur Cowles, fondatrice du ruineux magazine *Flair*, car il était aussi cher à fabriquer qu'à acheter, avec ses pages découpées et ses cahiers détachables, comme celui de la *Lettre aux Américains* de Jean Cocteau ; elle se trouvait dans le premier numéro (février 1950), qui avait aussi pour contributeurs W.H. Auden, Lucian Freud et Tennessee Williams, avec la nouvelle « La ressemblance entre une boîte à violon et un cercueil » : « Sur une rive, il y avait un désert où des cyprès géants semblaient plongés dans une dialogue muet, dans l'accomplissement de rites d'adoration inaudibles [...] »

William Gladstone, Premier ministre.

Graham Greene, écrivain converti au catholicisme puis à la Côte d'Azur, cela va souvent ensemble (Anthony Burgess).

Bryan Guinness, l'un des héritiers de la famille Guinness, premier mari de Diana Mitford qui l'a quitté pour épouser le chef fasciste Oswald Mosley ; les deux sont dédicataires du roman *Ces corps vils...* (*Vile Bodies*), d'Evelyn Waugh (1930) ; il est l'auteur de livres dont je ne peux rien dire, ne les ayant pas lus.

Aldous Huxley, écrivain. Il passait pour l'homme le plus intelligent d'Angleterre, si cela a un sens ; pour moi, il a fallu l'adolescence, où l'estomac littéraire digère tout, pour que je lise *Le meilleur des mondes* jusqu'au bout, ce que je n'ai jamais pu refaire, ni finir aucun autre de ses romans. Il me semble toujours y astiquer les cuivres.

La baronne Pauline de Rothschild (1908-1976), femme du monde, créatrice de mode, née Pauline Potter dans une famille du Sud des États-Unis tellement pourvue de relations qu'elle était arrière-arrière-arrière-petite-nièce de Thomas Jefferson et descendante moins précise de Pocahontas. On est étonné de ne pas trouver Nefertiti dans son arbre généalogique.

Edward Heath, Premier ministre. Je l'ai connu enfant, si je puis dire. C'était un rubicond en costume rayé, « éternel célibataire », ah, nous savons ce que cela veut dire, et le dernier des *one-nation conservatives*, ces modérés que son successeur à la tête du parti, Margaret Thatcher, écrasa de son chignon pour faire passer, sans complexe hélas, la droite à la finance.

Edward Bulwer Lytton, homme politique, écrivain, pas très bon, mais son fantôme s'en fiche, il est l'auteur d'un livre dont le titre reste, *Les derniers jours de Pompéi* (1834).

John Morgan, auteur d'articles sur les bonnes manières dans le *Times*, cela va assez avec habiter l'Albany. C'était avant que, racheté par le groupe Murdoch, ce journal ne devienne l'un des plus mauvais d'Angleterre. Il est vrai qu'ils le sont à peu près tous. Le *Times* de Londres a très longtemps eu un pittoresque (cassé à l'arrivée de l'esthète australien) : il publiait les petites annonces en première page, dans une forme d'ironie envers l' « actualité ».

Harold Nicolson, homme politique et écrivain, très bon écrivain de deuxième rang ; il accompagnait John Maynard Keynes dans la délégation anglaise aux négociations du traité de Versailles après la Première Guerre mondiale. Si, de son supérieur hiérarchique, tout le monde se rappelle *Les Conséquences économiques de la paix*, on a peu lu sa relation des négociations, *Peacekeeping 1919*. « La chose importante dans la conférence de Paris est sa stupéfiante incompétence, sa totale absence de méthode de négociation [...] » Caché derrière sa moustache et sa pipe, cet homosexuel a épousé Vita Sackville-West, amante de Virginia Woolf.

Terence Rattigan, auteur de théâtre. Il faudra que je me décide à faire monter dans mon panier d'amazon.co.uk le volume de ses œuvres qui végète dans le tiroir des *« save for later »*, à conserver pour plus tard. Il a de bons titres : *L'amour dans la paresse* (*Love in Idleness*), *Qui est Sylvia?* (*Who is Sylvia?*), *Tables séparées* (*Separate Tables*).

Terence Stamp, comédien. Dans sa jeunesse, il était beau comme un vampire.

Herbert Beerbohm Tree, acteur et directeur de théâtre. On le voit passer dans tous les mémoires du temps. Je connais mieux son demi-frère Max Beerbohm, caricaturiste et auteur d'un roman satirique qui se passe à Oxford, *Zuleika Dobson* (1911) ; j'en possède une édition illustrée dans un format impossible que je chéris. Quand, à Londres, quelqu'un disait « Max », on savait qu'il s'agissait de cet homme d'esprit, selon qui son demi-frère avait ajouté « Tree » à son nom de famille parce qu'il serait plus facile à crier par le public que : « Beerbohm ! Beerbohm ! »

Ainsi que deux personnages de fiction :

Arthur J. Raffles, « gentleman-cambrioleur » avant Arsène Lupin, dans les romans d'E.W. Hornung, beau-frère d'Arthur Conan Doyle.

Jack Worthing, dans *L'Importance d'être Constant*, d'Oscar Wilde. Algernon lui dit : « Vous m'avez toujours dit que votre prénom était Constant. Je vous ai présenté à tout le monde en tant que Constant. Vous répondez au prénom de Constant. Vous avez la tête de quelqu'un qui s'appelle Constant. Vous êtes la personne d'apparence la plus constante qui soit. Il est absurde de prétendre que vous ne vous prénommez pas Constant. C'est imprimé sur vos cartes de visite. En voici une. (*La sortant de l'étui.*) "M. Constant Worthing, l'Albany, B.4, Londres." »

LISTE DES NOMS DE FAMILLE TRANSFORMÉS EN INJURES

« Pétrarquiser » est un des nombreux exemples de mots péjoratifs créés à partir de noms d'écrivains de talent ; en général, tous veulent dire la même chose, raffiner. Comme si c'était mal. Le talent délicat doit s'expier et peut s'attaquer ; on n'oserait pas, on n'y pense même pas, créer « simenoniser » pour « écrire comme on essore une serpillière ». Il y a encore « gongoriser », de Góngora, le poète espagnol, ou « marivaudage », invention de Diderot d'après Marivaux, l'auteur de théâtre. Verbes eux-mêmes raffinés, puisqu'ils portent sur la forme des livres. Quand il s'agit de mauvais écrivains, le mot formé sur leur nom porte avec justesse sur le fond, l'idée générale qu'ils expriment. De Sade on a fait « sadiser » et de Sacher-Masoch « masochisme » ; ce dernier, désignant une sensation passive, ne pouvait pas donner de verbe à l'actif tel que « masochiser ».

Les hommes politiques sont plus protégés. Ils ont du pouvoir, les artistes n'ont que de l'influence. En France, je ne vois que Louis-Philippe pour avoir eu un adjectif péjoratif, « louis-philippard », tiré de son nom. Cela veut, voulait dire quelque chose comme centriste riche et mou. Les bonapartistes ont essayé « raguser », de Marmont, duc de Raguse, un des généraux préférés de Napoléon, qui l'avait « trahi » en 1814 (c'est-à-dire qu'il avait refusé la guerre à outrance qui aurait détruit Paris, et sans doute aussi choisi son intérêt en pariant sur le vainqueur le plus probable), mais le mot n'a pas pris.

En Angleterre, *to bowdlerise*, expurger, vient de Bowdler (1754-1825), éditeur de Shakespeare qui en avait enlevé les grossièretés. Bowdler, Thomas Bowdler. Et, poum, poum, poum, trois trivialités en moins. C'est en grande partie grâce à ces *censures*, qui l'adaptaient au nouveau goût de l'époque, que Shakespeare y a survécu.

Aux États-Unis, *to bogart*, tout prendre sans partager (à l'origine, garder un joint pour soi), vient des personnages que jouait Humphrey Bogart, toujours la cigarette à la bouche : *« Don't bogart the cream ! »*, ne mange pas toute la crème. Le verbe peut aussi signifier : obtenir quelque chose par intimidation : *« He bogarted his way in »*, il a forcé l'entrée.

En Italie, *cristonare*, insulter, vient du Christ, *Cristo*. Nos rapports avec cette divinité engendrent ce type de verbe. La nostalgie de la familiarité taquine et marchandeuse que nous avions eue avec les dieux de l'Antiquité nous a fait inventer « jovial », de Jupiter, génitif *jovis*. Nous l'avons fait après les Latins, pour qui *jovialis* ne voulait dire que relatif à Jupiter, comme dans la planète Jupiter, *jovialis stella*.

LISTE DES PRÉNOMS

L'acquisition d'un prénom a été la plus lente des conquêtes humaines. Le prénom a longtemps été méprisé des maîtres, et donc de leurs sujets, peut-être à cause du Moyen Âge. Le monde (si l'on peut dire) n'était que Rémi, Jacquot et Colin gouvernés par trente évêques et trois cents ducs. Le prénom est resté l'appellation principale pendant bien des siècles. Après la Révolution française, les révolutions européennes du XIXᵉ siècle et la Première Guerre mondiale, on ne pouvait plus laisser les hommes dans cet indistinct. Les domestiques sont restés seuls dans le peuple du prénom, jusque dans les années 1930. On leur en donnait parfois un autre que le leur, parce qu'il était le même que celui d'un membre de la famille de leurs employés, ou, simplement, qu'il ne plaisait pas. On peut suivre cette histoire dans la littérature. Dans Balzac, les hommes ne sont « Lucien » (de Rubempré) que lorsqu'ils sont jeunes ou mêlés à une affaire d'amour (si inattentif à tout ce qui n'est pas lui qu'il oublie les conventions). Dans Flaubert, la femme de Charles Bovary est ridicule quand elle est « madame », attendrissante quand elle devient « Emma ». La prénomination restait du peuple : *Gervaise*, titre Zola. Cent ans après, nous sommes tous du peuple, le prénom est partout. Ce qui ne veut pas dire que les hiérarchies ne se faufilent pas autrement.

J'étais en train d'écrire, à propos du roman de Henry Adams, *Democracy* (1880), qu'il « n'est pas sans ressemblance avec un roman d'une dizaine d'années antérieur, le *Thomas Graindorge* de Taine ». Relisant, j'ai ajouté « Hippolyte » ; « d'Hippolyte Taine ». En vieillissant, les morts retrouvent un prénom. Ils se désindividualisent.

570

De son vivant « Taine » suffisait. Tout le monde savait de qui il s'agissait, professeur aux Beaux-Arts, membre de l'Académie française, auteur de best-sellers. Même s'il y avait d'autres Taine, c'était lui à qui on pensait lorsqu'on prononçait ce nom, et pour les autres il fallait ajouter le prénom. Depuis, ses œuvres s'oublient et ses fonctions sont occupées par d'autres ; « Taine » lancé dans une conversation courante ne serait pas compris ; son prénom lui permet de regagner tant soit peu d'existence.

De même, ceux qui étaient assez célèbres pour n'être qu'un prénom ou un surnom, « Jean », « Bébé », « Mapie », doivent devenir « Cocteau », « Christian Bérard », « Mapie de Toulouse-Lautrec ». Pour Cocteau, son nom seul suffit, et il semble entré dans le club très choisi des gens dont le nom de famille suffit à être reconnu, Shakespeare, Corneille, Racine, Mozart, Rossini, Proust, Balzac, Dickens, Tolstoï.

Certains en tuent des prédécesseurs, voire des contemporains célèbres portant le même nom : du temps de Pierre Corneille vivait Thomas, son frère, dramaturge et académicien et auteur à succès lui aussi, de plus grands succès, même ; à cause d'Honoré de Balzac disparaît de la mémoire publique Jean-Louis Guez de Balzac, illustre auteur du XVIIᵉ siècle.

Une des étrangetés de Pascal est son prénom de Blaise, un prénom de paysan, qui pourrait faire croire que ses pensées sont tombées sur lui comme la Vierge sur Bernadette ; mais il n'y a rien à voir entre la plus obtuse des bergères et le plus fouetteur des écrivains français.

Le plus beau nom simple de la littérature française me paraît celui de Jean Racine. Ces noms ont été remplis par le génie de leurs locataires. Il y a eu d'autres Jean Racine, sans génie, quelconques, imbéciles, rien. Je crois peu à l'influence des noms sur la « psychologie », qui me paraît souvent une des multiples manifestations de la superstition.

Caligula, l'empereur ? Il s'appelait Caius, qu'on prononce Gaius ; quand Philon d'Alexandrie relate l'ambassade qu'il lui a faite, il l'intitule *Legatio ad Caium*. Caius a été élevé à l'étranger parmi les soldats de son père Germanicus (Caius Julius, lui-même ainsi

571

surnommé parce qu'il avait vaincu les tribus de Germanie), qui lui ont donné ce surnom. « Tiens, voici Caligula ! » s'exclamaient les vieux adjudants bourrus et sentimentaux. La *caliga* était une botte de soldat. C'est l'empereur Brodequinou.

Que les Cubains aient, cinquante ans durant, appelé leur tyran, non pas « Castro » mais « Fidel », est un des éléments discrets de sa tyrannie. Il s'est fait appeler par son prénom pour signifier que la liberté arrivait avec lui. Les Cubains ne sont pas si bêtes qu'ils n'ont pas très vite constaté le mensonge, mais dans quelle mesure n'ont-ils pas été piégés par cette familiarité ? N'a-t-elle pas retardé de quelques mois l'impopularité de Castro ? Certains opposants sont-ils aussi violents qu'ils voudraient l'être, s'ils emploient ce prénom qui leur rappelle leur jeunesse ?

Les Anglais, ce peuple qui s'aime tellement qu'il feint de se traiter par-dessous la jambe en disant *« the UK »* et non *« the United Kingdom »* (le Royaume-Uni), abrègent *idem* les noms de leurs grands hommes. GBS, WHA, TSE, pour George Bernard Shaw, Wystan Hugh Auden, Thomas Stearns Eliot. Plus de nom, plus de prénom, un sigle. L'être humain, cette chose de chair et de bruit à fonctions digestives et sexuelles, doit avoir l'existence la plus discrète possible. L'idéal anglais est le fantôme.

La douceur de passer au prénom quand l'intimité s'accroît a plus ou moins disparu. Eh ! c'est la compensation de la dureté qui consiste à n'être appelé que par son nom de famille. Je me souviens de ma stupéfaction quand cela m'est arrivé, en entrant en sixième. J'entrais dans un monde nouveau, un monde cruel. Celui de l'enfance n'était que féroce. Là aussi, la nuance a dû passer ailleurs, dans d'autres appellations, des vocatifs, des intonations. Nous sommes moins mandarins, mais plus chinois.

Au début d'un amour, au tout début, quand on a décidé d'entamer l'affaire, on s'entr'appelle en permanence par son prénom. On les *échange*. C'est une manière d'appropriation. De là peut-on induire que les personnes qui utilisent souvent le vocatif à notre endroit sont, d'une certaine façon, amoureuses de nous.

On sait qu'on est trahi, trompé, abusé ou simplement préféré quand une personne en tiers dans une histoire acquiert un prénom.

Ce n'est plus « cette fille », mais « Adèle ». Elle a un prénom, maintenant, celle-là ? Il n'a plus honte de révéler son intimité avec une amante ? À une prénomination on apprend qu'on est perdu.

LISTE DE LISTES DE MORTS

par François René de Chateaubriand et Marcel Proust

Chateaubriand se remémorant le congrès de Vérone dans les *Mémoires d'outre-tombe* :

> Monarques ! princes ! ministres ! voici votre ambassadeur, voici votre collègue revenu à son poste : où êtes-vous, répondez !
> L'empereur de Russie, Alexandre ? Mort.
> L'empereur d'Autriche, François ? Mort.
> Le roi de France, Louis XVIII ? Mort.
> Le roi de France, Charles X ? Mort.
> Le roi d'Angleterre, George IV ? Mort.
> Le roi de Naples, Ferdinand Ier ? Mort.
> Le duc de Toscane ? Mort.
> Le pape Pie VII ? Mort.
> Le roi de Sardaigne, Charles-Félix ? Mort.
> Le duc de Montmorency, ministre des Affaires étrangères de France ? Mort.
> M. Canning, ministre des Affaires étrangères d'Angleterre ? Mort.

Suivent dix autres noms (*M.O.T.*, LXXXIV).

Le baron de Charlus se remémorant ses amis à la fin d'*À la recherche du temps perdu* :

> C'est avec une dureté presque triomphale qu'il répétait sur un ton uniforme, légèrement bégayant et aux sourdes résonances sépulcrales : « Hannibal de Bréauté, mort ! Antoine de Mouchy, mort ! Charles Swann, mort ! Adalbert de Montmorency, mort ! Boson de Talleyrand, mort ! Sosthène de Doudeauville, mort ! »
> Et chaque fois, ce mot « mort » semblait tomber sur ces défunts

574

comme une pelletée de terre plus lourde, lancée par un fossoyeur qui tenait à les river plus profondément à la tombe.

La mention d'un Montmorency est une probable allusion, un signe que Proust adresse aux lecteurs de Chateaubriand, créant un de ces délices pour connaisseurs d'autant plus succulents qu'il est *entre nous* ; Adalbert de Montmorency est un personnage d'arrière-plan cité seulement deux fois dans le roman (*Le Temps retrouvé*, III, « Matinée chez la princesse de Guermantes »). Je serai exilé des vieilles pagodes, comme disait Charles Cros, pour avoir révélé ce mystère au public. Et, ma tête étant présentée sur une assiette d'or, les courtisans baisseront la tête dans un souffle. « Charles, mort !... »

Mots

LISTE DE L'ORIGINE DE CERTAINS MOTS
ET DE CERTAINES EXPRESSIONS

« Aux calendes grecques » (« *ad kalendas graecas* ») et « avoir des vapeurs » (« *vapide se habere* ») ont été inventées par l'empereur Auguste. Auguste avait-il aussi le sens de l'image dans les livres qu'il a écrits (aucun n'a été conservé) ?

On connaît « silhouette » et « poubelle » : Cotgrave, auteur du premier dictionnaire franco-anglais (1611) donne « guillemine », édit contre des privilèges exorbitants de l'Église, du chancelier Guillaume Projet. Comme « guillotine », c'est un nom propre féminisé.

« Pudeur » serait de Vaugelas, « invaincu » de Corneille, selon Hugo dans *Littérature et philosophie mêlée* ; il y ajoute, de Richelieu, « généralissime », mais c'est à vérifier, car les suffixes en -issime ont été adoptés par moquerie des Italiens de la suite de Marie de Médicis puis pour railler Mazarin dans les pamphlets contre lui.

« Calembour », que le Grand Robert date de 1768, vient, selon Leo Spitzer, *Linguistic & Literary History* (Princeton, 1948), d'un opéra-comique de Vadé donné en 1754.

« Fétichiste » a été inventé par le président de Brosses dans son livre *Du culte des dieux fétiches* (1760), l'un des premiers à traiter des religions de l'Océanie. De de Brosses, lisez surtout les ironiques, moqueuses et réjouissantes *Lettres d'Italie* (posth. 1799).

« Culture » dans le sens « produits de l'intelligence humaine », vient d'une erreur de traduction de Mme de Staël dans *De l'Allemagne*.

(Elle traduit « tel quel » *Kultur*, qui en allemand est tout ce qui est opposé à *Natur*.) Mme de Staël a inventé beaucoup d'autres mots, comme « sentimentalité » dans le même livre, et « vulgarité » dans *De la littérature*.

« Fulgurant » que le Grand Robert donne « du XIXᵉ » avec citation des *Portraits contemporains* de Gautier, qui doit être de 1855 ou 60, est en réalité de Victor Hugo, dans son *Mirabeau*, 1834.

« Rasant » dans le sens « ennuyeux », plus tard devenu « rasoir », est de Raoul Ponchon, le poète et chroniqueur (1848-1937).

« Féministe », qui date de 1872, est d'Alexandre Dumas fils. Un mot reste marqué par son origine, même quand on l'a oubliée. Dumas fils était un auteur de mélodrames plus sociologiques que littéraires.

« *Made in…* » vient du poète anglais William Henley (1849-1903) qui a intitulé, dans sa revue *The New Review*, un article de Williams sur les efforts de l'Allemagne avant la Première Guerre mondiale : « *Made in Germany* » (Paul Valéry, *Regards sur le monde actuel*).

« Avion » a été inventé par Clément Ader (1841-1925) (Apollinaire, *Le Guetteur mélancolique*). C'est un mot intelligent et sensible, un mot de poète, dirais-je si tous les poètes l'étaient, fin et mieux qu'inventif, imaginatif, car il est éloigné de toute racine savante visible, au contraire d'« aéroplane » (que doivent subir les autres langues, comme l'anglais d'Angleterre, *aeroplane*, et celui d'Amérique, *airplane*). Il a un air déjà porté qui lui confère une souplesse et l'apparence d'être depuis longtemps dans le langage que n'ont presque jamais les néologismes. Voilà pourquoi, et avec quel plaisir, j'ai dédié un de mes poèmes à la mémoire de Clément Ader.

En 1914, quand les manifestations n'étaient pas habituelles et portaient le nom religieux de « cortège », on appelait les manifestants des « cortégeux ». Mot dépréciatif sans doute, ou peu usité, car Schlumberger dans ses *Notes sur la vie littéraire* l'écrit entre guillemets. Dans ces manifestations de l'âge naïf, on « conspuait », et Cocteau raconte que, allant se recueillir sur la dépouille d'Apollinaire, il entendit passer des manifestants qui défilaient contre l'empereur d'Allemagne boulevard Saint-Germain qui criaient : « Conspuez Guillaume ! » C'est comme si en marchant on disait « je marche ».

« Casse-pipe » dans l'emploi « aller au casse-pipe » est probablement de Francis Carco et d'après la Première Guerre mondiale. « Je ne m'en ressens pas pour le casse-pipe ! dit-il, un mot que je n'avais jamais entendu, très expressif comme tout ce qui vient de Carco. » (Maurice Martin du Gard, *Les Mémorables*, 5 juillet 1919.)

« Robot » a été inventé en 1924 par le romancier tchèque Karel Capek dans *La Salamandre ou la Fabrique de l'absolu*. Le mot a été si bien trouvé qu'il est resté le même dans la plupart des langues.

« Astronaute » serait de Rosny jeune (1859-1948) (Paul Morand, *Journal inutile*, 25 juillet 1969).

« Fitzrovia », le nom du quartier un temps « bohème » de Londres, aurait été inventé par le romancier Anthony Powell (1905-2000) à partir de Fitzroy Square, qui s'y trouve, sur le modèle du nom d'un autre quartier, Belgravia ; je veux bien le croire, car il faut avoir rencontré l'indifférence du gros public, comme la plupart des écrivains, pour penser à se fonder sur des noms existants lorsqu'on en invente un. Le gros public n'accepte l'originalité que si elle a l'air banal.

« La Belle Époque » a été inventé par un journaliste de radio en 1942 (François Seintein, *Nouvelles minutes d'un libertin*).

« Côte d'Azur », par le poète et journaliste Stephen Liégeard, à la même époque (même livre). Il pariait sur la niaiserie, ce Liégeard. Avec le tourisme, elle gagne souvent.

« Ringard » serait, dans le sens « ridiculement démodé », d'André Frédérique (1915-1957) (Guy Dupré, *Comme un adieu dans une langue oubliée*).

Les mots, c'est du temps. Voilà pourquoi on en change, comme du linge sale.

LISTE D'INJURES TRANSFORMÉES EN GLOIRES

« Impressionniste » est un adjectif satirique inventé par un critique d'art (Maurice Leroy, du *Charivari*, 25 avril 1874) à partir du tableau que Monet avait intitulé *Impression, soleil levant*.

« Cubiste » vient de moqueries sur la peinture en « petits cubes » de Braque par le critique d'art Louis Vauxcelles, du *Gil Blas* (14 novembre 1908). Il avait aussi réussi « fauves » (même journal, 19 octobre 1905), pour dire que ces peintres étaient des bêtes, mais son « tubiste », pour Fernand Léger, n'a pas pris. La raison d'écrire de certains critiques serait-elle le mépris envers la matière qu'elle a à traiter ?

La dénomination du « *cool art* » américain des années 60 est encore le fait d'un critique, Irving Sandler. Pour se simplifier la réflexion et éviter que le public en fasse aucune, on crée des catégories ni vraies, ni fausses, qui laissent croire qu'il y a eu des groupes quand il ne s'agissait souvent que de vagues amitiés ou de relations.

Les noms des deux partis politiques qui ont gouverné la Grande-Bretagne du XVIIᵉ au XIXᵉ siècle étaient à l'origine dépréciatifs : « *whig* » vient de *whiggamor*, mot de gaélique écossais désignant le conducteur de bestiaux, et « *tory* » d'un mot irlandais signifiant hors-la-loi.

Dans *Le Guépard*, le P. Pirrone fait remarquer que « les noms de métier sont devenus des injures : depuis ceux de *faquin*, *savetier* et *pâtissier* en italien [*facchino*, *ciabattino* et *pasticciere*] à ceux de *reître* et de *pompier* en français ». On pourrait ajouter *soudard*. Les hommes haïssent le travail, et plus encore leurs « inférieurs ».

L'électeur palatin Frédéric V est chassé de Bohême dont il n'est resté roi que quelques mois en 1619 et 1620. Ses ennemis le surnomment, lui et sa femme, le roi et la reine d'Hiver ; je trouve ça charmant, moi, le roi d'Hiver, la reine d'Hiver ; poétique ; un titre de conte de fées.

LISTE DES MOTS DES PAYS

Chaque pays a ses mots de prédilection. La Chine, ce serait assez « pérégrination » ; elle est immense, on la parcourt. Le Japon, « maître » ; le sado-masochisme semble gouverner ce pays. Les États-Unis, c'est « innocence » ; ils pensent en général qu'ils l'ont perdue, comme s'ils l'avaient jamais eue (aucun pays n'a jamais été « innocent » ; dès qu'on organise la société, il y a coercition et abus). « L'innocence ! » dit le pilote de Phantom II en sanglotant, et il appuie sur le bouton qui lâche ses mille kilos de bombes.

Cela, c'est le mot positif. Il semble que chaque pays ait aussi son mot négatif. C'est celui dont on se sert pour noyer son chien. Pour les Italiens, je dirais « *ignorante* », ignorant, dans un sens plus fort qu'en français, pas loin de « brute », pour les Américains, « *lie* », « mensonge », pour les Anglais, « hypocrite ». « *Don't call me general Hypocrite* », ne m'appelez pas général Hypocrite, titrait le *Sunday Times* de Londres du 10 décembre 2006 à propos d'un ancien chef d'état-major des armées qui avait commis je ne sais quelle turpitude. C'est pour cela qu'on dit les Anglais hypocrites, mais ce sont les Français qui le sont. Ce que l'on clame est rarement ce que l'on est, et même, au contraire. Cherchez le vice secret. Il est inouï comme les journaux anglais peuvent être francs. C'est le contraire de l'hypocrisie, l'Angleterre. L'hypocrisie, c'est la France. En France, on est si méchant que, pour nous, « gentil » est une injure. Et si bête alors que l'on croit spirituel d'en rire, d'un rire froid, étroit, nasillard, triste.

Différences entre les pays. En France on fait des études de droit, aux États-Unis, de loi, en Italie, de jurisprudence.

Dans la vie pratique, le mot le plus français, me dit un Sud-Américain, est : « Pardon ! » « Dans le métro de Paris, les gens se disent sans arrêt pardon, à cinq mètres de distance. "Pardon ! Pardon ! Pardon ! Pardon !" ; et d'un air sévère, car il s'agit surtout de ne pas se toucher. Aux États-Unis, on se bouscule et on grommelle *"fuck"*, en Angleterre, on ne se touche pas et on ne parle pas. »

Les mots ont leur proximité dans les têtes selon chaque pays. À l'aéroport de Roissy, le 21 mars 2007, la police fait exploser un bagage abandonné. Bruit de l'explosion. Un Américain : *« Somebody told a really bad joke »* (quelqu'un a raconté une très mauvaise histoire drôle). Ça n'est drôle pour un non-Américain qu'après un instant de réflexion : n'étant pas du pays des armes à feu, il ne pense pas spontanément à une comparaison pareille.

Les mots ont leur place dans les phrases selon les pays. Dans *Observations*, Truman Capote écrit de Somerset Maugham : « Une équipe de comptables a estimé qu'il perçoit trente-deux dollars de droits d'auteur par minute. Ce qui ne signifie pas qu'il est un bon écrivain, mais il en est un. » Un Français aurait conclu : « Ce qui ne signifie pas qu'il est un mauvais écrivain, mais il en est un bon. »

LISTE D'EXPRESSIONS ET DE MOTS MORTS

(Et, aussi bien, on s'en passe.)
((Enfin, pas de tous. Une de ces expressions est tout ce qui me reste de mon père. Enfant, ma mère m'a offert son portefeuille, qu'on m'a volé à l'aéroport de Milan. C'est toujours dans le nord de l'Italie que j'ai été volé, pas dans le Sud calomnié.))

Syndicat d'initiative.
Pick-up. Tourne-disques.
Semaine anglaise. Congés payés.
Sports d'hiver.
Tsoin, tsoin.
Allez, zou !
Autobus (devenus « bus »).
Poinçonner (remplacé par « composter » ; exemple très probable de création administrative d'un mot, et peu justifiée ; j'aime bien « poinçonner » à cause du c cédille).
Surprise-partie.
Minet, minette.
« Bête » pour « animal ».
Standing et tout ce vocabulaire demi-snob dans les années 1950 que l'humoriste Pierre Daninos raillait dans ses *Sonia*, dont Frédéric Dard avait fait un *Standinge selon Bérurier* : il en reste des traces dans les petites annonces immobilières. Non qu'on se soit rendu compte que, comme presque tout le vocabulaire étranger directement employé en français, il n'existe pas dans la langue d'origine (l'Angleterre ne dit pas plus *« standing »* que *« living-room »* ou *« smoking »*), mais sans raison. La lassitude. Le goût d'autre chose. La fantaisie. C'est pour

cela que les anglophobes s'excitent pour rien. Les mots anglais disparaissent plus vite que les mots français.

Patati, patata. C'était charmant, patati, patata, comme foutraque, que j'ai pris à Sagan et remis en circulation autour de moi.

LISTE DE MOTS QUI NE SERVENT
QUE DANS UNE CIRCONSTANCE

« Pers » ne sert que quand nous parlons d'Athéna.

« Podagre » ne sert que quand nous parlons de Louis XVIII.

« Vairon » ne sert que quand nous parlons du regard de David Bowie.

Et nous ne savons pas si bien ce qu'ils signifient. Oui, oui, nous nous rappelons qu'Homère surnomme Athéna « la déesse aux yeux pers », mais qu'est-ce que c'est, « pers », exactement?; que Louis XVIII avait des jambes comme des colonnes doriques, mais est-ce œdème ou autre mal?; que Bowie a deux yeux pas pareils, mais... pour lui, ça doit être ça. Quelquefois, le nom propre sauve le nom commun.

LISTE DE TITRES DE NOBLESSE

(Le sérieux ne se sachant pas féerique)

> Il était une dame Tartine
> Dans un beau palais de beurre frais,
> La muraille était de praline,
> Le parquet était de croquets.

Stateira, sœur de Darius, empereur des Perses, était princesse des Mille Roses.

Aux termes du traité de 311 av. J.-C. entre Antigone le Borgne et la coalition des satrapes, Cassandre, le fondateur de Thessalonique, est fait général d'Europe.

Byzance ne connaissait pas l'hérédité des titres, et l'on n'y était donc aristocrate que pour soi-même, selon une classification minutieuse que n'approchèrent même pas les Japonais anciens. Les titres étaient divisés en deux catégories, ceux qu'on réservait aux « barbus » (plus haut titre : césar) et ceux qu'on réservait aux eunuques (plus haut titre : patrice). Chez les femmes, le très rare titre de patricienne à ceinture, qu'a porté Théoctiste, mère de Théodora, au IXe siècle, donnait la première entrée dans la cour des Dix-neuf Lits pour le baiser pascal à l'empereur. C'était, près de l'Hippodrome, une salle de réception à colonnes d'argent qu'éclairaient des ouvertures octogonales dans le toit.

En Bavière, il y a les ducs de Bavière et les ducs en Bavière. Les premiers sont plus anciens, mais l'impératrice d'Autriche Élisabeth, femme assassinée de François-Joseph (Sissi), était née duchesse en Bavière.

En Allemagne, la marque d'appartenance « de » est *« von »*. Il y a aussi des *« von und zu »*, littéralement « de et vers », comme le général bavarois von und zu der Tann-Rathsamhausen, né un 18 juin, comme l'appel du général de Gaulle, mais 1815, comme Waterloo, qui a combattu dans une des guerres les plus honteuses de l'Allemagne, celle où elle a pris le Schleswig au Danemark, et qui nous a fait beaucoup de mal en 70, où il a contribué à la chute d'Orléans. Il est mort en 1881.

Le comte de Chambord, « Henri V », était parfois appelé « le prince royal ». C'est un titre qu'avait porté son cousin Ferdinand-Philippe, fils aîné de Louis-Philippe. Quoique Louis-Philippe fût roi des Français, Ferdinand était « prince royal de France ».

La marquise du Cambremer douairière (née du Mesnil La Guichard), dite « tante Zélia », s'arrêtait en parlant pour avaler sa salive, aimait la musique, avait de la moustache. Sa famille avait fini par imiter sa manière de qualifier par trois adjectifs *diminuendo*, comme : « Amenez votre cousine délicieuse – charmante – agréable. » Selon Marcel Proust dans *Sodome et Gomorrhe*, elle avait une situation de « reine du bord de la mer ».

Le père d'Anne et Pierre Wiazemsky, descendant des empereurs d'Ukraine, prisonnier de guerre dans un camp en Allemagne pendant la Deuxième Guerre mondiale, était appelé par les prisonniers russes « camarade prince ».

Anne, fille de la reine d'Angleterre, porte le titre unique et fort chic de *« Princess Royal »*. Elle jure, monte à cheval, et était faite pour être reine en 1595.

Sa belle-sœur Camilla, quoique femme du prince de Galles, est duchesse de Cornouailles (hors d'Écosse) et duchesse de Rothesay (en Écosse).

Le roi d'Espagne est « roi d'Espagne, de Castille, de León, d'Aragon, des Deux-Siciles, de Jérusalem, de Navarre, de Grenade, de Tolède, de Valence, de Galice, de Sardaigne, de Cordoue, de Corse, de Jaén, de l'Algarve, d'Algésiras, de Gibraltar, des îles Canaries, des Indes orientales et occidentales espagnoles, des îles et de la terre ferme de la mer Océane, archiduc d'Autriche, duc de Bourgogne, de Brabant, de Milan, d'Athènes, de Néopatras, comte de Habsbourg, des Flandres, de Tyrol, de Roussillon, de Barcelone, seigneur de Biscaye et de Molina », quoiqu'il ne règne ni ne duque sur les trois quarts de ces terres. Peu importe : la vraie devise de ces familles est : « On ne sait jamais. »

Je m'apprête à créer l'ordre du Hareng saur, dont je décorerai mes amis selon des critères mystérieux. Il sera remis en l'honneur de Charles Cros, sa devise sera : « Pour mettre en fureur les gens — graves, graves, graves », et je demanderai à un artiste de nous dessiner une belle médaille.

LISTE DU FLOU AUTOUR DES MOTS

(Philosophie du melon)

Je regarde une carotte. Ou plutôt, un melon. Oui, voilà, un melon. Que cette chose est bizarre ! Sphérique, aplatie en haut et en bas (si l'on peut appeler haut ce qui dans un objet sphérique porte une tige). Et pourtant il tourne. Il tourne, et il est vert, quel vert, vert melon ? Le vert melon n'existe pas, et pourquoi ? parce que les hommes préfèrent les clichés, ces images définies par d'autres. « Bleu ciel. » Mais quel ciel ? « Rose bonbon. » Mais quel bonbon ? Le vert melon n'existe pas pour la raison supplémentaire qu'il y a trop de melons à verts différents. On pourrait qualifier le vert du melon que je regarde de vert salle de bains de l'hôtel Terminus en 1928.

Outre qu'il est de plusieurs verts, et parfois jaune, cet objet à multiples aspects et nom unique porte sur les hanches des coutures jaunes formant des losanges. Enfin quoi, ça pourrait être des triangles, et lui, plat comme une boîte à chaussures. Alors, j'imagine, il ne se nommerait plus melon, mais birlague ou farteuil. Tel il se nomme, tel il est, tel il reste, et l'homme croit qu'il a nommé cette chose de façon appropriée. Se nommerait-il farteuil, il resterait pourtant le même. Le mot ne fige pas la chose. Le mot désigne parfois d'autres choses, puisque ce que nous appelons du nom générique de salade est pour les anglophones « *endive* ».

Je regarde le melon et je pense à Bernardin de Saint-Pierre. Ce Bernardin était *crazy* [1] : il disait que si le melon avait des côtes, c'était

---

1. Voir *Allusions perdues*.

pour pouvoir être mangé en famille ; la citrouille, étant plus grosse, peut être mangée avec les voisins. Ah mais alors la nature n'est pas si bonne, puisqu'elle a fait la cerise, ce fruit d'égoïste. Bernardin est banal, et le melon bizarre.

Les objets dits « naturels » sont bizarres. Contrairement à ce que les Bernardins pensent, ils n'ont pas été fabriqués sous l'empire de la logique, mais dans la principauté du on-verra-bien. De là la bizarrerie du « naturel », tandis que, dès qu'il s'agit d'objets manufacturés le bizarre tend à avorter : l'artifice est plus naturel à l'homme que la nature. Et tant mieux. C'est l'humain préférant l'humain. La machine est plus proche de nous que le melon, car le melon est machinal et la machine, une émanation de notre esprit. L'homme est partie melon, partie machine. La seconde l'éloigne de ce qu'on appelle « la création » par résidu de religiosité (Dieu a créé le monde), celle qu'il n'a pas faite, et qui n'est qu'un rien à gargouillis quelconques (un melon) ou sublimes (une rose). Sa création est la machine, l'art, le poème parlant du melon. Il se balance entre les deux, parfois plus fou de se croire supérieur parce qu'il a créé machine ou poème, parfois plus fou de se croire plus pur parce qu'il se rapproche de la nature.

Dans la grande confusion des mots où l'homme ne se débrouille pas si mal, ce qui advient se fait passer pour désirable en se qualifiant de « naturel ». Il y a de la terreur dans ce mot, qu'il emploie inconsciemment ou non pour justifier son fatalisme. L'homme est savant pour parfumer ses chaînes. « Les lois de la nature. » Qui a dit qu'elles devaient être des lois ? Qui a dit que la nature existait ? Est-elle autre chose qu'un idéal ? L'idéal parfois est nécessaire à la protection de la faiblesse.

Si, pour qualifier le goût de la myrtille, j'utilise le qualificatif « boisé », qui me paraît le plus proche de ce goût, le plus adéquat, le plus... or, je n'ai jamais mangé de bois, n'est-ce pas ? Nous associons le goût à une odeur, sans probablement que ce soit plus exact que lorsque nous associons un type de visage à une voix. Le flou et l'imprécision, qui font grincer le cœur des gens trop sensibles, ne sont pas graves en paroles. On n'aurait plus le temps de vivre, si on s'arrêtait pour définir précisément ce que l'on dit ; on s'égorgerait.

Les mots sont des caquètements où nous décidons d'entendre de la pensée. C'est le seul moyen de l'y mettre. Nous ajustons notre regard au flou qui les entoure, faisant semblant de croire que tous ont le même sens pour chacun. C'est avisé, car sans cela nous serions toujours en guerre. Et il faut parfois la faire, dans la conversation. La terreur comme la liberté se faufile dans le flou.

Au naturel préférons le spontané. Un simple mot qui ne soit pas encore sali par cent ans de manipulation, et voilà chassée une notion qui nous embêtait trop.

Le bizarre grince. L'étrange enveloppe. L'excentrique raye. Le fantasque crie. L'original n'appartient qu'à l'art, l'extravagant nous marche sur les pieds. Le saugrenu ricane ; de même que le singulier est une méfiance bourgeoise, l'abracadabrant est un jugement, ainsi que le ridicule. Le fantasque est andalou. Le farfelu, malrauïste. Le facétieux, façon de faire le malin, irrite. Baroque ne se dit plus, et biscornu devient synecdoque. Le monstrueux se trouve dans le détail, le capricieux... Les caprices étant sérieux, le bizarre serait-il un caprice irréfléchi ? Quoi qu'il en soit, tout cela est le contraire d'anormal. L'anormal, c'est l'ordinaire.

LISTE DES DÉNOMINATIONS CORRECTES

Confucius, appelé en consultation par le roi de Wei, lui expliqua que son État était au bord de l'anarchie parce qu'on y employait des mots inappropriés. La maîtresse, qui faisait fonction de ministre, n'en portait pas le nom, et cela offusquait la bonne marche des choses. « Comment faire avancer un chien si on lui dit, non pas : "En avant !", mais : "Dentelle !" ? » (Je cite de mémoire, et l'exemple du chien doit être de moi.) Le monde grince sous les dénominations incorrectes. C'est son destin éternel, car il doit subir le jeu éternel des éperdus de pouvoir ou d'argent qui donnent hypocritement d'autres noms à leurs actions.

Le chien s'habitue très bien à « dentelle », s'il est prononcé avec l'intonation de l'ordre. Toute dépourvue de fonction gouvernementale qu'elle était, Mme de Pompadour savait très bien se faire obéir. C'est une pauvre chose qu'un mot, et voilà pourquoi les raisons d'étymologie me paraissent les moins probantes de toutes.

Si tu veux décrire la baleine, tu n'as pas besoin de dire qu'elle est grosse. La plupart du temps, quand une chose est très grande ou très petite, son nom nous le dit. Gratte-ciel. Puce.

Les mécontents de tout s'emportent contre l'euphémisme, mais ils sont les premiers à s'indigner si l'on dit « les vieux » et non « les personnes âgées ». L'euphémisme est la tête détournée de la politesse devant les brutalités de la vie. D'une certaine façon, tout mot est un euphémisme.

La franchise est-elle plus exacte? Elle dit une chose, mais une chose n'est-elle qu'une chose?

J'aime les hommes virils à gestes lents et légèrement féminins. Gestes cessant d'être *féminins*, de ce fait, ou ces hommes *virils*. C'est du sens, mieux : de la réputation des mots que je parle.

« Propriété des termes » serait plus exact que « dénominations correctes », car il entre dans cette idée de correction une idée de correction, précisément, de fessée. Et qui en est juge, de la correction? Quelle autorité, quel critère, quel impératif? C'est plus souvent la bienséance que le tact, la convention que la sensibilité, l'habitude que la réflexion. L'homme ne veut pas déplacer les objets de son intérieur sensible de peur de voir la poussière en dessous. Enfin, « dénominations correctes » rappelle trop « politiquement correct », ce nom que la droite enragée donne à la gauche retorse. Ce n'est pas si mal, le « politiquement correct », s'il s'agit de secouer la sommeillante muflerie de la majorité.

Le « politiquement correct » a été la dénomination par des réactionnaires américains de pratiques universitaires qu'ils voulaient renverser, telle l'instauration de cours de « littérature lesbienne », et dont ils ont étendu la menace à l'ensemble de la société pour effrayer les bons bourgeois qui ont cru que les Amazones étaient aux portes, avec sur leur croupe les Tantes éperonnées par les seringues des Camés. Le « politiquement correct » a enragé ses ennemis car il ne faisait pas semblant de respecter la bienséance, cette courtoisie décrétée par la majorité pour laisser les minorités à la niche. Les minorités, tout d'un coup, cessaient d'être humbles et réclamaient des droits; par quelle illusion, disaient-elles, nous sommes-nous laissé intégrer, c'est-à-dire tolérer, c'est-à-dire mépriser comme chrétien en royaume musulman? C'était sans doute exagéré, à la hache, mais on a besoin de scandaleux pour ébranler les injustices. Leur drame est que, des progrès ayant été accomplis grâce à eux, une nouvelle bienséance s'installe qui ne leur rend jamais justice.

Le « politiquement correct », ce sont aussi des gens qui croient annuler la violence du monde en modifiant le vocabulaire. Ils atteignent souvent un résultat contraire : le camouflage de la souffrance. La violence reste, renforcée même par la diversion que constitue la nouvelle dénomination. Tout au plus elle se déplace. C'est au moins ça. Les homosexuels n'ont eu que des exemples de malheur. Oscar Wilde. La tirade « race maudite » d'*À la recherche du temps perdu*. La chanson « Comme ils disent » d'Aznavour. Le film *L'Homme blessé* de Patrice Chéreau. Et on leur en voudrait d'avoir créé le mot « gay » ? Ils disent parfois « pédé », comme certains Noirs disent « nègre » : de l'injure assumée faisons décoration sarcastique. Tant que le mot ne sera pas réglé, le sort non plus. Quand sera communément employé un mot calme et aussi banal que « pain », la paix sera là.

Croit-il. Le mot « juif » n'a jamais empêché l'antisémitisme.

Et puis, surtout, pas de mot. Toujours qualifier ! Ne pourrait-on pas, de temps à autre, laisser les hommes dans la tranquillité du vague ?

LISTE DE PROPOSITIONS DE QUALIFICATIFS DE COULEURS

Rose dentier.

Orange ciel.

Vert planche à voile.

Chrome glacé.

Nacré asperge.

Bleu américain.

Rouge klaxon.

LISTE DE COMPARAISONS

Beau comme le prince impérial.

Laid comme un rot.

Lourd comme la désinvolture.

Léger comme la muflerie.

Gai comme habiter le boulevard Poniatowski.

Morne comme une épicerie bio.

Sale comme les Champs-Élysées.

Désordonné comme un avion après quatre heures de vol.

Mince comme un torero.

Accroupi comme un Chinois.

Méprisant comme un Indien.

Plaintif comme un Polonais.

Babillant comme une Philippine.

Dogmatique comme un libéral.

Conservateur comme un rocker.

Méchant comme un gauchiste.

Doux comme un cruel.

Coquet comme un militaire.

Parler français comme un sportif.

Impopulaire comme un picador.

Têtu comme un orchestre.

Fainéant comme un policier.

Menteur comme un artisan.

Candide comme un professeur.

Patient comme une mère.

Insolent comme un pigeon.

Dédaigneux comme un chameau.

Circonspect comme un crabe.

Frémissant comme un cheval.

Voûté comme une hyène.

Bâiller comme un éléphant de mer.

Bête comme une langue de chien qui pend.

Des manteaux longs comme des rideaux.

Froid comme un plateau d'argent.

Glacial comme un château.

Des platanes gros et courts comme des cèpes.

Des épaules de saule pleureur.

Les cyprès pareils à des empereurs byzantins.

Phrases

LISTE DE LA PONCTUATION

Une ponctuation mal posée, une répétition inutile, et l'esprit s'en va vers les nuages. C'est fou ce qu'il faut comme art pour maintenir l'attention du lecteur. Il y a tellement plus intéressant, comme ce buisson où s'est enroulé le vent, là, au coin de l'œil.

Un journaliste pose un point où un écrivain poserait plutôt un deux-points. « Comme le cercueil passait devant Buckingham Palace, le monarque, se tenant à l'extérieur, fit une chose qu'elle n'avait jusque-là faite qu'une fois, pour un chef d'État. Elle inclina la tête. » (Tina Brown, *The Diana Chronicles*, 2007.) Cela s'appelle le sensationnalisme.

Une des grandes affaires de Jacques Laurent (1919-2000), c'était Stendhal. Cet auteur de droite a pris à cet auteur de gauche une façon abrupte d'écrire et une ponctuation maigre (mais c'est chez Laurent plus conscient). Une phrase très Laurent est : « Et ce bras on le retrouve partout dans Michel-Ange comme dans Caravage » (*Les Sous-ensembles flous*). Pas de virgule après l'apposition. La présentation du personnage est tout à fait Stendhal : il le décrit, et ne donne son nom qu'après, ou donne le nom du personnage sans dire qui c'est et n'explique qu'après. Il se peut enfin que de faire un croquis de la tête d'un personnage du même roman plutôt que de le décrire lui soit venu de la *Vie de Henry Brulard*.

Le seul véritable reproche qu'on puisse faire aux éditeurs de la Pléiade de Stendhal est leur changement de ponctuation. Ils disent avoir modifié : « Tu veux donc la mort de mon âme immortelle, lui dit Inès ? » (*Le Coffre et le Revenant*) en : « Tu veux donc la mort de mon âme immortelle ? lui dit Inès. » Or, il y a dans la version de Stendhal une nuance qui fait porter l'interrogation sur le dernier mot, comme dans la conversation : cela a l'air plus *naturel*, et ne peut donc être plus stendhalien. C'est une discussion que j'ai moi-même eue avec un correcteur qui m'opposait la règle, et je lui répondais : je ne veux pas que la fin de la phrase, comme neutralisée après la vivacité du point d'interrogation, pende comme un appendice inutile.

Je me demande si la perfection d'*À la recherche du temps perdu* n'aurait pas constitué à en supprimer tous les signes de ponctuation, comme Apollinaire, comme en latin : ses longues phrases, en effet, ne sont pas longues pour être longues, mais semblent nous dire : la respiration est incluse, vous la retrouverez tout seuls.

LISTE DE LA PUBLICITÉ

Le premier panneau publicitaire électrique a été installé à New York en 1892. Sur une façade d'immeubles, les ampoules vertes, rouges, jaunes et blanches disaient : « *BUY HOMES ON / LONG ISLAND / SWEPT BY OCEAN BREEZES / MANHATTAN BEACH / ORIENTAL HOTEL / MANHATTAN HOTEL / GILMORE'S BAND / BROCK'S FIREWORKS.* » Achetez une maison à Long Island, balayée par les brises marines. Manhattan Beach. Oriental Hotel. Manhattan Hotel. Orchestre Gilmore. Feux d'artifices Brock. Peu s'en est fallu que la publicité devienne de la poésie.

En 1927, dans *La Liberté ou l'Amour*, Robert Desnos imagine le combat de Bébé Cadum contre le Bonhomme Michelin. « Du haut de cet immeuble, Bébé Cadum, magnifiquement éclairé, annonce des temps nouveaux. » Bébé Cadum, inventé en 1912, était vu sur des panneaux publicitaires à partir de 1920, tandis que le Bonhomme Michelin, inventé en 1898, était affiché depuis 1901. Desnos savait que c'était du commerce, mais il cherchait à le mythifier, à le rendre meilleur que lui-même. Cette année-là, Blaise Cendrars écrit *Publicité = Poésie*, en partie parce que c'est encore un peu vrai, en 1927, en partie pour la forcer à en devenir une. Si les entreprises étaient moins pusillanimes, et plus économes, elles feraient travailler des poètes plutôt que des agences. Un bijoutier de la place des Victoires passe commande à Cendrars d'une « réclame », et nous lisons l'une des plus charmantes qui aient été écrites : « Qu'est-ce qu'un bijou moderne ? [...] Œuf, hélice, spirale, / Chrome, platine. / Au doigt, au cou, au cœur. » Je présume que le bijoutier est resté dubitatif.

En 1955, Ford demande au poète américain Marianne Moore d'inventer le nom d'un nouveau modèle de voiture. Aucune de ses propositions n'a été retenue. Il est vrai qu'elle commentait plutôt qu'elle n'imaginait. « *Silver Sword* » (Sabre d'argent). « *Thundercrest* » (Éclair de tonnerre). Avec « *Pastelogram* », elle s'approchait à mon sens de la poésie : elle inventait un *mot*. Son tort a sans doute été de faire plusieurs propositions. En général, quand on hésite entre plusieurs choses, aucune n'est la bonne. La voiture a été nommée Edsel. *Toujours pas le bon mot, à mon sens*, tel est le refrain du poème que j'aurais écrit si j'avais été Marianne Moore. Dans les années 1980, Françoise Sagan a menacé la Régie Renault d'un procès pour avoir appelé *Chamade* un de ses modèles : c'était le titre d'un de ses romans. Elle n'avait pas inventé le mot mais avait sans doute raison de supposer que les publicitaires, qui n'ont souvent pour idée que de voler celles des autres, ne l'auraient pas connu sans elle. (Sauf erreur, il y a eu transaction, la Renault est restée Chamade et Sagan a reçu de l'argent. Quel est le charmant génie qui a inventé l'expression « mon cœur bat la chamade » en pensant à ce roulement de tambour qui annonce qu'un fort capitule ?) La publicité a très vite préféré la propagande à la poésie. Le XXe siècle s'est lui aussi arrangé pour donner tort à Desnos et Cendrars, lequel l'avait si jovialement fait commencer, par des poèmes aussi désespérés et confiants que *Les Pâques à New York*. Le XXe siècle et Blaise Cendrars sont en bateau. Le bateau se retourne. Qui reste-t-il ?

« Pour retrouver les saveurs oubliées, Antoine Macelier a pris grand soin de rechercher les recettes originales, les méthodes ancestrales perdues dans la tempête industrielle. Chaque spécialité est fabriquée à partir d'ingrédients d'origine agricole issus de l'agriculture biologique. De tout cela dépend notre honneur de Charcutier. » (Au verso d'une étiquette de boudins blancs au porto, janvier 2002.)

Sur les quais de la Seine à Paris, près du pont Louis-Philippe, un bouquiniste exposait en mars 2005 deux livres côte à côte. Le premier était *Les Loups* de Guy Mazeline. Sur la cellophane, au feutre noir, en haut : « 6 € »; en bas : « Prix Goncourt ». L'autre était le *Voyage au bout de la nuit*. En haut : « 60 €. » En bas : « Pas Goncourt. » (Mais Renaudot, centaines de milliers d'exemplaires vendus, argent et notoriété décuplée par la plainte à la supposée persécution.)

Avant Carpentras, un antiquaire qui fait face à un autre sur la Nationale 7 a planté un grand panneau où était écrit, en 2006, d'une calligraphie gaie : « Mieux qu'en face. »

LISTE DE PHRASES ENCHANTERESSES

« Je commence à douter de la justice de mon pays. »
Henri-Désiré Landru, lettre à Jean-Baptiste Botul, 2 juin 1919, *in Landru précurseur du féminisme, correspondance inédite* (il est en prison durant l'instruction de son procès).

« Non, Edward n'est pas homosexuel. La preuve, il va épouser Sophie, une roturière. »
Ici Paris.

« Je ne sais pas exactement ce que l'on entend par *éloge*. »
Valéry Giscard d'Estaing, discours de réception à l'Académie française, 2004.

« C'est une affaire regrettable à tous égards. Mais je ne regrette pas. »
Jacques Chirac, interview télévisée, 14 juillet 2004.

« Mireille Dumas : "Je déteste l'ostentation." »
Couverture du magazine *Je*, n° 2, mars-avril 2007 ; et sa tête est reproduite douze fois sur la couverture.

LISTE DES MEILLEURS « MOTS » QUE JE CONNAISSE

Socrate croise Antisthène, le fondateur de l'école cynique, marchant dans la rue avec son manteau déchiré : « N'as-tu pas fini de faire le beau devant nous ? » (Élien, *Histoire variée*)

Pompée étant en fuite, César devenu maître de l'Italie veut faire sauter les serrures du Trésor. Metellus s'y oppose. César le menace de mort.

— Et tu n'ignores pas, jeune homme, que cela m'est plus difficile à dire qu'à faire. (Plutarque, *Vie de César*)

Chamfort dit à Rulhière qu'il n'a fait qu'une méchanceté dans sa vie. Rulhière : « Quand finira-t-elle ? »

Qui me rappelle Beaumarchais disant à Rivarol, le soir de la première d'une de ses pièces, qu'il a couru toute la journée et en a les cuisses rompues. Rivarol : « C'est déjà ça. »

Napoléon demande à Camillo Massimo s'il est vrai qu'il descend de Fabius Cunctator (Quintus Fabius Maximus) :

— Je ne peux pas vous l'assurer, mais c'est une légende qui court dans la famille depuis douze cents ans.

Talleyrand à Napoléon : « Vous êtes impossible quand vous êtes heureux. »

Mme de Staël était si emportée que, pour se consoler des malheurs de son exil, il suffisait à Pozzo di Borgo de penser : « Au moins je ne suis pas le mari de Mme de Staël. » (*Journal* de la marquise de Montcalm)

> *Gentleman in the street : — Mr Jones, I believe?*
> *Duke of Wellington : — If you believe that, you'll believe anything.*

« À Rome, un sculpteur demande à Ingres son avis sur sa dernière œuvre, un gros groupe en marbre sur lequel il a travaillé pendant cinq ans. Ingres regarde, prend son temps, ne dit rien.
— Eh bien?
— Moi? J'aime mieux une borne. » (Hugo, *Choses vues*)

Quelqu'un : — Elle est toujours la même depuis vingt ans.
Paul Léautaud : — Ça devait bien lui nuire quand elle était jeune. (*Journal*)

Qui me rappelle la phrase de Benjamin Constant dans le *Cahier rouge* : « Elle avait été fort belle et s'en souvenait toute seule, car elle avait soixante-cinq ans. »

L'acteur noir américain Roscoe Lee Browne, à qui on faisait le compliment de « jouer comme un Blanc » : « Nous avions une bonne blanche à la maison. »

Billy Wilder à sa femme qui, au petit déjeuner, lui rappelait que c'était leur premier anniversaire de mariage : « S'il te plaît, pas pendant que je mange. »

Lord Mountbatten : « Je vote travailliste, mais mon valet de chambre est conservateur. »

L'écrivain Norman Mailer donne un coup de poing à Gore Vidal. Vidal : « Comme toujours, les mots lui ont manqué. »

En août 1990, l'armée irakienne envahit le Koweït. Mitterrand, président de la République, prend l'affaire en main. Deux jours passent. Le Premier ministre, Rocard, qui passe ses vacances en Bretagne, lui fait demander s'il veut qu'il revienne. Mitterrand :
— Mais qu'il fasse comme il veut. (Jacques Attali, *Verbatim*)

« C'était le seul homme de 90 ans qui faisait deux fois son âge. »
(Seth Tillman, auteur des discours du sénateur Fulbright, à propos du
sénateur de l'Arizona Carl Hayden, cité par Bill Clinton, *Ma vie*)

Edwige Feuillère : — Vous ne me photographiez plus aussi bien
qu'avant.
Le directeur de la photographie : — Eh oui, Edwige, j'ai vieilli.
(Également attribué à Hal Mohr répondant à Marlene Dietrich et à
Ernest Haller avec Bette Davis.)

« Intrigant, va ! » Un clochard à son berger allemand, au Champ-
de-Mars, 8 mai 2000.

Un moribond à qui un ami rend visite :
— Tu as une mine épouvantable !

LISTE DE LA BOUGRERIE INSOLENTE

Pauvres Ophélies
Qui sans batelier ni bateau
Vous en allez au fil de l'eau,
Comme vos Hamlets vous oublient !...

Jean Lorrain

« Un jeune homme disait à ce bougre d'abbé d'Amfreville : "Monsieur, j'avais des cheveux qui me tombaient sur le cul." "Ah, monsieur, ils étaient bien heureux." »

Voltaire, *Carnets*

« Lulli dans un vaisseau trouve un mousse *dormientem et arrigentem* [endormi et bandant], il branle le mousse, celui-ci s'éveille et se fâche. *"Credevo, signore, che fosse il mio."* [Je croyais, monsieur, que c'était la mienne.] »

Voltaire, *Carnets*

« Un confesseur disait à un buggiaron : *"O questo peccato contra natura* [j'ai péché contre la nature]. — *Oibo, padre*, dit l'autre, *m'é naturalissimo a me"* [Eh ! mon père, pour moi, c'est très naturel]. »
Tallemant des Réaux, « Contes d'Italiens sodomites »,
dans les *Historiettes*

Le milliardaire Cecil Pecci-Blunt avait une relation avec un certain Cecil Everly. On surnommait sa femme : « La reine des deux Cecil. »

614

« Pourquoi les motards portent du cuir ? La dentelle se froisse si vite ! »

Paul Lynde (1926-1982), *Too Much of A Good Thing*

« Brice is a faggot. »
« So am I. » [« — Brice est pédé. — Moi aussi. »]

Graffitis, Londres, pub *Stanhope Arms*,
Gloucester Road, 2005

La pensée et son éventuelle

ennemie l'idée

LISTE DE LA PENSÉE

Notre mémoire est peuplée d'objets, bien plus que de personnes, et si je constate ce changement d'un seul coup, c'est que je n'ai pas connu, comme les transitions eux ne me regardent pas.

C'est une phrase que j'avais notée en vue d'un livre. Elle ne veut plus rien dire pour moi. Je ne l'avais pas achevée, et ses manques, très clairs sur le moment, me sont devenus opaques. On a formé une pensée, mais incomplètement : telle quelle on la note, et elle s'en va. Elle n'aurait été formée qu'à condition d'avoir été entièrement écrite. En l'état, c'est un fœtus de cinq mois se balançant dans du formol, un faux espoir, un quasi-rien dégoûtant. Non seulement je ne sais plus ce que j'ai voulu dire, mais je ne peux plus le concevoir : la pensée est contingente au moment, aux sentiments, au corps, à tout ce mélange impur qui la fait naître, ce tortillon d'ADN où s'accrochent une joie, une brûlure au pouce, une boule de glace au chocolat, une paire de gants en chevreau, une idée que l'on dévisse, etc. Une autre naît immédiatement ; il n'est pas sûr que les conditions soient de nouveau réunies pour que la première puisse réapparaître.

Croit-on. Nous ne sommes pas si divers, si renouvelables, si inattendus. Passez trente-cinq ans, et vous constaterez avec horreur que nous répétons sans le vouloir les mêmes choses. Hélas, nous ne changeons jamais.

La principale composante du talent, c'est la pensée. Chateaubriand fait des pages éblouissantes d'un rien, non parce qu'il a de l'art, mais parce qu'il a réfléchi et a une conception générale des choses.

Les livres des Romains de la Renaissance, selon du Bellay, suppléent pour les modernes aux monuments de la Rome antique (*Antiquités de Rome*) : premier scintillement d'une pensée qui sera allumée par Victor Hugo dans *Notre-Dame de Paris* trois cents ans plus tard : « Le livre remplacera la pierre. » Parfois une pensée nous traverse et nous ne la concevons pas. Il faut quelqu'un d'autre, bien plus tard, incliné de son côté, pour mieux la voir et l'exprimer. A son tour il en manque d'autres, etc.

Au contraire des pratiques matérialistes, qui sont très idéales, l'art, pratique spirituelle, devient matière. Cette matière, cette pensée prise, ne reste pas moins du spirituel. Un livre est un objet au même titre qu'une sculpture.

Les sûrs d'eux et les inquiets appellent mauvaise foi toute réflexion contraire aux leurs.

Les narcissiques ont du mal à comprendre que leur personnalité n'est pas en jeu dans une discussion. Une discussion est une boule entre deux personnes qu'elles remuent, examinent, déplacent, sculptent sans que cela engage la personnalité de l'un ou de l'autre, même si elle a été lancée par l'un d'eux. Les narcissiques sont si vaniteux qu'ils croient qu'ils ont créé la pensée. Ils se vexent si on les contredit. Quels que soient les malheurs de chacun, et chacun en a, la spéculation intellectuelle leur est impossible : ils la commencent, mais ne peuvent l'achever, car, à un certain moment, surgit toujours, geignant et revendicatif, leur moi offensé d'être absent de la conversation.

Une pensée exacte n'est pas ce qui s'oppose à une opinion fausse.

Il y a toujours un trou dans le raisonnement le plus impeccable. C'est le moment où, s'approchant de l'explication fondamentale, celle-ci s'enfuit comme une bille au fond de l'espace. Et c'est cette connaissance toujours plus fuyante que l'on peut appeler mystère. Il est sans doute nécessaire qu'elle fuie : ce faisant, elle nous attire. Et l'homme, seul dans le désert, continue à avancer, ahanant, vers cette aguicheuse.

Dans un pays d'Asie où j'allais pour la première fois, je me dis au bout de deux jours : plus on reste, moins on comprend. C'est la vie qui entre. Les préjugés, si éclairants, se sont éteints.

Se contester soi-même deux fois. 1) En acceptant la contradiction, en l'avalant pour la faire sienne et trouver une pensée nouvelle ; 2) en contestant cela même. Et méfiance si bravos. Ce pour quoi on nous flatte n'est pas ce que nous avons de meilleur. C'est pour cela qu'on le flatte. Méprisez vos flatteurs. Méprisez-vous d'en avoir ?

La pensée est une méthode, l'idée une illumination. De là qu'elle est souvent fixe : on veut conserver la lumière.

La barbe est une idée. Chez les hommes ; chez les femmes, ce sont les cheveux. Ce sont parmi les plus durables dans l'histoire de l'humanité.

Dans les *Souvenirs sur Friedrich Nietzsche*, Franz Overbeck dit de l'antisémitisme, apparu vers 1884 en Allemagne : « Nous l'avons considéré comme une mode des temps qui ne méritait guère qu'on s'y attarde. » Ainsi fait toute pensée. Elle a des choses sérieuses à traiter. Pendant ce temps, la mode durcit et devient une idéologie. Il faut presque une guerre pour l'anéantir. Nietzsche a qualifié plusieurs fois de « pègre antisémite » ceux qui répandaient cette idée (dans *Par-delà le bien et le mal*, par exemple) : il savait que ce n'était pas de la pensée, mais de l'agitation d'une émotion à des fins de pouvoir. Il a fallu cinquante ans pour que ces voyous qu'on a laissé dire le prennent, deviennent chanceliers d'Allemagne et respectables. Arrêtons les idées avant qu'elles ne prennent. Appliquons aux idées devenant modes ce que Plutarque recommande à propos de la faction de Jules César :

> Mais, quand elle eut grandi, fut devenue facile à renverser et marchait droit vers une révolution totale de l'État, ils s'aperçurent trop tard que nulle entreprise à son début ne doit être tenue pour insignifiante, car il n'en est aucune que la continuité ne puisse rendre vite considérable, lorsque le mépris qu'on a pour elle empêche d'en arrêter les progrès.
>
> Plutarque, *Vie de César*

Les pensées ne sont produites que par les individus, les idées peuvent mener les masses. Ça peut être très bien, tout plutôt que la torpeur, et très dangereux. Il faut cent ans à une notion intéressante devenue idée criminelle pour être chassée d'un corps collectif, au prix de millions de morts. La nation, le progrès.

Ou la force. Cette idée aberrante, dont l'Europe s'était jusque-là passée, est apparue en Prusse sous Bismarck : il l'a inculquée à l'empereur, puis au pays, enfin, grâce à la guerre de 1870, à l'ensemble du continent. L'ont admise tous les pays étonnés de la défaite de la France, laquelle s'est dit qu'elle avait perdu par défaut moral et intellectuel : et voilà, tout à fait consciemment, la force importée par un pays qui a bien des défauts, mais pas la brutalité. Des écrivains comme Renan ont dit qu'il fallait étudier la philosophie allemande, et de bien moindres penseurs ont fabriqué des théories justifiant la supériorité germanique, comme Fustel de Coulanges. Un cas parmi d'autres où l'éloge de la virilité n'est que l'anesthésiant du soumis.

Idée aberrante, disais-je : elles le sont toutes, jusqu'à ce qu'elles soient adoptées par le plus grand nombre, et les voilà exactes. La pensée est solitaire, l'idée, démocratique. Voilà pourquoi les gens d'idées parient sur le commentaire et l'influence plus que sur l'examen intellectuel. L'idée cherche à devenir célèbre, c'est sa spécificité et son vice.

La plupart des idées ne sont que des coutumes.

La presse et la télévision

LISTE DE LA PRESSE

1998 : Kabila, président du Congo, adoré par les journaux français. Les mêmes journaux, les mêmes, dès qu'il commet ses premières erreurs, l'attaquent. De toujours, les journaux ont fait l'éloge de monstres avant de les dénigrer comme s'ils n'en avaient jamais dit un mot en leur faveur, faisant généralement le contraire quand il s'agit de quelqu'un de bien. En 1978, ils se sont enthousiasmés pour l'ayatollah Khomeiny et moqués du roi Juan Carlos à leur arrivée au pouvoir, pour exprimer l'avis inverse quelques années plus tard. Un des plus amusants exemples est Fareed Zakaria, éditorialiste de *Newsweek*, qui soutenait la guerre d'Irak de George Bush avec des termes menaçants pour qui était contre et qui, trois ans après, employait les mêmes termes mais contre Bush (« Nous faisons la mauvaise guerre », 28 janvier 2008), en dissimulant qu'il avait eu l'avis inverse. La presse arrive toujours à l'opinion exacte, mais pas sans avoir colporté la fausse.

Un de ses verbes chéris est « dénoncer ». Elle a la passion de la censure, comme certains employés qui rêvent de virer tout le monde dès qu'ils deviendront patrons.

La presse veut du feuilleton : durant les élections, il faut que tel candidat baisse pour remonter ensuite, apportant dans les vies moroses des gens de l'aventure qui leur fait acheter du papier. Surtout, surtout, elle veut qu'on lui donne raison. Elle fait en permanence des analyses et des prédictions, et n'est pas du tout contente si le public, son seul juge, ne les confirme pas. En fêtant les gagnants et en accablant les perdants, c'est sa propre perspicacité qu'elle louange et le mauvais goût des seconds qu'elle hue.

Je me trouvais en Irlande le 12 septembre 2001 (je vous raconterai un autre jour ce qu'était l'aéroport de Roissy le lendemain des attentats en Amérique, vide et parcouru d'hôtesses et de stewards d'Air France faisant les importants). Le *Sligo Champion* titrait : « *Sligoman Among Those Missing in Aftermath of New York Atrocity* », un habitant de Sligo parmi les disparus dans les suites des atrocités new-yorkaises (« *atrocity* » était le cliché que s'était instantanément choisi la presse de langue anglaise). Le provincialisme trouve le moyen d'exhiber son torse jusque dans les événements les plus internationaux.

Les affichettes grillagées de la presse *tabloid* parlent à l'Angleterre le langage de l'irrespect plus rapidement et plus sûrement qu'Internet. En février 2005, on annonce le mariage du prince de Galles avec Camilla Parker-Bowles. Titre du *Daily Star* : « *BORING OLD GITS TO WED* », les vieux raseurs vont se marier.

Un ancien champion de football, George Best, périssait d'alcoolisme. En novembre 2005, le *Guardian*, journal supposé sérieux, publiait un portrait de lui « alors qu'il vit ses dernières heures ». Tabloïd pas tabloïd, même charognerie.

Les journaux publient les listes des plus fortes ventes de livres. On les voit même publier les tableaux des taux de remplissage des théâtres de Paris. Les éditeurs et les directeurs de théâtre pourraient, dans leurs programmes et leurs livres, publier les vrais chiffres de vente des journaux.

Une chose qu'on n'a pas dite à propos de Barack Obama, lorsqu'il était le candidat démocrate à l'investiture pour l'élection présidentielle américaine de 2008 (on ne peut pas être un grand écrivain politique), c'est qu'il était beau. On dit : jeune, fringant, tout ça, mais pas : beau. Comme si c'était une vulgarité. Ou antidémocratique. Gênant, en tout cas. Le public le disait. La presse ne pouvait pas en parler, car elle ne cherche pas le beau, mieux encore, elle n'y songe pas, tellement il lui est antithétique. Quand y a-t-il eu un titre de une de journal avec le mot « beau » ? Le monde en serait changé.

Un journal d'un certain pays lu dans un autre pays, ou d'une certaine région lu dans une autre région, s'évente. Différence du journalisme avec la littérature, qui perd beaucoup moins de substance en voyageant. La substance est dans la littérature même, et communiquée au lecteur; elle est en grande partie extérieure au journalisme, et apportée par le lecteur.

Ce qui empêche le journalisme d'être au niveau de la littérature, à talent égal (c'est-à-dire, le plus souvent, quand un écrivain écrit dans la presse), c'est la mort. Le journalisme adore *les morts*, dont la quantité crée le mélodrame nécessaire à la vente et annule la réflexion sérieuse qui ferait fuir le public, la littérature s'intéresse à *la mort*, dont l'unicité crée le drame et engendre des réflexions parfois désagréables qui intéressent les lecteurs.

LISTE DES CRITIQUES...

... critiques littéraires

Les critiques littéraires ont la déplorable habitude de penser qu'on leur demande leur avis sur les livres. On leur demande d'en dire du bien.

L'autre jour, à l'Académie française, il y avait X... le célèbre critique, son stylo à la main, qui dormait. J'ai compris comment il écrivait ses articles.

Si j'établissais la liste de toutes les ignorances de critiques que j'ai constatées, ce livre n'y suffirait pas. Critique littéraire est le seul métier que l'on puisse exercer sans savoir qui est Jules Laforgue ou Guillaume de Machaut (mais rassurez-vous, de bien plus illustres sont pareillement ignorés), comme si un chirurgien pouvait opérer sans savoir la différence entre le pied et l'oreille.

Tout ce que veulent savoir les critiques parisiens d'un roman, c'est *si c'est vous*.

Comme les politiciens démocrates, les écrivains sont jugés par des notions terroristes : sincérité, nécessité, légitimité. Qui en est juge ? Des ignares et des usurpateurs. Personne ne connaît nos vies, et pourtant on décide de ce que nos écrits ont de « sincère ». Personne n'est plus prompt que les auteurs de coups d'État à brandir la légitimité. Les seuls jugements honnêtes procèdent de la qualité et de la légalité.

630

J'ai beau en avoir l'habitude, il me reste un brin de fascination devant l'impudence avec laquelle certains critiques volent les préfaces pour faire leurs articles. Cela m'est arrivé à chaque fois que j'en ai écrit une, et j'ai fini par comprendre qu'il n'y avait rien de mal intentionné dans ces vols. Ces critiques ne peuvent pas imaginer qu'on ait conçu une idée soi-même.

Si les critiques sont parfois aigres, c'est qu'ils sont obligés d'écrire quelque chose sur un livre chaque semaine. Et il n'y a pas un bon livre qui paraisse chaque semaine. On finit par regarder tous ces ouvrages, là, comme un tas égal et hostile qui vous empêche d'aller aux Bahamas, d'écrire votre chef-d'œuvre. La critique, c'est le mariage forcé. Comme la biographie, à la différence que, la plupart du temps, le biographe choisit son biographé. Ce qui ne change rien au résultat : au bout de quelques mois de vie en sa compagnie, il commence à le regarder par en dessous. C'est toujours toi qui choisis le programme à la télé ! Si j'avais su, je n'aurais jamais dit oui ! Et voilà comment des gens bien intentionnés au départ se crispent sur de tout petits particularismes irritants (quel particularisme ne l'est pas ?) et produisent mille pages de tout petits reproches irrités, voguant sur la petite flaque de fiel qui les venge des mauvais livres. Ils cassent la statue pour ses chiures de pigeon.

Comme disait Dorothy Parker : « Je ne veux plus faire de critique littéraire. Cela prend trop de temps et m'empêche de lire » (*Articles et critiques*).

Un moment embêtant de ma vie s'est produit quand un de mes livres a eu un article très élogieux. Il était écrit par un mauvais critique. Mais alors, très mauvais. Et l'article, très élogieux. Cet homme m'aurait chipoté, j'aurais pensé : c'est normal, il est impossible qu'un homme comme celui-là aime un livre comme celui-ci. Les chipotages de ces gens-là sont délicieux. On les relit comme on reprend du sorbet. Mais leurs éloges ! Ah, me disais-je, ton livre n'est pas si bon ! Il te tue ! Je vais lui faire un procès ! Toutes les lettres d'injures ne sont pas rédigées avec des injures ! Il y a des éloges qui sont des calomnies ! Le pire, c'est quand je me suis attendri : au fond, il n'est pas si mal... il a du goût... Je devenais comme lui. C'est cela qui est honteux : de devenir, par faiblesse, ce que l'on réprouve ;

et en même temps (reculez, nietzschéens!), un peu de faiblesse est humaine, délicieusement humaine.

— Quelle est la meilleure critique que vous ayez eue?
— Qu'un vendeur de chez Paul Smith me dise, le 30 novembre 1999 : « C'est la première fois que je vends un pantalon sans retouches. »

... critiques de cinéma

Il y a des gens qui vous ignorent à 2000 et vous haïssent à 20 000. Je le disais en 2005 au cinéaste Laurent Cantet qui, chouchou de *Libération* et des *Inrockuptibles*, venait de se faire injurier par ces deux journaux. Ils le croyaient à eux parce que ses deux premiers films, qu'ils avaient vantés, n'avaient pas eu de succès public. Le suivant, avec Charlotte Rampling, semblait destiné à mieux marcher : crachats. Il s'est défendu de ce que cette *Chair du maître* soit filmée « grand public ». « Je m'en doute bien, lui dis-je; ce qui se passe sans doute, c'est que votre façon de filmer risque d'être admise par un plus grand nombre de gens. La plupart des bons réalisateurs ont commencé par des films que le public n'a pas été voir, et puis, un jour, le public s'est amouraché d'eux : ce n'est pas eux qui ont changé, mais le public qui les a *vus*. » Certains critiques s'imaginent que nous sommes leur propriété, mieux : leur création. Qu'on leur échappe, et ils disent que nous sommes nuls. Ils veulent qu'on rate pour leur ressembler.

... critiques d'art

Je sors d'un vernissage; j'y ai vu de mes yeux vu X... le Grand Critique. Ce grand homme à tête de courge et au regard en dessous frayait dans les pièces, l'une après l'autre, l'autre après l'une, accompagné par une grande femme au visage aplati et au menton dans le cou non sans ressemblance avec Chérie Blair, la femme de l'ancien Premier ministre d'Angleterre : la sienne. Elle n'est sans doute pas plus vieille que lui, la cinquantaine, mais, avec sa grande taille, ses bouclettes blondes de mémère sublime, la robe à l'avenant et ses yeux écarquillés, on dirait sa grand-mère. Il réussit enfin ce qu'il cherchait, se faire remarquer par le galeriste. Le Grand Critique ! Le Grand Critique ! Et le galeriste accourt, passe un temps infini avec lui, lui expliquant un certain tableau que le critique avait remarqué. Avec son accent picard qui lui donne un air rien con, mais il est rusé comme la gastro-entérite, celui-ci posait d'humbles questions, s'inté-ressait, enfin payait de paroles le tableau qu'il comptait avoir gratis. Sa femme, assise près des deux hommes, repoussait de ses grands yeux ravis et effrayants toute approche qui aurait menacé le don. Et, obligeant, obséquieux et sans doute lucide, le galeriste décroche le tableau et le fait emballer. Le couple est reparti, furtif, alourdi d'une œuvre supplémentaire, vers la caverne sordide où ces deux chevaliers doivent vivre, faisant muettement des additions.

… critiques politiques

Maureen Dowd, du *New York Times*, a été vieillie d'un seul coup par la campagne présidentielle de 2008 et la nouvelle génération qui y apparaît. C'est une bonne critique, énergique et mordante, mais enfermée dans une époque, celle des hommes politiques sur qui elle s'est aiguisé les crocs, les Clinton et les Bush ; ces gens vieillissant et perdant, elle s'éloigne avec eux. Un critique méchant est un bou-ledogue attaché par une laisse au facteur. Quand le facteur prend sa retraite, plus de bouledogue.

… ET DU PUBLIC

Juin 1999, Central Park, New York, *Met in the Parks*, suite. Nous sommes des milliers assis dans l'herbe à attendre le début du concert. Un homme vient parler du « *mayor Giuliani* ». L'orchestre attend que l'avion, et le bruit qui lui succède, courtisan, passent. 20 h 40, le jour baisse, les lumières s'allument au front des gratte-ciel entourant le parc. *Lucia di Lameermoor*. 21 h 47, un petit chien hargneux aboie. Quelqu'un : « Un critique. »

LISTE DE MA LECTURE DE LA PRESSE UN CERTAIN JOUR

(samedi 25 novembre 2006)

Le Parisien, article « À Melle, la ville de Ségolène », c'est-à-dire celle où Ségolène Royal loue un appartement pour pouvoir se présenter dans la ixième circonscription des Deux-Sèvres. En passant, une information intéressante : elle « a fini par acheter une maison [...] avec des volets rouges et un petit jardin entretenu par une association d'aide à l'insertion ».

Même journal, chiffres sur les ventes de disques. Les chanteurs ne vendent pas infiniment plus de disques que les écrivains ne vendent de livres. (Vincent Delerm, n°10 : 53 712 copies de son dernier disque ; Charlotte Gainsbourg, n°6 : 163 672 ; Renaud, n°1 : 318 430). Si on en parle plus, c'est qu'ils rapportent davantage.

L'Équipe. Toute la « une » est prise par un titre blanc sur la page noire : « Quand le football tue. ». Il s'agit cette fois-ci d'un supporter raciste du Paris Saint-Germain abattu par un policier antillais qui protégeait un supporter israélien poursuivi par sa horde.

L'Équipe Magazine. Si l'on veut savoir ce qu'il faut faire pour être chic, il suffit de lire *L'Équipe Magazine* et de ne pas acheter les produits pour lesquels on y fait de la publicité.

Le Figaro. Le bloc des quatre *Figaro* du week-end est complété par un nouveau supplément, *Le Figaro Magazine Santé*. Les suppléments santé, ça me rend malade. Je le jette sans le lire, au même titre que le supplément télévision. En se divisant en cahiers, les journaux ont permis de se laisser éplucher aussi facilement que des artichauts cuits. Un euro vingt pour ça, se demande-t-on en tenant les douze maigres pages restantes entre les doigts ?, et on n'achète plus.

Le Monde (daté de dimanche). Page 3, dans un article sur l'assassinat d'un ancien espion du FSB à Londres, j'apprends qu'il a peut-être été empoisonné par du polonium 210. Et l'existence de celui-ci par la même occasion. Et voilà un livre : *Polonium 210*. Tout sur la Russie de Poutine. Le problème des Russes est qu'ils rêvent qu'on les prenne pour des civilisés à condition qu'ils puissent garder des mœurs de barbares. Même page, article sur Ségolène Royal : « "Ma première loi, si je suis élue…" », annonce-t-elle. Voilà une personne qui connaît sans doute le droit constitutionnel et s'en moque. Le président de la République n'y fait pas de lois : le gouvernement en propose au Parlement, lequel en projette de son côté, et c'est lui qui les vote. Comme la plupart des candidats de tous les partis à la présidentielle de 2007, Ségolène Royal a une assise bonapartiste pas même dissimulée : elle décide, parce qu'elle sait. C'est la même personne qui est pour « l'ordre juste », il paraît. Page 15, on cite Nicolas Sarkozy raillant le journaliste Patrick Poivre d'Arvor aux informations de 20 heures du 23, à propos de Royal : « J'ai regardé le journal de TF1 où vous l'avez interviewée… Enfin, interviewée, c'est un grand mot. » Patrick Poivre d'Arvor n'a pas répliqué. Ces hommes politiques sont jaloux de la complaisance des journalistes. Ils la voudraient pour eux seuls. Page 25, celle des nécrologies, j'apprends la mort de Betty Comden. C'était une femme de génie, puisqu'elle a écrit, avec Adolph Green, le scénario de *Chantons sous la pluie*, et de jolies chansons. On peut la voir dans le documentaire « *The Arthur Freed Unit at MGM* », avec son associé tout en dents, relater des souvenirs sur cette équipe d'auteurs de comédies musicales.

J'ai aussi acheté l'*Interview* de novembre. C'est le magazine fondé par Andy Warhol, tout en interviews faites par des non-journalistes. Elles ne sont pas plus mauvaises que les autres. J'ai trouvé, dans l'interview du jeune acteur Joseph Cross (second rôle dans le dernier film de Clint Eastwood), une réponse charmante d'arrogance. « — Vas-tu finir tes études ? — Je ne permettrai pas aux études de m'empêcher de jouer de grands rôles dans de grands films. »

LISTE DE DÉLICES PEU CONNUS
EN PRESSE ÉCRITE ET SUR INTERNET

Les articles où Bernard Frank railla l'annonce par Gallimard de l'entrée d'Hervé Bazin, président de l'Académie Goncourt, dans la Pléiade, comme celui du *Matin de Paris*, le 19 mars 1985. Ce fut un tel éclat de rire que la chose ne se fit pas.

> « D'après le sondage SOFRES, Hervé Bazin serait le plus grand écrivain français vivant (31 % des suffrages exprimés). La France profonde m'a donc désavoué. Je n'en attendais pas moins de son mauvais goût. Plus rien, semble-t-il, n'empêche l'entrée de Bazin en Pléiade. Chez les Gallimard, on attend avec impatience l'arrivée de M. Gorbatchev dans la cour d'honneur de la rue de l'Université. Il doit remettre en personne au prix Lénine de la littérature, sa Pléiade toute neuve. »

L'article d'Angelo Rinaldi sur Marguerite Duras qui venait de décider que, dans « l'affaire Grégory », Christine Villemin avait assassiné son enfant (« coupable, forcément coupable »), dans *L'Express*, 26 juillet 1985.

> « Par tradition, quand un écrivain aborde une affaire criminelle, c'est pour défendre un innocent. Le crédit dont il peut jouir, il le jette alors dans la balance qui penche injustement vers la culpabilité. Mme Marguerite Duras a changé ces manières qui furent gâtées par Voltaire et Zola.[...] Elle ne serait que ridicule, une fois de plus, si, dans son numéro de vedette s'attardant sur le devant de la scène après le départ des machinistes du Goncourt et le baisser du rideau, elle ne poursuivait sa quête des applaudissements sur le cercueil d'un gosse. »

La titraille de *Libération*, pendant longtemps. Sur le film *Rambo II*, avec Sylvester Stallone : « Rambo et con à la fois » (18 octobre 1985).

« On ne fait jamais de mal sans le faire exprès, sauf en amour », interview de Françoise Sagan dans *L'Événement du jeudi*, 12 novembre 1998 :

> « — Vous avez déjà été en analyse ? — J'y suis allée une fois. J'étais très malheureuse, alors je suis allée voir une analyste et elle m'a dit : "Vous êtes très malheureuse." Alors bon… je n'y suis pas revenue. »

Dessin de Willem dans *Libération*, 2 février 1999 :

« Le pathétisme du roman », entretien entre Juan José Saer et Jorge Luis Borges, *Le Magazine littéraire*, mai 1999 :

> « — Mais votre œuvre a une importance capitale. — Non, non, je ne crois pas. Je me suis proposé de distraire et peut-être d'inquiéter. Mais je crois que les gens se fatigueront très vite de ce que j'ai écrit. »

« Depuis Vichy, j'ai toujours beaucoup aimé Mitterrand », entretien de Jacques Laurent avec Catherine Nay et Patrice de Méritens, *Le Figaro Magazine*, 28 avril 2000 :

« Je me souviens d'un dîner un soir, chez lui, nous étions cinq ou six convives et quelqu'un a demandé pourquoi Jacques Laurent était considéré comme un écrivain de droite. Et Badinter de répondre : "Tout simplement parce qu'il a été à Vichy et qu'il était pour l'Algérie française !" Mitterrand et moi avons échangé un regard délicieux, et nous sommes passés à un autre sujet. »

Dessin de Danziger dans l'*International Herald Tribune*, 7 novembre 2000 :

George and Barbara Bush

JUST THINK, BARB, WE MAY WAKE UP SOON TO FIND GEORGE W. THE MOST POWERFUL MAN IN THE WORLD...

THINK OF THAT...

(— Pense, Barb, que nous pourrions bientôt nous réveiller un matin pour découvrir que George W. est devenu l'homme le plus puissant du monde... — Quand on y pense...)

« *White House Book Club* », article de Harold Evans sur les lectures du président Clinton, *New York Times*, 14 janvier 2001 :

« Al Gore a chuté dans les sondages au moment où il a avoué que son livre préféré était le roman d'un étranger, *Le Rouge et le Noir*, de Stendhal. »

« Je peux dessiner presque tout, sauf ce M. Poutine », interview du caricaturiste russe Mikhaïl Zlatkovsky, *Libération*, 29-30 novembre 2003 :

« Chaque jour qui passe depuis trois cents ans dans ce pays est un jour béni pour les caricaturistes. »

Les chroniques d'un mauvais goût outrageux et comique de Michael Musto dans le *Village Voice* de New York, par exemple, le 18 avril 2005 :

> « Jane Fonda, la reine du come-back, ne déteste pas ce qu'elle a entre les jambes. Elle raconte à tous les intervieweurs qu'elle a dessiné l'atrium de son gigantesque loft d'Atlanta en lui donnant une forme de vagin. Et vice versa, je présume. »

L'interview de David Gest, mari en instance de divorce de Liza Minnelli, dans le *Sunday Times*, 10 décembre 2006 :

> « J'ai fait sa connaissance il y a bien longtemps chez Frank Sinatra. Nous avons partagé des spaghettis, mais rien d'autre. » (« *I first met her years ago at Frank's [Sinatra] house. We had a spaghetti dinner but nothing in common.* »)

Les caricatures du Politburo dans la *Paris Review* de l'automne 2007. Certains membres de cette organisation dirigeante du Parti communiste de l'Union soviétique, s'ennuyant dans les réunions où l'on parlait pourtant de choses bien intéressantes, comme le plan quinquennal ou l'extermination des ennemis de la révolution, pensaient à l'extermination de leurs confrères exterminateurs avant de risquer d'être eux-mêmes exterminés par eux et faisaient des caricatures de ces amis mortels.

639

« *Becoming Adolf* », article de Nick Cohn sur la moustache de Hitler dans *Vanity Fair*, novembre 2007.

> « J'ai porté cette moustache pendant une semaine environ. Elle me précédait dans les magasins et restait suspendue en l'air après mon départ. Elle s'asseyait sur mon visage pendant mon sommeil. Dans mes rêves, j'étais Hitler. Je suis allé au Musée juif. Je suis allé chez Zabar. Je suis allé au Met. Je suis allé dans l'aile moderne. "Tout cet art est décadent." »

Mario Vargas Llosa, « *El Commandante y el Rey* », sur le roi d'Espagne faisant cesser les déblatérations d'Hugo Chavez, *El País*, 18 novembre 2007 :

> « Il existe encore une Amérique latine anachronique, démagogique, inculte et barbare, et que ce serait une perte de temps et d'esprit de l'associer à la communauté civilisée, démocratique et modernisatrice que les sommets latino-américains aspirent à créer. »

LISTE DES PRINCIPAUX VICES
ET DU GÉNIE DE LA TÉLÉVISION

17 juin 1999, 0 h 45, CNN. Jane Russell, la comédienne qui jouait avec Marilyn Monroe dans *Les hommes préfèrent les blondes*, turban turquoise, veste turquoise, bague turquoise, œil turquoise : « Je me suis mise à boire après la mort de ma mère. » L'intervieweur ravale sa salive. On va passer un bon moment d'intimité sordide. 19 h 35, NBC. Elizabeth Taylor : « Plus personne ne veut m'assurer. » L'œil de l'intervieweur brille. On va passer... C'est étonnant comme la télévision est devenue un instrument d'humiliation des artistes. Il faut expier la beauté, le talent, la création. Les politiciens savent mieux utiliser ces confidences. À deux jours d'intervalle, aux États-Unis, j'ai vu Jimmy Carter, l'ancien président, avec sa tête de vieux clown épuisé, plaisanter sur sa défaite à l'élection présidentielle, aux applaudissements du public, et Bill Clinton, tête de coursier qui a mal dormi, dire : « J'ai un frère qui vient de se sevrer de la drogue » ; puis, levant le menton : « Et je suis fier de lui. » Ces gens-là pourraient donner des leçons de ruse au monde. C'est peut-être parce qu'ils n'ont pas une infinité de choses à dire que les acteurs, comme d'ailleurs les politiciens, sont si souvent invités à la télévision : elle imploserait, si elle contenait trop de sens !

Le pire est son inconscience. Elle ne se manifeste pas plus violemment que dans son rapport à la mort. La télévision montre les cadavres sans aucune gêne – puisqu'elle ne réfléchit pas. Or, un cadavre est en quelque sorte une matérialisation de la mort ; et la télévision, chose qu'on regarde chez soi, en slip, en buvant de la bière, ne permet pas le recueillement nécessaire sur le plus grave des événements : on devrait se lever lorsqu'on y voit un mort, comme mon grand-père se levait dit-on quand il y entendait *La Marseillaise*. Si la mort devient une chose équivalente à un quiz, que deviendrons-nous à nos propres yeux ?

Cadavres, quels cadavres ? Aldo Moro est le dernier homme politique important dont la télévision ait montré le corps mort (dans le coffre de la voiture où on l'a retrouvé assassiné en 1978) ; le gouvernement américain a interdit la diffusion des images de morts dans les attentats du 11 septembre : des morts de chez nous. En revanche, quelle profusion de cadavres d'ailleurs, Indonésiens du tsunami, Chinois d'inondation, Iraniens de tremblement de terre, Rwandais de carnage ! Il y a des morts respectables, et pour les autres, barbaque. La télévision suspend cette grande égalité.

Le sacré est comme le rite, une sottise à laquelle il vaut mieux faire semblant de croire, car il élève une muraille symbolique contre la brutalité. La télévision qui le supprime, croit le compenser en répandant de la sucrerie : émissions contre la maladie, séries françaises moralisatrices, acteurs émettant des avis scouts, présentateurs disant « papa » et « maman ». Il ne faudrait pourtant pas trop flatter sa vanité : chose incroyable aux vaniteux qui la dirigent, la vulgarité existait avant elle. Et elle a inventé sa forme d'art : dans les séries anglaises ou américaines. (Mais pas les anglaises adaptées par les Américains. Les ravages de la bonne volonté au début du XXIᵉ siècle sont illustrés par la guerre d'Irak et la version américaine de *Queer as Folk*.) Le tempérament satirique anglais, que le masochisme européen a fait se retourner contre l'anglicité même, a engendré d'excellentes comédies comme *Fawlty Towers*, *French and Saunders*, les personnages de *Little Britain*. Aux États-Unis, qui conçoivent mal qu'ils puissent se satiriser puisqu'ils sont les maîtres du monde, et où l'on croit à l'épanouissement personnel, les séries se moquent de milieux plus que de personnes. *Dirt*, avec la belle Courteney Cox (beauté de la femme au bord de s'abîmer, et d'ailleurs je les aime abîmées aussi), raille, mais en lui trouvant des excuses dans son enfance, la rédactrice en chef d'un magazine people ; *Entourage* décrit l'imbécillité, celle de trois fainéants du Bronx qui ont accompagné à Hollywood leur frère et ami devenu une vedette, avec une si réjouissante férocité qu'elle pourrait par moments être une comédie italienne des années 1970. Le meilleur des États-Unis est le sens du lyrique, de l'aventure, du sérieux, et *Les Soprano* est sans doute le chef-d'œuvre des séries. Si *Le Parrain*, de Coppola, est un opéra par son exagération et son lyrisme, *Les Soprano*, qui raconte aussi l'histoire d'une famille de mafieux, est un roman par sa perspicacité psychologique et son point de vue personnel. En nous excitant un peu, et pourquoi pas?, on pourrait dire que c'est une série sur le désespoir moderne, un désespoir de consommation, un désespoir mou. *À la Maison-Blanche*, série sur le pouvoir et sur la politique où l'on ne rencontre jamais un salaud, un méchant ou un incapable, est parfois captivante, cela tient peut-être à ce que le bâtiment la Maison-Blanche est reconstituée avec une grande exactitude, ce qui enlève de la légende au pouvoir. Il y a aussi de très bons acteurs, au contraire de *24 heures chrono* qui a les plus mauvais possibles et les plus mauvais dialogues, mais une inventivité rocambolesque, avec la dépendance amusée qu'elle crée : on n'est pas dans l'histoire, mais dans la tête des scénaristes. On essaie d'imaginer quels extravagants rebondissements ils vont inventer et comment ils vont se débrouiller pour les faire tenir debout. C'est une série où on raccroche au nez du président de la République sans l'avoir salué, où chaque fois que le héros est arrêté, il dit : « Vous commettez une grossière erreur » et dont la devise pourrait être : « Patriotisme et torture. »

Lors de la Nuit blanche du 1ᵉʳ octobre 2005, à la porte de la librairie Les Cahiers de Colette, à Paris, se tenait près de moi, regardant un écrivain qui discourait à l'intérieur, un ancien élève de la *Star Academy*, le petit Paxi. Qu'un jeune homme qui a voulu devenir célèbre (et quelques semaines durant le fut plus que tout écrivain) par une émission de variétés entre chez Colette pour écouter des lectures montre que la vulgarité n'est pas où le préjugé la pense. La lecture étant pompeuse, il sortit en haussant les sourcils et avec un sourire de connivence désolée.

Nous parlons là d'une chose ancienne, à demi morte, qu'Internet a précipitée à la brocante avec les cocottes 1900 habillées comme des sabliers, le général de Gaulle, le panier à salade, la Nouvelle Vague, la machine à écrire, les télex.

Histoire

LISTE DE FAITS QUI M'ONT FAIT RÊVER UN INSTANT

Démétrios de Phalère, philosophe, gouverneur d'Athènes pour les Macédoniens (350-283 av. J.-C.), fait traîner un immense escargot crachant de la bave à la tête de ses processions publiques. On ne sait pas pourquoi. C'est le même Démétrios qui faisait asperger de parfums et couvrir de pétales de fleurs les sols où il marchait, se teignait en blond et, pour mettre « un point d'honneur à sa frivolité », selon l'expression d'Élien, se fardait.

Ce sont les pirates de la Méditerranée qui, avant que Pompée ne les en chasse, ont fait connaître à l'Italie les cultes à mystères, dont celui de Mithra, qui infectera Rome sous l'Empire.

À la mort de César, Salluste achète sa villa à Tibur. Salluste est l'homme qui a écrit : « Il est beau de bien servir sa patrie, mais il n'est pas absurde de bien dire » (*Conjuration de Catilina*). Phrase qui serait fière si elle n'était pas une justification : allié de César, il a été chargé par celui-ci de missions militaires où il a échoué à chaque fois ; gouverneur de la province d'*Africa noua* (ancien royaume de Juba), il est accusé par ses habitants de les avoir volés, pratique aussi courante à l'époque que les procès qui s'ensuivaient. César le sauve des poursuites. Voleur, Salluste avait sûrement été, car, se retirant des affaires publiques, ce natif de la plèbe se retrouve riche oisif. Il écrit. Dans la villa de son ancien protecteur, qui avait été si patient, si amical, en somme, pensait-il à lui avec affection ? Est-ce là que, avec le sérieux du Romain auquel s'ajoute le goût de la belle phrase transformant le truisme en littérature, il a écrit : « *Sed multi mortales, dediti uentri atque somno, indocti incultique uitam sicuti peregrinantes*

647

transiere », beaucoup de mortels, attachés à leur sommeil autant qu'à leur ventre, ignares et incultes, traversent la vie comme des voyageurs (*Catilina*, II) ?

Caligula, empereur à vingt-cinq ans, n'aimait pas qu'on lui rappelle sa jeunesse (Dion Cassius). Le rappel de la jeunesse semble une accusation d'usurpation. C'est valable pour toute jeunesse, toujours accusée.

Galba est le seul empereur romain à ne pas avoir utilisé son effigie pour sceau.

On surnommait Vitellius, mignon de Tibère à Capri, « Rondelle », c'est dans les *Vies des douze Césars* de Suétone (mais pas dans la traduction de la CUF). Il est ensuite devenu favori de Caligula, de Claude et de Néron, voilà ce qui s'appelle une carrière, avant d'aller en Afrique et en Germanie ; empereur, il gouverne comme il a été gouverné, dorlotant ses caprices en compagnie d'un mignon ; son règne dure dix mois, c'était un goinfre.

Galba-Othon-Vitellius-Vespasien, c'est « l'année des quatre empereurs », 69. Galba, empereur juin 68-janvier 69, assassiné avec le concours d'Othon, empereur janvier-avril 69, qui se suicide en apprenant que Vitellius a été acclamé empereur avant lui ; Vitellius, avril-décembre 69, est lapidé par les Romains révoltés alors que Vespasien a été élu par l'armée d'Égypte. Tout ça succédant à Néron suicidé, dont la dernière phrase avait été un sarcasme sentimental : « *Qualis artifex pereo* », quel artiste meurt en moi !

Les pays qui n'ont pas de ministre des Affaires étrangères, comme l'Empire romain ou l'empire du Japon avant le Meiji. Hors de chez eux il n'y a que des Barbares.

Les portes du paradis de Ghiberti, au baptistère de Florence, ont été coulées d'une seule pièce. Nous serions incapables de le faire aujourd'hui.

Lorsque l'Espagne eut conquis l'Amérique, doutant de la légalité de la chose, elle interrogea l'Université de Salamanque. L'Université de Salamanque répondit que c'était illégal.

Durant l'année 1501, il fut imprimé 88 livres à Paris, dont 8 en français. Il y avait sûrement, grimpé sur une borne, un mécontent de tout clamant qu'on publiait trop.

Louis XIII prenait de temps à autre un courtisan et lui disait : « Mettons-nous à cette fenêtre, puis ennuyons-nous » (Tallemant des Réaux). Il est tout entier résumé là, ce morne, ce triste.

Ceci n'est pas un fait, c'est un lit, mais ce lit est plus qu'un lit. Un lit à la polonaise de 1780 qu'on peut voir au musée Getty de Los Angeles, immense, surmonté d'un dais, aux quatre coins ornés de plumets de danseuses du Lido. Plumes blanches, soieries bleues, bois doré. On dirait un corbillard de gaieté. Je comprends qu'il y ait une révolution après ça. Quand des gens pensent rationnellement qu'ils peuvent coucher dans des aberrations pareilles, ils sautent. La folie s'était donné l'air de la raison.

Charles IV, le roi d'Espagne destitué par Napoléon, gardait un prêtre dans son antichambre qu'il sifflait comme un chien dès qu'il voulait se confesser.

Napoléon a fait tuer 1 400 000 soldats français, autant que la Première Guerre mondiale. La France avait 30 millions d'habitants en 1810, 41 millions en 1914.

Le jeu était si répandu sous la Restauration que Balzac, pourtant prompt à noter les particularités sociales, ne relève pas dans *Ferragus* ce qu'il y a d'étonnant à ce que des tables de jeu soient dressées à une soirée chez le préfet de la Seine. Ça ne l'était pas et ne le sera peut-être plus à un regard de demain.

Ce sont les bourgeois qui ont saccagé l'archevêché, près de Notre-Dame de Paris, en 1831.

Lorsque Louis-Philippe propose l'abolition de la peine de mort pour les crimes politiques, la fureur du peuple de Paris est sans bornes.

Pendant la Première Guerre mondiale, un cinquième des pairs d'Angleterre et d'Irlande et leurs fils a été tué.

Après l'effondrement de l'Autriche-Hongrie en 1918, l'ancien général en chef des armées impériales a tenu un bureau de tabac.

Alors que, dans toutes les guerres du XIX° siècle, les vaincus avaient vu leur capitale occupée, comme Paris en 1815 et en 1870, Berlin ne l'a pas été en 1918. Cela a permis de proférer le mensonge immédiat, et par l'armée et par le président Ebert, que l'Allemagne n'avait pas été vaincue, mais trahie. Contrairement à ce que l'on dit, le maréchal Foch n'a pas proposé de marcher sur Berlin en 1918, il l'a même refusé, et l'a refusé en 1922 alors que l'Allemagne ne respectait pas les clauses du traité de Versailles. « Une fois là-bas, qu'y ferez-vous ? » (*Mémorial de Foch.*) C'est Poincaré qui le voulait.

Il y avait onze salles de cinéma à Paris le 2 octobre 1919. (Maurice Sachs, *Au temps du Bœuf sur le toit.*)

La plus ancienne ligne aérienne régulière est Londres-Amsterdam, par KLM, première compagnie du monde (ouverte le 20 mai 1920).

Entre 1881 et 1922, le gouvernement anglais a promis 66 fois aux autres pays que son occupation de l'Égypte allait cesser. (Niall Ferguson, *Pity of War.*)

Le 18 juin 1940, des habitants de Vierzon tuent un officier français qui essayait de tenir un front sur le Cher contre les Allemands.

Hitler ordonne qu'on ne bombarde pas Oxford : il veut, l'Angleterre conquise, s'y faire diplômer docteur *honoris causa*.

L'acteur David Niven est enrôlé dans l'armée anglaise pendant la Deuxième Guerre mondiale. Dans une rue de Londres, il reconnaît un acteur de figuration et se rend compte qu'il est le sosie du général Montgomery. Cet homme est engagé, et, l'ayant habillé en Montgomery, on le promène par le monde pour dérouter les Allemands. La veille du débarquement en Normandie, on le montre à Gibraltar, ce qui persuade les Allemands que le débarquement n'est pas proche.

Après 1945, une partie de la communauté des fermiers japonais de la région de Sao Paulo enrichie dans la culture du café crée un

« groupe de la victoire » assurant que le Japon impérial a *gagné* la guerre. Un Japonais isolé est encore plus grégaire qu'un Japonais en société.

Lors du cambriolage de la Société générale de Nice en 1976, les voyous qui ont creusé pendant des jours et des jours un tunnel sous la banque ont posé de la moquette sur le sol pour ne pas s'écorcher.

Il a existé en France un diplôme de vente d'animaux de compagnie (B.E.P., 1998).

Il y a eu en 2001 1046 homicides en France, soit un peu moins de trois par jour. Il y a eu à peu près autant de tentatives d'homicide (statistiques du ministère de l'Intérieur, dans *Le Nouvel Observateur*, 7 février 2002).

En 2003, un danseur argentin s'est jeté du haut du campanile de la place Saint-Marc, à Venise, en criant : « Vous ne me comprenez pas ! » ; et il a accompli son plus sublime saut.

Les hordes d'assassins qui dévastaient Haïti en 2004 se sont donné le nom de chimères.

L'Université de Belfast proposait, à l'été 2006, pour un poste de professeur de poésie, un salaire de 97 000 livres par an. C'est un salaire de présentateur de télévision en France.

Il est écrit sur les passeports britanniques :

Her Britannic Majesty's Secretary of State request and requires in the name of Her Majesty all those whom it may concern to allow the bearer to pass freely without let or hindrance, and to afford the bearer such assistance and protection as may be necessary.

Le Secrétaire d'État de S.M. britannique demande et requiert, au nom de S.M., que qui de droit autorise le porteur à passer librement et sans entrave, et lui apporte assistance et protection si nécessaire.

Les guides de montagne trouvent parfois dans les Alpes des corps congelés depuis dix ou quinze ans.

LISTE DU TROISIÈME TRIOMPHE DE POMPÉE

(Ce qu'était un triomphe à Rome)

Au retour de la guerre contre Mithridate, Pompée reçoit un triomphe qui dure deux jours, 28 et 29 septembre 61. Il est le premier Romain à triompher trois fois sur trois continents : ayant soumis l'Asie après l'Afrique et l'Europe (l'Espagne, où il avait vaincu Sertorius), il passe pour avoir soumis le monde entier à Rome.

En tête du cortège vient la liste des pays et des peuples soumis : le Pont (royaume de Mithridate), l'Arménie, la Cappadoce, la Paphlagonie, la Médie, la Colchide, les Albans et les Ibériens leurs voisins près du Caucase, qui n'avait jamais été conquis, ni par les Perses, ni par les Mèdes, ni par les Macédoniens dans la mesure où Alexandre le Grand avait rapidement quitté l'Hyrcanie, la Syrie, la Cilicie, la Mésopotamie, la Phénicie, la Palestine, la Judée, l'Arabie et tous les pirates qu'il avait vaincus en trois mois dans l'année 67, débarrassant la Méditerranée de ces insolents qui faisaient plaquer d'or leurs mâts et d'argent leurs rames, prenant îles, villes, rançonnant, menaçant à la fin l'approvisionnement de Rome.

Les panneaux annonçaient ensuite que Pompée le Grand avait pris plus de 1000 forteresses, près de 900 villes et en avait fondé 39 ; que les revenus de l'État étaient grâce à lui passés de 50 millions à 85 millions de drachmes ; qu'il apportait 20 000 talents au Trésor.

Venaient les prisonniers : les chefs des pirates ; le fils et la femme du roi d'Arménie ; le roi des Juifs Aristobule ; la sœur de Mithridate et plusieurs de ses femmes ; des otages des Ibériens, des Albans et du roi de Commagène.

Et cet homme qui avait été le plus célèbre et le plus puissant du monde occidental, prend peur devant César, perd tous ses moyens et son pouvoir. Comme si sa force avait tenu à l'intimidation, à la grosse voix, à un clan, à la facilité avec laquelle les gens acceptent la domination. Le jour où j'ai lu *À la recherche du temps perdu*, je me suis dit : Pompée, c'est Charlus.

LISTE DES DÉFAUTS DE PRONONCIATION

Alcibiade zézayait. C'était un des plus beaux hommes de la Grèce. En quoi cela contribuait-il à son charme ? Cela ne permettait-il pas d'excuser sa beauté ?

Aristote zézayait.

Zola zézayait. La droite se moquait de lui : « Z'accuse ! » C'était comme quand elle prononçait Mitterrand, « Mitran ». Le persiflage est la piteuse vengeance de l'échec.

Churchill prononçait mal les « r », ce qui ne l'empêcha pas d'être un des plus éloquents discoureurs du Parlement anglais.

Simone Signoret chuintait, et ce fut un des éléments de son charme sur des Français qui aiment bien leur langue prononcée autrement.

Ce qui me rappelle Edgar Faure, l'ancien ministre et académicien français. Edgar Faure ! Il faudrait que je vous le raconte, avec son allure de poupon bêlant (et zozotant), mais non, ça, c'est son imitation, son portrait-charge par Thierry Le Luron. Il est devenu son imitation par Le Luron de même que Gyp, que vraiment on ne lit plus, est devenue sa parodie par Reboux et Muller.

Lors des Vêpres siciliennes, soulèvement populaire de la Sicile contre Charles d'Anjou (1282), on tua tous ceux qui ne savaient pas prononcer le mot *« cicero »*, avec son *tch* italien caractéristique : des Français !

De même, tués pour n'avoir pas su prononcer « *schibboleth* » (épi),
les Éphraïmites mis au défi par les Galaadites. « Ils lui disaient alors :
Eh bien, dis "schibboleth". Et il disait "sibboleth", car il ne pouvait pas
bien prononcer. Sur quoi les hommes de Galaad le saisissaient et
l'égorgeaient près des gués du Jourdain. Il périt en ce temps-là
quarante-deux mille hommes d'Éphraïm. » (Juges, XII, 6.)

Alors que, jeune, son père avait la voix enrouée (« Le roi, avec sa
voix enrouée qui l'aurait distingué entre cent mille », dit Dufort de
Cheverny), « Louis XVI avait une voix extrêmement discordante et
de plus il parlait en renâclant et avec des éclats véhéments. Les
courtisans comparaient sa façon de parler au *coup de boutoir*, ou
mouvement que fait le sanglier lorsqu'il grogne en avançant la tête »
(Chamfort).

LISTE DES EXILS DE LOUIS XVIII

Au moment de la fuite de son frère à Varennes, il part pour Mons, puis Marche-en-Famenne, puis Bruxelles.

Il va à Coblence avec son frère Artois.

Après Valmy, il va à Hamm (Westphalie).

Il va en Italie où il prend le titre de comte de Lille.

Il est prié de quitter la République de Venise à l'approche de Bonaparte.

Il séjourne à Riegel.

Puis à Blankenburg (les deux en Prusse).

On le chasse de Brunswick.

Puis de Mittau (Courlande).

Il est expulsé de Russie par Paul Ier.

Il se rend à Varsovie.

Après Tilsit, il revient à Mittau.

Puis en Suède.

Il se réfugie à Gosfield, en Angleterre, chez le duc de Buckingham.

Après cela il séjourne à Hartwell, Buckinghamshire, chez Sir George Lee.

Retour en France.

Au moment des Cent-Jours, il fuit à Gand.

Retour en France.

Le gitan royal. Avec ses jambes enflées, brinquebalé pendant un quart de siècle (1791-1814), c'est la grosse boule que se passent ses cousins les autres rois, qu'il gêne. Malgré lui, c'est un roi Valois, un de ces rois qui roulaient de château en château sans en avoir un de fixe.

LISTE DE SENTENCES COMIQUES

« J'entre.
L'empereur est assis à une grande table ronde, prenant son petit déjeuner ; debout à sa droite, un peu éloigné de la table, se trouve Talleyrand, à sa gauche, près de lui, Daru, avec lequel il s'entretient d'affaires de contributions.
L'empereur me fait signe d'approcher.
Je reste debout devant lui à une distance convenable.
Après m'avoir regardé attentivement, il dit : "Vous êtes un homme." Je m'incline.
Il demande : "Quel âge avez-vous ?"
Soixante ans.
"Vous êtes bien conservé." »

Goethe, *Entretien avec Napoléon*

« Si Corneille avait vécu, je l'aurais fait prince. » (Napoléon, *Mémorial de Sainte-Hélène*.) Et il bannit Mme de Staël, menace Benjamin Constant, fait taire toute opposition. Si Corneille avait vécu, il l'aurait fait palefrenier.

« Je désire que mes cendres reposent sur les bords de la Seine, au milieu de ce peuple français que j'ai tant aimé. » (Testament de Napoléon.) Et dont j'ai fait tuer quatorze centaines de milliers de membres. Le mot « ce » signale sans qu'il s'en rende compte le mépris qu'il en a. Ce peuple français. Le même homme répond à Metternich, le 6 juin 1813 (entrevue d'Elsterwien après l'armistice de Plätswitz), qui lui demande ce qui lui restera une fois que la seconde Grande Armée, levée après la retraite de Russie et composée

d'adolescents, aura été battue, en jetant son chapeau et en hurlant :
« Vous ne savez rien de ce qui peut se passer dans la tête d'un soldat !
J'ai été élevé sur les champs de batailles, et un homme tel que moi
fait peu de cas de la vie de millions d'hommes ! » C'est vrai, puisqu'il
en avait déjà fait autant, sans un regret.

« Nul journal qui ait tant soit peu de personnalité, et par là même
des ventes sûres, n'acceptera d'argent du gouvernement », lord
Liverpool, Premier ministre, à Lord Castlereagh, ministre des
Affaires étrangères. (Harold Nicolson, *The Congress of Vienna*.) Il est
vrai que ce sont des Anglais, et qu'ils ont plus de considération pour
la liberté que beaucoup d'autres peuples.

« Seul le silence est grand » (Vigny, *Mort du loup*) ; et il écrit trois
mille pages.

« La France a compris que je n'étais sorti de la légalité que pour
rentrer dans le droit. » (Louis Napoléon après le coup d'État.)
(« ... sept millions de suffrages viennent de m'absoudre. »)

« La vieillesse est un naufrage. » (De Gaulle, *Mémoires de guerre*.)
C'est écrit, supposément en pensant à Pétain, par un homme de
soixante-quatre ans qui s'apprête à réclamer le pouvoir et qui le
gardera jusqu'à quatre-vingt-un ans.

LISTE DE PERSONNES QUI, AVEC NOBLESSE,
N'ONT JAMAIS PARLÉ

Théo Sarapo sur Édith Piaf.

Joe DiMaggio sur Marilyn Monroe.

Jacqueline Kennedy sur son mari John.

L'impératrice Eugénie. Elle a survécu près de cinquante ans à la chute du Second Empire et n'en a jamais dit un mot, ni sur quoi que ce soit en politique française.

Et pourtant ils auraient pu donner des interviews fracassantes, signer des contrats en or avec des éditeurs, se montrer dans toutes les émissions de télévision populacières qu'ils auraient voulu.

LISTE DES AUTRES

... liste de ses poupées par la reine Victoria

Entre sept et quatorze ans, avec une application qu'elle avait déjà donc enfant, Alexandrina-Victoria de Hanovre, princesse de Kent, a établi dans un carnet la liste de ses poupées, « *List of my Dolls* ». Il y en avait 132, la plupart en bois et habillées pour ressembler à des personnes notables du temps, dames de la cour, acteurs, danseuses, en plus de la reine Élisabeth (il n'y en avait alors pas eu d'autre qu'Élisabeth Ire), et par exemple :

La comtesse de Rothesay,
La comtesse de Jedburgh,
La comtesse de Claremont,
La duchesse de Dunbar,
Lady Pulteney,
Maria Taglioni, son professeur de danse, en paysanne tyrolienne du *Guillaume Tell*,
Pauline Duvernay dans *La Belle au bois dormant*.

Adulte, quand quelque chose lui déplaisait, la reine disait : « *We are not amused.* »

... listes du lexicographe Peter Roget à l'âge de huit ans

Liste de bêtes sauvages,
Liste des parties du corps,
Liste de choses dans le jardin.

Soixante-cinq ans plus tard, en 1852, Peter Roget publie le *Thesaurus* (*Thesaurus of English Words and Phrases*), dictionnaire de mots et d'expressions associés à des notions (« Vanité : airs, manières affectées, égotisme, ostentation... »), avec un index alphabétique comprenant des entrées telles que : « Désir de savoir », « Capacité à faire souffrir », « Objet et cause de ridicule », « Supposition erronée d'autorité ».

... liste de ses amants par l'économiste John Maynard Keynes

Le garçon d'écurie de Park Lane,
Le garçon aux cheveux auburn de Marble Arch,
Le liftier du Vauxhall,
Le garçon juif,
Le Suédois de la National Gallery,
Le baron de Mentone,
Le jeune Américain de Victoria Station,
Le maître chanteur de Bordeaux,
Le grand-duc Cyril aux Bains de Paris,
Le jeune Français des bains-douches,
Le garçon de pharmacie à Paris,
David Erskine, MP [1].

John Maynard Keynes était libre-échangiste.

... liste des passions dominantes de la romancière Edith Wharton
à la fin de sa vie, selon son journal

« La justice.
L'ordre.
Les chiens.
Les livres.
Les fleurs.

---

1. David Felix, *Keynes*, 1998.

L'architecture.

Les voyages.

Une bonne plaisanterie — et peut-être cela aurait-il dû venir en premier. »

Edith Wharton a écrit 40 livres en 40 ans.

... liste de ses lectures par le chanteur Art Garfunkel

Art Garfunkel tient sur Internet le registre de toutes ses lectures depuis 1968 (http://www.artgarfunkel.com/library.html). On pourrait en induire une grande partie de son fonctionnement psychologique, je présume. De très bonnes lectures. Pour la simple année 1969, Voltaire, Oscar Wilde, Scott Fitzgerald, William Shakespeare, ainsi que des nouveautés, *Portnoy et son complexe* (le meilleur Philip Roth), *Miami and The Siege of Chicago* de Norman Mailer. Et, non : je ne vois pas ce qu'on pourrait induire d'une bibliothèque aussi sérieuse et variée, sinon qu'Art Garfunkel est, presque, un lettré. Il lui manque des classiques de l'Antiquité, des livres non Occidentaux et une certaine méthode.

Art Garfunkel est l'auteur du disque *Everything Waits to Be Noticed*, tout attend d'être pris en compte.

LISTE DE L'ANNÉE 1978

Il y a une biographie de l'année 1978 à écrire. Tout le monde y a été bête. À droite comme à gauche, mais à gauche plus qu'à droite, parce que le gauchisme paralysait les sociaux-démocrates et que, dans bien des pays, la gauche était éloignée du pouvoir depuis très longtemps. En France, sa rage de bêtise a dû être exacerbée par sa défaite aux législatives de cette année-là, où tout le monde la prédisait gagnante. Pour embêter la bourgeoisie conservatrice qui l'avait battue, elle créa un romantisme de voyous habiles. Jacques Mesrine, évadé de prison cette année-là avant d'être abattu par la police l'année suivante, en était le Byron par procuration. Il servait d'excitant à des causeurs qui ne partaient jamais pour Missolonghi et ne prenaient même pas le risque de l'élection. Des chanteurs menaçaient, ouh là là, des actrices avaient des avis, mazette ; et même des gens intelligents, comme Michel Foucault, apportaient au mesrinisme la finesse de leur raisonnement. La lecture du journal de Claude Mauriac est très révélatrice de la pensée moyenne de ce moment-là.

Elle soutenait Khomeiny qui, installé en France, prêchait la vertu contre le roi d'Iran (« shah » est « roi »). Lequel l'avait bien cherché. Si on ne veut pas que les hypocrites, ou, pire encore, les convaincus vous l'opposent, il faut un minimum de tenue. On raillait Juan Carlos d'Espagne qui avait succédé au dictateur Franco en 1975. La Constitution démocratique fut adoptée le 27 décembre, mais cela ne suffit pas à le faire aimer : il y faudra son opposition à la tentative de coup d'État militaire en 1981. Il est curieux que la droite doive donner plus de gages d'amour de la liberté que la gauche. N'y cherchez pas d'autres raisons que l'irréflexion, la mode, l'injustice.

En Italie, les Brigades rouges, que les séduits appelaient affectueusement « les Brigades », enlèvent Aldo Moro, ancien président du Conseil et l'un des dirigeants de la Démocratie chrétienne, à Rome. On retrouve son corps dans le coffre d'une voiture, via Caetani, 55 jours plus tard. On l'avait cherché partout, et, astucieusement, il avait été gardé dans un des endroits les plus visibles de la ville, un appartement sur la piazza Navone, comme Sophia Loren dans *Hier, aujourd'hui et demain*.

L'URSS, vieillard colossal et gâteux, était conduite par une horde de méchants vieillards en manteau gris et chapeau mou : procès des dissidents Sharansky et Guinzbourg à Moscou. Le communisme asiatique, plus jeune, se déchaîne : le gouvernement du Cambodge, ayant exterminé un quart de la population du pays, est renversé par une invasion vietnamienne. Le monde semblait pourrir de brutalité. Or, la brutalité pourrissait et elle ne le savait pas. C'est le début des *boat-people*, qui montrent au monde la misère politique comme Victor Hugo ne l'aurait pas osé ; le coup d'État prosoviétique en Afghanistan marque le début de la lente chute de l'URSS, nous ne le savions pas encore.

Soljenitsyne lui-même exagère. Exilé aux États-Unis, il donne des conférences où, prophète slavophile, il admoneste les étudiants sur « le déclin du courage », contre l'« hédonisme », etc. Il ne sait pas que nous autres, décadents européens, avons toujours su allier les vices les plus raffinés au succès militaire, comme Jules César, le prince Eugène et le Régent, ou, précisément, au courage, comme Jean Desbordes, ex-amant de Cocteau, résistant, torturé par la Gestapo et qui meurt sans avoir parlé.

Prémices de la réaction artistique : 1978 est l'année du roman satirique d'Alexandre Zinoviev, *L'Avenir radieux*, et celle où, à la fin du film de Michael Cimino, *Voyage au bout de l'enfer* (*The Deer Hunter*), les personnages chantent le *God Bless America*, sans aucune intention sarcastique. C'est le plus mauvais de ce bon film, qui fait déraper la fiction dans la fable ; le sarcasme était du côté des Sex Pistols, qui sortaient leur excellente version de « *My Way* ». Un des livres les plus remarquables de 1978 n'est pas le plus littéraire : dans *La Maladie comme métaphore*, Susan Sontag conteste la conception du cancer

665

comme conséquence d'autre chose, une faute, on ne sait bien quoi. Elle commençait la libération du cerveau humain d'un lieu commun, et doit en être éternellement louée.

LISTE DES DÉCENNIES DU XXᵉ SIÈCLE

La vulgarité mondaine des années 10.

La frivolité perlée des années 20.

La haine glaciale des années 30.

Le fracas brutal des années 40.

Le labeur marron des années 50.

L'amusement candide des années 60.

La méchanceté sympa des années 70.

Le mélange universel de tout des années 80.

La morosité hargneuse des années 90.

LISTE D'ILS NE TUERONT PAS LE SOUVENIR
DE TOUS LES MORTS

Liste d'assassinats politiques en Colombie selon le romancier
Fernando Vallejo dans son roman Le Feu secret

« À cinquante ans, en plein bonheur, Oscar Echeverri mourut à Rissaralda : de mort naturelle, comme on meurt en Colombie : assassiné. On lui appliqua le contrôle démographique pour raisons politiques. Tous ceux à qui vient la mauvaise idée d'être conservateurs ou libéraux, riches ou pauvres, bêtes ou intelligents, cultivés ou ignorants... Pour une raison ou pour une autre, il faut se hâter de mourir. Fabio Moreno, un rouge libéral, ils l'ont pendu au tuyau des cabinets ; Jesús Restrepo, un bleu conservateur, ils lui ont fendu la tête avec une pioche : dans son aquarium de poissons multicolores, ils ont lavé leurs mains tachées de sang : sang rouge conservateur, ce qui est une contradiction. Ernesto Isaza, un pauvre, ils l'ont expédié avec un cric d'automobile ; Jaime Monsalve, un riche, de quatre coups de feu tirés d'une moto. À Luis Cortés on a enfoncé un poignard dans la poitrine : le couteau planté dans le thorax, suivi de l'assassin, il a descendu l'escalier et s'est précipité dans la rue en criant : "On m'a tué ! On m'a tué ! Ce fils de pute m'a tué !" Il est tombé de tout son long sur la chaussée et s'est abîmé dans l'infini. Jesús Lopera, Jesús Restrepo, Ernesto Isaza, Jaime Monsalve, Jaime Ocampo, Fabio Moreno, mes amis, on les a tués... La Colombie assassine les a tués. »

Liste d'écrivains cubains détruits par le régime de Fidel Castro
selon Reinaldo Arenas dans ses mémoires, Avant la nuit

« Que sont devenus la plupart des jeunes gens doués de ma génération ? Nelson Rodríguez, par exemple, auteur du livre *El regalo* (*Le Cadeau*), a été fusillé ; Hiram Pratt, l'un des meilleurs poètes de ma génération, a terminé alcoolique et avili ; Pepe le Fou, immense prosateur, a fini par se suicider ; Luis Rogelio Noguera, poète de talent, est mort récemment dans des circonstances assez troubles, sida ou police castriste, on ne sait ; Norberto Fuentes, nouvelliste d'abord persécuté, est devenu agent de la Sûreté de l'État, aujourd'hui en disgrâce. Guillermo Rosales, excellent romancier, se consume dans un établissement hospitalier à Miami [1]. Et moi donc que suis-je devenu [2] ? »

---

1. Il s'est suicidé en 1993.
2. Il s'est exilé lui aussi ; atteint du sida, il s'est suicidé en 1990.

LISTE DE L'ORDRE ET DU DÉSORDRE

Certaines questions ne sont que pour nous-mêmes et deviennent dangereuses quand on les pose à l'ensemble de l'humanité. Dans son récit du siège de Mayence, Goethe écrit : « Je suis ainsi fait, j'aime mieux commettre une injustice que de tolérer un désordre. » Il précise avoir répondu cette phrase « avec irritation » à un ami qui lui demandait pourquoi il avait pris des risques en haranguant la foule qui menaçait un couple d'Allemands soupçonnés d'avoir collaboré avec les envahisseurs français, car il n'avait rien fait de plus, malgré la solennité de sa phrase. Elle est devenue une question : « Préférez-vous une injustice ou un désordre ? » On n'a pas à répondre à ce genre de question, qui, en réalité, est une injonction à laquelle on doit répondre selon la morale du moment.

Un délire général de l'humanité est de croire qu'un pouvoir exécutif abusif engendrera de l'ordre. Il engendrera un plus grand désordre hypocrite. L'illusion est entretenue par le souvenir de quelques cas où le renforcement de l'exécutif a marché, par exemple avec de Gaulle. Et puis il y a l'espoir, l'affreux espoir, qui fait illusoirement attendre de la justice de ces régimes, comme le note Stendhal dans les *Promenades dans Rome*. Et tout cela procède du manque de confiance en l'homme : on le pense dans un état d'enfance, le peuple bien sûr, mais aussi ses législateurs, et on ne croit pas qu'on puisse les éduquer. On ne l'envisage même pas.

La France de 1919 où il n'y avait que des veuves a été prise d'assaut par des galopins qui n'avaient plus de pères, morts à Verdun, pour les fesser. De là le triomphe de Cocteau. Les surréalistes, eux, étaient des fils qui rêvaient de devenir pères. Ils cassaient les assiettes *et* donnaient des ordres.

Fin 2005, en France, pour arrêter quelques centaines de voyous qui saccageaient des quartiers de banlieue, le gouvernement a décrété l'état d'urgence, ce qui ne s'était pas fait depuis la guerre d'Algérie. Que cela ait passé comme ça, et partout, droite ou gauche, m'a paru un signe de marche lente vers la servitude. La servitude la plus pimpante, n'est-ce pas, avec vitrines de Noël et papier-cadeau, mais servitude quand même. Où sont les hommes? Ô Romains de la république! Vous saviez qu'un certain type d'ordre, qu'on appelle ordre, est au contraire de ce qu'il prétend la mise en place de la décadence.

À ses débuts comme président, deux ans plus tard, Nicolas Sarkozy semblait un chef décadent : il se montrait baignant dans l'or et les femmes, bavardait et remuait, semblant s'adresser à la populace en flattant ses instincts voyeuristes et à la petite bourgeoisie en flattant sa rage d'ordre, selon l'ordre établi d'un temps qui mêle la réaction à la porcherie. Au vu de son pouvoir et de la passion imitative des Français, il créait la décadence autant qu'il en profitait.

New York, ce beau désordre de tours.

Début 2008, sur Governor's Island, la petite île qui regarde Manhattan, un incendie avait brûlé un immeuble. La suie s'échappant avait fait au-dessus des fenêtres des cheveux de folle. C'était un désordre inouï dans cette ville où le moindre immeuble délabré est remplacé par du neuf, et où parfois du neuf est remplacé par de l'encore plus neuf.

La liberté est en marche, sur ses moignons.

LISTE DE LA TYRANNIE MODERNE

Trouvant qu'ils faisaient de la politique plus que de la philosophie, l'empereur Domitien bannit les philosophes de l'Italie : il voulait arrêter le bourdonnement du raisonnement. La tyrannie commence par l'interdiction des casse-pieds.

La lecture de l'*Oman Tribune* montre ce qu'est une presse de dictature. À la première page, nouvelles protocolaires : le sultan Qabous ben Saïd a reçu le général ceci à l'occasion de la cérémonie cela, etc. Pages suivantes, nouvelles sur l'hygiène, l'industrie, l'éducation, le sport. *Pas de politique*. Elle n'apparaît que dans les pages internationales, où l'on attaque, mais hypocritement, celle des alliés occidentaux, en particulier les États-Unis, alliés critiqués avec une rage à peine retenue. L'autre soupape de ces régimes est Israël. Ils doivent bénir cet État d'exister, sans lequel leurs peuples ne détacheraient pas les yeux de leur nullité.

En 2007, de retour du Laos, je publie un article sur mon voyage : à Vientiane, un fonctionnaire zélé interdit ce qui devait paraître sur moi dans les journaux (gouvernementaux) et menace asiatiquement, par allusions violentes, une des personnes qui m'avaient invité. Dans cet article, je disais des choses non moins désagréables sur la Birmanie : pas un mot à Rangoon. L'année précédente, même genre de critique et même silence après un voyage en Iran. Les militaires et le clergé semblent se contenter de leur dictature, se moquant bien de ce qu'on peut dire d'eux. Il y a une spécificité des communistes de pouvoir. Qu'est-ce qui les fait agir de façon aussi vindicative ? La paranoïa ? Les militaires de Rangoon en souffrent aussi, qui ont déplacé la capitale de peur d'un bombardement américain. L'incompétence secrètement sue ? L'idée du communisme dans tous les pays (attaquer l'un, c'est menacer le tout) ? Le danger reste alors : ils espèrent toujours.

Une des manifestations les plus violentes de la tyrannie est la modification de la langue. L'empereur romain Claude a ajouté plusieurs lettres à l'alphabet (dont un Ⅎ pour le son *v* et un Ⅎ pour *u*). Le roi mérovingien Chilpéric a lui aussi ajouté trois lettres : l'oméga grec, le son *ae*, noté Ψ, et le son *wi*, noté Π. Mussolini a modifié le vocabulaire italien pour lui enlever son aspect à son sens plébéien et lui donner un air supposé plus chic. On ne devait plus dire « *scarpe* » (souliers) mais « *calzature* » (chaussures). Mao, qui avait le génie de l'élimination, a simplifié le chinois. Nouant les deux extrémités du lacet qui sert au communisme à étrangler les peuples, l'archaïsme et le nationalisme, le gouvernement du Laos a supprimé le « r » pour cause d'érudition (il vient du sanskrit) et parce que les Thaïs l'utilisent.

Les dictatures sont chastes, dit Reinaldo Arenas dans *Avant la nuit*. Un des symboles de cette atroce vertu est que, en Iran, on pend les homosexuels. On y interdit aussi aux femmes de chanter. Interdire à quelqu'un de chanter ! Les esclavagistes américains ne l'avaient pas imaginé. C'est dans les champs de coton où les esclaves noirs, pour se consoler, chantaient des hymnes, qu'est né le blues. (Si, comme certains activistes l'ont avancé dans les années 60, ils avaient été moins pieux, ils se seraient peut-être révoltés.) Alors que je me trouvais en Iran, quelques Iraniens ont défendu leur gouvernement en m'opposant que la transsexualité y était légale ; mais on peut dire que la transsexualité, c'est rentrer dans la règle : il y a eu une espèce de *maladie*, qu'on a *soignée*, et voilà un tchador de gagné. C'est Fidel Castro qu'Arenas (1943-1990) a subi, et c'est en tant qu'homosexuel qu'il a été battu et mis en prison. Et Raúl Castro, frère de ce vieux cuistre, est un homosexuel caché qui, au mess des officiers, devait rire d'un rire d'ogre aux blagues sur les pédés qu'on tabasse. Dans les dictatures, tout le monde devient un étranger dans son pays.

Ahmadinejad, le paysan fou qui préside l'Iran, utilise tout naturellement la rhétorique des tyrans populistes. Elle consiste : 1) à proférer une énormité ; 2) après le scandale qu'elle a engendré, à déclarer qu'on subit une campagne de haine ; 3) à ajouter qu'on a voulu « provoquer un débat ». Comment se faire passer pour un martyr alors qu'on martyrise.

Ahmadinejad a été invité aux États-Unis par l'Université de Columbia en septembre 2007. Il a répondu, à une question sur les exécutions des homosexuels en Iran : « En Iran, nous n'avons pas d'homosexuels comme dans votre pays. Nous n'avons pas cela dans notre pays. En Iran, nous ne connaissons pas ce phénomène. Je ne sais pas qui a pu vous dire que nous le connaissions. » C'est là qu'on reconnaît le dictateur : le déni de la vie, car la vie est variée et contrarie l'uniformité de la dictature. En Iran, il n'y a pas d'homosexuels, en Chine populaire, il n'y a pas de grippe aviaire, en Corée du Nord il n'y a pas de sida. À la première phrase, le public a vaguement hué et, à la seconde, éclaté de rire. Ahmadinejad n'a pas compris tout de suite. C'était aussi réjouissant que la stupéfaction de Ceaucescu quand, le dernier jour de sa dictature, la foule l'a hué alors qu'il commençait son discours à la tribune du palais d'où il emmerdait le peuple roumain depuis trente ans.

Ahmadinejad a proposé un débat télévisé mondial à George W. Bush avec vote des téléspectateurs : les dictateurs savent que ce qu'ils proposent est impossible, mais ils savent aussi que la bouffonnerie frappe plus la masse que la pensée, finissant peut-être par y croire eux-mêmes. Un dictateur, c'est le bouffon ayant pris la place du roi.

Hugo Chavez, président du Venezuela, s'est octroyé une émission de télévision hebdomadaire où il parle des heures durant. Il y chante. Les dictateurs sont des clowns. En démocratie normale, les hommes politiques sont de grands comédiens, ayant à se faire élire, et n'ont pas de fréquentations plus adorées que celle de leurs demi-frères les acteurs, mais, en démocratie populiste, les uns deviennent les autres, et le mélange du pouvoir autoritaire et de la bouffonnerie produit du crime. La dictature commence dans le pittoresque et finit dans le sang.

Chavez a été élu président, mais après un coup d'État. Il a perdu le référendum du 2 décembre 2007, qui devait lui assurer une petite dictature à la Castro, mais non sans avoir fait tout ce qu'il y avait de plus illégal pour le gagner : envoyer des milices à l'Université centrale du Venezuela à Caracas, dont les étudiants s'opposaient à lui ; menacer ces « gosses de riches » qui « viennent dévaster le centre de Caracas » (en guise de dévastation, ils marchaient dans les rues avec du papier collant sur la bouche) ; déverser l'argent du pétrole dans les campagnes pour qu'on y vote « oui » en masse et aller y chercher des votants par autocars entiers le jour du vote ; s'il avoue avoir perdu 49/51, la vérité est 40/60, et de toute façon, huit mois plus tard, comme le monde ne le regardait plus, il s'est attribué par décret la plupart des pouvoirs que le peuple lui avait refusés. Pendant sa campagne référendaire, il avait fait des roucoulades à la France en feignant de s'occuper d'Ingrid Betancourt, politicienne colombienne à demi française enlevée par des « terroristes », déplorable événement mais qui fait partie des risques du métier de politicien en Amérique du Sud et auquel le gouvernement français donnait plus de poids qu'à la liberté de 27 millions de Vénézuéliens (elle a été libérée depuis, sans eux). Chavez sait très bien utiliser la démocratie émotive. En le recevant en visite officielle en France juste avant son référendum, Sarkozy lui a rendu service, le faisant passer pour fréquentable (enfin, si cela se peut), et s'est incliné devant la démagogie clownesque et funèbre, en pur style années 30. Et dans vingt ans, quand aura été publié l'équivalent vénézuélien d'*Avant la nuit*, nous dirons : quelle tristesse, comment ont-ils pu, nous ne savions pas.

Le roi d'Espagne Juan Carlos, lors du sommet ibéro-américain de Santiago du Chili, le 10 novembre 2007, a eu une des phrases les plus réjouissantes que la raison avait entendues depuis longtemps. À Chavez qui, ininterrompu par la protestation du Premier ministre Zapatero, déblatérait contre le précédent gouvernement espagnol, le roi se penchant vers lui dit d'un air sévère : *« ¿ Por qué no te callas? »*, pourquoi ne te tais-tu pas ? Tous les Vénézuéliens étouffés s'emparent aussitôt de cette apostrophe et la diffusent sur YouTube et Dailymotion. On en a aussi fait des chansons, comme le remix reggaeton de DJ Zombie Quemado. Quand est-ce qu'on lui fait une statue dans toutes les villes du monde, à ce roi d'Espagne ?

L'altermondialisme, maladie sénile du communisme. Ces gens qui se donnent l'air sympa sont pour beaucoup une meute d'indics à la malveillance méticuleuse. Pour avoir osé écrire, dans le « journal de la semaine » de *Libération*, trois lignes d'exactitudes sur Chavez, j'ai été poursuivi sans répit sur leurs sites. On m'y accusait de colporter les mensonges du capitalisme international. Quelle puissance ont les écrivains, tout de même.

Il y a une décadence de la force, mais aussi une décadence *dans* la force. Rappelez-vous comme les puissants Franco, Tito, Brejnev, tout forts qu'ils étaient, et entourés de force, et montrant leur force, avaient l'air dégénérés, avec leurs lunettes noires, leurs joues paralysées, leurs bustes en bois. Ils étaient infiniment plus décadents que de faibles élus.

On croit que les dictatures sont des régimes francs, parce qu'ils sont brutaux. Ce sont les plus hypocrites de tous. Ils camouflent (a) leur corruption et (b) leur incompétence essentielle sous l'air martial ou chafouin, selon que la dictature est cléricale ou militaire. Exemples en Birmanie. A) La junte militaire n'a toujours pas demandé aux ambassades étrangères de s'installer dans la nouvelle capitale, que les avions ne desservent pas dans la journée, pourquoi? parce que les hôtels y appartiennent au gendre du général Than Shwe, qui possède aussi Bagan Airlines. B) On a découvert une noix qui, supposément, remplacera le pétrole. Le gouvernement réquisitionne des enfants, organise le travail forcé, fait assécher des rizières. Outre que les noix ne produiront pas plus d'énergie que ce gouvernement, du bonheur, on supprime le riz nécessaire à l'alimentation.

Une preuve éclatante de l'hypocrisie des dictatures est fournie par l'une des plus anciennes et des plus admirées : à Sparte, « les plus forts se glorifient d'être humbles et d'obéir en courant, et non en marchant, quand on les appelle, pensant que, s'ils donnent eux-mêmes l'exemple d'une prompte obéissance, les autres suivront » (Xénophon, *Constitution des Lacédémoniens*).

« Peut-être mes enfants verront-ils la liberté », m'a dit une Ispahanaise. Elle avait neuf ans au moment de la Révolution. Peut-être faut-il n'avoir rien connu de la liberté pour pouvoir combattre en sa faveur. C'est une génération n'ayant vécu que l'Union soviétique qui a vu la chute de l'Union soviétique. Organisée par d'autres que les Russes. Le jour où j'ai parlé à l'université de Téhéran, en présence de quelques espions d'un régime qui, pour la première fois dans l'histoire, venait d'y nommer un mollah recteur, tout le monde est resté froid quand j'ai dit : « Ce ne sont jamais les peuples qui renversent des régimes haïs, mais une minorité consciente. Rappelez-vous l'URSS » Ils comprenaient très bien de quel pays je parlais.

Notre consolation, mince consolation, est que ces chefs ont peur.

On pourrait établir une liste des vieux salauds. Un vieux salaud est un salaud âgé et impuni. Il y aurait Khamenei, Fidel Castro... Quand je dis que le mal n'est jamais puni. En février 2008, Castro annonce qu'il se retire du pouvoir, tout tranquillement, et il va jouir de son lit, à regarder la télévision en buvant du jus d'ananas frais. Il est peut-être l'un des derniers de l'espèce. Du temps de l'URSS, il y en avait quinze et les Chinois gardaient les leurs longtemps, bien vieillards. Les systèmes à vieux salauds ont compris qu'il fallait renouveler régulièrement leur tête : un homme de cinquante ans a moins l'air d'un vieux salaud qu'un homme de soixante-quinze, et, comme ils sont régulièrement changés, l'étranger n'a pas le temps de s'habituer à un seul et de s'en faire une image haïssable.

Les tyrannies sont des fantasmes. C'est bien de leur faute. Un régime qui claquemure un pays le rend mystérieux. Au demeurant, tout pays qui a eu une histoire ou un charme est un fantasme, et c'est pourquoi la France ou l'Amérique ont souvent déçu les émigrés des tyrannies : ils croyaient y trouver la Liberté. Elle y est, mais avec un petit l, qui n'est pas si mal mais ne cache pas nos médiocrités ; ou qui ne cache pas nos médiocrités mais n'est pas si mal.

Le décoratif est la défaite des tyrannies. En 1990, traversant le pont Charles à Prague, d'y voir vendre des étoiles dorées de l'Armée rouge me prouva que le communisme était mort. Ayant perdu leur fonction de symbole, elles ne faisaient plus peur. Sans cela, le Bar KGB existerait-il à New York, dans l'East Village, au début du XXIe siècle ? On monte le perron d'une maison en brique rouge, puis, de là, une volée de marches très pentue. Porte à droite. On entre dans une grande pièce aux murs rouges couverts de drapeaux soviétiques, de portraits de Lénine et autres aimables *dont les couleurs s'effacent*. À gauche, tables rectangulaires face à une banquette. À droite, grand bar sombre. Tabourets. Musique. Vive la liberté, chuchotante, paisible, sans éclat.

LISTE DE CENSURES

Le *Tartuffe* est interdit sous la Restauration, pendant la Première Guerre mondiale, par le gouvernement de Vichy.

Pendant la Première Guerre mondiale, censure des *Chansons des rues et des bois* de Victor Hugo. Quels sont les vers qui mettaient la France en danger dans ce recueil bucolique, il faudrait le demander au censeur qui y a vu le mal. Ne serait-ce pas une des différences entre l'intelligence et l'imbécillité : la première expose ses raisons, la seconde dissimule ?

Le message de Foch aux armées, le 11 novembre 1918, est censuré sur ordre de Clemenceau. (Maurice Martin du Gard, *Les Mémorables.*) La jalousie de Clemenceau envers tous ceux qu'il pensait devoir lui « faire de l'ombre » était incommensurable. Ces descentes violentes vers la mesquinerie sont également frappantes chez Napoléon ou de Gaulle. On appelle ces gens qui ont des choses immenses à affronter des « grands hommes », mais, si on les ouvre, à l'intérieur, on en trouve souvent un tout petit. (Il se manifeste encore par la mauvaise foi, telle celle de Napoléon tombé qui accuse Vivant Denon d'avoir fait du zèle *contre son gré* en érigeant sa statue place Vendôme ; comme si on avait pu faire des choses contre son gré, comme s'il n'avait pas, entre mille modesties, édicté le « catéchisme impérial » le déclarant « image de Dieu sur la terre ».)

Hitler interdit les *Contes* de Perrault. Il est particulièrement scandalisé par « Le chat botté ». (Marcel Aymé, *Confidences et propos littéraires.*)

Il existait dans les années 1990 un supplément du *Monde* nommé *Le Monde des débats*. Son rédacteur en chef, Jacques-François Simon, me téléphone un jour pour m'offrir la dernière page du journal, où un écrivain parlait de ce qu'il voulait. Quelques jours plus tard, nouveau coup de téléphone de Simon : « Je suis embêté… Bertrand est descendu à notre étage… Il avait appris… Il est très opposé… Si… » Bref, adieu la commande ! Bertrand, c'était Poirot-Delpech, de l'Académie française. Peu avant, j'avais publié un article où, sous le titre de « Poirot n'est pas Hercule », je relevais des mensonges et des fausses citations dans une de ses chroniques au *Monde*, lesquelles portaient le nom caractéristique de sa franchise, « Diagonales ». Faux humoriste, vrai triste, Poirot avait été célèbre pour sa flagornerie envers l'Académie française qui cessa à la minute même de son élection. Pour la moindre plaquette, tout académicien avait son encens de Poirot. Le jour de son élection, un gaulliste qui détestait ce socialiste et que ce socialiste détestait, reçut un télégramme : « Cher ami, je suis fou de bonheur ! »; Jean Guitton, académicien pétainiste qui peignait de vilains tableaux, mais Poirot adorait plus l'Académie qu'il ne haïssait le pétainisme, racontait, dans un lugubre restaurant à dentelle de la rue de Fleurus où il déjeunait presque tous les jours, que le seul tableau qu'il eût jamais vendu en dehors de sa famille, c'était à Poirot. Poirot est mort depuis, mais je n'y suis pour rien.

LISTE DE TARTUFFERIES

Peyronnet, garde des Sceaux, présente en 1826 un projet de loi prévoyant la censure de la presse et de l'édition de livres. Il l'appelle « une loi de justice et d'amour ».

Ravinet, évêque de Troyes, nommé par Napoléon III en 1861, est le seul évêque de France à interdire des prières à la mémoire de l'ex-empereur dans son diocèse à l'occasion du premier anniversaire de sa mort, le 9 janvier 1874. Il devait se faire pardonner sa nomination.

Les Buveuses de bière de Manet (Burrell Collection, Glasgow) ont été attaquées pour leur moralité douteuse par un caricaturiste nommé Bertall. C'est presque aussi beau que l'Arétin, auteur de contes pornographiques, s'indignant auprès du pape des corps dénudés que Michel-Ange avait peint au plafond de la Sixtine.

L'installation des premières chambres à gaz se fit suivant un décret de Hitler du 1er septembre 1939 selon lequel « les incurables ont droit à une mort miséricordieuse » (Hanna Arendt, *Eichmann à Jérusalem*).

Pour justifier que la présidente du conseil général Rhône-Alpes, UDF (droite), ait été élue avec des voix de gauche, le président de l'UDF (Bayrou) dit : « Il y avait urgence républicaine » (1999).

Au journal de 20 heures sur TF1, janvier 1996, Danielle Mitterrand déclare que c'est par amour de la démocratie qu'elle a réclamé à la justice l'interdiction du livre écrit par le médecin de son mari, *Le Grand Secret*, révélant que celui-ci avait menti sur son cancer pendant quatorze ans ; interdiction obtenue. Il arrive que la gauche caviarde.

En 1998, après être allé à la télévision, sa femme en laisse, nier qu'il avait eu des relations sexuelles avec la stagiaire Monica Lewinsky, « cette femme-là » (*that woman*), puis après avoir expliqué, au rire du monde, que la fellation n'était pas un acte sexuel, le président Clinton et sa femme ont fait venir tous les membres du clergé possible à la Maison-Blanche ; on les a alors vus à la messe tous les dimanches, chantant bien fort, articulant les paroles.

Le 10 mars 2007, Newt Gingrich, ancien speaker républicain de la Chambre des représentants, admet qu'il trompait sa femme au moment où il tentait de destituer Clinton pour avoir trompé la sienne avec Monica Lewinsky. On a appris que l'ancien Premier ministre conservateur John Major entretenait une maîtresse au moment même où il faisait aux Communes un grand discours sur le « retour aux valeurs » (*back to basics*). La droite et les mœurs. Elle en a. Elle les attaque, chez les autres. Elle se punit en eux. Elle hait Tartuffe.

Le 15 avril 2008, le général Reza Zarei, chef de la brigade contre le vice de la police de Téhéran, a été surpris dans un bordel clandestin en compagnie de six femmes nues. Le gouvernement iranien a simplement annoncé son remplacement. C'est le *Times* de Londres qui en a publié la cause. En Iran, la prostitution est punie de mort, et le général Reza Zarei avait procédé à de nombreuses arrestations de garçons et de filles pour relations sexuelles illégales et violation du code vestimentaire islamique.

LISTE DE LA FLAGORNERIE

En 1734, sous le règne de l'impératrice Anne, Moscou brûle. Le premier quartier touché est relié au reste de la ville par un arc de triomphe en bois qu'il suffirait de détruire pour arrêter l'incendie : le général qui dirige les secours interdit qu'on le fasse parce que l'arc de triomphe porte la lettre A, initiale du prénom de l'impératrice.

En 1808, l'Université de Leipzig demande l'autorisation de donner le nom de Napoléon à une constellation qu'on vient de découvrir.

S'adressant à Brejnev lors d'un congrès du Parti communiste de l'Union soviétique, Edouard Chevardnadze dit : « Pour nous, Géorgiens, le soleil ne se lève pas à l'est, mais au nord. » J'aimerais entendre cette flagornerie avec le ton ronronnant du russe.

En 2005, un conseiller à la Maison-Blanche promet d'offrir la désignation de New York comme ville organisatrice des Jeux olympiques de 2012 au président Bush pour son anniversaire, le 6 juillet (jour où la décision serait annoncée).

LISTE DE LA BÊTISE RELIGIEUSE

C'est Constantin Porphyrogénète qui a fait dresser l'obélisque muré à l'hippodrome de Constantinople qu'on voit encore à Istanbul. Quant à sa voisine la colonne Serpentine, rapportée par Constantin du temple d'Apollon Pythien à Delphes, les têtes de serpent qui supportaient le trépied d'or à son sommet déplurent aux chrétiens comme aux musulmans. Le patriarche de Constantinople serait venu les casser en procession, Mehmet le Conquérant complétant le travail. La bêtise religieuse dure depuis la naissance du monde et durera jusqu'à sa mort. Un jour de 2005 où j'allai à Istanbul, je lus dans l'avion que le Parlement de Koweït, le premier plus ou moins démocratiquement élu de ce pays, s'était sitôt en place chargé des affaires importantes : il interdit de faire sécher le linge aux fenêtres, car il peut s'y en trouver d'intime qui donne de mauvaises pensées.

Il aurait été étonnant que la bêtise religieuse ne s'exprime pas à propos du tsunami qui a dévasté une partie de l'Asie en 2005. Un certain cheikh Qaradawi a affirmé que les victimes avaient été punies par Allah parce que leurs pays sont des destinations touristiques, « lieux où les actes interdits sont couramment pratiqués, où l'on consomme de l'alcool et de la drogue, où l'on s'adonne à des pratiques abominables » (*Times* de Londres, 11 janvier 2005).

Clément Marot (1496-1544) est un bon poète qui se maintient en partie grâce à sa biographie. Sans elle, il serait (« Adieu amours, adieu gentil corsage,/Adieu ce teint,/adieu ces friands yeux/Je n'ai pas eu de vous grand avantage./Un moins aimant vous aimera, peut-être, mieux », *L'Adolescence clémentine*) un Charles Cros plus lettré, un étudiant en droit élève de Budé qui a assez le sens de la transmission et de sérieux pour faire une édition du *Roman de la Rose* et une édition critique de Villon. C'est un poète en prison, car on l'a accusé, par deux fois, d'avoir mangé du lard en carême, c'est-à-dire d'être protestant, comme Théophile de Viau ; une autre fois c'est pour avoir attaqué un agent de police qui s'en prenait injustement à un passant, comme, à sa façon, François Villon ; exilé en Italie, il est bâtonné par des hommes du duc de Ferrare comme Voltaire le sera par des hommes du chevalier de Rohan. Ce qui m'enchante, non pour lui mais relativement aux naïfs de la pureté protestante, est que, croyant trouver un refuge à Genève, la ville de Calvin, il est persécuté par le Consistoire. Voilà pourquoi je parle de lui dans cette liste. À la fin de sa vie, il traduit les psaumes en vers français, ce qui était une façon de donner des gages.

La bêtise religieuse progressiste n'est pas mal non plus. L'archevêque de Canterbury, Rowan Williams, qui veut se faire bien voir de tout le monde, a déclaré qu'il fallait appliquer la loi islamique (charia) au Royaume-Uni, dans la mesure où les musulmans ne croient pas à autre chose et que, *de fait*, ils l'appliquent. (*The Guardian*, 7 février 2008.) On ne sait pas s'il pense qu'il faut appliquer les punitions à la cire chaude aux sado-maso dans la mesure où ils ne croient pas à autre chose et, *de fait*, les pratiquent.

Elle n'est pas le privilège des clercs ; les civils veulent absolument leur part. Le président Carter (démocrate, 1976-1980) prenait la Bible au pied de la lettre, comme il l'avait déclaré à l'*Atlanta Constitution* : « Je n'ai pas de raison de mettre en doute la Genèse, chapitre II, vers 21 et 22, non plus qu'aucun autre miracle rapporté par la Bible » (Arthur Schlesinger Jr, *Journal*). Dans le premier gouvernement de George W. Bush (républicain, 2000-2008), le ministre de la Justice se faisait oindre d'huile bénite avant toute réunion importante. Il avait fait voiler les statues de la Justice à l'entrée de son ministère.

LISTE DE LA BÊTISE POPULAIRE

Quand, en 48 av. J.-C., le légat de César prend la ville de Mégare, les habitants lâchent des lions qui s'y trouvaient captifs en pensant qu'ils s'en prendraient aux Romains : les animaux déchiquettent les premiers qu'ils rencontrent, eux.

En 1792, des habitants de la côte occidentale de l'Irlande, républicains par conviction et pour embêter l'Angleterre, accueillent avec des cris de joie des navires français venus exporter la Révolution à leurs frères opprimés par une royauté. Quelque temps plus tard, les Irlandais chassent les Français : ils étaient exaspérés par leur propagande anticatholique.

À la première du *Baladin du monde occidental*, de Synge, à l'Abbey Theatre de Dublin, le 26 janvier 1907, le public de nationalistes, trouvant que Synge représentait mal la sainteté de leur cause, jette des fruits pourris et des chapelets sur les acteurs.

En août 2000, à la suite d'une campagne de presse par le tabloïd *News of the World* qui avait publié à la une les noms et les photos de pédophiles (*paedophiles*) condamnés en justice, un médecin de Newport (Gwent), en Angleterre, a vu sa maison taguée d'injures par des gens du village indignés de ce qu'elle se vante de son vice. Elle avait mis à sa porte sa plaque de pédiatre (*paediatrician*). Cela rappelle assez l'ami de César nommé Cinna (le tribun de la plèbe C. Helvius Cinna) qui, quoique malade, se rend aux funérailles du dictateur : il est déchiqueté par la foule qui l'a confondu avec un autre Cinna qui s'était opposé à César (le prêteur L. Cornelius Cinna). En 2005, dans le nord de l'Angleterre, des intelligents de cette espèce se sont convaincus qu'un certain Paul Cooper était un pédophile et ils l'ont battu à mort dans sa maison (*The Independant*, 23 mars 2005).

Quand on a déplacé la statue de Ramsès II de la gare centrale du Caire pour la protéger des vibrations du métro et de la pollution, en août 2006, on l'a fait après minuit, pour éviter les encombrements de voitures. Une foule a suivi le convoi, à pied, durant neuf heures ; « les gens pleuraient comme s'ils accompagnaient leur père au cimetière » (*Le Monde*, 4-5 mars 2007).

En général, les mariages de « stars » populaires et les enterrements d'écrivains glorieux. À celui de Sartre, le 19 avril 1980, des milliers de personnes se bousculent au cimetière Montparnasse, grimpant sur les tombes voisines. Mille profanations pour un hommage. Le cercueil de Victor Hugo, dressé sous l'Arc de triomphe et veillé par des jeunes poètes méritants desquels un seul n'a pas coulé dans l'incognito, Georges Courteline, il y eut saoulerie et baise dans les allées des Champs-Élysées trois nuits durant. Les écrivains morts, c'est fête pour le peuple.

LISTE D'IMBÉCILLITÉS QUI M'ENCHANTENT

La CIA a espionné Truman Capote à cause de son récit d'une tournée théâtrale de *Porgy and Bess* en URSS et a fermé le dossier, le prenant pour un roman.

Le 3 décembre 1999, le vieux banquier Safra est mort asphyxié à Monaco. Son infirmier, qui voulait se faire bien voir, a mis le feu à une corbeille en pensant le sauver aussitôt, mais l'appartement a brûlé, le vieux est mort et l'infirmier, en prison.

« Un voleur unijambiste qui avait laissé son membre artificiel sur le lieu du délit dans l'est de Londres a été condamné hier à trois ans de prison. Eric Gardner, 41 ans, a abandonné la pièce à conviction lors d'une bagarre avec le commerçant dont il venait de voler la recette. Impavide malgré la perte de sa jambe, il a sautillé jusqu'à sa voiture, laissant Ghanshyam Patel, 56 ans, cramponné à sa prothèse. M. Patel, marchand de journaux à Dagenham, a été agressé en janvier alors qu'il se rendait à la banque pour déposer sa recette, d'un montant de 2232 £. Gardner a reconnu auprès des policiers que la prothèse était bien la sienne. » (*The Independant*, 26 juin 2003.)

Un mondain : « Une exposition Cocteau à Beaubourg en même temps que la FIAC ! Cela va donner une mauvaise image de la France ! » (À moi, 24 septembre 2003.)

En octobre 2005, un nommé Brahim, âgé de 29 ans, se plaint de douleurs au ventre et est pris d'une crise d'épilepsie à la mosquée de la rue Jean-Pierre Timbaud, dans le XIᵉ arrondissement de Paris. Sûrs qu'il est possédé par le démon, quatre fidèles, membres comme lui d'une association formant des prédicateurs, le transportent au sous-sol, réservé aux ablutions : l'un le prend aux bras, l'autre aux jambes, le troisième saute sur lui, posant un pied sur la gorge et l'autre sur le ventre, pendant que le dernier récite des versets du Coran à voix haute. Il meurt d'asphyxie, les côtes cassées, le larynx déchiré.

« Le fermier indien D. Jaggalah est mort après avoir bu de l'alcool de contrebande. Lors de la crémation, les villageois ont porté un toast à la mémoire de leur ami, en utilisant la même réserve d'alcool qui avait tué Jaggalah. Dix assistants aux funérailles sont morts. » (*popbitch.com*, 23 mars 2006.)

Vague autoportrait en listes

LISTE DE COMME J'AI ÉTÉ ADORÉ ADOLESCENT

J'ai été attaqué dès l'enfance pour ce que j'étais. On me haïssait pour ma singularité, qui n'était que la passion de lire, d'étudier et de m'enthousiasmer pour ça. Ceux qui étaient mes amis avaient bien du courage. Ils avaient l'air paradoxaux.

Il ne faut pas parler de soi, cela finit par être utilisé contre nous. À propos d'un très jeune écrivain, j'ai dit, un jour, avoir de la tendresse pour son arrogance car j'avais sans doute été comme lui à son âge. Un an et demi plus tard, un qui m'avait entendu me dit : « Toi qui as été arrogant à 18 ans... » En fait, je n'étais pas arrogant, on disait que je l'étais : j'étais passionné, si je peux le dire. « Arrogance » est la réplique de l'esprit pratique enragé, de même que « prétention » est l'accusation que la nullité fait au talent. Si vous saviez comme le talent peut être modeste, du moins quand il a du succès ! Il sent le danger. Il sait que les gens n'aiment que le mérite. Qu'un jour on le traitera d'usurpateur. Et puis il ne fait pas tant de flafla d'exister, c'est comme la couleur des yeux ou la taille, un élément qui existe et voilà. S'il résiste aux attaques, le talent surmonte l'angoisse de sa singularité et donne une assurance qui mène souvent à la simplicité. Quand je me rappelle l'ancien *camp* du chanteur Neil Hannon à ses débuts et l'ampleur artistique qu'il a acquise, je me dis qu'il y a de bons défauts de jeunesse : une morgue inconsciente, qui n'est d'ailleurs morgue que pour ceux qui ont renoncé à faire quelque chose de plus grand qu'eux-mêmes et le savent, un sarcasme qui est une protection, une insolence qui est un cabrage. Chacun se défend des brutes comme il peut. La société s'aide des brutes pour mater les plus individualistes de ses enfants, car la civilisation est une barbarie, nous l'avons tous éprouvé à l'école, au lycée, au service militaire, ces cages où elle mélange les *insolents* avec les gros cons afin que les derniers les déchiquettent, dans le silence anesthésiant organisé par le pouvoir aux yeux baissés. Quand ils ont survécu, ces anciens jeunes gens déposent leurs protections une à une comme autant d'éléments d'une cuirasse, et voici de délicieux quadragénaires. Je sens que je vais me mettre à aimer ceux que les *vrais gens* appellent les « petits cons ».

Mon adolescence a consisté à apprendre à ne pas espérer. À esquiver tout ce qui pouvait blesser, aussi, et qui m'attaquait de toutes parts. À la fin, on apprend à ne pas vivre. J'ai tenu la vie à distance, elle y est restée. Maintenant que je suis plus ou moins réconcilié avec moi-même, elle ne le sait pas. Elle a pris l'habitude de me voir loin. Quel travail il va falloir pour que je la persuade du contraire ! Serai-je mort ou vieux, c'est à peu près pareil, sans y être parvenu ?

J'étais devenu si méfiant, les hommes m'avaient tellement appris à l'être, je déteste tant l'affectation, je préfère à tel point ma privauté à tout, que je ne croyais pas, ou repoussais, tout élan vers moi. Ça a changé, et tant mieux, car sans cela je serais mort en disant, sans regrets, « j'aurais pu ».

Il y a des gens que notre simple apparence fait frémir de haine. S'y ajoute qu'ils ont entendu parler de nous. Il suffit d'être vu pour être détesté. Enfin, nous avons peut-être un jour écrit une phrase qui les a hérissés et que nous ne connaîtrons jamais. Les motifs de la haine ne sont jamais avoués. Ils révéleraient ce qu'on a intérêt à garder caché. Lors d'un dîner, un effrayant connard de télévision ne cesse de me contredire, ricaner, etc. « Tu as été héroïque », me dit l'hôte à son départ. J'ai été lâche, oui, à un seul moment près où une de mes répliques l'a fait reculer, et donc une autre, et plus tôt, aurait suffi ; mais j'étais invité et j'ai horreur des scandales, sans compter que je me foutais de l'irritation de ce génie. Elle a été causée par mon supposé brillant, etc., paraît-il. Oh ! j'ai l'habitude, depuis cette adolescence. La facilité de parole, et surtout, surtout, dire de temps à autre quelque chose qui a l'air de s'apparenter à une vague réflexion, pire encore, une plaisanterie, rien n'exaspère plus certains hommes. Ils y voent une offense à leur incapacité. Et nous y sommes pour tout : c'est une grande erreur de ne pas savoir rester fermé et sombre pendant trois heures de suite. On y gagne une réputation de nullité qui ne gêne pas.

« Sir, there is nothing by which a man exasperates most people more, than by displaying a superior ability or brilliancy in conversation. »
Boswell, *Life of Samuel Johnson*

Croyez-vous que j'exagère? Je me déciderai un jour à vous raconter en détail mon procès de Moscou. Il a eu lieu à Tarbes. Juste après l'école Voltaire. Voltaire! Les noms qu'on donne aux bâtiments le sont pour la notoriété, pas pour l'exemple. Un enfant de cinquième a été mis en accusation par un professeur de géographie maoïste, toute la classe se levant à tour de rôle et attaquant sa *prétention*. Elle était causée par sa naissance, n'est-ce pas, de fils de « notables » (on l'est vite en province : pour moi, des professeurs d'université, des ingénieurs, des médecins). À deux courageux près qui se levèrent en sa faveur, cet enfant a affronté une classe entière sous la conduite d'un professeur *que l'administration du collège a laissé faire*. J'avais douze ans. Le nom de cette femme m'est revenu, je la hais encore.

Enfin, on fait ce qu'on a à faire, ses disques, ses livres. J'écoute les derniers Neil Hannon, *Absent Friends*, *Victory for the Comic Muse*, lents, lyriques, moins moqueurs, nous mûrissons, bientôt la tombe. Lorsque cet homme d'un mètre soixante-quinze apparaît sur une scène, il a l'air d'un aide-soignant chétif. Il ouvre la bouche : de ce gouffre noir jaillit une voix de prêcheur baptiste de deux mètres vingt, qui nous dit des choses narquoises pour nous protéger de l'amour vers lequel nous courons.

LISTE DE CHOSES QUI M'ONT INDIGNÉ

Dès que j'ai été en âge de raisonner, les expressions toutes faites, lieux communs et poncifs. « L'exception confirme la règle », je m'en souviens, me paraissait scandaleux. Scandaleux pour le raisonnement, car une *exception* ne peut précisément pas *confirmer* une *règle*, mais aussi pour la liberté, car, étant dit sans ironie, cela révélait une volonté de se débarrasser au plus vite de ce qui aurait pu engendrer une réflexion. C'est bien à quoi servent les expressions toutes faites.

Dès qu'on me l'a apprise, la parabole de l'enfant prodigue, cette apologie de la soumission et du renoncement. Et bientôt toutes les paraboles. Sans doute approchais-je de la littérature.

Le ton aboyeur du *Cid*. À une période de ma jeunesse, parce qu'on m'avait dit que c'était grandiose et que je le croyais, j'admirais cette pièce, mais je me forçais. Déjà, je ne respectais rien.

Un jour, à la télévision, longtemps après sa mort, Aragon, hautain, péremptoire, vindicatif, crachant des calomnies et fouettant de menaces. J'ai éteint en disant à voix haute : « L'ordure ! » Et c'est un mot que j'emploie rarement.

L'émission de télévision *Vivement dimanche*, de Michel Drucker, à Jean-Marie Messier tout entière attachée, il était alors président directeur général de Vivendi Universal (mai 2001). Reportages à la soviétique, où le grand chef d'entreprise, avec sa tête de premier communiant timide qu'il n'était pas (diplômé d'une école d'État et nommé là où il était par un chef de gouvernement, il osait réclamer moins d'intervention de l'État dans l'économie), son pull-over jeté sur les épaules, se faisait filmer chez le boucher de son village. « Qu'est-ce que vous avez de bon, monsieur le boucher ? » Et le boucher, en blouse plus blanche que dans une publicité pour de la lessive, de lui expliquer comment cuire la côte de bœuf qu'il montrait à la caméra. Les scrupules ? Elle s'en fout bien, la télévision, quand il s'agit d'arriver à un but ! Ce jour-là, on aurait dit qu'il s'agissait de préparer le lancement d'une possible campagne présidentielle de cet homme depuis oublié.

Un reportage sur les cours de *business* à l'université de Stanford, Californie (*Capital*, M6, 2001). « Les leaders. »

La mort. J'essaie de ne pas m'y faire.

LISTE DE CHOSES QUI ME FONT SOURIRE

Un homme portant de beaux souliers neufs qui marche comme sur des clous.

Un quinquagénaire avec un iPod qui hoche la tête au rythme de la musique, l'air sérieux.

Certaines de mes étourderies.

L'amour.

Le show-biz aux enterrements. Ces gens-là croient que les lunettes de soleil, comme c'est noir, ça fait deuil.

Un enfant de deux-trois ans étalé dans sa poussette qui boit à son biberon levé en l'air, pendant que sa mère, qui ne le voit pas, ahane en le poussant.

LISTE DE CHOSES QUI ME FONT RIRE

Le rire mondain d'un vieillard à écharpe qui, penché sur une femme, fait : « Ah, ah, ah » toutes dents dehors.

L'excès de colère, comme dans l'épisode d'*Absolutely Fabulous* où Patsy (Joanna Lumley) sort de sa voiture et, hurlant, donne des coups de sac à main sur le capot de la voiture derrière qui avait klaxonné.

Le pompeux moqué.

Le pince-sans-rire de *Fin de partie* et de *L'Expulsé* de Samuel Beckett.

LISTE DE CE QUE JE N'AI PAS VOULU FAIRE

Aller en Engadine. Et pourtant Engadine, quel joli nom, cela évoque les contes de fées, les sucres d'orge, le palais de dame Tartine, il n'y avait pas de carrosse en nougat, ce soir-là, vous savez ce que c'est, un samedi soir, trouver un carrosse, on peut téléphoner toute la nuit, je suis resté chez moi. C'était à un colloque, le seul où j'ai participé. Un des professeurs, ayant apprécié ce que j'avais dit, m'invite à la maison de Nietzsche à Sils-Maria. « C'est une fondation que je dirige, venez donc vous y installer quelque temps, vous pourrez écrire. Je vous donnerai la chambre de Nietzsche. » Des confrères à lui qui guignaient une pareille invitation depuis des décennies et n'avaient épargné ni la flatterie, ni le nietzschéisme, me regardèrent comme un surhomme et pour une fois ils n'aimaient pas ça. « Vous avez bien de la chance, me dit l'un d'un ton pincé : cela fait des années que j'attends ça ! » « Il ne devait pas être là au moment de l'invitation, me dit un autre à l'oreille. Un colloque à Rome en janvier, un autre à Buenos Aires en février, mars à Canberra, il n'a même pas le temps d'ouvrir son courrier ! » « Irez-vous au colloque de Turin ? me demanda un troisième qui n'avait pas entendu ; les épouses ne sont pas invitées. » Il fut ensuite question d'émoluments, d'éditions critiques et de coucheries. Pas de Charles à Sils-Maria. La montagne m'écrase, les villages m'angoissent, je suis atteint de l'espèce d'orgueil qui me pousse à refuser de mettre mes pas dans les pas des autres, alors vous pensez, mon corps. Sans compter qu'on ne doit jamais pouvoir dormir dans le lit de Nietzsche, à voir ce poil de sa moustache recourbé comme un cimeterre sur l'oreiller.

Toute mon adolescence, j'ai rêvé en appuyant un couteau sur les veines de mon poignet. Que c'était intéressant, la ligne blanche que ça laissait, perpendiculaire aux tendons semblables à des arêtes de raie !

Aller voir une exposition de tableaux religieux de Champaigne et de Poussin à la villa Médicis. Poussin m'ensommeille, le jansénisme me rebute, et je n'avais pas à expier la douceur de Rome.

De 2000 à 2005, aller voir *le nouveau Woody Allen*. Je l'avais beaucoup aimé, je l'avais défendu, *Annie Hall* est un grand film et on n'embête pas l'homme qui a fait *Annie Hall* (et *Zelig* !), mais Woody Allen, qui avait tellement raillé Maurice Chevalier, le séducteur pour dames mûres, devenait le Maurice Chevalier du cinéma américain. Dans *Annie Hall*, il s'était moqué de la sage et ennuyeuse revue *Commentary* : il parut un éloge de lui dans *Commentary* (2000), c'était justice. Et, cette rage passée, je lui suis revenu chaque année depuis *Match Point*, ce grand film (2005). Jonathan Rhys Meyers, avec sa tête d'Elvis Presley qui s'est couché trop tard et sa démarche un pied en dedans, est inquiétant de charme, à la façon de Farley Granger dans *La Corde*. J'ai un instant pensé que *Match Point* était en train de devenir un Hitchcock, une pirouette, mais il vaut bien mieux. Une comédie virant au drame, comme parfois dans la vie, quand ce n'est pas l'inverse. La scène où l'assassin n'arrive pas à monter son fusil est un chef-d'œuvre. Le film s'élève, s'élève, on arrive presque à la tragédie. Le mal n'est jamais puni. Il reste, éventuellement, le remords. N'oublions pas notre mauvaise humeur quand nous incriminons un artiste. À cause de la mienne, j'ai manqué des bonheurs durant ces cinq années de bouderie, comme l'excellent *Hollywood Ending* (2002), cette sorte de suite à *Annie Hall*, où la femme, qui a quitté son mari pour vivre avec un producteur en Californie, reviendrait à New York afin de superviser son nouveau film. Il devient aveugle. Le film est un désastre. Les critiques français le traitent de génie. J'ai vieilli avec Woody Allen. C'est le signe d'un bon artiste, qu'on n'abandonne pas, qui, malgré les films bâclés qu'il y sème, ne nous abandonne pas en chemin.

LISTE DE CHOSES QUE JE CROIS N'AVOIR JAMAIS FAITES

Réussir à remplir dès la première fois le formulaire d'exemption de visa pour les États-Unis. La première ligne horizontale est coupée à droite par une ligne verticale donnant l'impression qu'il faut noter là la réponse à la question du dessous. Et peut-être tout cela n'est-il fait que pour satisfaire le pédantisme de certains policiers américains des frontières, qui adorent reprendre les voyageurs sur leurs fiches mal remplies.

Sortir de chez moi sans un livre.

Finir de lire un mode d'emploi.

LISTE DE MES INCAPACITÉS

Je suis incapable de ne pas tout prendre à cœur ; et ne croyez pas que je me flatte obliquement, je m'en trouve bien imbécile.

Je suis si inapte à recevoir les compliments que je vexe les gens qui m'en font en les fuyant.

Il paraît que je ne sais pas prendre congé. C'est que, à mon avis, je pense subitement que j'ennuie mon interlocuteur, et je le plante là. À moins que ce ne soit lui qui m'ennuie ?

Je suis si incapable de reconnaître les gens que je m'empêtre dans les importuns. Me disant que je les connais peut-être, je leur parle, les écoute et, au bout d'un moment, me rendant compte de ce que je ne les ai jamais vus et qu'ils me réclament quelque chose, je mets autant de temps à m'en débarrasser.

Je suis incapable de coucher avec quelqu'un que je n'estime pas. C'est une grande faiblesse. D'autant que beaucoup de défauts m'empêchent d'estimer une personne : qu'elle soit ennuyeuse en est un puissant ; qu'elle n'ait ni tact, ni… enfin, bon !

Je suis si incapable avec les machines que, quand elles ne marchent pas, je crois que c'est moi qui ne sais pas m'en servir.

Je suis si secret que je m'offense de ce qu'on ne me demande jamais rien sur moi alors que j'ai tout fait pour repousser ce que je considère comme de l'indiscrétion. Tout peut l'être et devenir une arme pour nous blesser, je l'ai éprouvé depuis longtemps. Alors, plutôt rien que l'expérience renouvelée de la méchanceté. Elle est monotone et efficace. « Tu sais, me disait un ami, la muflerie la plus tranquille peut exister sans le moindre rapport avec nous, car le monde ne tourne pas autour de notre personne. L'autre jour, à Venise, une femme à qui je loue un appartement une ou deux fois par an a complaisamment répondu aux questions que je lui posais sur sa fille, puis, ravie, a tourné les talons sans m'avoir demandé comment j'allais. Elle m'adore. »

J'ai assez tendance à penser que les autres ont raison, et j'ai parfois tort.

LISTE DE CE QU'IL Y EUT SUR MON BUREAU
EN 1999, 2002, 2006

1999

Ce matin de 1999, j'ai acheté une figurine en plastique représentant le chef du village d'Astérix, Abraracourcix, main sur le cœur, index tendu, l'air pompeux et démonstratif, et l'ai posée sur mon bureau. (25 F. Pour 25 F [4 €], en 1999, on pouvait avoir : un magazine d'informations, deux boîtes et demie de grandes cartouches d'encre Waterman, deux cafés à la Terrasse et un au Lutétia, deux heures et demie de stationnement à Paris et cinq à Toulouse, cinq baguettes de pain « à l'ancienne », un livre de poche « une étoile ».) Abraracourcix a rejoint :

— une reproduction du *Déjeuner d'huîtres*, de de Troy (contre le pied de la lampe en argent, dont l'abat-jour est rouge) ;

— une vue de la place San Giacometto de Venise par Canaletto (contre l'encrier en bronze), que je préfère presque au lieu lui-même : les lieux les plus beaux, les choses les plus belles sont pour moi celles qui sont représentées ;

— un autoportrait de Rembrandt dans les yeux duquel, à Amsterdam, j'ai vu les miens à travers la vitre, ce qui m'a fait écrire un poème (dans le pot à cartouches d'encre en métal cabossé) ;

— sur la tirette, car il s'agit d'une copie XIXe de bureau Louis XV que mon père m'a offert, pour mes dix ans, chez un antiquaire de Tarnos, il savait qu'il allait mourir et voulait me faire le cadeau qu'il ne pourrait me faire cinq ans plus tard, essaient de surgir d'un porte-lettres en cuir vert que je n'ai jamais aimé plusieurs cartes postales, dont le grand guerrier de Montauban de Bourdelle (musée Bourdelle,

Paris), une tête de ménade étrusque (musée de la via Giulia, Rome), une tête ifé (musée des arts d'Afrique et d'Océanie, Paris), une prostituée de Toulouse-Lautrec en train de se rhabiller (musée des Augustins, Toulouse), « Trente films de Georg Wilhelm Pabst » (cinémathèque de Paris) ;

— un porte-buvard en ivoire dont je ne me sers plus depuis... ah, bientôt, je pourrai écrire : depuis vingt ans, et je m'efforcerai de ne pas le faire, me rappelant combien, enfant, je trouvais enfantine cette vanité des adultes à dire « voilà vingt ans que... » Enfantine, précisément pas, puisque c'était un vice d'adulte ! « Adulte », « adulte », mot qui pourrait être aussi injurieux qu'« enfantin » ! D'ailleurs, en toute exactitude, le mot dépréciatif est « puéril » ;

— un téléphone à pile, noir, debout, avec au milieu du combiné une antenne courte et ronde qui me rappelle le bonnet des Molochistes contre qui se bat Alix dans *Le Tombeau étrusque* ;

— deux petits cubes en acier d'où une tige se terminant par une pince me montre des pense-bêtes qu'à la longue je ne lis plus, c'est leur génie, on note ses devoirs pour pouvoir les oublier ;

— deux coupe-papier, l'un en ivoire, l'autre en métal argenté ;

— des chemises contenant des débuts de roman, comme ceux de *Simple histoire d'amour* ou des *Enfants de 1974* ;

— l'ordinateur sur lequel je tape cette liste. L'écran est un miroir où nous ne cherchons pas nécessairement à nous montrer.

2002

Tout a changé en 2002, ordinateur, meuble, pots, images, chemises. Le bureau est un grand plateau noir sur des pieds maigres ; la figurine, celle du Dr Evil dans *L'Espion qui m'a tirée* (*The Spy Who Shagged Me*), de la série des Austin Powers. Lorsqu'on en appuie sur un bouton, il dit, d'une voix geignarde : « *Why must I be surrounded by idiots ?* », pourquoi faut-il que je sois entouré d'imbéciles ? Plus : une carte postale de Sophia Loren dans l'*Arabesque* de Stanley Donen, dos à dos avec *Les Affiches à Trouville* de Dufy, un Magritte, *Voice of Space*, contre un Dubuffet, *Le Métro*, deux Edward Hopper ensemble, *Lighthouse and Buildings* et *Room in New York*. Pour les chemises, elles s'intitulent : « nouvelles », « Fitzgerald », « roman », « dictionnaire. » Aujourd'hui 11 juin, un disque des Streets, un Scott Fitzgerald (*Novels* and Stories 1920-1922), un Paasilinna (*Le Lièvre de Vatanen*), les *Œuvres complètes* de Louise Labé, *Pantagruel,* un volume des mémoires de Saint-Simon et deux carnets de Venise où j'ai avorté un livre, j'ai connu des moments plus heureux ?, font pile à un coin.

2006

Épurons, épurons. Mon idéal japonais en décoration finira peut-être par se réaliser. L'y aident ma distraction et l'indifférence que j'ai dû acquérir envers les objets. Je me serais tué à chercher ce que j'égarais. J'ai perdu le coupe-papier en ivoire, comment peut-on perdre un coupe-papier chez soi ? Je n'ai donc pas cherché à le savoir, et je vois, de droite à gauche : une boîte parallélépipédique en métal argenté contenant des photos découpées et des cartes d'abonnement à ci ou ça ; dans un cadre en argent, la photo d'un lendemain de fête. C'était dans le Périgord, voici quelques années. Dans un fauteuil, un jeune homme en t-shirt noir, j'ai oublié qui c'est mais me rappelle que je le trouvais très sympathique ; dans le fauteuil voisin, en t-shirt noir également, j'appuie la joue gauche sur le poing ; nous sommes de profil ; de face, dans le dernier fauteuil, un jeune homme en pantalon blanc lit un magazine, une mèche de cheveux lui tombant sur le visage comme une aile d'oiseau ; derrière lui, au mur, une femme nue penche le visage du côté opposé au sien, les bras aussi las que les nôtres. Ce qui achève l'unité fortuite de l'image, c'en est la teinte dorée. On pourrait remplacer la lecture de ce passage par la chanson d'Étienne Daho, « Saint-Lunaire, dimanche matin ». Elle raconte la douce lassitude d'une fin de nuit de fête, à l'aube. J'en ai, des souvenirs, sur ce disque ! C'est en l'écoutant en boucle que, chez la sœur d'une amie qui nous prêtait sa maison et surtout sa piscine près de Toulouse, nous révisions nos examens de droit, il faisait beau, on riait, je croyais qu'on pourrait ne jamais quitter ce moment gracieux que je faisais tout pour préserver. Oui, oui, le bureau : voici une boule chromée dont les antennes à pinces retiennent des cartes postales, deux sculptures du musée archéologique de Naples, la vue de Venise par Canaletto et une « brève » de Dorothy Parker imprimée dans l'édition informatique du *New Yorker* (« Entendu près de Grammercy Park. Une mère bien habillée dit à sa fille, une adolescente : "Tu dois savoir, ma chérie, que nous faisons partie des gens qui ne donnent pas des noms malins aux chats" »). Dans un cadre noir, une grande photographie du mur au coin de Broadway et de Houston Street, à New York, avec l'affiche de Calvin Klein qui a enclenché un poème intitulé « Éros sur le mur ». Trois cartes postales tenues par des pinces me regardent, entre autres une peinture de cinq hommes de dos s'éloignant dans une rue. Ne va pas du tout, à côté, une céramique chinoise de monstre furieux que j'ai achetée ce printemps à Aix-en-Provence. Large vide, puis des livres : *La Mégère apprivoisée*, *The Greatest Story Ever Sold*, un roman de Dawn Powell, les épreuves du journal intime de Cocteau. Pot évasé en céramique céladon où je range des crayons, boîte en laque corail pour mes stylos plume. Paperasses sous un 8 en métal argenté. Documentation sur Dubaï où je viens de me résoudre à aller ; moi tapant sur mon iBook G4. Bonjour, mes mains !

LISTE DE MES LOCATIONS

(Pour un chef-d'œuvre paresseux à 85 ans)

La maison sur l'île de Paros. Blanche comme du sucre et dressée comme un morceau de sucre au sommet de Lefkès, village lui-même dressé au sommet de l'île. La terrasse de ma chambre regardait la mer tout en bas. J'y ai tapé mon premier livre à la machine, de nuit, une machine électrique dont les rafales empêchaient ma vieille amie A... de dormir. L'ordinateur a beaucoup civilisé les gens de lettres.

L'appartement au Campo de'Fiori, à Rome, dans une ruelle que les buveurs de bière de la place venaient compisser, les nuits du samedi, avec des bruits d'éléphant. Le jour, la droguerie en face exposait sur le trottoir des pyramides de rouleaux de papier toilette. J'écoutai là, sur une radio qui captait mal les ondes, le récit de la débâcle de la droite aux élections législatives de 1997, les fameuses élections de « la dissolution ». Onze ans plus tard, on sait de moins en moins ce que fut « la dissolution » et ces élections sont de moins en moins fameuses. La politique, si occupante sur le moment, est extrêmement volatile, alors que des choses qui paraissaient aussi volatiles que des chansons se durcissent et restent. Vicolo delle Grotte, voilà. Ça a quelque chose à voir avec Cagliostro, si je me rappelle bien il y aurait rencontré sa femme, dans un bordel selon les uns, c'était la fille d'un dinandier selon les autres. On travaille les métaux dans le quartier, il y a aussi beaucoup d'ébénistes. Ils assistent les antiquaires de la via Giulia, de l'autre côté du palais Farnèse, sifflotant « j'fais des trous, des p'tits trous » tout en perçant des meubles modernes pour les rendre impeccablement XIXe.

L'appartement de la via Laurina, dans la même ville. C'est une rue étroite qui relie la via del Babuino et le Corso. J'avais une pièce par étage, et, au dernier, un toit-terrasse d'où je voyais, à gauche, les vertes collines du Pincio, en face, la place du Peuple et son obélisque, à gauche, les toits de Rome injuriés par les mouettes. Les plus enchanteurs petits déjeuners de ma vie.

L'appartement dans la maison de Mac Dougal, à New York, côté SoHo. Dans Houston, qu'on ne prononce pas comme la ville du Texas, mais *« ha-ust'n »* vous tournez à droite en venant de Las Americas... une maison hollandaise... une année, la canicule... le jour de la grande coupure d'électricité... chez Patti Smith ma voisine...

La maison de Gümüslük, en Turquie, où nous écoutâmes à la radio les nouvelles du coup d'État contre Gorbatchev. Les grues dévoraient le sol dans la crique voisine pour y construire des immeubles, et Gümüslük comme l'URSS a dû tomber devant le tourisme de masse.

La maison de Minori, sur la Côte amalfitaine, positivement *sur* la côte, car elle est construite dans les rochers, en contrebas de la route. Quarante mètres carrés et une terrasse de trente mètres de long sur la mer : j'ai travaillé à un livre sur une terrasse d'un million de kilomètres carrés.

LISTE AUTOMATIQUE DU 15 JANVIER 2005
21 h 12 – 22 h 35

J'ai horreur de me lever quand il fait nuit.

Vive le pain grillé !

Il y a trop longtemps qu'un film ne m'a pas enthousiasmé.

J'ai une vague envie d'Asie.

Je me fais une fête du mariage de Nick et Rena à San Francisco [1].

Si je réalisais un film sur la préhistoire, j'y mettrais un sosie de Charlie Chaplin, ayant remarqué la persistance des traits de son visage dans sa descendance. Le gène doit remonter dans l'autre sens.

Les clémentines sont déprimantes.

Je connais une femme qui est une boule de malveillance.

Il faut accélérer ce qui est ancien.

Les yeux bleus.

---

1. J'avais raison, c'était délicieux. Printemps. Des amis charmants. Maison à Marin Headlands. Mariage sur la plage, par une femme rabbin, lesbienne *butch* que j'ai d'abord prise pour un homme. On discutaillait dans la pelouse. Qu'ils étaient bien, ces Italiens ! J'étais amoureux de la fille.

« — Comment est-ce que je les habille ? demanda Myriam qui déjà crayonnait.

— À poil ! »

Philippe Hériat, Les Garçons

Les moins bonnes œuvres des grands artistes sont les plus populaires. On y trouve quelque chose par quoi ils ont cherché à plaire ou émouvoir et, hélas, ils ont réussi.

LISTE DE NOURRITURES SUPPOSÉMENT INFÂMES
QUE J'AIME

Clam chowder (potage aux palourdes) en boîte (marque Progresso).

Fish and chips dans les pubs anglais, assaisonnés à la mayonnaise industrielle plus encore qu'au vinaigre.

Les petits sachets de chips fines et trop salées qu'on trouve chez les marchands de journaux d'Angleterre.

Les barres de Bounty au chocolat noir.

Les raviolis en boîte.

Le café américain, de préférence goût *hazelnut* (lait et sucre).

« Je veux le lion le plus gras ! » criait le chrétien.

LISTE DE CE QUE JE VOUDRAIS

le 29 juillet 2006

Un pantalon à pont.

Confondre un certain méchant.

Un autographe de Stendhal.

Finir mon roman mi-septembre [1].

Coucher avec... (vous ne connaissez pas).

Un portrait.

Revenir dans le *playground* du Village où un cinéphile organise des projections au printemps, c'est trente mètres carrés, vingt chaises, ou bien on s'assied par terre, et, dans le crépuscule puis la nuit, on voit les grandes têtes des acteurs cabossées sur le mur de briques.

Ne pas devenir sec.

Découvrir un grand artiste et devenir son ami pour la raison qu'il est un grand artiste.

Un moelleux au chocolat.

---

1. Pas fait.

Une statue romaine, comme l'Hermès d'Herculanum du Musée national archéologique de Naples. Hermès est mon dieu. Je me contenterais d'une statuette en bronze. Un coroplaste de Myrina, un tanagra, à la rigueur, une antéfixe étrusque.

Lire les *Mémoires* de Bassompierre.

Recevoir une lettre d'amour.

LISTE DE RÉPONSES AU « QUESTIONNAIRE DE PROUST »

(Un questionnaire auquel Proust avait répondu, sur l'album d'une amie, à l'âge de 15 ans)

9 mars 2007

Quel est pour vous le comble de la misère?
Avoir le cœur sec.

Où aimeriez-vous vivre?
Dans une maison à piscine au bord d'une mer chaude.

Votre idéal de bonheur terrestre?
Lire et écrire.

Pour quelles fautes avez-vous le plus d'indulgence?
Les fautes commises par enthousiasme.

Quels sont les héros de roman que vous préférez?
Julien Sorel, Jay Gatsby, Robert de Saint-Loup, Aramis, le frère de l'héroïne de *Château en Suède*.

Quel est votre personnage historique favori?
Henri IV de France.

Vos héroïnes favorites dans la vie réelle?
Je n'en ai pas.

Vos héroïnes dans la fiction?
Emma Bovary, la reine de Parme et Oriane de Guermantes, la naine de *Mademoiselle Irnois*, la nouvelle de Gobineau, Isabelle Brandt dans le tableau de Rubens.

Votre peintre favori?
Bellini.

Votre musicien favori?
Rossini.

Votre qualité préférée chez l'homme?
L'abandon.

Chez la femme?
L'humour.

Votre vertu préférée?
L'indifférence.

Votre occupation préférée?
Lire et écrire.

Qui auriez-vous aimé être?
Personne d'autre que ce que je suis. C'est bien assez d'être avec soi.

Le principal trait de votre caractère?
L'impatience.

Ce que vous appréciez le plus chez vos amis?
Qu'ils m'aiment.

Votre principal défaut?
De ne pas vous le dire.

Votre rêve de bonheur?
Qu'on m'adore en me fichant la paix.

Quel serait votre plus grand malheur?
Être impotent.

Ce que vous voudriez être?
Tranquille.

La couleur que vous préférez?
Brun.

La fleur que vous aimez?
Le bec-de-perroquet.

L'oiseau que vous préférez?
L'oiseau muet.

Vos auteurs favoris en prose?
Sénèque, Fitzgerald, Stendhal, Shakespeare.

Vos poètes préférés?
Racine, Laforgue, Mallarmé, Catulle, John Donne.

Vos héros dans la vie réelle?
Je n'en ai pas.

Vos héroïnes dans l'histoire?
Isabelle la Catholique ; Élisabeth Ire.

Vos noms favoris?
Épaminondas.

Ce que vous détestez par-dessus tout?
L'envie.

Caractères historiques que vous méprisez le plus?
Tony Blair. (Enfin, le plus. Ça passera, et lui aussi.)

Le fait militaire que vous admirez le plus?
La campagne de Sébastopol de Tolstoï.

Le don de la nature que vous voudriez avoir?
Un battement de cœur lent.

Comment aimeriez-vous mourir?
Au printemps.

État présent de votre esprit?
Optimiste.

Votre devise?
Ne te rends pas.

12 août 2007

Quel est pour vous le comble de la misère?
De me réconcilier avec quelqu'un et d'en être déçu.

Où aimeriez-vous vivre?
Trois jours : à Londres.
Plusieurs fois une semaine : à Venise.
Dix jours : à Oman.
Un mois : dans une maison au Cap-d'Antibes ou à San Francisco.
Six mois : à Manhattan.
Mes dernières années : à Luang Prabang.

Votre idéal de bonheur terrestre?
Faire ce qui me plaît.

Pour quelles fautes avez-vous le plus d'indulgence?
Les fautes commises par amour.

Quels sont les héros de roman que vous préférez?
Hotspur dans *Henry IV*, le chien Bendicò dans *Le Guépard*.

Quel est votre personnage historique favori?
Le torero Sébastien Castella.

Vos héroïnes favorites dans la vie réelle?
Toute vengeresse.

Vos héroïnes dans la fiction?
Georgia dans le film d'Arthur Penn, Annie Hall dans le film de Woody Allen, Ève dans le film de Mankiewicz, la prostituée que joue

717

Sophia Loren dans *Hier, aujourd'hui, demain*, Uma Thurman dans *Kill Bill*, Melina Mercouri dans le rôle de Melina Mercouri.

Votre peintre favori ?
Jean-Michel Basquiat.

Votre musicien favori ?
Laurie Anderson.

Votre qualité préférée chez l'homme ?
Qu'il soit petit, brun et jeune.

Chez la femme ?
Qu'elle soit grande, élancée et drôle.

Votre vertu préférée ?
La peau douce.

Votre occupation préférée ?
La fugue.

Qui auriez-vous aimé être ?
Un impudique.

Le principal trait de votre caractère ?
L'inquiétude.

Ce que vous appréciez le plus chez vos amis ?
Qu'ils me téléphonent quand ils sont débordés.

Votre principal défaut ?
Le pardon.

Votre rêve de bonheur ?
Que quelqu'un vive à ma place, à part pour le sexe, qui est si doux.

Quel serait votre plus grand malheur ?
Perdre la vue.

Ce que vous voudriez être?
Oh, ça va.

La couleur que vous préférez?
Biscotte trop cuite pour une veste en lin ; chocolat pour des souliers en daim ; marron glacé pour une cravate.

La fleur que vous aimez?
Celle à l'odeur sucrée que je sens, au printemps, à New York, quand j'y suis, dans l'Hudson River Park.

L'oiseau que vous préférez?
Pourquoi n'est-il pas question de poissons dans ce questionnaire ? J'aime la nage pompeuse de la méduse, pareille à une impératrice de Russie descendant la passerelle du yacht de son mari en été.

Vos auteurs favoris en prose?
Pascal, Stendhal, Christopher Isherwood.

Vos poètes préférés?
Coolio dans « *Gangsta Paradise* ».

Vos héros dans la vie réelle?
Les gens qui me supportent.

Vos héroïnes dans l'histoire?
Mes grand-mères.

Vos noms favoris?
Nick, Patrick, Darwin.

Ce que vous détestez par-dessus tout?
Les chemises jaunes.

Caractères historiques que vous méprisez le plus?
Tony Blair.

Le fait militaire que vous admirez le plus?
Les défaites de l'Allemagne.

Le don de la nature que vous voudriez avoir?
La tranquillité.

Comment aimeriez-vous mourir?
Là tout de suite.

État présent de votre esprit?
Romain.

Votre devise?
Je serai le dernier de ma lignée.

LISTE DE CE QUE J'AIMAIS LE 29 JUILLET 2007

Le soleil sur mon cou et sur ma poitrine dans ma chambre de Rathbone Street, pendant que mon ordinateur jouait *Chicago*, que j'avais vu la veille, dans le West End, ma première comédie musicale au théâtre. Elle était bonne. Cela conditionnerait-il une carrière de spectateur où, toute ma vie, et vainement le plus souvent, je courrai après cet idéal rencontré dès la première fois ? Ou bien, quelques années plus tard, trouverais-je cela stupéfiant, déduirais-je que je n'y étais allé et ne l'avais aimée (moi pour qui, jusque-là, la comédie musicale au théâtre était la sottise des sottises) que parce que j'y avais précisément accompagné quelqu'un que j'aimais ? Renierais-je jamais l'amour de l'un ou l'amour de l'autre, même passés ? Même erreurs, ils m'auraient fait *faire* quelque chose. Penserais-je toujours que les gens revenus de tout ne sont en général pas allés bien loin ?

Une veste bleue que j'avais achetée l'année précédente à Rome. Quand mourrait-elle ? La déplorerais-je comme un animal chéri ? Rejoindrait-elle ensuite le peuple des chiffons où, dans l'oubli, se confondent vêtements, chats et humains ?

L'idée d'organiser une exposition au Centre Pompidou sur un sujet dont j'épuisai l'intérêt à force de l'imaginer. (Enfin, pendant quinze jours.) Aurais-je toujours des rêveries dont je fatiguerais mes amis avant de les abandonner sans plus y penser ?

Les villes, ces lieux de féerie. Tous les lieux de féerie en général, comme les comédies musicales. Elles sont une contestation sarcas-

721

tique et sentimentale de la vie et le pied de nez de ceux que les pompeux réfutent. Vivrais-je toujours en ville ?

Les triomphes. Rabâcherais-je perpétuellement, moi le sceptique des étymologies, celle, grecque, du mot « enthousiasme », « transport vers les dieux » ?

Mes amis étrangers. Le resteraient-ils à jamais, étrangers, amis, doublement aimables ?

Écrire cette liste.

LISTE DU QUAND, QUOI ET COMMENT

(28 septembre 2007)

Le désespoir, ça n'est pas gai, mais l'espoir, c'est sinistre.

C'est une phrase que j'ai perfectionnée en enfilant mes chaussettes, à 9 h 30. Des chaussettes allemandes, en fil et soie, noires, aux mollets. Moi, je ne trouve pas ça sexy.

Il n'y a que l'amour, mais ne le répétez pas.

C'est une phrase que je me suis dite dans le 87 où je venais de m'asseoir, au Champ-de-Mars, vers 10 heures.

Le premier mouvement de l'amour... « Un peu moins d'amour, s'il te plaît » (Tchekhov, *Le Sauvage*).

Même endroit, un instant plus tard.

« Ah que c'est agréable de parler à des Anglais ! » me disais-je en raccrochant de chez mon marchand de trucs de barbe à St. James Street. Une brosse que j'avais achetée en juillet perdait son vernis, et aussitôt : renvoyez-la-nous, monsieur, nous allons régler cela. En France, il aurait fallu trois appels, quatre explications avec un aigre, cinq coups de sang puis la lassitude.

À mon bureau, chez Grasset, à 13 h 30.

Exposition Weegee, fondation Dina Vierny. Extraordinaire de vulgarité énergique ; on aime New York en grande partie à cause de ça :
voyous, assassinats, fourgons de police ; et ce ça, c'est le cinéma. Le
meilleur office de tourisme de New York a été le film noir,
dénomination donnée par un Français après la Deuxième Guerre
mondiale, où ces films arrivaient en retard d'Amérique. Il y avait des
voyous, mais dans la liberté : on en avait soupé, de l'ordre, sous
l'Occupation ! Weegee a photographié un néon dans la nuit : « *NEW
YORK IS A FRIENDLY TOWN* », ici montré entre des photos de
cadavres et de flics. Ce qui est clamé, c'est le mensonge. La vérité
chuchote. Elle est intimidée par l'insolence du précédent. Se trouve
scandaleuse. Hésite. N'est pas crue. On ne respecte que le cliché :
« clamer son innocence. »

*Écrit en rentrant de cette exposition, où j'étais entré vers 14 h 30. Mon
humeur de la matinée était mauvaise, pour des raisons sans intérêt.*

Il y a quelques semaines, j'étais à Venise, vivant un des moments
les plus agréables de ma vie.

*Dans mon canapé, après avoir déjeuné, vers 16 heures, en regardotant un
DVD d'« À la Maison-Blanche ».*

Soirée charmante.

*Écrit le lendemain matin après m'être dit : il faudrait utiliser une chanson
pimpante sur un moment tragique, par exemple « Mr Sandman » pendant
une scène d'agonie à l'hôpital.*

LISTE EXACTE DU BROUHAHA D'UNE CONVERSATION
AVEC DE VRAIS MORCEAUX UNIVERSITAIRES

... Trinity. — Mais alors vous connaissez Grene, qui y enseigne? Le père était un grand spécialiste de Shakespeare... Chicago... grand ami d'Alan Bloom... Il disait qu'il aurait été ravi du roman à clefs que Saul Bellow a écrit sur lui après sa mort, quel est le titre, déjà, *Ravelstein*... Il faut toujours surprendre la postérité par de l'inattendu. À vache qui broute on doit donner chardon. Je... — Bloom était un cabot, et... — Injure ou câlin, tout fait faire le beau au cabot. — Vous avez un proverbe par circonstance, on dirait?... — Mieux vaut Barthes que Bloom... — Proverbe!... — ... Car Barthes penche vers Foucault et Bloom vers Finkielkraut. Le conservatisme gagne toujours, car le but du monde est sa conservation. Inutilité d'être conservateur. — Les conservateurs, passé un certain âge, c'est 90% de l'humanité. — Chacun son tour, pour les proverbes, on dirait. Il reste du rosé?... — Que voulez-vous, un prof reste un prof. Même si, au contact de la société, il s'est dégrossi, il lui viendra toujours une explication épaisse destinée à empêcher l'envol. Je plaisantais, comme disait le bourreau après avoir raté le premier coup de hache. — Vous oubliez les protestations contre l'incompétence de l'administration. C'est la moitié de nos conversations avec la nécessité d'y avancer hiérarchiquement... — Nous avons perdu toute influence. En recopiant simplement quelques faits de la vie de X... qui n'est pas professeur, Dieu sait! on pourrait écrire le roman d'un imposteur moderne... — Ce produit de l'ère des histrions? Un homme qui, il y a vingt ans, faisait des tournées de racontars de blagues dans les théâtres de province, et se retrouve penseur à Paris? C'est Rome! C'est la décadence! — C'est le monde. C'est toujours.

Pour parodier Hugo, grattez le moralisateur, vous trouverez le pervers. Vous connaissez la phrase orig…

— Des quiz, maintenant !… Les hommes ne savent décidément pas se tenir sans la compagnie des femmes. À table !

LISTE DE CE QUE JE VOUDRAIS EN FÉVRIER 2008

Être plus indifférent aux idées des autres. C'est curieux comme leur jugement m'est égal mais comme j'éprouve le besoin de discuter leurs dires, pour ou contre.

Avoir les sous pour m'offrir un costume à Londres.

(Deux jours plus tard.) J'ai dépensé ces sous que je n'ai pas pour aller passer trois jours à New York.

Y être déjà.

Pouvoir dire : « Ma force, c'est que je m'en fous. »

Plus souvent : « Là, j'ai été heureux. »

Sentir dans ma bouche le goût de l'œuf de saumon quand il craque sous la langue et lâche son jus.

En lisant, mettons, Ovide, entendre les vieux bruits de la Méditerranée.

Me rappeler, au dernier moment, qu'il faut que mes derniers mots soient : « Vous m'oublierez. » Sinon, je pourrais être distrait et dire : « Pour moi, du foie gras. »

Mourir à San Francisco, un mois de juin.

LISTE AUTOBIOGRAPHIQUE
PAR EFFLEUREMENTS D'ÉCRIVAINS

J'entendais un sketch comique à la radio : « Morlond-sur-Bierre...
La Viraine-en-Gâtinais... Luzon-la Garette... Verrières-sur-l'Arand... »
Et je me disais : j'ai fui les villages. Tout ce qui paraissait le charme
même à un Parisien comme Proust qui n'en voyait que l'étymologie,
le clocher de pierre, la pâtisserie du dimanche, le médiéval de
tapisserie, j'en ai connu la glaise, la méfiance rurale, le bras puissant
qui vous ramène vers la terre, le collectif, le ressemblant, le
commun, l'éternellement rien.

Quand je suis las de ma bibliothèque, que je n'y trouve rien, que je
suis désespéré de tant de nullité face à tant de génie, que les dos de
ces gros objets restent muets, je relis du Proust en anglais, en italien.
Je ne crois pas que ce soit un moyen de mieux savoir ces langues.

« Ah ! Georges Thill ! » disait ma grand-mère. Je viens de
l'entendre dans « Rachel, quand du seigneur », très bel air qu'il
chante avec une diction parfaite, et cela ramène à mon cœur cette
personne chérie et le souvenir de Proust. Ma grand-mère n'a pas été
moins adorée que la sienne.

« Je ne me rappelle jamais les moments où j'écrivais. *L'Envers du
Paradis* ou *Gatsby*, par exemple. Je vivais dans le récit. » (*The Notebooks
of Francis Scott Fitzgerald.*) Si vous me le permettez, j'ai la même
expérience. Un corps qui passe peut passer, si j'écris : je ne le vois
pas. Les corps de mon livre m'attirent davantage. Je ne me rappelle
pas davantage les moments ni les lieux où j'ai fait mes lectures, et

728

rien ne m'étonne comme les lecteurs qui disent : « Je me rappelle, je lisais *Le ticket qui explosa* à Angoulême, c'était un printemps délicieux, les tilleuls avaient fleuri plus tôt cette année-là, etc. » Ils ne lisaient pas très sérieusement.

Fitzgerald : « Les livres sont comme des frères. Je suis fils unique. Gatsby, mon frère aîné imaginaire. Amory mon cadet, Anthony mon souci. Dick mon assez brave frère, et, tous, loin de chez eux. » (*The Notebooks of Francis Scott Fitzgerald*. Amory Blaine, le personnage principal de *L'Envers du Paradis*, Anthony Patch, celui des *Heureux et les Damnés*, Dick Diver, de *Tendre est la nuit*.) Montherlant, qui n'avait pas toujours le cœur compatissant, appelait cela « l'art-défaite », défaite face à la « vie ». Eh ! ne sommes-nous pas tous défaits d'avance, à commencer par Montherlant lui-même, jeune orphelin trop petit de taille et trop sûr de lui, c'est-à-dire pas assez, qui se cabra en croyant mener la « vie » à la cravache ? Allons, allons : on ne remplit pas des milliers de pages de l'adolescence à la mort si on est dans la « vie ». Écrire est un acte aberrant. Il est beaucoup plus naturel d'être professeur de médecine, avocat, garagiste, pilote d'avion, boucher. On ne se met dans la féerie que par mécontentement de la vie. Pour l'éloigner, elle et sa jumelle la mort.

L'acte d'écrire a quelque chose de sexuel. Quand j'ai publié mes premiers écrits, j'étais gêné comme si je m'étais masturbé en public. D'une certaine façon, c'était le cas. Même si je ne parlais pas de moi, c'était encore plus intime, puisqu'il s'agissait de réflexions. Tout le monde allait voir à l'intérieur de moi. Et puis, je me suis rendu compte que les écrivains marchent tout nus sur le boulevard Saint-Germain, mais le monde est si distrait qu'on ne le voit pas.

LISTE DES LIVRES QUE J'AURAIS PU ÉCRIRE
– OU NON

À Paris, dans un des derniers jours d'un mois de mai au climat lourd, épais, gris, pollué, new-yorkais, et ça m'allait très bien, je lus les *Selected Poems* de Frank O'Hara avec enchantement. Quelle allégresse, quel humour, quel lyrisme moqueur ! Frank O'Hara était conservateur adjoint au Musée d'art moderne de New York et l'un des membres de ce qu'on a appelé depuis l'« école de New York ». Il est mort à 40 ans, renversé par un véhicule à moteur à Fire Island, en 1966. Aurait-il été assassiné qu'il serait aussi célèbre, et littérairement à meilleur titre, que Pier Paolo Pasolini. Dieux babillants de la postérité, donnez-moi une mort mélodramatique !

Dans une « Liste de ce que je voudrais », j'ai inscrit, je crois : « Recevoir une lettre d'amour. » À défaut de la recevoir, je l'ai écrite. J'ai même décidé d'en écrire suffisamment pour composer un livre, à publier posthume, si jamais on s'intéresse à ces grandeurs. Celui-ci charmerait, je l'espérais, en tout cas on pourrait s'y servir de formules. Je venais d'en trouver une qui ne me paraissait pas trop mal : « Tu me fais oublier les autres. »

Rêveur, j'allai boire un café glacé au Tourville en lisant la plus diverse presse, du *Monde* au *Holà !* espagnol, le kiosquier n'ayant pas reçu *Neewsweek*. L'aimant moins, je suis beaucoup moins difficile avec la presse qu'avec la littérature. Comme l'odeur de cuisine m'importunait, moins d'ailleurs que ne me déprimait la conversation de mes voisins (« DRH… événementiel… directeur adjoint faisant office de directeur… directeur des ventes… je m'occupais de la signalétique… »), je partis. Il y a des bonnes journées quand même : on venait d'apprendre la mort, par crise cardiaque, du chef des Forces armées révolutionnaires de Colombie, Manuel Marulanda. C'est ici que j'aurais pu commencer mon roman *Les salauds meurent aussi*.

« Ma grand-mère, c'est un ouragan marié avec un veau. Il n'y avait qu'un veau qui puisse la supporter », dit un voisin de table chez Lipp. J'y déjeunais avec une femme d'une méchanceté éblouissante. Je ne mets aucune valeur approbative dans le mot. Sa méchanceté était simplement comme cela, vive, agile, prompte, incessante, brillante. Elle était blonde comme jamais. Me rendant à Roland-Garros, il m'arriva une chose inouïe : prendre un taxi qui ne fût pas de mauvaise humeur. Celui-ci, un ancien boulanger qui trouvait son précédent métier très agréable et pas plus difficile qu'un autre, s'était établi taxi en 1989, à la mort de sa femme. Il était si peu caractéristique qu'il aimait travailler en ville au lieu de courir aux aéroports et acceptait toutes les courses, même brèves. Il trouvait fort sympathiques les clients de la nuit. « Il y a des gens qui sortent tous les soirs. C'est la clientèle aisée. Et ils sont !… » (Haussement des sourcils pour dire : délicieux comme peu.) Avec la hausse du prix de l'essence, les voitures roulaient moins, m'apprit-il, et il se rendait désormais à Roissy pour 31, 32 euros, alors que quelques semaines auparavant c'étaient des courses à 45 ; on croisait de plus en plus de grosses voitures avec des étiquettes « à vendre ». C'est ici que j'aurais pu commencer mon grand roman apocalyptique et con.

Dans la loge présidentielle, une actrice qui n'était connue que pour les apparitions qu'elle faisait dans des cocktails promenait le sourire évanescent de qui repousse une admiration universelle et importune. Personne ne la regardait. On aurait pu inscrire, dans une « Liste des moments de doute » : « Il commence à pleuvoir à Roland-Garros : je pars ou pas ? » C'était le match d'un Français contre un Italien, j'étais pour l'Italien parce qu'il était plus beau. Pas assez cependant pour que je ne m'ennuyasse pas. M'ennuyant, je partis. Dans le taxi, à une jeune femme irritée par la mesquinerie d'un critique, je répondis : « C'est une mite, et on ne peut pas attendre le vol de l'aigle d'une mite. » C'est ici que j'aurais pu commencer ma thèse sur « Stupidité de l'Esprit et Ineptie des Sentences ».

Rue Sainte-Croix de la Bretonnerie, j'achetai une chemisette pour quelqu'un, ainsi que des pin's à inscriptions (notamment : « Enduisezmoi de chocolat et jetez-moi aux lesbiennes ») ; je ressortis de la librairie d'en face avec *Une chambre à soi* de Virginia Woolf dans la bonne traduction de Clara Malraux, et les *Incidents* de Roland Barthes, un de ces auteurs n'osant pas être écrivains que je m'emploie à relire sous la pression populaire. Je dois dire que, enfin !, m'y mettant, je trouvai un livre de lui qui ne m'irritât pas par, comment dire ?, sa prudence à parenthèses ? Il s'y livre, tant soit peu. C'est ici que j'aurais pu commencer un livre... vous dites ?... de confessions ? Ah, je ne crois pas que nous soyons coupables. Il n'y a rien à « confesser ». À moins d'être malin, bien sûr, et de jouer la comédie de l'humilité que le fourbe orgueil souffle aux Jean-Jacques Rousseau, aux saint Augustin, aux funèbres Narcisses.

Sex and the City, que je vis au Gaumont des Champs-Élysées dans une salle comble, était un film de robes. Pas plus mauvais, malgré l'idéalisation qu'apporte l'ancienneté à ce film, que le *Femmes* de George Cukor auquel il ressemble. Une bonne réplique : « Je t'aime, mais je m'aime davantage », avoue le personnage de la garce, demi-garce, car c'est un film sorti de la télé, tout de même, elle donne *bon fond*. Le cinéma pur a été capable d'inventer Bette Davis, cette Phèdre pour Hollywood. Avant de commencer ma pièce de théâtre sur une effroyable salope, c'est ici que j'aurais pu écrire quelque chose de vraiment sérieux sur les vêtements des écrivains. (« Je voudrais un débardeur en jacquard noir et gris avec des filets rouges », m'étais-je dit en voyant un des personnages du film.) La littérature a conquis la gastronomie, permettant de trouver légitime qu'on parle de nourriture dans des livres, pourquoi pas l'habillement ? La littérature serait-elle l'élévation de la grossièreté à l'art ? « Ah, écoute, ça n'est pas *Le Livre des Questions*, ici ! » répondit l'auteur à sa cousine de Brooklyn. Quelle heureuse conjonction pour les solitaires que celle du décalage horaire, du coucher tard et des téléphones portables ! Nous y attardons nos nuits.

En rentrant chez moi, la nuit venait à peine d'arriver, sur iTunes, Yves Montand chantait comme un cuistre. C'en était un. Dieux moqueurs de l'Olympe, je ne me coucherai pas là-dessus ! promis-je, et je lus trois poèmes de Frank O'Hara. Le lendemain, il faisait beau. Je reçus des amis à dîner. Le champagne n'était pas mal. Certaines nuits, ivre, heureux, après une soirée plaisante, je voudrais mourir.

LISTE DU MOI COMME ILLUSTRATION

(Autoportrait par les autres)

> Le moi n'est intéressant que comme illustration.
>
> Patrick Kavanagh,
> *« Self-Portrait »*, *Collected Pruse* [1]

Je n'entretiens jamais les passants de mes intérêts, de mes desseins, de mes travaux, de mes idées, de mes attachements, de mes joies, de mes chagrins, persuadé de l'ennui profond que l'on cause aux autres en leur parlant de soi.
> François René de Chateaubriand, *Mémoires d'outre-tombe*
> (où il ne parle que de lui)

Je ne veux pas d'enfance. Je veux être danseur.
> Billy Elliot dans *Billy Elliot*, Stephen Daldry et Lee Hall

J'ai perdu ma capacité d'espérer sur la petite route qui menait à la maison de convalescence de Zelda.
> Francis Scott Fitzgerald, *Lettres*

Bons ou mauvais, je n'aime pas les souvenirs. Les mauvais sont pénibles. Les meilleurs sont les pires.
> Paul Valéry, *Lettres à quelques-uns*

---

1. C'est bien *« pruse »*. Il raillait, je pense, l'acte pompeux de recueillir ses propres écrits.

Que je suis devenu fort pour détourner la conversation, pour empêcher la question d'être posée !
Le narrateur du *Nœud de vipères*, de François Mauriac

Quand quelqu'un est d'accord avec moi, je me dis que j'ai tort.
Cecil Graham dans *L'Éventail de Lady Windermere*, Oscar Wilde

J'aime mieux être volé qu'agacé.
Gustave Flaubert, *Journal* des Goncourt

Je pardonne parce que je m'en fous.
Alban de Bricoule dans *Les Garçons*, Henry de Montherlant

J'ai besoin de temps en temps de converser le soir avec des gens d'esprit faute de quoi je me sens comme asphyxié.
Stendhal, *Vie de Henry Brulard*

Je suis incapable d'apprécier un brin d'herbe si je ne sais pas qu'il y a un métro à proximité, un magasin de disques ou quelque autre signe que les gens ne *regrettent* pas totalement la vie.
Frank O'Hara, *Meditations in an Emergency*

Du plus loin que je m'en souvienne, mes relations m'ont toujours dit : « Tu me parais plus maigre que la dernière fois que je t'ai vu. »
Ralph Waldo Emerson, *Journal*

Ma mémoire n'est guère que d'idées et de quelques sensations.
Paul Valéry, « Mémoires d'un poème », *Variété V*

Pour moi, je suis sensible, et même timide. À certains moments je suis querelleur et extrêmement caustique, à d'autres, très sentimental.
Raymond Chandler, *The Chandler Papers*, 10 novembre 1950

Pourriez-vous n'être plus ce superbe Hippolyte,
Implacable ennemi des amoureuses lois […] ?
Théramène dans *Phèdre*, Jean Racine

Désormais je ne suis plus maître de mon cœur.
Vladimir Maïakovski, *J'aime*

Que je suis loin de qui je fus il y a quelques instants !
    Fernando Pessoa, « Ode maritime », *Poèmes d'Álvaro de Campos*

Chez moi, il y a un côté très autodestructeur, c'est évident, et l'idée du suicide ne cesse de me poursuivre. [...] Une sorte d'envie de ne pas exister.
    António Lobo Antunes, *Conversations avec António Lobo Antunes*

Je croyais sans péril pouvoir être sincère.
                            Hermione dans *Iphigénie*, Jean Racine

Ma faiblesse était de croire ce monde intelligible à tous.
                            Jean Cocteau, *Le Potomak*

J'ai oublié de vivre.
                            Johnny Hallyday

Passé, présent, futur

LISTE DE MON MONDE IDÉAL À DIX-HUIT ANS

Terence Stamp, blême, souple et désinvolte dans « Toby Dammit », sketch de Fellini dans les *Histoires extraordinaires*.

L'autoportrait de Filippino Lippi.

La façon de tenir son parapluie par Patrick McNee dans *Chapeau melon et bottes de cuir* (ça, c'était plutôt à quatorze ans).

Bette Davis tapant sa cigarette sur son paquet dans *Ève*.

George Sanders dans le même film, jouant Addison De Witt, le critique snob, mordant et pas tout à fait blasé qui punit la petite ambitieuse d'avoir volé le rôle d'Ève au théâtre.

Cabaret, le film, pour sa partie de comédie musicale. La raillerie, le flamboyant, le sexe.

La mode dans *City Magazine*.

Les dialogues de Platon.

Ce tableau de Van Dongen au musée des Beaux-Arts de Nice :

Robert de Saint-Loup. La désinvolture, la gentillesse, le courage, les amours. Je lisais *À la recherche du temps perdu* pendant ma première année de droit, ce que je n'aurais jamais pu faire si j'avais accepté d'entrer en khâgne. Ce n'est que plus tard, lors d'une autre lecture, que j'ai vu tout l'art d'écrire contenu dans cette phrase du *Temps retrouvé* : « J'appris, en effet, la mort de Robert de Saint-Loup, tué le surlendemain de son retour au front, en protégeant la retraite de ses hommes. » Et où est-il, l'art d'écrire ? Dans le mot « surlendemain ». Je suis sûr que Proust l'a mis parce que « lendemain » aurait été trop théâtral, trop roman facile. Et, même s'il avait eu un modèle unique pour Saint-Loup et que ce modèle fût effectivement mort le lendemain de son retour au front, comme cela est arrivé à des milliers de jeunes gens, Proust aurait quand même décalé d'un jour.

Et je regrette le temps où, ne sachant rien de ces choses, je m'élançais d'amour vers des personnages de roman.

LISTE DE CE QUE JE REGRETTERAIS
SI J'AVAIS UN TEMPÉRAMENT À REGRETS

Mes rapports avec mon chiot Bouboule. Il dévalait du fond du jardin de mes grands-parents dès qu'il m'apercevait, rond, roux, maladroit, les oreilles sous les pattes, adorable. Ce setter irlandais mourut jeune. Ce sont les meilleurs. Et nous restons, vivants, patauds, désolants, admirables.

Mon premier voyage à Londres, j'avais quinze ans, j'étais seul, j'y ai découvert le bonheur de l'être.

Quelques étés de vacances à Simone Berriau Plage. Un cocon. Quatre immeubles dans un domaine avec sa plage, chacun ayant pour nom le titre d'une pièce où cette comédienne avait triomphé, *La chatte sur un toit brûlant, L'Heure éblouissante, Vu du pont, Le Mirande* (celui-ci rappelle le nom d'un de ses partenaires). La jeunesse bourgeoise quand elle s'amuse. Des excès. La croyance que ce cocon pourrait se perpétuer dans la vie. Créer une bande, être imité. J'ai tenté de faire reculer la mort en en fondant une où je créai des rites, des codes, de l'entre-nous, de l'exclusion. Rien ne pourrait nous atteindre, puisque nous étions protégés par ces secrets. Je n'ai pas réussi à perpétuer ce club de l'adolescence éternelle : certains veulent mourir. Ils appellent ça vivre. Une femme, des enfants. Peut-être. Oui, peut-être. Rien n'en reste, sauf que j'ai peut-être réussi à maintenir, dans le cœur de ceux qui y ont été, le souvenir d'une jeunesse.

Comme c'était bon, la cigarette après un bain de mer !

Mon premier Oxford. Je revois Ted devant Hertford College m'attendant en compagnie d'un grand machin à la chemise hors du pantalon qui semblait gêné, ou bougon. C'était juste un des hommes les plus intelligents du monde. S'est ensuivie une amitié sans réserve, de moi en tout cas envers lui à qui je dois quantité de choses, comme d'avoir perdu quelques préjugés, mieux aimé Mallarmé et écrit un poème que j'aime beaucoup (ce qui n'entraîne pas qu'on doive l'aimer) sur un défi lancé par lui, on se croirait à Athènes, Oxford est peut-être ce qui se rapproche le plus de cet idéal auquel nous avons donné le nom d'Athènes. Patrick McGuinness est l'auteur de très bons poèmes, comme *« History of doing nothing »*. J'aime être reconnaissant à des amis des bêtises qu'ils m'ont empêché de faire ou de perpétuer, des artistes et des choses agréables qu'ils m'ont fait découvrir, c'est un point commun qu'ils peuvent avoir avec les amours, avec cette nuance que les élans artistiques vers les goûts de nos amours viennent purement de nous.

Mon premier San Francisco. Dieux qui m'aviez heureusement oublié, je crois que ce fut une des plus heureuses découvertes de ma vie. Pas un souci (le ragot lâché sur moi dès mon arrivée ne m'affola pas). Le printemps. La rencontre avec Nick, cette crème d'Anglais. La réception chez le consul de Suède, dans le *penthouse* à vue sublime, downtown, Alcatraz en face, Berkeley à droite, le pont du Golden Gate en face, et la baie, la baie. Nous allions chez Ferlinghetti et sa librairie ouverte la nuit, au bar en face avec son comptoir long comme un ski où j'ai bu, pour la première fois depuis longtemps, du gin-tonic. C'était par horreur des martinis. *« So English! »* dit Nick. Je n'y avais pas pensé comme ça, mais ça ne pouvait pas me déplaire. Lui me dirait à Venise, bien des années plus tard, de l'Angleterre qu'il avait quittée pour l'Amérique : *« The land that once was my country »*, la terre qui fut jadis mon pays. Les pays, c'est une protection. Et c'est bien le moins. On les paie. Parfois même on meurt pour eux. La voiture de location, Monterey, la Highway One qui sent si bon l'eucalyptus et le pin, les motels, on gare sa voiture devant la porte, prêt à repartir, libre, n'ayant eu affaire à personne qu'à un caissier à l'arrivée, sans un lien, et le demi-tour pour revenir plus tôt que prévu à San Francisco et avoir la chance de revoir qui je voulais revoir.

Mon deuxième Venise. Le premier, c'était à la fois si beau et tellement proche de la perfection que je l'ai vu sans le recevoir, comme ma première lecture d'*À la recherche du temps perdu*. La quantité n'y entrait pas pour rien. On peut recevoir un tableau, un immeuble, une rue, un poème, un roman de trois cents pages, mais un roman de trois mille et une ville entière, complets et parachevés ! La quantité est un élément de leur qualité. Je suis venu, j'ai vu, j'ai compris, voilà tout ce que je pouvais dire. Compris, enfin, vous voyez. Autant dire rien compris. Les styles architecturaux, Palladio, les doges, les putes, le Bucentaure, tout cela était su mais ne se combinait pas en moi-même pour me révéler comment fonctionnait la vie. Pour être vaincu, et avec quel plaisir, je cherche toujours la défaite devant le génial, il m'a fallu la deuxième fois. Ma raison cessant d'être stupéfaite cédait le pas à mon cœur dilaté, et ce furent les étoiles.

Le Neptune de Frith Street. C'était, dans cette rue de Soho, à Londres, un grand buste en plâtre recouvert d'une patine grise qui surplombait l'entrée d'un restaurant italien. Avec des algues sur la tête, l'air étonné d'un plongeur ressortant de l'eau, ce grand jeune homme aux cheveux bouclés tendait le buste en avant, s'appuyant des deux mains sur le rebord de la marquise, au-dessus de la porte, et regardait avec curiosité vers le bout de la rue. C'est ennuyeux, d'être dieu, les Grecs anciens le savaient bien. Ils nous les montrent toujours jaloux des hommes, qui s'amusent plus qu'eux, marbres froids. Celui-ci aurait été bienveillant, je l'avais décidé. C'était mon ami secret, il me protégeait en ne pensant que distraitement à moi. J'ai écrit un poème sur lui le jour où on l'a ôté de sa place. Si, lui, je le regrette.

D'avoir chassé les intrusions dans ma vie. Et puis, vous savez, on change. J'ai changé durant l'écriture de ce livre, ce qui lui donnera, j'espère, un effet moiré. Une truite filait sous l'eau. « Vous ne m'aurez pas, murmurait-elle. Ma biographie sera impossible à écrire. » Un pêcheur l'attrapa, prit un petit couteau et l'ouvrit par le ventre pour découvrir son mystère. Ne le trouvant pas, il interrogea d'autres truites. Il eut tant d'avis différents qu'il se jeta à l'eau.

LISTE DE CHOSES QUE L'ON CROYAIT DISPARUES ET QUI RÉAPPARAISSENT

Les remparts. Les barrières. Les murs. Je suis né dans le monde du mur de Berlin. Honte ! Un mur séparant une ville en deux ! Le mur de Berlin tombé, on s'est empressé d'en construire partout. Nous voici avec un mur entourant six immeubles d'immigrés trafiquants de drogue à Padoue, un mur entre Israël et les Territoires palestiniens, un mur entre les États-Unis et le Mexique, un mur dans Sadr City, ex-Saddam City, en Irak. J'ai grandi dans un monde ouvert, je mourrai peut-être dans un monde fermé. Nous progressons à grands pas vers le Moyen Âge. On entourera les grandes villes de remparts, les reliant par des TGV qui traverseront à la sauvette une France harcelée de milices. Lançant la course d'abord lente des régiments qui retourneront vite dans leurs garnisons en ville, les hordes de banlieue roteront sporadiquement de colère. L'armée protégera les temples de toutes les religions, redevenues florissantes, et n'ayant eu d'autre idéal que de séparer les hommes, puisque leur nom dit le contraire, et de leur donner des raisons de s'entretuer. On prénommera les enfants Frédégonde et Gondulfe.

Le bien, conquis avec les plus grandes difficultés, s'enfuit avec la plus grande facilité. Le déplaisant le remplace, qui, s'il prend de la force, devient le mal. Il ne peut plus être chassé qu'au prix de la guerre. On s'habitue au mal plus facilement qu'au bien, car il flatte la superstition fataliste de la plupart des hommes. Dans le monde ouvert où j'ai grandi, les portières des voitures n'étaient pas fermées à clef, ni les portes des maisons. Nous nous sommes faits sans révolte, non seulement aux portières et aux maisons fermées à clef, mais encore aux sas à l'entrée des banques, aux policiers dans les écoles, aux militaires en treillis et en armes parcourant les aéroports et les stations de RER, comme si nous étions des peuplades au bord du coup d'État. Si la civilisation est la confiance, et la barbarie, la méfiance, nous sommes dans une forme de barbarie. Il y a des barbaries à peau de bête et des barbaries à cravate, des barbaries à massues et des barbaries à ordinateurs.

Il y a de la facilité dans le pessimisme. Quelle position de haute moralité il donne! On peut ne plus faire que protester, c'est-à-dire ne *rien* faire. Ne lui répondons pas, ne le remarquons même pas, faisons les choses. Si elles sont réussies, elles l'auront rendu inutile. Le noir ne rêve que de se réaliser. Il y a de la tactique dans l'esquive.

Et puis il y a les choses apparues, certaines délicieuses, comme Google Earth. Grâce aux satellites surplombant la terre, ce logiciel y plonge, la prend par la taille, la fait tourner comme dans une valse et nous transporte, en un instant, vers une photo aérienne se rapprochant de plus en plus de l'endroit que nous cherchions. Les satellites servent à nous espionner, ouais, ouais. Comptons sur les incompétences des services secrets. Grâce à Google Earth, ils nous ôtent aussi la peine de vivre. La merveille sera quand ce logiciel sera mouvant et en direct. C'est toi qui sors de la 38ᵉ Rue, là, mon ami?

LISTE DU PASSÉ

Présente prison du passé, collé à nous, inarrachable : « Je suis ta conscience... murmure-t-il. Grâce à moi, tu ne peux pas faire n'importe quoi... » Pff. Je me disais, à New York, chez Crate & Barrel, au coin de Broadway et de Houston, vous savez, ce magasin qui succède à... À quoi ?... Le passé passe si vite, dans ce pays ! Un personnage de William Faulkner dit : « Le passé ne meurt jamais. Il n'est même pas passé » (*Requiem pour une nonne*). C'était un homme du Sud, région engluée dans l'humidité du passé. La guerre de Sécession avait été une guerre du passé contre le présent, le passé (le Sud) se faisant passer (j'allais dire se présentant, impossible d'échapper aux calembours, qui nous sautent dessus afin de nous distraire des choses sérieuses) pour élégant, délicat, à dentelles. Eh bien, j'approuve tout à fait le Nord qui se battait pour la vie.

Fellini, quoiqu'il parle sans cesse de son passé, n'est pas passéiste : il applique au passé quelque chose qu'on ne lui applique généralement pas plus qu'à l'avenir, envers qui les romans d'anticipation sont gravement catastrophistes, la moquerie. La moquerie, c'est le présent, c'est la vie.

Pauvre présent. Toujours dénigré. Par la réaction, les conservateurs, les socialistes, tous. Et le présent, c'est nous. Nous sommes vivants.

Dans ses mémoires, *Le Pouvoir et la Vie*, l'ancien président Giscard d'Estaing parle du passé. Il ne parle même que de ça. Et le frappant est que, ne parlant que du passé, il n'écrit qu'au présent.

Pourquoi cela, quand Jules César écrit ses mémoires au passé, quand de Gaulle écrit ses mémoires au passé, quand Churchill écrit ses mémoires au passé ? Giscard s'est-il dit qu'il serait plus accessible ? Je me demande si ça ne serait pas pour lui, le seul président de la République française à avoir été battu à sa deuxième candidature, un moyen de revivre le temps délicieux du pouvoir. Il me semble qu'il a été très heureux d'écrire des phrases comme : « je consulte », « j'essaie », « je demande », « je signe », et surtout : « je décide. » Ce présent, pour Giscard, c'est du miel. Enfin, une autre raison possible est que le présent est un temps sans mélodrame, comme peut en montrer le passé, et sans exaltation, comme peut en montrer l'avenir. Un temps sans tragédie. Giscard dit ne pas l'aimer, contre le philosophe Raymond Aron qui lui en faisait le reproche, et Giscard a bien raison. Les tragédies font de bons livres, mais des présidents dangereux.

J'ai connu un homme si passéiste qu'il défendait auprès des jeunes gens des choses anciennes qu'il avait détestées, comme le féminisme. Tout plutôt que les hommes fassent selon leur plaisir.

Et je comprends le passé : c'est le cri des morts pour éviter qu'on les oublie.

LISTE DE CE QUE JE NE SAVAIS PAS

Qu'en faisant la morale aux jeunes gens, on les ennuie. Que dis-je, je ne le savais pas ? Je ne savais que ça, en ayant eu horreur toute mon enfance, en ayant encore horreur. Mais voilà, une forme enragée de l'amour nous entraîne à vouloir le bien de ceux dont nous sommes amoureux. C'est de l'arrogance, de la possessivité, enfin, ne raffinons pas, de la sottise. Chacun seul sait où est son bien. Ainsi suinta d'un homme libéral une haine de la liberté qui est une des perversions de l'amour.

Que je vieillirais.

Que je cesserais d'être invincible.

Que je ne l'avais été que par un privilège que le monde « civilisé » accorde à la jeunesse, avant de la lancer à l'attaque.

Que, quand les adultes parlaient sans cesse d'*avant*, c'était un charme contre la mort. La vie nous apprend trop de choses que nous ne devrions pas savoir.

Que, après trente-cinq ans, on a appris trop de choses sur la saloperie du monde.

Que, en vieillissant, quand les autres meurent, nous mourons aussi un peu. La vie nous apprend trop de choses que nous ne devrions pas savoir.

Qu'en effaçant les mauvais souvenirs, j'effacerais les bons.

Que ce qui protège isole.

Que je verrais revenir la chose qui m'a passé un collet dès l'enfance, cherchant à m'entraîner vers le gouffre.

Que j'avais été élevé à la mort.

Que je déciderais que ce qui m'arrive est gai.

La vie, la mort

LISTE DE LA VIE

La vie fait rage.

Tous ceux qui font quelque chose de leur vie, les grands artistes, les grands hommes d'État, le font par contestation de la vie. La vie est informe et ils cherchent à lui donner une forme en malaxant sa matière ou son esprit. On peut considérer que l'art s'oppose à la vie en ce qu'il tente de lui donner une forme, tandis que la politique serait assez une manière de crier très fort : « À droite ! », « À gauche ! », après que la voiture a déjà tourné. La vie est l'accessoire qui combat l'essentiel.

L'humain, dans la vie, c'est qu'elle est compliquée. À la terrasse du Tourville, cette après-midi d'un lundi de Pâques, un jeune homme qui parlait anglais avec l'accent américain se présentait comme le fils d'un Syrien et d'une Libanaise ayant fui le Liban après l'assassinat du Premier ministre Hariri et vécu à Gstaadt, Londres, Paris (un pauvre), alors que les Libanais de Paris sont plutôt maronites, anti-Syriens et aussi riches. Faites avec ça, idéologues.

Les aubes sont fraîches, vertes, énergiques, acides, violentes. Celles des religions, des langues, des nations, de bien des individus. Ils ont besoin de cela pour se faire une place dans un monde épais, immuable et conservateur. Est-ce toujours nécessaire ? Les chrétiens, si méchants au début de leur conquête du pouvoir, ne nous en serions-nous pas passé, remplacés qu'ils auraient été par le stoïcisme impérial, le néoplatonisme, je ne sais ? J'ai toujours préféré les crépuscules, qui me semblaient dorés, doux, paisibles, caressants et fragiles. Oh! cette goutte de verre fin, en eux, qu'il fallait préserver! Et ils mourraient, bientôt, avec leur vie, nous en laissant des fragments, à nous autres incapables.

Ceci est cancérigène! Cela est cancérigène! La vie est cancérigène.

Une grande partie de notre réalité, c'est notre rêve. Les meilleurs réussissent à faire coïncider la vie avec ce rêve. Leur vie en devient encore plus rêveuse. La vie est un songe, disait Calderón. Les esprits pratiques avaient beau répliquer qu'il ne s'était jamais coincé le doigt dans la porte, je ne leur répondais pas que les songes peuvent faire mal eux aussi, et me répétais cette phrase d'un autre dramaturge que j'ai dans la tête depuis l'adolescence, *« We are such stuff as dreams are made on »*, nous sommes de l'étoffe dont nos rêves sont faits.

On ne guérit jamais.

Le souvenir est le baume de ceux pour qui la vie n'a pas été douce. Une fois que, avec sa capacité à blesser, elle s'est éloignée, ils aiment à se la remémorer.

Ne demandez jamais de réconfort.

Une bonne part des sottises humaines est accomplie par désir de consolation. Elles sont donc nécessaires.

Loin du morbide, le macabre a quelque chose de très vivant, par la manière scandaleusement irrespectueuse de montrer les choses de la mort. Le morbide est du côté de la mort, le macabre est du côté de la vie. De là son comique.

Quelle tristesse, la vie. Il ne faut pas le lui dire.

Quelle allégresse, parfois.

La vie nous tuerait, si on la laissait faire.

Le mal est irrémédiable.

Le bien s'oublie.

— Un demi-chagrin ? me demande la relieuse de livres. — C'est bien assez pour du chagrin.

Une hymne de la liturgie de saint Jacques, que suivent les chrétiens d'Orient, dit : « Que toute chair mortelle fasse silence. » C'est une belle injonction.

La vie privée des gens m'ennuie. B... m'explique longuement sa femme, sa fille, ses maîtresses, etc. Que répondre ? Je n'ai aucune expérience de la vie, moi ! Je l'ai voulu, afin d'éviter d'autres blessures. Plus mon libéralisme naturel, on pourrait dire mon indifférence. Et pendant qu'il parle, désemparé, je me dis : qu'il fasse ce qu'il veut. La vie privée, c'est ce avec quoi on remplit les séries télévisées quand elles n'ont plus rien à dire.

Toute vie est un échec. Et donc, aucune n'en est un.

LISTE DE LA JEUNESSE

On est jeune tant qu'on se croit invincible. On est égoïste tant qu'on croit les autres invincibles. Je ne pense pas que je vais mourir, forme d'insouciance attachée à cette jeunesse que mon mode de vie me fait croire que je retiens le mieux possible. Je ne pense pas que ma mère va mourir parce que ça m'arrange.

On cesse d'être jeune quand les démonstrations publiques d'affection ne font plus honte.

On cesse d'être jeune quand on porte des chaussettes noires.

Quand j'étais adolescent, j'avais horreur des discours sur « les jeunes ». Je trouvais cela grossier. On nous interdisait de dire « les vieux », n'est-ce pas ? Je n'en voyais pas non plus la logique, car, disant « les jeunes », cela supposait que tous étaient les mêmes, et je voyais autour de moi une forte quantité de brutes, d'ennuyeux, de méchants et de nuls. N'empêche : « vive les jeunes », « ce que veulent les jeunes », tous les slogans, tous les proverbes. De la flatterie. Et la plus hypocrite : « Il faut laisser la place aux jeunes », disaient les vieillards en se cramponnant aux bras de leurs fauteuils. Ma foi, je les comprenais. Quand on a bataillé pour une place, on ne veut pas la céder. Je laissais les jeunes utilitaires se disputer le pouvoir et j'allais visiter les vieux. Les vrais vieux, de la génération de mes grands-parents, dégagés de toute obligation d'utilité, précisément. Je les trouvais drôles, libres et légendaires, je les choyais, ils me paraissaient les dépositaires d'un secret que nous risquions de perdre avec leur mort et qu'ils devaient me transmettre.

Ils ne m'ont rien transmis du tout, car la sagesse est intransmissible, c'est pourtant une maladie, et, pour la seule chose qui puisse se transmettre et qui est le savoir, il y a des écoles. D'où la propagande en faveur de « la jeunesse » a fini par submerger la société. Laquelle a fini par s'en agacer. Quand j'ai entendu le mot « jeunisme », je me suis autant méfié que naguère. « À bas le jeunisme ! » Cela me paraît d'autant plus curieux que la jeunesse, on n'en parle plus, sinon dans un sens péjoratif, comme dans l'expression « les jeunes de banlieue ». (Les vieux voyous qui ont peiné à arriver doivent être furieux.) Sinon « les jeunes ». Pourriez-vous m'aider à retrouver cet article du *Monde*, une demi-colonne, sur une page impaire, en, je dirais, février 2008, où un correspondant à Copenhague relatait des émeutes suivies de destructions qu'on aurait imaginées commises par les gens les plus divers ; mais non, c'était « des jeunes », « des jeunes », « des jeunes », le mot était comiquement répété vingt fois. Le journaliste, jeune, aussi bien, ne pensait pas à mal. Il ne pensait pas.

J'ai observé les personnes qui vitupèrent « le jeunisme » : ce sont généralement des gens en place, et en très bonne place, depuis très longtemps. « Le jeunisme » n'est qu'une expression nouvelle, adaptée au nouveau goût du temps, pour ne pas céder de pouvoir. (Mais qu'est-ce qu'ils ont tous, avec le pouvoir ?) On a vu un candidat à l'élection présidentielle, aux affaires depuis cent deux ans, vitupérer le jeunisme dans un discours. Devant des milliers de jeunes. Bravo, criaient-ils. J'espère que, à la sortie, on distribuait la fable de La Fontaine sur les grenouilles qui réclament un roi. Si on raisonnait un peu, on pourrait se dire qu'une règle élémentaire de la tenue, pour ne pas dire de la logique, consiste à ne pas se vanter d'un groupe dont on fait partie quand on n'y est pour rien, ni à dénigrer ceux dont on ne fait pas partie quand on n'y peut rien non plus. Il est plus astucieux de faire le contraire. Dénigrez le jeunisme, et on ne verra pas que, cramponné à votre fauteuil Starck de mains arthritiques plus fortes que des pinces en acier, vous faites du vieillisme.

LISTE DU VIEILLIR

Minori, Côte amalfitaine. Un homme maigre porte très lentement la main à son front. Il vivra chétif jusqu'à 101 ans.

LUI : — Tu es mieux qu'il y a quelques années. Plus détendue.
ELLE : — Toi aussi, tu es mieux. Moins inquiet.
LUI : — Nous éprouvons une dégoûtante expérience : nous vieillissons ensemble. Nous ne sommes pas mieux, nous nous sommes habitués à nos défauts.

Quel agrément de vieillir : on peut dire qu'on a changé.

Le moment atroce du vieillissement, c'est quand on se rend compte qu'arrivent à l'âge de jouir des jeunes gens qui naissaient quand nous arrivions à cet âge.

« Je ne suis pas plus sage que toi, je suis plus vieux », me dit un ami. Quelle tristesse dans cette phrase. En général, le vieillissement se console en croyant qu'il sait. À Téhéran, un professeur d'université m'a demandé très poliment de quel droit j'osais exprimer un avis autre que respectueux sur Rousseau : il faut être vieux pour oser s'exprimer librement. La confusion de la sagesse et de la vieillesse est une des bassesses de l'Orient. L'anecdote de Jésus étonnant les docteurs est à mettre au crédit du christianisme : la jeunesse avait ses chances. L'expérience est un argument spécieux, voire ignoble. Un argument de maître chanteur. De médiocre, autrement dit. De médiocre envieux. L'expérience est la notion qu'opposent ces gens-là, ainsi que les laborieux et ceux qui tiennent des places sans en avoir la qualité, à qui ? au talent. *Il faut ralentir le talent.* C'est la loi première de la société. Le ralentir à tout prix. C'est très dangereux, le talent, pour ces gens-là. Il permet d'accomplir les choses par une intelligence spontanée, une grâce légère, un... « Toute personne sans expérience aura la tête coupée. » Un des plus désastreux présidents américains du XXᵉ siècle, Calvin Coolidge, avait 25 ans d'expérience élective avant d'être élu. Richard Nixon, quatorze. Franklin Roosevelt, lui, n'avait été gouverneur que 6 ans, et Theodore Roosevelt, 4 ans et demi. Je trouve qu'on devrait recruter davantage de gens sans expérience : cela produit de l'imagination, de l'audace, de la fraîcheur, quand l'expérience n'est souvent que banalité et paralysie, n'ayant pour elle que l'adresse, cette pauvre chose.

Vivre jusqu'à cent ans. C'est ce que, le 31 décembre 1999 où, cédant à l'ignorance populaire qui voulait que le XXIᵉ siècle commençât ce jour-là, le président de la République française a annoncé à la télévision comme un progrès souhaitable pour le troisième millénaire.

Je me mets à aimer le néoclassique, y compris en peinture. Vieillir, sans doute. Le cœur s'use. On veut des choses calmes. Cela veut dire sèches. Vite, une passion !

Les moralistes reprochent à l'homme moderne de refuser le vieillissement. Eh bien, il a raison, l'homme moderne. Vivant de plus en plus vieux, il faudrait qu'il accepte de vivre laid plus longtemps ? Le moraliste est plus laid que l'homme.

Dépêche AFP, février 2006 : « La styliste britannique Vivienne Westwood a affirmé samedi à Düsseldorf que "la décadence, l'ennui et la superficialité" caractérisaient le mode de vie des Occidentaux. "Nous n'avons pas de culture", a ajouté l'excentrique styliste [...] Les jeunes en particulier souffrent, selon elle, de "troubles du cerveau" à cause de la publicité et de la société de consommation. » Vivienne Westwood, ex-punk qui participe elle-même à la société de consommation, n'a jamais rechigné sur la publicité et dont l'apport à la pensée s'est manifesté par la réintroduction des rembourrages fessiers dans les robes des femmes, montre qu'il n'y a que dans *Absolutely Fabulous* que les jeunes noceuses deviennent de vieilles farceuses.

Le danseur vieillit charolais et la danseuse, osselets.

En vieillissant, on s'éloigne des causes.

Comme c'est joint à une perte d'énergie physique, cela ne produit que du fatalisme. Et voilà comment l'idéal n'est jamais réalisé sur terre.

Dans la jeunesse on s'exalte en pensant que la vie est une flèche, en vieillissant on se console en se disant qu'elle est une roue.

En vieillissant, les tableaux se brouillent. La toile gagne. Je parle aussi des hommes. On cesse d'être des individus pour devenir un milliardième d'un troupeau blême qui chemine lentement vers le rien.

En vieillissant, on écrit comme si on écrivait de la main gauche. Dans l'ensemble, on devient gauche. En vieillissant, on vit de la main gauche. Et on meurt d'un faux pas, à gauche.

Un des rares avantages de vieillir est que, parfois, hors de l'oubli, surgit une ancienne émotion : Giacomo Piussi qui expose à Paris m'envoie un SMS. Après tant d'années, je ne me souvenais plus de sa tête, sinon qu'il était d'une stupéfiante beauté calme ; la stupéfaction réside maintenant dans ce que je vois arriver un homme d'une beauté différente. Les cheveux très courts, alors qu'il les avait faunesques, le corps alourdi, le visage épaissi : un consul de Rome a succédé au patricien siennois. Il s'est mis à sculpter, des sculptures exactement pareilles à sa peinture, car, quoi qu'on veuille, on ne change pas. Changé mais inchangé, il m'a ému, ne serait-ce que parce qu'il conservait en lui le souvenir d'une période heureuse de nos vies. Ces geysers d'émotions sont un avantage catastrophique, une rose trémière poussant entre les ruines : jeune, en meute comme des chiots, on ne se quitte pas, on rit, on s'aime, on n'a pas besoin du dégoûtant espoir car on est l'espoir, et la vie fracasse tout cela, sépare, crée des isolements. Le petit coup au cœur est ce dont il faut à tout prix préserver la possibilité en vieillissant, sans quoi il ne vaut plus la peine de vivre. Il est le toc-toc à la porte de l'enthousiasme, qui ouvre vers le gracieux.

LISTE DES CONSÉQUENCES DE L'ALLONGEMENT
DE LA DURÉE DE LA VIE

Si, après avoir utilisé « la jeunesse » comme critère pendant trente ans, nous conspuons « le jeunisme », c'est probablement parce qu'il y a de plus en plus de vieux. La quantité veut son chic plus encore que son droit.

L'âge d'entrée dans la vieillesse est extrêmement retardé. *« When I'm Sixty-Four »*, chantait Paul McCartney en 1967 ; maintenant qu'il les a, ses soixante-quatre ans, il porte des jeans. Jusque dans les années 1970, on prenait un uniforme de vieux à cinquante ans. Cet uniforme n'existe plus. Tant mieux, du reste : rien n'était plus rugueux que ces femmes en noir qu'étaient nos grand-mères veuves ; elles ont le droit de ne plus feindre la désolation éternelle. Vive la matrone d'Éphèse ! Cette histoire qu'on croit un mythe a été inventée par un écrivain, Pétrone, dans le *Satiricon*, de même qu'on croit que Pie VII a dit *« commediante, tragediante »* à Napoléon alors que c'est une invention de Vigny dans *Servitude et grandeur militaires*. Une veuve jure de se laisser mourir de faim et de chagrin sur la tombe de son mari. Elle est raisonnée par un soldat qui montait la garde près d'un pendu laissé à la potence pour l'édification des voleurs : que peut faire à votre mari que vous soyez morte ? La veuve trouve le soldat charmant, le soldat trouve des beautés à la veuve. Pendant qu'ils s'embrassent, un larron emporte le pendu : remplaçons-le par le corps de ton mari, dit le soldat à la veuve, qui accepte, et voilà son futur mari sauvé d'une punition.

Avec la médecine esthétique, la vieillesse est corporellement retardée. Il se crée un âge sans âge qui n'est ni vieillesse ni jeunesse mais temps suspendu. C'est le titre que prendrait aujourd'hui Proust pour le dernier volume de son roman, à la place du *Temps retrouvé*. Et, dans *Le Temps suspendu*, au lieu de la fameuse scène où, revenant chez la princesse de Guermantes après des années d'éloignement, il ne reconnaît pas les invités à cause de leur vieillissement physique, il ne les reconnaîtrait pas mieux à présent mais pour d'autres raisons. Ces botoxés, ces liftés, blafards, bosselés, ralentis, asexués, lui sembleraient des créatures d'une planète de science-fiction. L'un pesterait contre un jeune corps de dix-sept ans qui passe. « N'en faites pas un jeunisme », répondrait un Cotard à calembours. Il faudrait ce déclic pour que la compréhension du narrateur s'enclenche : c'est donc eux ! mon passé !

« Nous entrerons dans la carrière quand nos aînés n'y seront plus », dit *La Marseillaise*. Nos aînés restent de plus en plus longtemps, et les talents attendent, n'osant plus faire de ces coups d'État nommés écoles littéraires. On ne peut pas aller à l'assaut de vieillards comme on a attaqué Zola, qu'une première meute a chargé alors qu'il n'avait que 47 ans (le « manifeste des cinq » téléguidé par Edmond de Goncourt dans *Le Figaro*).

L'accès à la connaissance est retardé. On apprend à 25 ans, c'est-à-dire, dans les deux tiers des cas, jamais, ce qu'on apprenait à 16.

Une génération terrorisée à l'idée de vieillir fonctionne au pastiche, au *revival*, à la compilation, faisant que la très jeune jeunesse connaît Dalida et les Cure ; au même âge, nous ne savions rien de Maurice Chevalier ni d'Elvis. Là encore un âge indistinct se crée, rassemblant les générations et amortissant toute idée de révolte. Que sera le *revival* de la génération qui a écouté du *revival* ?

Nous vivons si longtemps que nous supportons d'autant moins longtemps les choses longues. La France raccourcit la durée du mandat présidentiel de sept à cinq ans.

Nous avons tellement de temps que nous ne voulons pas le savoir et refusons aussi les choses lentes, comme la lecture de très gros livres. De plus, en France, nous avons les 35 heures ; en Amérique où l'on travaille 45 heures par semaine avec parfois deux métiers et où la durée de vie est moins longue, on adore les gros livres. Est-ce pour se persuader qu'on y a des loisirs ?

L'esthétique se modifie. Alors que les bons livres, même gros, peuvent être elliptiques, la télévision qui remplit la vie de la vieillesse a créé un style Derrick. Cinq phrases quand une suffirait, et lorsqu'un personnage quitte une pièce on montre non seulement la porte qui s'ouvre mais la main sur la poignée et la poignée qu'on abaisse. C'est le style maison de retraite. Il est éternel, cependant : c'est l'absence de talent.

La vieillesse est de plus en plus susceptible. Une association de personnes âgées demandera bientôt l'expurgation du *Henry IV, deuxième partie*, de Shakespeare, où le juge dit à Falstaff qui a osé se prétendre jeune : « N'as-tu pas l'œil humide, la main sèche, la joue jaune, la barbe blanche, la jambe qui maigrit, le ventre qui grossit ? N'as-tu pas la voix cassée, le souffle court, le menton double, l'esprit simple, et tout en toi fracassé par l'ancienneté ? » (I, 2).

Le monde est devenu conservateur. Nous ne sommes plus jamais libérés du passé. Parents, grands-parents, arrière-grands-parents : regarde ! adore ! Nous finirons par adorer l'oubli.

LISTE DE LA MALADIE

La maladie veut nous faire croire qu'elle est une bienveillance de la mort, envoyée pour nous préparer à la séparation. Qui ne préfère la stupéfaction de la mort subite ?

La maladie, c'est donc une puissance étrangère à l'intérieur d'un corps. Elle nous occupe, comme l'amour. L'homme, cessant d'être un, vit avec cet envahisseur en lui, sans rien y pouvoir, sans même se plaindre, regardant bientôt avec amertume les bien-portants qui ne connaissent pas leur chance. Lui, la maladie et l'amertume, le voilà, pas même deux, mais trois.

« Dans mon roman, montrer une famille ultra bourgeoise, combien de maladies dedans ? » écrit Proust dans ses *Carnets*. Phrase qui préfigure de manière étonnante le *Mars* de Fritz Zorn, où un riche paie sa richesse d'un cancer, et qui montre aussi combien la maladie devient, pour le malade, une passion.

L'homme croyait avoir libéré son esprit, et son cœur, une fois qu'il avait réussi à considérer le cancer comme une chose qui advient, non une punition, mais on a réentendu parler de vengeance divine avec le sida. La superstition est toujours prompte à reprendre son sceptre.

Le fatalisme des pauvres vis-à-vis du malheur est triste. Et long à passer. À la troisième génération d'anciens pauvres, mon ami K... l'éprouve envers son père, dont il admet la maladie comme ses lointains ancêtres polonais devaient admettre le servage.

764

La pudeur.
La politesse.
La timidité.
Trois noms de maladies.

Tout le monde a du courage face à la maladie. Et tout le monde a peut-être tort. Ce n'est pas parce qu'elle est naturelle qu'elle n'est pas un scandale. Nouvelle : histoire d'un vieillard se tenant mal face à la maladie. Il la vainc.

La cruauté de la société envers les malades s'accroît avec leur nombre, lui-même consécutif au vieillissement de la population. C'est une des suites des progrès de la médecine. Alors que naguère, passé un certain âge, nous nous couchions et nous mourions, pas très différents des animaux, aujourd'hui, nous nous couchons et nous vivons des mois ou des années, transformés en lustres par les perfusions. Nous vivons de plus en plus vieux, et, par force, de plus en plus mal en point. Et là se produit un mélange bizarre de brutalité et d'hypocrisie. La brutalité consiste à « dire la vérité aux malades ». Qu'est-ce que c'est, cette vérité ? Que nous avons un cancer, la sclérose en plaque, que nous allons mourir en souffrant. Pourquoi « dire la vérité » consiste-t-il toujours à ne communiquer que des choses désagréables ? Serait-ce parce que les hommes sont méchants ? Non, non, c'est impossible, n'est-ce pas ! Pour compenser la brutalité, arrive l'hypocrisie. Elle se manifeste par le vocabulaire. Nous employons un mot pour un autre, plus doux, plus inquiétant. Ces euphémismes deviennent parfois effrayants. Il n'est question que de *soins palliatifs* et autres *lits médicalisés* pour *personnes en fin de vie*. En devenant malades, nous passons dans un pays étranger dont il nous faut apprendre la langue.

Je ne sais pas s'il existe des maladies honteuses, mais je trouve la maladie éhontée.

LISTE DE L'HYPOCONDRIE

L'hypocondrie est une forme de la superstition.

Les hypocondriaques ne supportent pas les maladies. Celles des autres.

On peut être hypocondriaque et malade. Dans ce cas, on s'inquiète pour d'autres maladies que celle que l'on a.

Les plaintes des hypocondriaques sont des jets de vapeur lâchés par leur soupape intérieure : ils sont increvables, et, une fois qu'ils vous ont écrasé sous le bitume de leurs gémissements, ils repartent, frais et pimpants.

Chez les gens trop bien élevés pour parler d'eux, l'hypocondrie est un supplétif au narcissisme.

Et ces bien-élevés se mettent dans des colères surprenantes pour qui, ne les sachant pas hypocondriaques, a employé à leur sujet une expression anodine, comme « tu as minci » : déclenchant leur imagination morbide, elle les fait se voir maigres, décharnés, rognés par le cancer, morts. Même s'il n'est pas question d'eux, le plus simple mot passant dans la conversation peut provoquer des retraits aux yeux effarés. « Blanc »? Et c'est aussitôt pâle, anémié, etc.

Si l'imagination avait autant de pouvoir qu'elle le croit, il n'y aurait plus d'hypocondriaques. Ils seraient tous morts.

LISTE DU SUICIDE

Quel est cet homme sourd du côté droit? Un de mes cousins par alliance qui, voici quelques années, a tenté de se suicider en lançant sa voiture par-dessus un petit pont de pierre haut de quatre mètres. Il n'a eu que l'oreille arrachée, dont on lui a recollé le pavillon. La voiture était une Jaguar. Fable triste sur le riche qui n'arrivait pas à mourir.

Un autre de mes cousins germains se suicide, Laurent H... qui était si élégant et pouvait être si drôle et si rieur. Si gueulard et *caractériel* également, autodestructeur. Il buvait, comme mon cousin Frankie qu'on a retrouvé mort sur les marches de sa maison, un pistolet à la main, âgé de quarante-cinq ans. Laurent s'est pendu à Phuket où, au moment du tsunami de 2004, il avait été sauvé des vagues, sa maison se trouvant sur les hauteurs. Il avait soixante-six ans. (La grande différence d'âge s'explique par celle de mon père et de sa mère, frère et sœur.) La tragédie de sa vie a été la guerre d'Algérie : mobilisé à dix-huit ans dans les commandos, il a vu, peut-être commis des horreurs. Mon défunt oncle Pierre, autre autodestructeur, par l'alcool et le sexe et mort du dernier, que Laurent aimait beaucoup, aurait dit qu'il avait tué des enfants (mais Pierre était menteur). À son retour, ses parents ont refusé de l'accueillir : *instable*. Mon oncle et ma tante étaient une apothéose de bourgeoisisme et de convention. Mazamet, les mégisseries, l'argent, la religion pour la parade, la baraque à entrée de marbre. Il est devenu antiquaire, d'un goût très raffiné, arrangeur avec les règles comme on l'est parfois dans ce métier, si charmeur dans le genre nonchalant que j'ai longtemps rêvé de créer un personnage d'antiquaire. J'en ai mis un de second plan dans mon roman *Un film d'amour*, mais un antiquaire de luxe, via Giulia à Rome, pas un des antiquaires de province qui paressent dans des fauteuils au fond de la boutique en lisant *Le Figaro*. Au reste, tout antiquaire est de province, même à Paris. Le temps est de la distance et, pénétrant dans ces boutiques de vieilles choses, on a l'impression d'arriver à Évreux. Tant de morts, tant de destruction. Quelle famille !

En se tuant, on tue parfois quelqu'un d'autre : un qui nous aimait infiniment et continuera à vivre, déchiré-recousu, mélancolique, pour le restant de ses jours.

Quand on pense à un mort par suicide, on n'y pense pas de la même façon qu'à un mort par mort naturelle ou par accident. Pour employer le mot de Pessoa, les suicidés nous laissent une intranquillité, soit que nous nous sentions coupables de ne pas les avoir aidés, soit qu'ils semblent nous dire à l'oreille : cela pourrait t'arriver !

Je ne serais pas contre mourir d'une balle tirée sans raison dans ma tête par un passant alors que je dînerais à la terrasse d'un restaurant. Du suicide par les autres. (Le dîner importe : le matin, j'aurais le sentiment d'avoir manqué quelque chose.)

Lors d'un dîner, on parle suicides, conversation qui passionne tout le monde. « Le moyen le plus sûr ? » « Le moins douloureux ? » Selon le médecin qui répond, le plus sûr est de se jeter par la fenêtre. Non seulement on arrive écrasé, mais il se produit un bouleversement général des organes à l'intérieur du corps. Il a vu une femme qui s'était jetée du haut du Nikko : « Elle était épaisse comme ça. » Entre le pouce et l'index, il désigne trois centimètres. Un autre avait incliné un piano entouré d'une corde, tiré, et s'était écrasé la tête. Les médicaments ne marchent qu'avec un bon mélange ; sans cela, vomissements. Dans les campagnes, on se pend. Sur l'échelle de la volonté de mort, c'est le suicide le plus haut : il nécessite une préparation. Le fusil dérape souvent et donne des visages à refaire, gens qui récidivent rarement, préoccupés qu'ils sont par leur interminable *parcours hospitalier*. Une femme qui s'était jetée sous le métro, y perdant les deux jambes, était devenue « un vrai boute-en-train ». « Je ne dirais pas que c'est l'expression la mieux choisie », dit un convive.

Il y a des suicides méprisables, ceux des conquérants qui, constatant qu'ils ont tout perdu, se tuent en laissant les leurs dans la difficulté : tentative de suicide de Napoléon en 1814, suicide de Hitler en 1945.

Un ami m'a un jour demandé tout tranquillement : « Quand veux-tu te suicider ? », et j'ai trouvé ça très bien. Il avait admis un raisonnement ancien que je lui avais fait là-dessus. Je lui ai répondu en riant et sans rire : « Je pourrais le faire tout de suite. » Heureux comme je l'étais, surtout. Les plus beaux suicides le sont par bonheur. Pourquoi toujours penser au suicide comme à une défaite, un dépit, une revanche ? Dans *Nos vies hâtives*, j'ai essayé d'imaginer un personnage du suicide duquel on cherche la cause, finissant par découvrir que l'explication la plus probable est celle-ci : il était tellement heureux, et sûr que son exaltation ne pourrait jamais se reproduire, qu'il s'est tué.

LISTE DE SUAIRES

Aux funérailles de César, rompant les rites, Marc Antoine prend la toge ensanglantée du consul assassiné, la brandit et prononce le discours sentimental, putassier et sincère que nous connaissons.

Monet est mort dans les bras de Clemenceau. Lors de la mise en bière, l'ordonnateur s'apprête à jeter un voile noir sur le cercueil. « Non, dit Clemenceau : pas de noir pour Monet. » Et il le remplace par un rideau à fleurs qu'il vient de décrocher.

À l'enterrement de François Mitterrand, où l'on vit femme légitime et femme illégitime suivre le cercueil en même temps que les enfants légitimes et l'illégitime, le vent gifla le cercueil posé devant l'église de Jarnac et en chassa le drapeau français. Il n'y a aucune signification à en tirer.

LISTE DE MA VIEILLE ENNEMIE LA MORT

J'ai de l'affection pour les choses qui ont été. Cela participe de mon indignation contre la mort. La suite de stupéfactions qu'a engendrée, dans mon enfance et mon adolescence, la mort des miens, s'est transformée en quelque chose de plus intime, de plus fermé, de plus caché à une société dont je vois bien qu'elle prend son parti, et qui ne reste pas moins une rage chaude, au fond du cratère de mon caractère d'enfant au corps mûri.

De là que la campagne me répugne. La terre est là, qui nous appelle : tu étais terre, tu redeviendras terre ! Viens, viens, pourriture, humus, néant ! Tandis qu'on y voit des cadavres d'animaux, des cimetières, certains se plaignent que la mort ait disparu de la ville ; mais tant mieux ! on ne la voit pas assez, la mort ?

Quand Bernard Frank est mort (né en 29), j'attendais plutôt un autre ami (né en 13), quoique me disant que je pouvais mourir avant les deux. La mort est toujours une surprise, même quand il s'agit de quelqu'un de malade depuis des mois. La mort n'est pas naturelle.

On meurt deux fois : la première, physiquement, la seconde, symboliquement, par la mort d'un autre. La mort de Françoise Sagan (2004) a été la mort définitive de Georges Pompidou (1974).

En disparaissant, les autres nous enlèvent de la définition. Tous ces moellons qui nous complétaient s'effondrent et nous, peu à peu, filons comme du sable. La mort des autres est la nôtre.

La mort est une forme de distraction.

On apprend parfois la mort des êtres dans les endroits les moins solennels, les moins respectueux, les moins funéraires. Ainsi, un de mes oncles, par téléphone, alors que j'étais en train de passer commande de plats cuisinés chez un traiteur bruyant de clientèle. La mort n'est pas bien élevée. C'est sa qualité, aussi.

La mort empèse. Un vivant, en disparaissant, nous oblige à nous charger de tout ce qu'il était, pour éviter qu'il ne meure complètement.

Pour moi, la mort, c'est de la neige.

Dans *Vingt Minutes* (25 janvier 2006), cette brève qui aurait mérité la « une » :

> Dix détenus de la prison de Clairvaux (Aube), tous condamnés à la réclusion criminelle à perpétuité, ont écrit à l'AFP pour en appeler au « rétablissement effectif de la peine de mort ». La lettre, datée du 16 janvier, est signée par dix hommes ayant passé entre six et vingt-huit ans en prison. « Nous préférons encore en finir une bonne fois pour toutes que de nous voir crever à petit feu, sans espoir d'aucun lendemain », ont-ils écrit. La direction de la centrale a indiqué qu'elle ignorait par quel biais la lettre était sortie de l'établissement.

Dans un roman, j'ai mis un personnage qui réclame la peine de mort pour lui-même : il ne s'agit pas d'écourter une inhumaine peine de prison à vie, il ne s'agit pas de la seule rédemption (si l'on ne croit pas en Dieu, quelle rédemption apporte la mort ?), il s'agit de regagner une dignité.

La mort est perfection.
La perfection est haïssable.

La troisième partie du *Cuirassé Potemkine* porte le beau titre de : « La mort demande justice ». Et quelle justice, vieille obèse répugnante ? Te dire que tu es belle ?

Je suis toujours ému par la réplique d'Antigone dans la pièce de Sophocle : « Ma vie, j'y ai depuis longtemps renoncé, afin d'aider les morts. » Pour la reconnaissance qu'elle en obtient ! Si j'avais su, il y a dix-huit ans, quand j'ai publié mon premier livre, que cela voudrait

dire s'arrêter de vivre, je me demande si j'aurais commencé. La littérature s'est insinuée partout, rejetant loin de son cercle tout ce qui
n'est pas elle. Elle nous dévore, comme dans la série des films *Alien*,
qui, je ne sais pas si on vous l'a dit, est un documentaire sur l'état
d'écrivain. Surtout le 4, *Résurrection*. Ripley a un alien en elle. Elle
l'aime. Elle le hait. Elle l'aime. Au prix de grandes souffrances, elle
l'arrache. C'est un roman.

Nous finissons nos livres, ils nous achèvent. Un peu plus de nous
ici, un peu moins là.

Tout livre est une tombe.

Qu'est-ce qui rend si touchantes les peintures du Fayoum, où les
Égyptiens hellénisés ont fait les portraits de leurs morts ? Qu'elles
sont plus proches de nous, d'un art, non plus hiératique, mais
démotique, du séculier, de l'humain ? Qu'elles sont en couleurs alors
que la couleur de la mort est le noir, la vie combattant la mort après
la mort ?

L'art : c'est toujours ça que la mort n'aura pas. Enfin, le plus tard
possible. Et ce n'est pas une question de personnalité et de sa postérité, tous ces riens. C'est juste pour l'embêter, elle, la mort. Nous ne
connaissons pas le nom de ceux qui ont sculpté les statues étrusques,
mais elles sont là. La mort a plus facilement anéanti le royaume des
Étrusques, sa langue et son histoire. Et j'aime que tant de Créations
de l'Action ne soient même plus poussière, tandis que survivent les
chansonnettes du cœur et de l'esprit d'individus dont les noms ont
disparu. Les chanceux se sont fondus dans la grande masse calme de
l'Art. Enfin morts et calmes.

Je suis assez contre laisser reposer les morts. Quand ils reposent,
ils sont définitivement morts.

Dans l'*Éloge de la calvitie*, Synésios de Cyrène (v. 370-v. 413)
raconte que les trois cents Spartiates de Léonidas, avant la bataille des
Thermopyles, ont pris soin de se recoiffer. Mourez impeccables.

Demain

LISTE DE QUI ME CONNAÎT? QUI NE ME CONNAÎT PAS?

Connais-toi toi-même.
Et puis sois prisonnier.

J'ai moins de souvenirs que si j'avais cinq ans.

Je m'éloigne toujours de ce dont on veut me rapprocher.

À l'âge de six ans, sur la plage de Capbreton, je laisse s'échapper un cerf-volant qu'on venait de m'offrir et dont j'étais très amoureux. Chagrin, sanglots. « Nous allons t'en acheter un autre. » Je refuse. « Mais si, allons. » Pas question. Et on ne me l'a pas acheté. Je l'avais oublié, ma mère me le rappelle. Ainsi, ce que je croyais avoir découvert à dix-huit ans, je l'ai spontanément appliqué depuis toujours. Cette chose, c'est : me priver de ce qui risque de me blesser. Rien ne me restera, à la fin.

Je renonce aux choses à la deuxième fois : il m'a semblé découvrir qu'un des moi qui composent ma « personnalité » (cette pauvre notion par laquelle les individus se persuadent qu'ils sont uniques) cherche à créer une coutume, ne créant que du sommeil.

Une des affaires de ma vie aura consisté à cesser de voir des gens que je n'aimais pas. Ce n'est pas si facile. Le rythme commun des choses est gluant, les autres ne supportent généralement pas que vous changiez, cela déplace leurs habitudes, on n'a pas envie d'être grossier. La politesse nous tue. On ne veut pas déranger. Et c'est soi qu'on dérange.

777

Chassé de mon cœur, on y laisse peu de traces.

Chaque fois que j'ai été moins égoïste, j'ai été plus malheureux. Il n'est pas de l'œuvre d'un bon chrétien d'augmenter le peuple des malheureux. De plus, en faisant un malheureux, on en fait deux. Ou plutôt non : on fait un malheureux, un qui vous aime et se désole, et un heureux, un ennemi qui se réjouit ; somme nulle. Soyez heureux, vous rendrez un méchant malheureux. C'est cela, la bonne œuvre de Dieu.

L'expérience ne m'apprend rien, et ça m'amuse. Combien de fois, pour rincer ma baignoire, me suis-je rincé la tête parce que j'avais oublié de déplacer le bouton du tournesol de douche (ah, je ne peux pas tout savoir, vous comprenez ! j'appelle ça « tournesol de douche » par ignorance du nom technique, je me suis assez embêté à chercher le nom suivant, ridicule d'ailleurs, oui, là, après la parenthèse) vers la douchette ! Combien de fois ai-je perdu mon jeton de vestiaire de musée, alors même que, me connaissant, je l'avais rangé à tel endroit précis, excellent moyen de le retrouver ! Combien de fois… ? Je crois que mon esprit, détestant les contraintes, se fait de la place pour ce qui lui plaît. Ma distraction, si vous préférez. L'expérience ne m'apprend rien, et ça m'enchante.

Qu'on met de temps à devenir libre, dans la cellule de prison qu'est sa vie ! Et on croit l'être devenu ! Et comme c'est toujours mieux que de se croire persécuté !

Quand je suis content, je fais un pas de danse.

LISTE DU *NATION-BUILDING*

La célèbre bande de gangsters américains appelée « néo-conservateurs » a inventé la notion de *nation-building*, construction de nations, et l'a mise en pratique en en détruisant d'autres. Ce qui existe est bien dérangeant. Me voici donc, jouant avec mon puzzle aux pièces grandes comme des portes, créant à partir de rien ma nation idéale. Taisez-vous, sujets !

Soit un pays de 100 000 km^2 sur la Méditerranée qui aura l'Angleterre pour colonie. Il sera de forme carrée, avec des fantaisies dans les marges, cicatrices romanesques de notre fastueuse histoire, et aura pour voisins, répartis en marguerite, l'Italie, le Laos, Tahiti, la Méditerranée et cette Angleterre qui n'est séparée de nous que par la rue Amory Blaine.

Il n'aura pas moins de quatre-vingts millions d'habitants mais, comme les Druzes du Liban, ne cherchera pas à accroître sa population. « Nous ne sommes pas un pays, mais un club », disent volontiers les habitants de notre nation.

On encourage les mariages avec les étrangers afin de développer la culture de nos habitants.

On peut y changer de nationalité comme de chemise. Le matin italien, à midi anglais, l'après-midi tahitien, le soir chinois, à minuit espagnol. Et, permettant qu'on s'en échappe, notre glorieuse nation fait que tout le monde rêve d'elle.

« Nation » est un mot comme ça. À proprement parler, nous sommes un petit empire réunissant, c'est exceptionnel, des peuples qui s'adorent.

Le Premier ministre est étranger, pour ôter sa vanité chauvine des têtes obtuses de la plèbe. Cela sert aussi à éloigner de l'ambition toutes les demi-élites locales qui se portent vers la politique par médiocrité.

Notre glorieuse nation n'a pas de relations diplomatiques avec les Pays-Bas, la France, l'Académie Goncourt.

Dès qu'un régime démagogique, clownesque et funèbre à la Chavez-Ortega-Morales apparaît, notre nation rompt ses relations diplomatiques avec lui.

Nous avons de bons soldats, ce qui n'empêche pas la civilité. L'autre jour, à l'état-major, un général a dit à un autre : « Tu es énervé. Tu veux une brioche ? »

Notre nation accorde l'asile politique à tous les artistes qui le demandent. C'est ainsi qu'elle s'est enrichie de 10 000 fainéants, mais aussi de dix grands écrivains, peintres, musiciens et cinéastes qui accroissent sa gloire.

On habitue les enfants aux lectures qui ne sont pas de leur âge ni de leur pays. À 10 ans, en classe de mimosa, on apprend « Ces nymphes, je les veux perpétuer », « *Éntrase el mar por un arroyo breve* », « *Voi ch'ascoltate in rime sparte il suono* ».

Les enfants sont interdits dans les salons de thé et les vernissages d'expositions. Toute personne entrant avec une poussette dans une boutique est verbalisée.

Dans notre droit pénal, la susceptibilité est un crime. 90% de nos musulmans ont émigré.

Un autre crime et sévèrement puni est la pudeur. Cela vient de ce que notre plus grand pénaliste est mort vierge à 92 ans et demi, après avoir confié à son confesseur, en parlant de sa vieille gouvernante :

« Je viens de lui dire "je t'aime." Je lui avais murmuré, il y a douze ans : "Je suis amoureux", mais, entre dire "je suis amoureux" et dire "je t'aime", il y a un monde. On ne m'a pas appris à le visiter. La pudeur a tué ma vie après ma sœur. » (Sa sœur était morte d'un cancer pour avoir refusé de montrer ses organes génitaux au médecin.)

L'hiver est interdit plus de huit jours (en deux fois).

L'hymne national est : « Le roi, sa femme et son p'tit prince » :

> Lundi matin, le roi, sa femme et son p'tit prince
> Sont venus chez moi pour me serrer la pince,
> Mais comme j'n'étais pas là, le petit prince a dit :
> Puisque c'est comme ça, nous reviendrons mardi.
>
> Mardi matin, le roi, sa femme et son p'tit prince [...]

Notre nation est une république.

Les langues officielles sont : l'arabe pour les injures ; l'espagnol pour le blasphème ; le colombien pour la chanson ; l'italien pour les caresses ; le français pour la méchanceté ; le brésilien pour l'amour ; le farsi pour parler aux oiseaux ; l'anglais pour le personnel ; l'allemand pour la circulation.

Le drapeau est rose avec un profil de Grec argent. On peut en changer tant qu'on veut. Il est resté, pendant cinq ans, sous la présidence Moderato Maestoso, un torchon qu'on hissait quand on y pensait. La présidente avait choisi pour devise : « Ne mélangeons pas les torchons avec les serviettes : restons torchons (Jean Cocteau). »

C'était sa devise personnelle. La devise officielle de notre nation est : « Si tu penses que tu dois, tu ne devrais pas. » L'abolition du devoir date de trois cent dix-huit ans déjà !

Dans les écoles, on apprend dès la classe de muguet la perversité de la notion de devoir. 1) le poème de William Henley (Angl., 1849-1903) : « *What have I done for you, / England, my England ?* », qu'ai-je fait pour toi, Angleterre, mon Angleterre ?, est analysé comme type de sottise. 2) Le discours d'investiture du président Kennedy (E.U., 1961-1963) : « *So, my fellow Americans, ask not what your country can do for you; ask what you can do for your country* », ainsi, mes chers compatriotes, ne vous demandez pas ce que votre pays peut faire pour vous, mais ce que vous pouvez faire pour votre pays, est conspué comme une déclaration indécente de la part d'un homme qui jouit du maximum de pouvoir et de privilèges. (« On se gèle », murmura Robert Frost.)

L'article 2 de notre Constitution stipule que « le patriotisme n'est requis qu'en temps de guerre ».

Le jour de la fête nationale est celui de la naissance de Louise Labé, parfois de Rossini, parfois d'un ouvrier méritant tiré au sort. Ses descendants gagnent autant de kilos de caviar qu'il a vécu d'années et un abonnement à vie aux arènes de Madrid (la présidente Moderato Maestoso a signé en son temps un accord spécial avec Juan Carlos d'Espagne, le roi qui n'avait fait que des choses bien).

Le président, élu par le Parlement, est une fois sur deux une femme de plus de 80 ans à cheveux blancs qui doit ressembler au portrait de la duchesse de Bouillon par Nicolas de Largillière. On appelle ça les présidences Grand-mère. Les autres alternent entre présidences Jeune Brun (d'après le portrait du jeune homme tenant une statuette de Bronzino) et présidences Comme Vous Voulez, où on a parfois élu n'importe qui. Rappelez-vous la présidence du colonel Majorette.

En traversant le pont Rip Van Winkle, dans l'État de New York, un président des États-Unis sortit de son rêve éveillé, démissionna et s'installa dans notre pays pour y passer un doctorat sur un de nos plus grands chefs-d'œuvre littéraires, *Les Pantalons blancs*. L'été, l'été...

LISTE DE LISTES À ÉTABLIR

Liste de nos sentiments allègres.

Liste de nos mauvaises actions.

Liste des choses qu'on ne fait pas par routine.

Liste de personnes croisées un certain jour et qui sont restées dans notre imagination.

Liste de listes impossibles à publier.

Liste de l'origine des roses selon Bion, Dracontius, Ausone et Philostrate.

Liste des andouilles.

Liste de la Pinta, de la Niña, de la Santa Maria et des noms rêveurs qui lient les hommes malgré les continents.

Liste de... Oui, vous avez raison. Tous les livres sont trop longs.

LISTE DES LISTES

Les listes

    LISTE D'ÉLIEN, DE LI YI-CHAN ET DE SEI SHÔNAGON, MES DÉDICATAIRES 11

Lieux

    LISTE DE GENRE DE LIEUX AIMABLES 19
    LISTE DE BEAUX JARDINS 20
    LISTE DE LIEUX SUBLIMES 22
    LISTE DES PLUS BELLES ROUTES DU MONDE 25
    LISTE DE LIEUX DE RECUEILLEMENT 27
    LISTE DES PETITS PANS DE MUR MOCHES 31
    LISTE DE L'HORRIBLE TOC 32
    LISTE DES RUES DE RIVOLI 33
    LISTE D'ENDROITS SINISTRES 34
    LISTE DES LIEUX DE PERDITION 35

Villes

    LISTE DES VILLES ET DES CAPITALES 39
    LISTE DES COULEURS DES VILLES 45
    LISTE DES ODEURS DES VILLES 46
    LISTE DES BRUITS DES VILLES 47
    LISTE DES FLEUVES DANS LES VILLES 48
    LISTE DES TRÈS GRANDES VILLES AU BORD DE L'EAU 50

En avion

    LISTE DE L'AVION 53
    LISTE D'AÉROPORTS CHARMANTS 56

Nos caressants ailleurs

    LISTE DES VOYAGES 61
    LISTE DES APPELLATIONS DE VOIES À VENISE, À LONDRES
      ET DANS LA ROME ANTIQUE 63
    LISTE DES ENDROITS D'OÙ LES SPÉCIALITÉS CULINAIRES
      NE SEMBLENT S'ÉLOIGNER QU'EN SE DÉTÉRIORANT 66
    LISTE DE VENISE 68
    LISTE DE ROME 74
    LISTE DE MILAN 77
    LISTE DE NEW YORK 80
    LISTE DE LONDRES 87
    LISTE DE GÜMÜSLÜK 90

En France

LISTE DE CE QU'ON FAIT OU DE QU'ON NE FAIT PAS EN PROVINCE 95
LISTE DE CARESSE. 98
LISTE COMPACTE DE PARIS EN VOITURE. 101

Taxi !

LISTE FUYANTE DES TAXIS PARISIENS 107
LISTE DES TAXIS D'AILLEURS. 109

Peuples

LISTE SUR LES PEUPLES 113
LISTE RÉFLÉCHIE DES PEUPLES 115
LISTE DES FRANÇAIS 116
LISTE DES ANGLAIS 121
LISTE DES ITALIENS. 127
LISTE DES AMÉRICAINS 131
LISTE DE SI LES HOMMES 135

Le peuple d'à-côté

LISTE DES ANIMAUX D'ÉCRIVAINS 139
LISTE D'ANIMAUX TRAGIQUES 142

Les arbres, les nuages et la pluie

LISTE DES ARBRES. 147
LISTE DES NUAGES 149
LISTE DE LA PLUIE 152

La douceur éventuelle de vivre

LISTE DE CHOSES DOUCES 157
LISTE DES PLAGES À SEPT HEURES 159
LISTE DÉPLORABLE DU DÉSIR 161
LISTE PUNISSABLE DU PLAISIR 164
LISTE CRITIQUABLE DU CONFORT. 166
LISTE IMPARABLE DE LA PASSION. 169
LISTE MESQUINE DES MŒURS. 172
LISTE TÉNUE DU TACT 173
LISTE BRANLANTE DU BONHEUR. 175
LISTE TUANTE DES QUALITÉS DE TRISTESSE. 177
LISTE GRACILE DES MOMENTS GRACIEUX 179
LISTE VITE DU VICE 182
LISTE ESPACÉE DE L'ESPOIR 183
LISTE DES AVANTAGES ET DES DÉSAVANTAGES DE L'AMOUR 185
LISTE DE QUESTIONS SANS RÉPONSE ASSURÉE 197

Le beau & le chic

LISTE DU BEAU 201
LISTE DE LA BEAUTÉ 203
LISTE DE LA TIMIDITÉ 208
LISTE DU CHIC. 210
LISTES DE L'ASSORTI. 212
LISTE DE LA MODE À LONDRES 214
LISTE DU PAYS DES HOMMES LES MIEUX HABILLÉS DU MONDE 216
LISTE DES VÊTEMENTS, DES MODES ET DE LA MÉMOIRE. 219
LISTE DES HOMMES LE PLUS RIDICULEMENT HABILLÉS DU MONDE 222
LISTE D'ILS ONT ÉTÉ BEAUX HUIT JOURS 224

LISTE DU DANDYSME 225
LISTE DES SNOBS 229
LISTE DE DAMES SO CHIC 232
LISTE DE BEAUX GESTES 233
LISTE DE BELLES INSOLENCES 235

Les corps & le sexe

LISTE DES CORPS 239
LISTE DES COUS 241
LISTE DE L'INDIFFÉRENCIATION DES SEXES 242
LISTE DU SEXE 243
LISTE DU SEXY 245

Gens

LISTE DE PERSONNES... *émouvantes... touchantes... piteuses, voire pitoyables... comiques... rares... troublantes... effrayantes... affolantes... curieuses... étonnantes... surprenantes... gênantes... irritantes... risibles après avoir été un instant irritantes, pour devenir pathétiques et redevenir irritantes avant que, finalement, on s'en foute... méprisables... légèrement répugnantes... mesquines... ennuyeuses... pénibles... insupportables... accablantes... tuantes... scandaleuses... révoltantes... dégoûtantes... grossières... amusantes... astucieuses... sympathiques... charmantes... réjouissantes... enthousiasmantes... délicieuses... exaltantes.* 251
LISTE DE CATÉGORIES DE PERSONNES PEU INTÉRESSANTES 262
LISTE DES GENS DONT IL VAUT MIEUX SE MÉFIER 263
LISTE DES GRINCHEUX ET AUTRES DÉSINVOLTES 264
LISTE DES CONS 266
LISTE DE MONSTRESSES 268
LISTE DE FESSÉES PERDUES 270
LISTE DE LA BONTÉ DES HOMMES 271
LISTE DES GUERRES SECRÈTES DE L'HUMANITÉ 273
LISTE DE RÈGLES POUR RÉUSSIR 274
LISTE DE CE À QUOI ON RECONNAÎT *l'imbécile... le monstre... l'orgueilleux... le fat... le fat blessé... le susceptible... le novice... l'homme à préjugés... qu'un siffleur n'est pas à l'aise... le non-écrivain qui rêve d'en devenir un... l'actrice vieillissante qui souffre de la solitude... un Anglais... l'hypocrite... l'insincère... le politicien médiocre... le politicien avisé... qu'on a eu peur... l'hystérique... le mafieux... le corrompu... le haineux... l'homme bas... l'homme qui n'a jamais souffert... l'homme à chérir.* 275
LISTE DES CONVIVES QUI ONT LE PLUS DE SUCCÈS DANS LES DÎNERS 280
LISTE DES « IL EN RESTE DES COMME ÇA » 281
LISTE DES MINORITÉS 283
LISTE DE FEMMES COMME ON EN VOUDRAIT DANS SA FAMILLE 286
LISTE DU PRÉFÉRABLE 288
LISTE DE L'AMITIÉ ET DE L'INIMITIÉ 289
LISTE DE LA VENGEANCE 293
LISTE DE LA SAGACITÉ DES AUTRES 295
LISTE DE L'HOMME EN GÉNÉRAL 297

Les choses

LISTE DE CHOSES... *fugaces... tenaces... qui paraissent éternelles... piteuses, voire pitoyables... tristes... d'abord gaies, puis tristes... qui ne sont pas risibles... décevantes... faux chic... maladroites... pesantes... déprimantes... démoralisantes... angoissantes... regrettables... désagréables... malheureuses... désolantes... atroces... inquiétantes... effrayantes... tuantes... intrigantes... amusantes... étonnantes... aberrantes... fascinantes... invraisemblables qui ont pourtant eu lieu... gênantes... honteuses... agaçantes... irritantes... exaspérantes... légèrement répugnantes... fastidieuses... insupportables... scandaleuses... révoltantes... écœurantes... dégoûtantes... grossières... ignobles... immondes... ridicules... comiques... qui font légèrement plaisir... profitables... qui distraient d'un convive ennuyeux... pas antipathiques...*

787

sympathiques... naïves... gaies... gaies pour les enfants... gaies pour des jeunes filles... agréables... agréables qu'on ne remarque qu'a posteriori... douces... entraînant une rêverie aimable... apaisantes... délicieuses... délicieuses à l'adolescence... détestables entre vingt-cinq et quarante ans... délicieuses après quarante ans... délicieuses après cinquante ans... excitantes... enthousiasmantes... délicieusement moqueuses... graves... ardues... exaltantes... admirables... réjouissantes... inutiles. 301

LISTE DE CHOSES PROCHES 320
LISTE DE FAUX RISQUES. 321
LISTE DE COMPORTEMENTS COMIQUES 322
LISTE DE COMBLES 323
LISTE DE SI 325
LISTE DE CE QU'ON N'A JAMAIS VU 326
LISTE DE BRUITS... *surprenants puis réjouissants... effrayants... apparus à la fin du XXe siècle... imaginés... faisant rêver* 327
LISTE D'ODEURS... *surprenantes... écœurantes... humaines... disparues... faisant s'attendrir* 329
LISTE DE SPECTACLES... *odieux... curieux... romanesques... charmants.* 331

Famille, enfants, frères, sœurs

LISTE DE LA FAMILLE. 335
LISTE DE MA FAMILLE 338
LISTE DES TYPES DE FAMILLES. 339
LISTE DES FAMILLES À STÉRILISER 340
LISTE DES MÈRES 342
LISTE DES PÈRES. 345
LISTE DE L'ENFANCE 347
LISTE DE L'ÉDUCATION DES PARENTS 351
LISTE DE FRÈRES ET DE SŒURS 353
LISTE DE FRÈRES ET DE FRÈRES 355
LISTE DES FILS MALHEUREUX 357
LISTE DES FILLES ÉNERGIQUES 360
LISTE DES ENFANTS BOURBON ET DES ENFANTS BONAPARTE 362
LISTE DE CEUX QUI ONT BIEN FAIT DE NE PAS NAÎTRE 364
LISTE DES CONSÉQUENCES DES ENFANTS 365
LISTE DU CÉLIBAT 366

Le carré d'as qui ne gagne jamais

LISTE DE LA SOLITUDE 371
LISTE DE L'IRRESPECT 373
LISTE DE LA FAIBLESSE. 375
LISTE DE LA NUIT 378

Coutumes

LISTE DES PREMIÈRES FOIS 383
LISTE DU TU ET DU VOUS 385
LISTE ALÉATOIRE DU SUCCÈS 387
LISTE DE LA GLOIRE ET DE LA CÉLÉBRITÉ 390
LISTE DE L'ENNUI DES FÊTES. 393
LISTE DU SPORT ET DES FEMMES 397
LISTE DE SÉBASTIEN CASTELLA *et autres anges qui s'ignorent* 400
LISTE DES RAISONS D'ÉRIGER UNE STATUE À L'INVENTEUR DES PISCINES 404
LISTE DE QUESTIONS. 406

Arts

LISTE DE SOIXANTE-DEUX ARTISTES ET DE LEUR ART 409
LISTE DE COMME LES PAYS AIMENT LEURS ARTISTES 419
LISTE DE PEINTRES DÉGOÛTANTS 420

LISTE DE SLOGANS IMPRIMÉS SUR DES FANIONS DANS UNE INSTALLATION AU
NEW MUSEUM DE NEW YORK LORS DE SON OUVERTURE AU PRINTEMPS
2008 421
LISTE DE TABLEAUX À PEINDRE. 422
LISTE DE PHOTOS. 423
LISTE DE MUSÉES QU'ON PEUT VISITER SANS FAIRE LA QUEUE DANS LE
BROUHAHA NI SENTIR LES ODEURS DE NOURRITURE D'UNE CAFETERIA 426

Musique

LISTE POUR UN CD 439
LISTE DES CHANSONS DE VARIÉTÉS TRAGIQUES 441
LISTE DE MADONNA ET DU MARKETING 444

Spectacles

LISTE DE L'OPÉRA ET DE LA TRANSFIGURATION 449
LISTE DES FILMS POUR LESQUELS JE PRÉSERVERAIS
LA DERNIÈRE SALLE DE CINÉMA DU MONDE 453
LISTE SUR LES ACTEURS. 457
LISTE DE SARAH BERNHARDT ET DU DÉPASSEMENT DU RIDICULE 467
LISTE D'ORSON WELLES QUI NE SERT À RIEN 469

Littérature

LISTE DES RÈGLES QUE JE ME SUIS FAITES 475
LISTE DE LA DISPARITION DU MOI 478
LISTE DES PHRASES OU DES MORCEAUX DE PHRASES DONT J'AI PENSÉ FAIRE
OU FAIT DES TITRES 479
LISTE DE TITRES DE LIVRES QUE J'AI VOULU ÉCRIRE 483
LISTE DE TITRES DE LIVRES AUXQUELS AVAIT PENSÉ RAYMOND CHANDLER . . . 485
LISTE DE BEAUX TITRES DE LIVRES suivie de LISTE DE BEAUX TITRES
DE LIVRES QUASI OUBLIÉS 486
LISTE DE BONS TITRES AVEC DIMANCHE 488
LISTE DES HISTOIRES QUE J'AI RACONTÉES À MON FILLEUL ADRIEN
ENTRE 1997 ET 2000 489
LISTE DE POÈMES FINISSANT PAR DU NOIR 490
LISTE DES CHOSES QU'ON DIT ET QUI NE SONT PAS VRAIES 493
LISTE DE PHRASES QU'ENTENDENT LES ÉCRIVAINS 495
LISTE DE RÉPONSES FAITES PAR LES ÉCRIVAINS. 496
LISTE D'ÉCRIVAINS QUE D'AUTRES ÉCRIVAINS N'AIMAIENT PAS. 497
LISTE D'ÉCRIVAINS ARROSÉS PAR LEUR AMERTUME 499
LISTE DE JOACHIM DU BELLAY, INVENTEUR DU ROMANTISME 504
LISTE DE CHRISTOFLE DE BEAUJEU, OU CE QUI RESTE D'UN POÈTE 508
LISTE DE BLAISE PASCAL, DÉSESPÉRÉ PRESSÉ 511
LISTE DE MARCEL PROUST, PLONGEUR SOUS-MARIN 514
LISTE DE FRANCIS SCOTT FITZGERALD, QUI N'A PU DIVORCER DE LA VIE 523
LISTE DE BRÈVES DÉFINITIONS 526
LISTE DE TROIS ANNÉES : 1599, 1925, 1957 528
LISTE DE LIVRES QUE JE SAUVERAIS DU FEU. 530
LISTE DU JOUR OÙ CERTAINS ÉCRIVAINS SONT MORTS 532
LISTE DE RICOCHETS DE TOMBES 535

Personnages

LISTE DE *GATSBY LE MAGNIFIQUE* 545
LISTE DE PERSONNAGES 549

Noms

LISTE DE LA GUERRE DES NOMS 555

LISTES DE GROUPES DE NOMS DONT L'ÉNONCÉ SUFFIT À RACONTER
UNE HISTOIRE. 561
LISTE DES INVITÉS À UNE SOIRÉE « 1926 », NEW YORK, 20 EAST 88th STREET 562
LISTE D'UN ROMAN ÉCRIT PAR LE JOURNAL SUD-OUEST EN PUBLIANT
SON « AGENDA » DE NAISSANCES ET DE DÉCÈS LE SAMEDI 11 AOÛT 2007. 563
LISTE D'HABITANTS DE L'ALBANY 565
LISTE DES NOMS DE FAMILLE TRANSFORMÉS EN INJURES 568
LISTE DES PRÉNOMS 570
LISTE DE LISTES DE MORTS. 574

Mots

LISTE DE L'ORIGINE DE CERTAINS MOTS ET DE CERTAINES EXPRESSIONS 579
LISTE D'INJURES TRANSFORMÉES EN GLOIRES 582
LISTE DES MOTS DES PAYS 584
LISTE D'EXPRESSIONS ET DE MOTS MORTS 586
LISTE DE MOTS QUI NE SERVENT QUE DANS UNE CIRCONSTANCE 588
LISTE DE TITRES DE NOBLESSE 589
LISTE DU FLOU AUTOUR DES MOTS 592
LISTE DES DÉNOMINATIONS CORRECTES 595
LISTE DE PROPOSITIONS DE QUALIFICATIFS DE COULEURS 598
LISTE DE COMPARAISONS 599

Phrases

LISTE DE LA PONCTUATION 605
LISTE DE LA PUBLICITÉ 607
LISTE DE PHRASES ENCHANTERESSES 610
LISTE DES MEILLEURS « MOTS » QUE JE CONNAISSE 611
LISTE DE LA BOUGRERIE INSOLENTE 614

La pensée et son éventuelle ennemie l'idée

LISTE DE LA PENSÉE 619
LISTE DE L'IDÉE 622

La presse et la télévision

LISTE DE LA PRESSE. 627
LISTE DES CRITIQUES... 630
LISTE DE MA LECTURE DE LA PRESSE UN CERTAIN JOUR 634
LISTE DE DÉLICES PEU CONNUS EN PRESSE ÉCRITE ET SUR INTERNET 636
LISTE DES PRINCIPAUX VICES ET DU GÉNIE DE LA TÉLÉVISION 641

Histoire

LISTE DE FAITS QUI M'ONT FAIT RÊVER UN INSTANT 647
LISTE DU TROISIÈME TRIOMPHE DE POMPÉE 652
LISTE DES DÉFAUTS DE PRONONCIATION 654
LISTE DES EXILS DE LOUIS XVIII 656
LISTE DE SENTENCES COMIQUES 658
LISTE DE PERSONNES QUI, AVEC NOBLESSE, N'ONT JAMAIS PARLÉ 660
LISTE DES AUTRES 661
LISTE DE L'ANNÉE 1978 664
LISTE DES DÉCENNIES DU XXe SIÈCLE 667
LISTE D'ILS NE TUERONT PAS LE SOUVENIR DE TOUS LES MORTS. 668
LISTE DE L'ORDRE ET DU DÉSORDRE 670
LISTE DE LA TYRANNIE MODERNE 672
LISTE DE CENSURES 678
LISTE DE TARTUFFERIES. 680
LISTE DE LA FLAGORNERIE. 682
LISTE DE LA BÊTISE RELIGIEUSE 683

LISTE DE LA BÊTISE POPULAIRE 685
LISTE D'IMBÉCILLITÉS QUI M'ENCHANTENT. 687

Vague autoportrait en listes

LISTE DE COMME J'AI ÉTÉ ADORÉ ADOLESCENT 691
LISTE DE CHOSES QUI M'ONT INDIGNÉ 694
LISTE DE CHOSES QUI ME FONT SOURIRE 696
LISTE DE CHOSES QUI ME FONT RIRE 697
LISTE DE CE QUE JE N'AI PAS VOULU FAIRE 698
LISTE DE CHOSES QUE JE CROIS N'AVOIR JAMAIS FAITES 700
LISTE DE MES INCAPACITÉS 701
LISTE DE CE QU'IL Y EUT SUR MON BUREAU EN 1999, 2002, 2006 703
LISTE DE MES LOCATIONS 707
LISTE AUTOMATIQUE DU 15 JANVIER 2005. 709
LISTE DE NOURRITURES SUPPOSÉMENT INFÂMES QUE J'AIME 711
LISTE DE CE QUE JE VOUDRAIS 712
LISTE DE RÉPONSES AU « QUESTIONNAIRE DE PROUST » 714
LISTE DE CE QUE J'AIMAIS LE 29 JUILLET 2007 721
LISTE DU QUAND, QUOI ET COMMENT. 723
LISTE EXACTE DU BROUHAHA D'UNE CONVERSATION
    AVEC DE VRAIS MORCEAUX UNIVERSITAIRES 725
LISTE DE CE QUE JE VOUDRAIS EN FÉVRIER 2008 727
LISTE AUTOBIOGRAPHIQUE PAR EFFLEUREMENTS D'ÉCRIVAINS 728
LISTE DES LIVRES QUE J'AURAIS PU ÉCRIRE – OU NON 730
LISTE DU MOI COMME ILLUSTRATION *(Autoportrait par les autres)* 733

Passé, présent, futur

LISTE DE MON MONDE IDÉAL À DIX-HUIT ANS 739
LISTE DE CE QUE JE REGRETTERAIS SI J'AVAIS UN TEMPÉRAMENT À REGRETS. . . 741
LISTE DE CHOSES QUE L'ON CROYAIT DISPARUES ET QUI RÉAPPARAISSENT 744
LISTE DU PASSÉ 746
LISTE DE CE QUE JE NE SAVAIS PAS 748

La vie, la mort

LISTE DE LA VIE 753
LISTE DE LA JEUNESSE 756
LISTE DU VIEILLIR. 758
LISTE DES CONSÉQUENCES DE L'ALLONGEMENT DE LA DURÉE DE LA VIE 761
LISTE DE LA MALADIE 764
LISTE DE L'HYPOCONDRIE 766
LISTE DU SUICIDE. 767
LISTE DE SUAIRES 770
LISTE DE MA VIEILLE ENNEMIE LA MORT 771

Demain

LISTE DE QUI ME CONNAÎT ? QUI NE ME CONNAÎT PAS ? 777
LISTE DU *NATION-BUILDING* 779
LISTE DE LISTES À ÉTABLIR 784

LISTE DES CRÉDITS DES ILLUSTRATIONS

Cet ouvrage a été achevé d'imprimer en janvier 2009
dans les ateliers de Normandie Roto Impression s.a.s.
61250 Lonrai

N° d'édition : 15654
N° d'impression : 090146
Première édition : Dépôt légal : décembre 2008
Nouveau tirage : Dépôt légal : janvier 2009

Imprimé en France